KB182865

내부거래 해설과 쟁점
(공정거래법, 세법, 상법, 형법)

정종채 저

최신판

SAMIL | 삼일인포마인

1판 서문

「독점규제 및 공정거래에 관한 법률」(이하 "공정거래법")에서는 동일 기업집단 소속 회사들 간 지원성 거래에 따른 경제력의 집중과 자원의 비효율적인 배분, 자유롭고 공정한 경쟁질서의 저해 등 폐해를 방지하고 이를 시정하기 위하여 부당 내부거래를 금지하는 규정을 두고 있다.

외환위기 이후 대규모 기업집단을 중심으로 경영난에 빠진 계열회사를 살리기 위하여 우량 계열회사로 하여금 자금 등을 지원하여 기업집단의 핵심역량이 분산되고, 심각한 경우 동반부도의 위험이 초래되는 일도 발생하였다. 장점에 의한 경쟁을 저해하여 시장질서를 해치고 국민경제 발전에 역행한다는 문제가 크게 대두되었다. 공정거래위원회와 국세청은 합동으로 기업집단의 내부거래를 집중 점검·조치하였다. 그 과정에서 계열회사 간의 부당한 자금지원 등의 사례는 많이 줄어들었고, 내부거래와 관련한 심결 및 판례들도 축적되고 법리가 정리되었다.

이후 기업집단의 총수일가의 승계과정에서 총수일가가 소유한 비상장회사로의 물량몰아주기를 통한 부의 이전과 빼돌리기(tunneling)가 사회적 문제로 지적되었다. 대표적인 것이 현대자동차 그룹의 글로비스에 대한 물량몰아주기이다. 뿐만 아니라 2010년 이후부터는 소위 3세, 4세로 이어지는 동일인관련자의 세대교체와 증가에 따라 기업집단이 모든 사업영역을 문어발식으로 확장하는 현상이 발생하였다. 특히 빵집, 커피전문점, 세탁소 등 골목상권에 대기업이 진출하여 서민경제를 위협한다는 비판이 대두되었다.

이후 2011. 12. 31. 법률 제11130호로 개정된 「상속세 및 증여세법」(이하 "상증세법") 제45조의3 '특수관계인과의 거래를 통한 이익의 증여의제'로 일감몰아주기에 대하여 증여세를 부과하는 조항을 신설하였다. 공정거래법 역시 2013. 8. 13. 법률 제12095호로 개정하여 부당한 지원행위 성립요건을 완화하고 통행세 거래 등을 부당한 지원행위의 독자적인 유형으로 명시하는 한편, 지원객체에 대한 제재 규정을 신설하고 제재 수준을 강화하였다. 아울러, 총수일가 사익편취를 규제하는 특수관계인에 대한 부당한 이익제공 금지 규정(공정거래법 제23조의2)을 도입하였다.

공정거래위원회는 이러한 법령 정비에 이어 매년 일감몰아주기 및 계열사에 대한 특혜 제공 등을 감시하기 위하여 대규모 내부거래 공시와 내부거래 실태를 주기적으로 점검하는 등 엄격한 법 집행을 통해 부당 내부거래를 감시 및 시정하기 위하여 많은 노력을 하고 있다.

그럼에도 불구하고 여전히 부당한 내부거래는 근절되지 않고 국민경제의 두통거리로 남아 있다. 이에 오랜 진통을 거쳐 '공정경제 3법' 중 하나로 2020. 12. 29. 법률 제17799호로 개정된 공정거래법 개정안이 2021. 12. 30. 시행 예정이다. 총수일가 사익편취행위의 적용대상을 종래 총수일가 지분율을 비상장회사 30%, 상장회사 20%에서 상장·비상장 구분 없이 20%로 확대하고 그 회사가 50% 이상의 지분을 소유한 자회사까지로 확대하며, 부당지원행위와 사익편취행위에 대한 과징금을 상향 조정하는 것이 주골자이다. 종래 지원금액의 5%의 정률과징금과 20억 원 이하의 정액과징금으로 되어 있던 것을 2배 상향하여 지원금액의 10%와 40억 원 이하의 정액과징금으로 변경하게 된다.

내부거래에 반드시 부정적인 효과만 있는 것은 아니다. 기업집단 내에서 거래비용을 줄여 효율성을 높이는 긍정적인 효과도 있다. 하지만 소위 '오너'라 불리는 동일인과 그 가족집단이 소수의 지분으로 기업집단 전부를 지배하는 우리 경제의 특성상 주주의 이익이 동일인 및 일가로 이전되는 대리인 문제와 도덕적 해이가 발생할 위험이 높다. 실제로도 이러한 터널링(tunneling)의 사례도 많았다. 뿐만 아니라 정당한 세금을 내지 않고 다음 세대로 기업이 이전되는 국가재정에 대한 침탈과 이를 통한 경제력 집중, 장점에 의한 경쟁보다는 배후의 기업집단과 같은 배경에 의한 경쟁이 이루어짐으로써 경쟁을 저해하고 창업에 의한 창업과 기업가 정신을 잠식하는 등의 수많은 문제가 발생하였다. 젊은 세대들을 무기력과 절망에 빠뜨리는 소위 '금수저'의 문제가 경제계에서도 발생하고 있는 것이다.

내부거래에 대한 적절한 규제와 대책은 여전히 우리 경제의 가장 중요한 화두이다. 기업종사자 입장에서도 허용되는 내부거래와 금지되는 내부거래에 대한 준별, 내부거래 과정에서 유의해야 할 법률적이고 규제적인 이슈들에 대한 가이드가 필요하다. 규제와 행정업무를 담당하는 행정공무원, 소송을 담당하는 판사, 내부거래와 관련한 형사문제를 담당하는 검사 등 많은 관계자들에게도 해설서가 필요하다.

이에 관련 업무를 처리하는 실무자들의 내부거래 규제에 관한 이해를 돕고, 법령 준수에 도움을 드리고자 이 책을 준비하게 되었다. 이 책은 공정거래법과 기타 주요 법령상 내부거래 규제에 관한 개관을 시작으로, 일반 부당지원행위 및 물량지원행위(일감몰아주기), 특수 관계자에 대한 부당한 이익제공 행위에 관한 규제의 내용, 관련 제도와의 관계 및 실무상 문제되는 주요 쟁점 등에 관한 일반론과 100 여 개의 문답으로 구성되어 있다.

아무쪼록 이 책이 미력하나마 부당 내부거래 규제에 대한 이해를 넓히고, 실무상 지침을 제시하는데 도움이 되는 안내자로서의 역할을 할 수 있기를 기대한다.

역삼역, 법무법인 정박 집무실에서
변호사 정종채

차 례

CONTENTS

차 례

CONTENTS

A. 중요사항 공시 규정 개정안의 주요내용은 ① 공익법인과의 내부거래 현황 공시 신설, ② 물류·SI 내부거래 현황 공시 신설, ③ 분기별 공시사항의 연간 거래금액 추가 공시 및 상품·용역 연간 거래금액의 분기별 구분 등이고, 대규모 내부거래 공시 규정 개정안의 주요내용은 ① 금융·보험사 약관에 의한 거래 특례 규정 명확화, ② 일방의 이사회 의결에 의한 거래 취소 시 상대방의 이사회 의결 면제 등이다. 내년부터 적용될 예정이다.

A. 동일인과 그 친족, 이들이 지배하는 기업 등 개념적으로 동일하지만 세부적으로 차이가 있다. 심지어 일반지원행위와 특수관계자 이익제공행위의 특수관계자 범위도 조금 다르고, 법인세법과 상속증여세법상 특수관계자의 범위도 차이가 있으므로 개별적으로 유의해서 살펴보아야 한다.

A. 동일인 및 그 관련자들이 회사의 업무에 실질적으로 관여하는 경우 설사 개별 이사의 이사 등 공식 직책이 없더라도 상법상의 업무지시집행자 또는 사실상 경영자로 법적 책임을 진다.

A. 회사의 사업기회 또는 자산을 이사가 자기 또는 제3자를 위하여 유용하는 것은 원칙적으로 금지되며, 설사 회사에 무해하거나 불가피한 경우라도 이사 2/3 이상의 승인을 받는 등 적법한 절차를 거쳐야 한다.

A. 이사가 자기 또는 제3자의 계산으로 회사와 거래하는 것은 원칙적으로 2/3 이상의 이사회 사전 승인을 받지 않으면 무효이고, 설사 그러한 절차를 거치더라도 그 거래가 객관적으로 회사에 불리해서는 안된다.

A. 상장회사는 계열사가 포함되는 주요주주와 특수관계자 등에게 신용공여

를 해서는 안된다. 다만, 경영상 필요에 의하여 예외적으로 허용되는 경우가 있지만 예외가 인정되기 매우 어려울 뿐 아니라 위반 시 형사처벌이 가능하므로 유의하여야 한다.

고 있지만 성립요건 및 판단기준의 측면에서 가격 등 가격 지원행위(거래조건 지원행위), 물량몰아주기, 통행세로 나누는 것이 바람직하다. 반면 특수관계자 부당이익 제공행위에도 가격 지원행위, 물량몰아주기, 통행세가 있고 더하여 사업기회 제공행위가 추가로 금지되어 있다.

차 례

CONTENTS

A. 상당한 규모로 거래하였다는 점만으로 부당지원행위에 해당하기는 어려울 것이다. 물량몰아주기에서도 상당한 규모 및 상당히 유리한 조건의 거래를 통해 지원객체에게 과다한 경제상 이익을 제공하였다는 점이 인정되어야 할 것이나, 상당히 유리한 조건에 대한 입증수준 및 입증방법은 가격 지원행위와는 차이가 있을 것으로 보인다.

A. 법리적으로는 물량몰아주기가 없었을 경우 지원주체가 가졌을 가상적 재무상황에서 실제 재무상황을 뺀 금액으로 산정해야 하며, 소송과정에서 증거조사방법으로는 감정인에 의한 계량경제학적 감정에 의할 수밖에 없을 것이다.

A. 일감몰아주기에 대한 증여의제 과세는 거래상대방의 범위가 좁은 반면 거래 규모의 비율에 따라 일률적으로 과세하는 것이어서 공정거래법상 물량몰아주기 규제보다 요건이 단순 · 명확하다.

A. 거래당사자를 중개하는 매개체가 있는 경우 모두 '통행세 거래'로서 문제되는 것은 아니며, 그 매개역할을 하는 자의 실질적 역할이 없거나 그 역할에 비해 과도한 이익을 취하는 경우에만 규제 대상이 된다.

A. 사업기회 제공은 자금 · 자산 · 부동산 · 상품 · 용역 거래나 인력제공행위, 그리고 통행세에도 해당하지 않으므로 제23조 제1항 제7호의 일반부당지원에는 해당하지 않는다. 특수관계자이익제공행위에 해당할 뿐이다.

차 례

모두 제공행위를 지시하거나 관여한 특수관계인(이익귀속자인 특수관계인에 국한되지 않는다) 역시 별도의 위반행위자로 과징금이 부과될 수 있다.

또는 하나의 제공객체가 둘 이상의 제공주체와 거래하는 경우 각 거래상
대방별로 별도로 한도액을 계산해야 한다. 다만, 일반 부당지원행위에는
적용되지 않는다.

A 제공주체가 제공객체와 자금 · 자산 · 상품 · 용역 · 인력을 거래하는 것
은 전자, 현금 및 금융상품을 거래하는 것은 후자에 해당하지만, 현금 및
금융상품 역시 자금 · 자산 · 상품 등에 해당할 수 있기 때문에 양자를 별
도 유형으로 입법할 필요가 있었는지 의문이다. 별도 유형으로 입법하였
기 때문에 별도의 안전지대 한도액이 인정된다. 한편, 일반 부당지원행
위에서와 마찬가지로 합리적 고려나 검토를 거친 경우라도 물량몰아주
기가 상당히 유리한 조건임이 인정된다면 자금 · 자산 · 상품 · 용역 · 인
력 거래 이익제공행위에 해당된다고 본다.

A 경쟁입찰 등 거래상대방 선정 및 계약체결과정에서와 같이 합리적 고려
와 검토 없이 특수관계인 회사 또는 특수관계인에게 상당한 규모로 이루
어진 거래를 의미한다.

A 법문에는 명확한 거래의 유리성에 대한 규정이 없지만, 내부거래 자체로
위법하다고 볼 수는 없고 내부거래 위법성의 핵심은 거래조건이므로, 거
래조건이 공정함이 인정된다면 합리적 고려나 비교가 없는 상당한 규모
의 거래라도 위법이라 볼 수 없다. 다만, 동 유형에서 절차 위반의 경우
거래조건의 불공정성이 추정되는 것이므로 거래조건의 공정함에 대하여
는 공정거래위원회가 아니라 수범자에게 입증책임이 있다고 본다. 한편,
합리적 고려와 검토를 거친 경우라도 정상가격보다 유리하거나 불리한
거래를 한 경우 또는 상당히 유리한 조건으로 상당한 규모로 거래한 경

CONTENTS

로 양도·제공받거나 양수·제공하는 거래를 하는 경우 특정법인의 이익에 대한 지배주주의 지분에 해당하는 부분을 지배주주가 증여받은 것으로 보고 증여세를 과세한다.

CONTENTS

차 례

부 록

제**1**편

내부거래 규제 일반

제1장

내부거래 규제 일반론

내부거래란 거래의 적정성을 담보할 수 없는 특수관계자 간의 거래를 의미한다. 영어로는 독립당사자 간 거래, 즉 특수관계 없는 자 간의 거래를 Arm's length transaction라 하고, 내부거래는 특수관계자 거래, related party transaction이라 한다. 제3자 간의 거래라면 당연히 가격 등 거래조건의 중립성이나 객관성이 인정되지만, 특수관계자 간 거래는 너무 가까운 사이에서의 거래이므로 가격 등 거래조건의 객관적이나 중립성을 인정받지 못한다. 개인적인 차원에서 부모·자식 간의 거래도 내부거래에 해당하지만 사회적·경제적으로 큰 의미를 가지는 것은 기업집단 내부의 거래이다. 동일한 기업집단에 속하는 법인 간의 거래, 그 법인과 소위 기업집단의 지배자 또는 특수관계자 간의 거래 등이다.

내부거래는 긍정적인 부분과 부정적인 부분, 양면을 모두 가지고 있다. 통상 부정적인 측면이 좀 더 부각되기는 하지만 긍정적인 측면이 없다면 법률로 내부거래를 금하면 될 것인데, 원칙적으로 허용하면서 규제를 하는 이유는 긍정적인 측면 역시 만만치 않아서이다.

먼저 내부거래의 긍정적 측면 중 가장 큰 것은 수직결합에 따른 효율성 증대와 거래비용의 절감이다. 거래비용이란 불완전한 정보 아래에서 거래대상의 의도 내지 행동양식에 관한 정보를 극복 또는 회피하기 위하여 발생하는 비용이다. 적당한 거래대상을 탐색하고, 협상을 통해 거래를 교섭하고 계약을 체결하며, 계약의 완전한 이용을 위해 감시하는데 소요되는 비용 등을 의미한다. 기업집단 구성원들 간의 거래의 경우 제3자 간 거래에 비하여 이러한 거래비용이 절감될 수 있다. 더하여 기업집단 구성원들 간에 형성되어 있는 신뢰나 평판, 그리고 경제적 이해관계의 공유 등으로 시장의 변화에 대해 빨리 대응할 수도 있고, 민감한 내부정보가 유출될 보안상의 위험도 감소시킬 수 있다. 아울러 기업집단 구성원들 간 내부거래를 통해 안정적인 공급처와 수요처를 확보하면 신규사업에 진출하거나 기존 사업을 확장함에 있어서 기업집단이 보유한 자금, 자산, 인력, 네트워크, 명성, 고객관계 등을 최대한 활용하여 경쟁력을 단기에 확보할 수 있는 이점도 있다. 또한 기업집단의 신규산업 진출 및 성장이라는 측면에서 이점이 있다. 거래비용 경제학의 대가이자 노벨경제학상 수

상자인 Coase(1937)[1]에 의하면, 기업이라는 제도는 시장거래에 수반되는 거래비용이 내부거래에 수반되는 비용보다 큰 경우 이를 절감하기 위하여 만들어진 조직이라는 것이다. 지원객체의 가치에 대하여 시장에서 정보비대칭이 있을 경우 정보적 우위에 있는 내부자가 적극적으로 투자하는 내부자본시장(internal capital market)이라는 이론이다. 수직통합의 경제성과 연관된다. Chang and Choi(1988), 김현종(2011) 등은 수직적 통합(Vertical integration)된 조직에서 내부거래가 외부시장의 단점을 극복할 수 있고 거래비용을 줄여 효율성을 높일 수 있음을 연구를 통해 보였다.[2] 기업집단 내 내부거래는 시장거래와 기업 내 거래의 절충적 형태인 것이다. 지금도 거래비용 경제학자들이 내부거래 규제에 대하여 반감을 가지고 있는 이유이다.

내부거래는 부정적 측면도 가지고 있다. 회사의 부가 지배주주에게 이전되는 부의 이전(Wealth transfer)이라는, 이른바 '터널링 효과(Tunneling effect)'이다. 내부거래는 거래 당사자들의 상호적 이익 극대화가 아니라 경영자나 지배주주의 사익추구의 목적(self-dealing)으로도 이루어질 수 있다. 지배주주의 입장에서는 자신의 지분율이 높은 기업과 경제적 이해관계의 일치도가 높아 지분이 낮은 회사보다 지분율이 높은 회사의 이익에 부합하는 결정을 할 경제적 유인이 크기 때문이다. 지배주주의 지분이 낮은 상장기업과 지배주주의 지분이 높은 비상장법인 간의 내부거래가 많으며, 이 경우 거래조건이 시장조건보다 유리하다면 상장기업의 부 또는 일반주주들의 부가 비상장기업 또는 대주주인 오너에게 이전되는 효과가 발생할 위험이 있다. 더하여 대향적(對向的) 관계의 특성상 거래상대방인 계열사 간의 이해상충의 우려도 있다.

이상은 내부거래와 관련한 회사법적 논의이다. 개별기업 내에서의 주주와 경영자 또는 지배주주 간의 대리인 문제와 도덕적 해이이므로, 상법상 이사의 충실의무, 선관주의 의무나 형법상 배임죄의 의율로 충분하다. 하지만 이사회의 독립성과 객관성이 여전히 확립되지 않은 현실에서 일반 주주들이 대주주와 경영진의 불법행위를 감독·견제할 상법적 수단이 마땅치 않고, 소송 과정에서 회사 내부의 자료들을 확보할 수 있는 전면적 증거조사제도가 마련되어 있지 않고 주주들의 집단 소송도 용이치 않기 때문에 상법만으로는 부당한 내부거래를 막기는 역부족이다. 일반주주가 대주주나 경영진의 전횡에 대해 이의를 제기할

---

1) Ronald Coase, "The Nature of the Firm", Economica4, 1937, pp.386~405
2) 김삼월·연강흠, 「대규모기업집단 소속 상장회사에 대한 내부거래 규제의 실효성」, 한국증권학회지 제44권 제1호(2015), p.3

인센티브도 없거니와 국민연금의 경영참여에 대하여 부정적 여론이 많았던 점에 비추어 보더라도 사회전반의 인식 또한 소수주주 운동에 대해 완전히 우호적인 것도 아니다. 심지어 소수주주나 일반주주의 적극적인 주주행동주의 운동에 대하여도 비판하는 입장도 있다.

뿐만 아니다. 특정인(동일인)과 그 가족이 소수지분으로 기업집단 전체를 지배하는 경제 특성상 훨씬 더 심층적이고 복잡한 부작용이 발생할 가능성이 높다. 구체적으로 기업집단 간 내부거래를 통해 기업집단 외부의 기업은 성장과 발전의 기회를 박탈당할 수 있고, 기업집단 내부기업이 불공정한 기회를 얻어 경쟁우위를 점하는 등 공정한 경쟁질서가 저해될 수 있다. 기업집단 간 내부거래가 횡행하게 되면 기업집단에 속하지 못한 소위 독행기업이나 단독기업이 확보할 수 있는 수요와 기회는 매우 적어진다. 기업집단에 속한 기업은 내부거래를 통해 이익과 규모를 확보함으로써 독행기업이나 단독기업과 경쟁해야 하는 외부거래에서 유리한 가격경쟁을 할 수 있게 된다.

결과적으로 독행기업이나 단독기업(Maverick)의 생존·발전은 어렵다. 이는 창업의욕의 감소로 이어져 혁신을 통한 동태적 경쟁과 발전을 저해하고 그 결과 사회 전체의 후생을 감소시키는 결과를 초래할 수 있다. 더해서 상속세나 증여세를 회피하여 부와 기업을 다음 세대로 이전시키는 문제도 있다. 외환위기 이후 그룹 동반 부실, 물량몰아주기를 통한 편법, 불법 상속, 증여, 2010년대 초반 재벌기업의 무분별한 확장과 골목상권 침탈 등으로 사회적 문제가 대두되었다. 그래서 조세법과 공정거래법 등 공법으로 내부거래를 강력하게 규제해야 한다는 사회적 공감대가 형성되었고, 시대적 흐름에 따라 강화·확대되어 왔다.

한편, 경제학자들은 이중착취 이론 또는 지배력 전이 학설을 주장한다. 기업집단 내부거래는 수직결합의 효과가 있다. 이 경우 두 시장 또는 두 단계에서 독점이윤을 착취하는 소위 이중착취(Double Marginalization, Double Markup)가 발생해 배분적 효율성을 저해할 수 있다는 것이다. 한 시장에서 독점을 가진 기업이 하부 시장에서 계열회사를 통한 내부거래를 함으로써 하부 시장에서도 독점적 지위를 추구한다는 이론이다. 경쟁사업자의 비용을 높임으로써 시장배제효과(exclusion), 부품공급선 또는 유통망을 봉쇄하여(vertical foreclosure) 한 시장에서의 독점력을 다른 시장에 전이(leveraging)시킬 수도 있다고 본다.

한편, 소위 시카고 학파는 반대학설을 개진하고 있다. 한 단계의 독점자가 자신의 독점이윤 이외에 추가로 다른 시장의 독점이윤을 만들 수는 없다는 이론이다. 경제학설의 대립과 별개로 소수의 재벌 기업집단이 오랫동안 유지해 온 우리 산업구조의 특성상 지원받은 계열기업이 적극적으로 약탈행위(predation)나 경쟁자 비용 높이기를 통하여 경쟁을 저해할 실질적 가능성은 높지 않다. 하지만, 경쟁력 구조가 효율성 및 공평성에 반대방향으로 형성되는 것으로도 사회적 비용이 상당하다. 광범위한 지원행위를 통하여 여러 시장에서 중복적인 경쟁관계에 있게 되고 그로 인하여 기업집단 상호 간 경쟁자제(mutual forbearance) 내지 암묵적 담합, 내부거래 규제를 피하기 위하여 일감을 교환하는 등의 상호 부조의 가능성도 높다.

이런 이유들로 적어도 우리 법제에서는 공정거래법을 위시한 공법이 내부거래의 중심적 역할을 담당할 수밖에 없다.

제2장

관련 법령상 내부거래 규제 체계 개관

　우리 법제는 회사법, 형법뿐 아니라 공정거래법과 세법 등 내부거래 규제를 위하여 다양한 수단을 사용하고 있다. 물론 이 대부분의 법들이 대규모 기업집단 및 소속기업들만을 대상으로 하는 것은 아니지만, 규제의 초점이 대규모 기업집단임은 부인하기 어렵다. 대규모 기업집단 입장에서는 각종 규제들이 종합적·중첩적으로 작동하는 셈이다. 사전적 규제(ex ante regulation)와 사후적 책임(ex post liability)이 모두 동원되고 있을 뿐 아니라 사전적 규제 중에서는 신용금지와 같이 원칙적으로 금지하는 경우도 있고, 이사회 승인과 같이 절차적 통제를 부과하거나 대규모 내부거래에 공시규제를 하는 제도도 있다. 사후적 책임 추궁 역시 이사의 책임이나 주주대표소송 등을 통한 민사적 손해배상 등 사적집행뿐 아니라 공정거래법상 과징금, 배임죄와 같은 형사적 처벌, 증여세 부과 등과 같은 공적 집행의 방법을 통해 이루어진다.

| 내부거래 규제 개관 |

구분	관련 규정	규제 내용
상법	회사의 사업기회 유용금지 (제397조의2)	이사가 이사회 승인 없이 현재 또는 장래에 회사의 이익이 될 수 있는 사업기회를 자기 또는 제3자의 이익을 위해 유용하는 행위 금지
	이사 등과 회사 간의 거래 (제398조)	회사가 주요 주주, 이사, 자회사 등과 거래하는 경우 해당 거래의 중요사실을 밝히고 이사회의 사전 승인을 받아야 하며, 거래 내용과 절차가 공정하게 이루어지도록 할 의무 부과
	주요주주 등 이해관계자와의 거래 (제542조의9)	• 자산총액 2조 원 이상의 상장회사는 주요주주 및 그의 특수관계인, 이사 및 집행임원, 감사를 상대방으로 하거나 그를 위하여 신용공여하는 행위 금지(제1항) • 최대주주 및 그 특수관계인 등과 ① 단일 거래규모가 자산총액 또는 매출 총액의 1%(금융기관의 경우 자산총액의 1%) 이상 또는 ② 특정인과의 연간 거래총액이 자산총액 또는 매출총액의 5%(금융기관의 경우 자산총액의 5%) 이상인 거래를 하고자 하는 경우에는 이사회의 승

구분	관련 규정	규제 내용
상법		인을 받아야 함(제3항). • 제3항의 이사회 승인 결의 후 처음으로 소집되는 정기주주총회에 해당 거래의 목적, 상대방 등을 보고하여야 함(제4항).
	상장회사의 특수관계자에 대한 신용공여 금지 (제542의9)	• 상장회사가 주요 주주, 이사, 자회사 등에게 신용 공여, 즉 재산의 대여, 채무이행의 보증, 자금지원적 성격의 증권 매입(유상증자 포함) 등을 하지 못하도록 의무 부과
	특별배임죄 (제622조 제1항)	이사, 업무집행사원, 집행임원, 감사 등이 업무상 임무에 위배한 행위를 통해 제3자로 하여금 재산상 이익을 취하도록 하여 회사에 손해를 가하는 행위 금지
형법	업무상 배임죄 (제356조)	회사의 경영진이 업무상 임무에 위배하여 제3자(지원객체)로 하여금 경제상 이익을 취득하게 함으로써 회사에 경제적 손해를 가할 경우 10년 이하의 징역 또는 3천만 원 이하의 벌금 부과 가능
	특정경제범죄가중처벌 등에 관한 법률상 배임죄 (제3조)	형법상 배임죄의 이득액에 따라 가중 처벌 • 이득액이 50억 원 이상: 무기 또는 5년 이상의 징역 • 이득액이 5억 원 이상 50억 원 미만: 3년 이상 징역
공정 거래법	부당한 지원행위 금지 (제23조 제1항 제7호)	특수관계인이나 다른 회사와 상당히 유리한 조건으로 거래하거나, 다른 사업자와 직접 상품·용역을 거래하면 상당히 유리함에도 불구하고 거래상 실질적인 역할이 없는 특수관계인이나 다른 회사를 매개로 거래하여 과다한 경제상 이익을 제공하는 행위 금지
	특수관계인에 대한 부당한 이익제공 등 금지 (제23조의2)	상호출자제한기업집단 소속회사가 일정 요건을 충족하는 계열회사·특수관계인 등을 상대방으로 공정거래법 제23조의2 제1항 각 호 중 하나에 해당하는 행위를 하여 특수관계인에게 부당한 이익을 공여하는 행위 금지
	계열회사를 위한 차별행위 금지 (제23조 제1항 제1호)	차별적 취급행위(불공정 거래행위)의 하나로서 정당한 이유 없이 계열회사를 유리하게 하기 위하여 가격·수량·품질 등의 거래조건이나 거래내용을 현저하게 유리하게 하거나 불리하게 하는 행위 금지
	대규모기업집단 규제 • 지주회사의 채무보증해소 (제8조의3) • 상호출자금지(제9조) • 순환출자금지(제9조의2)	자산 10조 원 이상 상호출자제한기업집단과 5조 원 이상인 공시대상기업집단 소속회사에 대하여 ① 동일인 또는 그 특수관계인이 지주회사를 설립하거나 전환하는 경우 지주회사와 자회사 간 채무보증, 지주회사와 다른 국내계열회사 간 채무보증, 자회사 상호 간 채무보증, 자회사와 다른 국내계열회사 간 채무보증을 해소해야 하며(제8조의3), ②

구분	관련 규정	규제 내용
공정 거래법	• 채무보증금지 (제10조의2) • 금융회사 또는 보험회사의 의결권 행사 제한	자기의 주식을 취득 또는 소유하고 있는 계열회사의 주식을 취득 또는 소유할 수 없으며(상호출자금지, 제9조), ③ 순환출자를 형성하는 계열출자를 해서는 안되고 아울러 순환출자관계에 있는 계열회사에 대한 추가적인 계열출자를 해서는 안되고(순환출자금지, 제9조의2), ④ 소속회사(금융업 또는 보험업을 영위하는 회사를 제외하고는) 국내계열회사에 채무보증을 해서는 안되며(제10조의2), ⑤ 소속회사로 금융업 또는 보험업을 영위하는 회사는 금융업·보험업을 영위하려는 목적으로 보험자산의 효율적인 운용 등을 위하여 승인받아 주식을 취득·소유한 경우 또는 상장회사인 국내계열회사의 임원 선임·해임, 정관변경, 다른 회사로의 합병, 영업 전부 또는 주요부분의 양도의 경우 15%를 초과하여 의결권을 행사하지 못함(제11조).
	공시제도 (제11조의2 내지 4)	상호출자제한기업집단 소속회사에 한하여 적용되는 규정으로, 대규모 내부거래에 대한 이사회 의결 및 공시, 비상장회사의 중요사항 공시(수시공시), 기업집단 현황공시(정기공시) 의무를 부과하여 일정한 요건을 충족하는 내부거래에 대하여 이사회 사전의결을 거치거나 공시하도록 함.
세법	부당행위계산부인 (법인세법 제52조 제1항, 부가가치세법 제29조 제4항)	법인 등의 행위나 계산이 특수관계자와의 거래로서 법인소득에 대한 조세 부담을 부당하게 감소시킨 경우 시가를 기준으로 소득금액(법인세법) 또는 공급가액(부가가치세법)을 재계산하여 과세
	일감몰아주기 증여의제 (상속세 및 증여세법 제45조의3)	수혜법인과 특수관계법인의 매출액 비율이 정상거래비율을 초과할 경우 해당 거래에 따른 이익을 증여로 의제하여 증여세 과세
	사업기회 제공으로 인한 이익의 증여 의제(상속세 및 증여세법 제45조의4)	특수관계법인이 지배주주와 그 친족이 출자하여 설립한 수혜법인에게 사업기회를 제공하여 수혜법인이 이익을 얻은 경우 그중 수혜법인의 지배주주와 친족에게 귀속된 이익을 증여로 의제하여 증여세 과세
	결손법인 등 특정법인과의 거래를 통한 이익의 증여의제(상속세 및 증여세법 제45조의5)	결손법인 등 특정법인의 최대주주 등 특정법인의 특수관계자가 특정법인과 거래함으로써 특정법인의 최대주주 등이 이익을 얻은 경우 그 이익에 최대주주 등의 주식보유비율을 곱한 금액을 증여 의제하여 증여세 과세
	이전가격 과세 (국제조세조정에 관한 법률 제4조)	기업이 해외 특수관계자와 거래 시 정상가격보다 높은 대가를 지급하거나 낮은 대가를 받아 과세소득을 해외에 이전시키는 경우 당해 해외거래에 있어서 조작된 가격(이전가격)을 부인하고 정상가격으로 과세

제3장

상법상 규제와 통제

 사업기회 유용 금지

2012. 4. 15. 시행된 상법(이하 "2012 개정 상법"이라 함)에서는 이사가 이사회의 승인 없이 현재 또는 장래에 회사의 이익이 될 수 있는 사업기회를 자기 또는 제3자의 이익을 위해 이용하는 것을 금지하는 규정을 신설하였다('사업기회 유용 금지', 상법 제397조의2). 원칙적으로 이사는 회사에 대해 충실의무를 부담한다(상법 제382조의3).

개정 전 상법에서는 경업금지 규정(상법 제397조)과 자기거래금지 규정(상법 제398조) 등을 두어 충실의무를 구현했지만, 이사가 그 지위에 있음으로 인해 알게 된 정보 등을 이용해 회사에게 제안된 사업기회를 개인적으로 유용하는 것을 막는 것에 한계가 있어 신설된 규정이다.[3]

① 직무를 수행하는 과정에서 알게 되거나 회사의 정보를 이용한 사업기회, ② 회사가 수행하고 있거나 사행할 사업과 밀접한 관계가 있는 사업기회가 유용금지 대상이다. 회사 기회를 자회사나 계열회사 등에게 이용하게 하는 것도 동법 위반이다. 이사 3분의 2 이상의 수로 승인해야 하는 소위 특별결의를 요한다(상법 제397조의2 제1항). 이를 위반하여 회사에게 손해를 발생시킨 이사 및 승인한 이사는 연대하여 손해를 배상할 책임이 있으며, 이로 인하여 이사 또는 제3자가 얻은 이익은 손해로 추정된다(상법 제397조의2 제2항).

 이사의 자기거래

상법 제398조는 주식회사의 이사, 주요주주[4] 및 특수관계자들과 회사 간의 거래에 대해

---

3) 한국상사법학회 편, 「주식회사법대계 II」, 법문사, p.721
4) 상법 제542의8(사외이사의 선임) 제1항 제6호에서 주요주주를 정의하고 있다. 주요주주란, "누구의 명의로

이사 3분의 2 이상의 수로 이사회의 승인을 받도록 요구하고 있으며, 아울러 거래의 내용과 절차가 공정해야 한다고 규정하고 있다.

개정 전 상법은 수범자(거래상대방)를 이사로 한정하고 이사 1/2 이상의 이사회 승인을 요구하였는데, 2012. 4. 15. 시행된 개정 상법은 수범자(거래상대방) 범위를 개정 전의 이사뿐만 아니라 주요주주가 단독으로 또는 일정 범위의 친족과 함께 발행주식 총수의 50% 이상을 가진 회사 및 그 자회사 등과 거래하는 경우에도 주요주주와 특수관계자로 확대하였고, 이사 2/3 이상의 찬성으로 이사회 승인을 받도록 강화하였으며, 아울러 거래의 내용과 절차가 공정해야 함을 명확히 하였다(상법 제398조).[5]

특히 개정 상법은 이사회의 승인을 요하는 거래상대방의 범위를 확대하여, 주요주주가 단독으로 또는 일정 범위의 친족과 함께 발행주식 총수의 50% 이상을 가진 회사 및 그 자회사 등과 거래하는 경우에도 이사회의 승인을 받도록 하였다.

 공 시

자산총액 2조 원 이상인 상장회사가 회사가 최대주주 및 그 특수관계인 등과 (i) 단일 거래규모가 자산총액 또는 매출총액의 1%(금융기관의 경우 자산총액의 1%) 이상 또는 (ii) 특정인과의 연간 거래총액이 자산총액 또는 매출총액의 5%(금융기관의 경우 자산총액의 5%) 이상인 거래를 하려는 경우 이사회의 승인을 받아야 하는 상장회사에 대한 특례

하든지 자기의 계산으로 의결권 없는 주식을 제외한 발행주식총수의 100분의 10 이상의 주식을 소유하거나 이사·집행임원·감사의 선임과 해임 등 상장회사의 주요 경영사항에 대하여 사실상의 영향력을 행사하는 주주 및 그의 배우자와 직계 존속·비속"을 의미한다.

5) **제398조(이사 등과 회사 간의 거래)** 다음 각 호의 어느 하나에 해당하는 자가 자기 또는 제3자의 계산으로 회사와 거래를 하기 위하여는 미리 이사회에서 해당 거래에 관한 중요사실을 밝히고 이사회의 승인을 받아야 한다. 이 경우 이사회의 승인은 이사 3분의 2 이상의 수로써 하여야 하고, 그 거래의 내용과 절차는 공정하여야 한다.
　1. 이사 또는 제542조의8 제2항 제6호에 따른 주요주주
　2. 제1호의 자의 배우자 및 직계존비속
　3. 제1호의 자의 배우자의 직계존비속
　4. 제1호부터 제3호까지의 자가 단독 또는 공동으로 의결권 있는 발행주식 총수의 100분의 50 이상을 가진 회사 및 그 자회사
　5. 제1호부터 제3호까지의 자가 제4호의 회사와 합하여 의결권 있는 발행주식총수의 100분의 50 이상을 가진 회사

규정이 존재한다(상법 제542조의9 제3항). 아울러, 이사회 승인 이후 개최되는 정기주주총회에서 해당 거래의 목적 및 상대방 등을 보고할 의무를 부담한다(상법 제542조의9 제4항).[6]

 신용공여

상장회사가 (i) 주요주주 및 그의 특수관계인, (ii) 이사 및 집행임원, (iii) 감사를 상대방으로 하거나, 또는 그를 위하여 신용을 공여하는 행위는 원칙적으로 금지된다. 이때 신용공여는 금전 등 경제적 가치가 있는 재산의 대여, 채무이행의 보증, 자금지원적 성격의 증권 매입, 기타 거래상의 신용위험이 따르는 직·간접적 거래로서 동법 시행령으로 정하는 거래[7]를 말한다(상법 제542조의9 제1항, 동법 시행령 제35조 제1항). 유상증자도 신용공여에 포함된다. 동 조항을 위반할 경우 5년 이하의 징역 또는 2억 원 이하의 벌금에 처해질 수 있다(상법 제624조의2).

다만, 아래와 같은 경우의 신용공여는 예외적으로 허용된다(상법 제542조의9 제2항, 동법 시행령 제35조 제2항). (iii)과 관련하여 대검찰청의 원칙적 입장은 예외의 요건인 '경영건전성을

---

6) **제542조의9(주요주주 등 이해관계자와의 거래)**
③ 자산 규모 등을 고려하여 대통령령으로 정하는 상장회사는 최대주주, 그의 특수관계인 및 그 상장회사의 특수관계인으로서 대통령령으로 정하는 자를 상대방으로 하거나 그를 위하여 다음 각 호의 어느 하나에 해당하는 거래(제1항에 따라 금지되는 거래는 제외한다)를 하려는 경우에는 이사회의 승인을 받아야 한다.
1. 단일 거래규모가 대통령령으로 정하는 규모 이상인 거래
2. 해당 사업연도 중에 특정인과의 해당 거래를 포함한 거래총액이 대통령령으로 정하는 규모 이상이 되는 경우의 해당 거래
④ 제3항의 경우 상장회사는 이사회의 승인 결의 후 처음으로 소집되는 정기주주총회에 해당 거래의 목적, 상대방, 그 밖에 대통령령으로 정하는 사항을 보고하여야 한다.

7) **제35조(주요주주 등 이해관계자와의 거래)**
① 법 제542조의9 제1항 각 호 외의 부분에서 "대통령령으로 정하는 거래"란 다음 각 호의 어느 하나에 해당하는 거래를 말한다.
1. 담보를 제공하는 거래
2. 어음(「전자어음의 발행 및 유통에 관한 법률」에 따른 전자어음을 포함한다)을 배서(「어음법」 제15조 제1항에 따른 담보적 효력이 없는 배서는 제외한다)하는 거래
3. 출자의 이행을 약정하는 거래
4. 법 제542조의9 제1항 각 호의 자에 대한 신용공여의 제한(금전·증권 등 경제적 가치가 있는 재산의 대여, 채무이행의 보증, 자금 지원적 성격의 증권 매입, 제1호부터 제3호까지의 어느 하나에 해당하는 거래의 제한을 말한다)을 회피할 목적으로 하는 거래로서 「자본시장과 금융투자업에 관한 법률 시행령」 제38조 제1항 제4호 각 목의 어느 하나에 해당하는 거래
5. 「자본시장과 금융투자업에 관한 법률 시행령」 제38조 제1항 제5호에 따른 거래

해칠 우려'에 대하여 매우 엄격한 태도를 보이고 있다. 다만, 실제 사건에서는 '경영건전성' 항변을 크게 까다롭지 않게 받아들여 불기소 처분을 하기도 한다.

(i) 학자금, 주택자금 또는 의료비 등 복리후생을 위하여 회사가 정하는 바에 따라 3억 원의 범위에서의 금전대여

(ii) 다른 법령에서 허용하는 신용공여

(iii) 상장회사의 경영건전성을 해칠 우려가 없는 금전대여로서 다음을 상대로 하거나 그를 위하여 적법한 절차에 따라 이행하는 신용공여

① 법인인 주요주주

② 법인인 주요주주의 특수관계 중 회사(자회사 포함)의 출자지분과 해당 법인의 주요주주의 출자지분을 합한 것이 개인인 주요주주의 출자지분과 그 특수관계인(해당 회사와 자회사 제외)의 출자지분보다 큰 법인

③ 개인인 주요주주의 특수관계인 중 회사(자회사 포함)의 출자지분과 위 ①, ②에 따른 법인의 출자지분을 합한 것이 개인인 주요주주의 출자지분과 그 특수관계인(해당 회사 및 자회사 제외)의 출자지분보다 큰 법인

상장회사의 신용공여가 금지되는 주요주주 및 그 특수관계인에 상당수의 계열회사나 자회사도 포함되고(상법 시행령 제34조 제4항), 앞서 설명한 바와 같이 예외도 매우 엄격하게 인정하는 검찰의 실무태도로 인하여, 동 조항으로 상장회사는 계열회사에 대한 신용공여, 심지어 유상증자에도 참여하지 못하는 문제가 있다. 재계의 비판이 높다.

⑤ 이사의 책임

이사의 위법한 업무집행으로 인해 회사에 손해가 발생하고 그 손해가 이사의 법령, 정관의 위반 또는 임무 해태에서 비롯된 경우 당해 의사결정에 관여한 이사들은 연대하여 회사에 손해를 배상할 책임이 있다(상법 제399조). 우선, 지원주체 회사의 이사 등 경영진이 선관주의 의무에 반하여 부당한 지원행위에 관여하고 회사에 경제적 손실을 끼쳤다면 회사에 대한 손해를 배상할 책임을 부담하게 된다. 지원객체 회사는 이익을 얻는 것이기는 하지만 그 이익에 대하여 지원주체 회사에게 돌려주어야 할 의무가 있어 진정한 이익이라 보기 어

렵고, 아울러 지원객체 회사 역시 관련하여 공정거래법상 부당지원행위에 따른 과징금이나 형사벌인 벌금, 세법상 부당행위계산부인에 따른 조세나 조세범처벌법 등에 따른 벌금형에 처해질 경우 이를 회사에 끼친 손해로 보아 배상책임을 부담할 수 있다.

또한, 이사가 고의로 임무에 위배하여 회사에 손해를 끼치고, 자기 또는 제3자가 이익을 취득한 경우에는 상법상 특별배임죄(상법 제622조 제1항)로서 10년 이하의 징역 또는 3천만 원 이하의 벌금에 처해질 수 있다.

내부거래를 통해 결과적으로 회사에 손실이 발생하였을 때 회사가 이를 결정하고 집행한 이사에게 선관주의의무 위반으로 손해배상책임을 물을 수 있는지와 관련하여 '경영판단의 원칙'이 논의된다. 이에 대하여 대법원은 "이사회가 충분한 정보를 수집·분석하고 정당한 절차를 거쳐 회사의 이익을 위하여 의사를 결정함으로써 어떠한 사업기회를 포기하거나 어느 이사가 그것을 이용할 수 있도록 승인했다면 그 의사결정과정에 현저한 불합리가 없는 이상 그와 같이 결의한 이사들의 경영판단은 존중되어야 한다"고 판시한 바 있다(대법원 2013. 9. 12. 선고 2011다57869 판결, 대법원 2005. 7. 15. 선고 2004다34929 판결, 대법원 1992. 5. 12. 선고 91다23707 판결 등 다수).

제4장

내부거래의 형사상 규제

 해당 법조와 죄명: 업무상 배임 및 특별배임죄

대규모 기업집단의 내부거래는 형법과 상법에 의해 형사처벌의 대상이 될 수 있다. 먼저 형법을 살펴보면, 내부거래는 형법 제356조의 업무상 배임죄에 해당하고, 그 이득액이 5억 원 이상일 경우에는 「특정경제범죄 가중처벌 등에 관한 법률」(이하 "특경법"이라 함) 제3조 제1항에 의해 가중처벌된다. 한편, 내부거래는 상법 제622조의 특별배임죄에도 해당한다.

형법 제355조(횡령, 배임)
② 타인의 사무를 처리하는 자가 그 임무에 위배하는 행위로써 재산상의 이익을 취득하거나 제삼자로 하여금 이를 취득하게 하여 본인에게 손해를 가한 때에도 전항의 형과 같다.

형법 제356조(업무상의 횡령과 배임)
업무상의 임무에 위배하여 제355조의 죄를 범한 자는 10년 이하의 징역 또는 3천만 원 이하의 벌금에 처한다.

특정경제범죄 가중처벌 등에 관한 법률
제3조(특정재산범죄의 가중처벌)
① 「형법」 제347조(사기), 제347조의2(컴퓨터등 사용사기), 제350조(공갈), 제350조의2(특수공갈), 제351조(제347조, 제347조의2, 제350조 및 제350조의2의 상습범만 해당한다), 제355조(횡령 · 배임) 또는 제356조(업무상의 횡령과 배임)의 죄를 범한 사람은 그 범죄행위로 인하여 취득하거나 제3자로 하여금 취득하게 한 재물 또는 재산상 이익의 가액(이하 이 조에서 "이득액"이라 한다)이 5억 원 이상일 때에는 다음 각 호의 구분에 따라 가중처벌한다.
1. 이득액이 50억 원 이상일 때: 무기 또는 5년 이상의 징역
2. 이득액이 5억 원 이상 50억 원 미만일 때: 3년 이상의 유기징역
② 제1항의 경우 이득액 이하에 상당하는 벌금을 병과(倂科)할 수 있다.

> **상법 제622조(발기인, 이사 기타의 임원등의 특별배임죄)**
> ① 회사의 발기인, 업무집행사원, 이사, 집행임원, 감사위원회 위원, 감사 또는 제386조 제2항, 제407조 제1항, 제415조 또는 제567조의 직무대행자, 지배인 기타 회사영업에 관한 어느 종류 또는 특정한 사항의 위임을 받은 사용인이 그 임무에 위배한 행위로써 재산상의 이익을 취하거나 제삼자로 하여금 이를 취득하게 하여 회사에 손해를 가한 때에는 10년 이하의 징역 또는 3천만 원 이하의 벌금에 처한다.
> ② 회사의 청산인 또는 제542조 제2항의 직무대행자, 제175조의 설립위원이 제1항의 행위를 한 때에도 제1항과 같다.
>
> **상법 제623조(사채권자집회의 대표자등의 특별배임죄)**
> 사채권자집회의 대표자 또는 그 결의를 집행하는 자가 그 임무에 위배한 행위로써 재산상의 이익을 취하거나 제삼자로 하여금 이를 취득하게 하여 사채권자에게 손해를 가한 때에는 7년 이하의 징역 또는 2천만 원 이하의 벌금에 처한다.
>
> **상법 제624조(특별배임죄의 미수)**
> 전2조의 미수범은 처벌한다.

배임죄의 구성요건은 ① 타인의 사무를 처리하는 자, ② 임무에 위배하는 행위, ③ 자기 또는 제3자에게 재산상 이득 취득(취득 이익이 5억 원 이상이면 「특정경제범죄 가중처벌 등에 관한 법률」 위반), ④ 손해발생, ⑤ 배임의 고의이다.

타인의 사무를 처리하는 자와 관련하여는 법령이나 계약에 의한 경우뿐 아니라 신의성실의 원칙에 의하여도 발생할 수 있지만, 단순히 계약을 이행하여야 하는 의무는 포함되지 않는다.

임무에 위배하는 행위는 처리하는 사무의 내용, 성질 등 구체적인 상황에 비추어 법령의 규정, 계약의 내용 또는 신의칙상 당연히 하여야 할 것으로 기대되는 행위를 하지 않거나 당연히 하지 않아야 할 것으로 기대되는 행위를 함으로써 본인과의 신임관계를 저버리는 일체의 행위를 의미한다. 손해발생과 관련하여서는 침해범이 아니라 위태범이므로 손해가 발생한 경우뿐 아니라 재산상의 위험이 발생한 경우도 포함된다.

상법상 특별배임죄는 형법상 업무상 배임죄의 특별규정으로서, 이사 기타 임원 등의 회사에 대한 배임행위를 가중처벌하고자 한 것이었다. 그런데 1995년 형법 개정으로 업무상 배임죄의 법정형이 '10년 이하의 징역 또는 3천만 원 이하의 벌금'으로 가중되면서 형법상 업무상 배임죄와 그 구성요건 및 법정형이 동일해졌다.[8] 회사의 발기인, 업무집행사원, 이사 등 상법상 특별배임죄에 해당되는 신분이라 하더라도 상법상 특별배임죄를 적용하지 않고 형법의 업무상 배임죄나 그 가중규정인 특정경제범죄 가중처벌 등에 관한 법률을 적용해 기소·처벌하는 것이 일반적인 실무예이다. 상법상 특별배임죄는 형법상 배임죄의 특별법이므로 상법상 배임죄 주체에 의한 배임행위는 법 일반원칙인 '특별법 우선의 원칙'에 의해 상법상 배임죄로 처벌하는 것이 타당함에도, 이득액에 따라 가중처벌하는 특경법을 적용하기 위해 상법이 아닌 형법의 업무상 배임죄를 적용하는 것이다.[9]

---

8) 1962년 1월 20일 상법 제정 당시에는 상법상 특별배임죄의 법정형이 '10년 이하의 징역 또는 2백만 환 이하의 벌금'이었기 때문에 제정 당시에는 형법의 업무상 배임죄의 법정형인 '10년 이하의 징역 또는 5만 환 이하의 벌금'보다 높았다.
9) 전국경제인연합회, 「판례로 본 배임죄의 문제점」, 통권 제209호(2014. 12.), p.3

제5장

공정거래법상 내부거래 규제

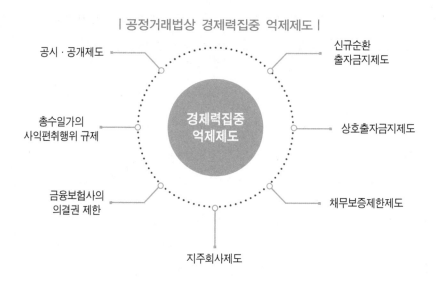

| 공정거래법상 경제력집중 억제제도 |

- 공시 · 공개제도
- 신규순환 출자금지제도
- 총수일가의 사익편취행위 규제
- 경제력집중 억제제도
- 상호출자금지제도
- 금융보험사의 의결권 제한
- 채무보증제한제도
- 지주회사제도

| 공정거래법상 내부거래 규제[10] |

제도명	관련 법령	도입 시기
1. 부당지원행위 금지 규제	공정거래법 제23조 제1항 제7호, 동법 시행령 제36조, 별표 1의2	1996. 12.

- 지원주체: 제한없음(모든 사업자)
- 지원객체: 특수관계인 또는 다른 회사(계열회사 요건 불필요)
- 금지행위 유형: -부당한 자금지원
    -부당한 자산·상품 등 지원
    -부당한 인력지원
    -부당한 거래단계 추가
    -상당히 유리한 조건의 거래
    -거래상 실질적인 역할이 없는 회사를 매개로 거래하는 행위(통행세)
- 부당성 판단기준: 공정거래저해성 여부 입증 필요

---

10) 이윤아, 「대규모 내부거래 관련 기업집단 공사 현황 분석 및 향후 규제정책 방향에 대한 시사점」, 연구논단 II, pp.22~23

제도명	관련 법령	도입 시기
• 관련 규정: 「불공정거래행위의 금지」		
2. 총수일가 사익편취 규제	공정거래법 제23조의2, 동법 시행령 제38조, 별표 1의3, 4	2014. 2. 14.

- 지원주체: 공시대상기업집단(동일인이 자연인인 기업집단) 소속 계열사
- 지원객체: 총수일가(동일인+친족) 지분율이 상장회사 30%, 비상장회사 20% 이상인 계열회사
- 금지행위 유형: −상당히 유리한 조건의 거래(상품·용역 거래금액: 200억 원 이상)
  - −상당한 이익이 될 사업기회 유용
  - −합리적인 고려나 비교 없는 상당한 규모의 거래(일감몰아주기)
    - (상품·용역거래: 거래총액이 거래상대방의 평균매출액의 12% 이상)
- 적용예외: 효율성 증대, 보안성, 긴급성 등이 요구되는 거래(일감몰아주기 법 적용 時)
- 부당성 판단기준: 부당성에 대한 별도입증이 불필요
- 관련 규정: 「특수관계인에 대한 부당한 이익제공 등 금지」
- 개정방향: 상장, 비상장회사의 총수일가 지분율 요건 20% 일원화
  - −(2018 공정거래법 전면개편안)
  - −규제 사각지대 회사들의 규제 회피행위 실태 분석결과(2018. 6. 25.): 총수일가 지분율 20~30% 상장사, 규제 도입 이후 지분율 하락으로 규제대상에서 제외된 회사, 규제 대상 회사의 50% 초과 자회사

부당한 지원행위	특수관계인에 대한 부당한 이익제공행위
공정거래법 제23조 제1항 제7호	공정거래법 제23조의2 제1항, 시행령 제38조
사업자 ↓ 특수관계인 또는 다른 회사	공시 대상 기업집단 소속 계열사 ↓ 동일인 및 그 친족 동일인 및 그 친족 지분 30% (비상정 20%) 회사
• 공정거래저해성 요구 • 유형 −거래대가 차이로 인한 지원행위 −상당한 규모에 의한 지원행위 (일감몰아주기) −통행세 유형의 지원행위	• 공정거래저해성 불요(서울고법 판결문 요구) • 유형 −상당히 유리한 조건으로 거래 −사업기회의 제공 −합리적 검토나 비교과정 없는 상당한 규모에 의한 거래

| 일반 부당지원행위와 특수관계인 부당이익 제공행위 비교 |

구 분	부당한 지원행위 (법 제23조 제1항 제7호)	특수관계인에 대한 부당 이익제공 (법 제23조의2)
지원주체	사업자 (공익법인도 사경제의 주체일 경우 사업자에 해당)	공시대상 기업집단 소속 회사
지원객체	특수관계인 또는 다른 회사 (공익법인도 특수관계인에 포함될 수 있음)	동일인 또는 동일인의 친족이 상장사는 30%(비상장사 20%) 이상의 지분을 소유한 공시대상 기업집단 소속회사
가격 지원행위	정상가격에 비해 상당히 유리한 조건의 거래	정상가격에 비해 상당히 유리한 조건의 거래임은 동일하나, 상당성에 대한 안전지대 규정 존재 [거래조건 차이가 7% 미만 및 연간 거래금액 50억 원(상품 용역은 200억 원) 미만]
통행세거래 vs. 사업기회 제공	불필요한 거래단계의 추가 및 경유 규제 지원주체가 거래에 참여하지 않는 사업 포기는 규제하기 어려움.	불필요한 거래단계 추가+여하한 방법으로 지원대상에 사업기회 제공(직접 또는 지배하는 회사를 통해 수행할 경우 상당한 이익이 될 사업기회 제공) 시에는 통행세 거래 해당 가능
물량지원행위	상당한 규모+정상가격에 비해 유리한 조건 • 상당한 규모 안전지대 기준 없음. • 효율성·보완성·긴급성 예외에 대한 명시적 규정은 없지만 제23조의2 예외 사유 참고는 가능	[정상가격과 차이가 없거나 정상가격 입증이 곤란한 분야에서의 일감몰아주기 규제 취지] 상당한 규모+정당한 거래절차의 부재 • 안전지대 규정 존재: 연간 거래금액 합계가 200억 원 미만이고 평균매출액의 12% 미만 • 상당히 유리한 조건이 필요한지 여부 논란 • 효율성·보안성·긴급성의 예외

제1절   부당한 지원행위(공정거래법 제23조 제1항 제7호)

「독점규제 및 공정거래에 관한 법률」(이하 "공정거래법"이라 함)

제23조(불공정거래행위의 금지)

① 사업자는 다음 각 호의 어느 하나에 해당하는 행위로서 공정한 거래를 저해할 우려가 있는 행위(이하 "불공정거래행위"라 한다)를 하거나, 계열회사 또는 다른 사업자로 하여금 이를 행하도록 하여서는 아니 된다.

1. 내지 5. 생략

6. 삭제

7. 부당하게 다음 각 목의 어느 하나에 해당하는 행위를 통하여 특수관계인 또는 다른 회사를 지원하는 행위

  가. 특수관계인 또는 다른 회사에 대하여 가지급금·대여금·인력·부동산·유가증권·상품·용역·무체재산권 등을 제공하거나 상당히 유리한 조건으로 거래하는 행위

  나. 다른 사업자와 직접 상품·용역을 거래하면 상당히 유리함에도 불구하고 거래상 실질적인 역할이 없는 특수관계인이나 다른 회사를 매개로 거래하는 행위

② 특수관계인 또는 회사는 다른 사업자로부터 제1항 제7호에 해당할 우려가 있음에도 불구하고 해당 지원을 받는 행위를 하여서는 아니 된다.

③ 불공정거래행위의 유형 또는 기준은 대통령령으로 정한다.

④ 공정거래위원회는 제1항의 규정에 위반하는 행위를 예방하기 위하여 필요한 경우 사업자가 준수하여야 할 지침을 제정·고시할 수 있다.

공정거래법 시행령 제36조 제1항 관련 별표 1의2

10. 부당한 지원행위

법 제23조(불공정거래행위의 금지) 제1항 제7호 각 목 외의 부분에 따른 부당하게 다음 각 목의 어느 하나에 해당하는 행위를 통하여 특수관계인 또는 다른 회사를 지원하는 행위는 부당하게 다음 각 목의 어느 하나에 해당하는 행위를 통하여 과다한 경제상 이익을 제공함으로써 특수관계인 또는 다른 회사를 지원하는 행위로 한다.

가. 부당한 자금지원

  특수관계인 또는 다른 회사에 대하여 가지급금·대여금 등 자금을 상당히 낮거나 높은 대가로 제공 또는 거래하거나 상당한 규모로 제공 또는 거래하는 행위

나. 부당한 자산·상품 등 지원

  특수관계인 또는 다른 회사에 대하여 부동산·유가증권·무체재산권 등 자산 또는 상

> 품 · 용역을 상당히 낮거나 높은 대가로 제공 또는 거래하거나 상당한 규모로 제공 또는 거래하는 행위
> 다. 부당한 인력지원
> 특수관계인 또는 다른 회사에 대하여 인력을 상당히 낮거나 높은 대가로 제공 또는 거래하거나 상당한 규모로 제공 또는 거래하는 행위
> 라. 부당한 거래단계 추가 등
> 1) 다른 사업자와 직접 상품 · 용역을 거래하면 상당히 유리함에도 불구하고 거래상 역할이 없거나 미미(微微)한 특수관계인이나 다른 회사를 거래단계에 추가하거나 거쳐서 거래하는 행위
> 2) 다른 사업자와 직접 상품 · 용역을 거래하면 상당히 유리함에도 불구하고 특수관계인이나 다른 회사를 거래단계에 추가하거나 거쳐서 거래하면서 그 특수관계인이나 다른 회사에 거래상 역할에 비하여 과도한 대가를 지급하는 행위

 들어가며

| 일반 부당지원행위 요약 |

당사자	- 지원주체: 사업자(공익법인 포함) - 지원객체: 특수관계인 또는 다른 회사(원칙적으로 비계열사 포함, 공익법인 포함) * 100% 자회사도 해당
지원행위	- 정상가격에 비해 상당히 유리한 조건 또는 역할 대비 과다한 마진 - 유형: 자금, 자산, 부동산임대차, 상품 · 용역 · 인력지원 등 - 방식: 가격지원행위, 물량지원행위, 불필요한 거래단계 추가
의도	- 주관적 요건: 지원의도 및 목적
부당성	- 공정한 거래가 저해될 우려 ※ 경영상 필요?

> 단순한 사업경영상의 필요 또는 거래의 합리성 · 필요성만으로 부당성이 부정되지 않음.

공정거래법에서는 부당하게 특수관계인이나 다른 회사에 대하여 ① 가지급금, 대여금, 인력, 부동산, 유가증권, 상품, 용역, 무체재산권 등을 제공 또는 상당히 유리한 조건으로 거래하거나, ② 다른 사업자와 직접 상품 · 용역을 거래하면 상당히 유리함에도 거래상 실질적인 역할이 없는 특수관계인이나 다른 회사를 매개로 거래하여 특수관계인 또는 다른 회사를 지원하는 행위를 부당한 지원행위로서 금지하고 있다(공정거래법 제23조 제1항 제7호 및 동법 시행령

제36조 제1항 별표 1의2 제10호 나목). ①에는 가격 등 거래조건을 정상가격보다 상당히 유리하게 거래하는 가격 지원행위(거래조건 지원행위)와 상당한 규모의 물량으로 거래함으로써 과도한 이익을 제공하는 물량 지원행위가 있다. ②는 소위 '통행세 지원행위'이다.

부당한 지원행위는 지원주체가 지원객체와 정상가격보다 상당히 유리한 조건으로 거래하거나 불필요하게 지원객체를 매개로 거래함으로써 과다한 경제상 이익을 공여하는 **"지원행위"**와 그러한 행위의 **"부당성"**이 인정되는 경우 성립된다. 공정거래위원회는 「부당한 지원행위의 심사지침(2020. 9. 10. 개정 공정거래위원회 예규 제355호)」(이하 '심사지침' 또는 '특수관계자이익제공 심사지침'과 구별할 필요가 있는 경우에는 '일반지원행위 심사지침'이라 함. 다만, '심사지침'이라 할 경우 일반지원행위 심사지침을 의미함)을 두고 있다. 이하에서는 부당한 지원행위의 성립요건과 제재처분에 관하여 보다 구체적으로 살펴본다.

② 지원주체 및 지원객체

부당지원행위의 지원주체나 지원객체에는 특별한 법률상 제한이 없다. 물론 공정거래법 제23조의2 특수관계인에 대한 부당한 이익제공행위(이하 "특수관계인 이익제공행위" 또는 "사익편취행위"라 한다)의 경우에는 자산규모 5조 원 이상인 공시대상기업집단으로 한정되지만, 제23조 제1항의 부당지원행위의 지원주체나 지원객체는 제한이 없다. 즉, 상호출자제한기업집단(자산규모 10조 원 이상)이나 공시대상기업집단(자산규모 5조 원 이상) 소속회사에 한정되지 아니한다. 공익법인도 사경제 주체인 경우 포함된다.

지원객체는 지원주체의 비계열사가 아니어도 되고, 관련시장에 진입하지 아니한 잠재적 사업자인 경우(대법원 2005. 5. 27. 선고 2002누1092 판결)에도 모두 해당될 수 있다. 공익법인도 포함된다. 심지어 사업자가 아닌 자연인(동일인관련자)인 경우에도 지원객체가 될 수 있지만, 자연인이 그 지원금액을 계열회사 등에 투자하여 경쟁을 저해하거나 경제력을 집중시키는 효과가 있다는 특별한 사정이 없는 한 공정거래저해성이 인정되지 않는다(대법원 2004. 9. 24. 선고 2001두6364 판결). 한편, 제3자와의 거래를 통해 지원객체를 간접적으로 지원하는 경우도 규제대상에 포함된다(대법원 2004. 10. 14. 선고 2001두2881 판결). 판례는 지원주체와 경제적 동일체에 다름없는 100% 자회사인 경우(대법원 2004. 11. 12. 선고 2001두2034 판결)에도 지원객체에 해당한다고 보고 있지만, 이론적으로 100% 경제적 동일체 간에 지원행위가 성립할 수 없다는 비판이 강하다.

개정 전에는 지원객체가 지원받지 않을 의무를 명확히 규정하지 않아 지원객체가 지원받는 행위가 위법인지 여부에 대하여 논란이 있었는데, 2013. 8. 13. 법률 제12095호로 개정된 공정거래법 제23조 제2항에 명확하게 입법되어 논란의 소지가 사라졌다.

③ 지원행위의 유형 및 성립요건

지원행위는 거래유형에 따라 자금, 자산, 상품·용역, 인력의 제공 또는 거래행위로 엄격히 구분되나, 법원에서는 실제 지원의 효과가 야기되는 거래행위에 해당할 경우 가급적 지원행위 유형에 포섭하려는 유연한 입장을 취하고 있다. 「부당한 지원행위의 심사지침(공정거래위원회 예규 제288호, 2017. 12. 12. 개정)」(이하 '일반지원행위 심사지침')에서는 지원행위의 유형으로서, 상당히 유리한 조건에 의한 ① 가지급금 또는 대여금 등 자금거래, ② 유가증권·부동산·무체재산권 등 자산 거래, ③ 부동산 임대차 거래, ④ 상품·용역거래, ⑤ 인력 거래 및 ⑥ 상당한 규모의 상품·용역 거래와 ⑦ 불필요한 거래단계를 추가하는 통행세 거래를 제시하고 있다.

위 ① 내지 ⑤를 합하여 '거래조건을 통한 지원행위'(이하 경우에 따라서 "가격 지원행위"라 함)로 분류할 수 있고, ⑥ 상당한 규모에 의한 상품·용역 거래(물량몰아주기)와 ⑦ 통행세 거래를 각각 독립된 지원행위로 보면 크게 세 가지 유형으로 구분된다. 각 유형별 성립요건을 정리하면 다음과 같다.

구 분	내 용
가격 지원행위 (거래조건 지원행위)	특수관계인 또는 다른 회사와 정상가격*에 비해 상당히 낮거나 높은 대가로 거래하여 과다한 경제상 이익을 제공하는 행위 * 정상가격이란, 지원주체와 지원객체 간에 이루어진 경제적 급부와 동일한 경제적 급부가 시기, 종류, 규모, 기간, 신용상태 등이 유사한 상황에서 특수관계 없는 독립된 자 간에 이루어졌을 경우 형성되었을 거래가격
물량몰아주기	특수관계인 또는 다른 회사와 상당한 규모로 거래하여 과다한 경제상 이익을 제공하는 행위. 물량 지원행위 역시 '상당히 유리한 조건'의 거래라는 점이 인정되어야 지원행위에 해당하며, 다만 정상가격 입증까지는 필요하지 않다는 것이 실무의 대체적인 견해로 보임.

구 분	내 용
통행세 거래	거래당사자 간에 직접 거래하는 것이 상당히 유리함에도 불구하고 거래상 역할이 미미하거나 없는 특수관계인 또는 다른 회사를 거래단계에 추가하여 거래하면서 과도한 대가를 지급하는 행위

위와 같은 지원행위는 작위는 물론 부작위에 의해서도 이루어질 수 있다. 예컨대, 지원객체에 자금을 지원할 의도로 자산이나 용역, 상품 등의 거래대가를 변제기 이후에도 회수하지 아니하여 지원객체로 하여금 그 자금을 운용토록 함으로써 미회수 기간 동안 이자 상당액의 금융상 이익을 공여하는 행위가 문제될 수 있으며, 실제로 계열회사로부터 대여금을 장기간 회수하지 않거나 용역거래의 반대급부로 지급받을 비용을 미회수한 경우를 자금 지원행위로 제재한 사례가 존재한다(대법원 2004. 4. 9. 선고 2001두6197판결 등).

④ 부당성

부당성이란, 지원행위를 통해 지원객체의 경쟁상 지위를 제고시켜 지원객체가 속한 관련 시장에서 경쟁이 저해되거나 경제력집중이 야기되는 등 공정한 거래를 저해할 우려를 의미한다(대법원 2004. 10. 14. 선고 2001두2881 판결 등 참고).

법원은 지원행위의 부당성 여부는 "지원주체와 지원객체와의 관계, 지원객체 및 지원객체가 속한 관련 시장의 현황과 특성, 지원금액의 규모와 지원된 자금 자산 등의 성격, 지원금액의 용도, 거래행위의 동기와 목적, 정당한 사유의 존부 등을 종합적으로 고려하여 판단하여야 하고, 위와 같은 요소들을 종합적으로 고려할 때 당해 지원행위가 공정한 거래를 저해할 우려가 있는 행위라는 점은 공정거래위원회가 이를 입증"하여야 한다는 입장이다(대법원 2004. 9. 24. 선고 2001두6364 판결 등 참고). 심사지침에서도 이러한 기준을 전제로 지원행위의 부당성은 공정한 거래질서라는 관점에서 판단되어야 하고, 단지 지원행위에 대한 사업경영상 필요 또는 거래상의 합리성 내지 필요성이 있다는 점만으로는 부당성이 부정되지 않는다고 규정하고 있다(심사지침 IV. 1.).

심사지침에서는 부당성이 인정될 수 있는 사유와 그 예시를 다음과 같이 제시하고 있다(심사지침 IV. 2.). 다만, 부당한 지원행위의 부당성은 위 대법원 판결에서 제시된 여러 가지 사정들을 종합적으로 고려하여 사안별로 구체적으로 판단하여야 하는 것이므로, 심사지침에서 열거하고 있는 사례들이 절대적인 기준이 되는 것은 아니다.[11]

사 유	예 시
① 지원객체가 유력한 사업자의 지위를 형성·유지·강화할 우려가 있는 경우	중소기업들이 합계 1/2 이상의 시장점유율을 갖는 시장에 참여하는 계열회사에 대하여 동일한 기업집단 소속 회사들이 정당한 이유없이 자금·자산·인력 지원행위를 하여 당해 계열회사가 시장점유율 5% 이상이 되거나 시장점유율 3위 이내의 사업자에 들어가게 되는 경우
② 경쟁사업자 배제 우려가 있는 경우	지원객체가 지원받은 경제상 이익으로 당해 상품 또는 용역의 가격을 경쟁사업자보다 상당기간 낮게 설정하여 경쟁사업자가 당해 시장에서 탈락할 우려가 있는 경우
③ 지원객체의 경쟁조건이 경쟁사업자에 비해 상당히 유리하게 되는 경우	지원객체가 당해 지원행위로 인하여 자금력, 기술력, 판매력, 제품 이미지 개선 등 사업능력이 증대되어 사업활동을 영위함에 있어서 경쟁사업자에 비하여 유리하게 되는 경우
④ 지원객체의 퇴출이나 다른 사업자의 신규시장진입 저해 여부	대규모 기업집단 소속회사가 계열회사에 대하여 지원행위를 함으로써 당해 계열회사가 속하는 일정한 거래분야에서 신규진입이나 퇴출이 어려워지는 경우
⑤ 관련 법령을 면탈 또는 회피하는 등 불공정한 방법이나 절차로 지원행위를 하여 공정거래 저해 우려가 야기되는 경우	증권회사가 「유가증권인수업무규정」상 계열증권사의 회사채 인수 금지규정을 면탈하기 위해 다른 증권사를 주간사회사로 내세우고 하인수 회사가 되어 수수료를 받는 방법으로 경제상 이익을 얻고 이로 인해 증권업 시장에서 공정하고 자유로운 경쟁을 저해한 경우

---

11) "공정거래위원회가 구 독점규제 및 공정거래에 관한 법률(1999. 12. 28. 법률 제6043호로 개정되기 전의 것) 제23조 제1항 제7호의 규정을 운영하기 위하여 만든 부당한 지원행위의 심사지침이 '관계 법령을 면탈 또는 회피하여 지원하는 등 지원행위의 방법 또는 절차가 불공정한 경우'를 부당성 판단기준의 하나로서 규정하고 있기는 하나, 위 심사지침은 법령의 위임에 따른 것이 아니라 법령상 부당지원행위 금지규정의 운영과 관련하여 심사기준을 마련하기 위하여 만든 공정거래위원회 내부의 사무처리지침에 불과하므로, 지원행위를 둘러싼 일련의 과정 중 관계 법령이 정한 방법이나 절차의 위배가 있다고 하여 바로 부당지원행위에 해당한다고는 할 수 없고, 이러한 관계 법령의 면탈 또는 회피가 지원행위의 부당성에 직접 관련된 것으로서 지원객체가 직접 또는 간접적으로 속한 시장에서 경쟁을 저해하거나 경제력집중을 야기하는 등으로 공정한 거래를 저해할 우려가 있는 경우에 비로소 부당지원행위에 해당한다(대법원 2004. 9. 24. 선고 2001두6364 판결)."

⑤ 제재 규정

공정거래위원회는 부당한 지원행위 금지규정을 위반한 지원주체, 지원객체 그리고 사업자인 교사자에게 해당 행위에 대한 중지 및 재발방지 등에 관한 시정조치를 명할 수 있고(공정거래법 제24조), 지원주체와 지원객체, 교사한 사업자에 대하여 직전 3개 사업연도의 평균 매출액의 100분의 5를 곱한 금액을 초과하지 아니하는 과징금을 부과할 수 있으며, 매출액이 없는 경우 등에는 20억 원을 초과하지 아니하는 범위에서 과징금을 부과할 수 있다(공정거래법 제24조의2 제2항). 또한, 지원주체는 공정거래위원회의 고발이 있을 경우 3년 이하의 징역 또는 2억 원 이하의 벌금에 처할 수 있다(공정거래법 제66조 제1항 9의2, 제71조 제1항).

제2절 특수관계인에 대한 부당한 이익제공 금지(공정거래법 제23조의2)

공정거래법 제23조의2(특수관계인에 대한 부당한 이익제공 등 금지)
① 공시대상기업집단(동일인이 자연인인 기업집단으로 한정한다)에 속하는 회사는 특수관계인(동일인 및 그 친족에 한정한다. 이하 이 조에서 같다)이나 특수관계인이 대통령령으로 정하는 비율 이상의 주식을 보유한 계열회사와 다음 각 호의 어느 하나에 해당하는 행위를 통하여 특수관계인에게 부당한 이익을 귀속시키는 행위를 하여서는 아니 된다. 이 경우 각 호에 해당하는 행위의 유형 또는 기준은 대통령령으로 정한다.
1. 정상적인 거래에서 적용되거나 적용될 것으로 판단되는 조건보다 상당히 유리한 조건으로 거래하는 행위
2. 회사가 직접 또는 자신이 지배하고 있는 회사를 통하여 수행할 경우 회사에 상당한 이익이 될 사업기회를 제공하는 행위
3. 특수관계인과 현금, 그 밖의 금융상품을 상당히 유리한 조건으로 거래하는 행위
4. 사업능력, 재무상태, 신용도, 기술력, 품질, 가격 또는 거래조건 등에 대한 합리적인 고려나 다른 사업자와의 비교 없이 상당한 규모로 거래하는 행위
② 기업의 효율성 증대, 보안성, 긴급성 등 거래의 목적을 달성하기 위하여 불가피한 경우로서 대통령령으로 정하는 거래는 제1항 제4호를 적용하지 아니한다.
③ 제1항에 따른 거래 또는 사업기회 제공의 상대방은 제1항 각 호의 어느 하나에 해당할 우려가 있음에도 불구하고 해당 거래를 하거나 사업기회를 제공받는 행위를 하여서는 아

니 된다.

④ 특수관계인은 누구에게든지 제1항 또는 제3항에 해당하는 행위를 하도록 지시하거나
해당 행위에 관여하여서는 아니 된다.

공정거래법 시행령 제38조 제3항, 별표 1의3 특수관계인에게 부당한 이익을 귀속시키는
행위의 유형 또는 기준

1. 상당히 유리한 조건의 거래

  법 제23조의2(특수관계인에 대한 부당한 이익제공 등 금지) 제1항 제1호에 따른 정상적
  인 거래에서 적용되거나 적용될 것으로 판단되는 조건보다 상당히 유리한 조건으로 거
  래하는 행위는 다음 각 목의 어느 하나에 해당하는 행위로 한다. 다만, 시기, 종류, 규모,
  기간, 신용상태 등이 유사한 상황에서 법 제7조 제1항에 따른 특수관계인이 아닌 자와
  의 정상적인 거래에서 적용되거나 적용될 것으로 판단되는 조건과의 차이가 100분의
  7 미만이고, 거래당사자 간 해당 연도 거래총액이 50억 원(상품·용역의 경우에는 200
  억 원) 미만인 경우에는 상당히 유리한 조건에 해당하지 않는 것으로 본다.

  가. 상당히 유리한 조건의 자금 거래

    가지급금·대여금 등 자금을 정상적인 거래에서 적용되는 대가보다 상당히 낮거나
    높은 대가로 제공하거나 거래하는 행위

  나. 상당히 유리한 조건의 자산·상품·용역 거래

    부동산·유가증권·무체재산권 등 자산 또는 상품·용역을 정상적인 거래에서 적
    용되는 대가보다 상당히 낮거나 높은 대가로 제공하거나 거래하는 행위

  다. 상당히 유리한 조건의 인력 거래

    인력을 정상적인 거래에서 적용되는 대가보다 상당히 낮거나 높은 대가로 제공하거
    나 거래하는 행위

2. 사업기회의 제공

  법 제23조의2(특수관계인에 대한 부당한 이익제공 등 금지) 제1항 제2호에 따른 회사가
  직접 또는 자신이 지배하고 있는 회사를 통하여 수행할 경우 회사에 상당한 이익이 될
  사업기회를 제공하는 행위는 회사가 직접 또는 자신이 지배하고 있는 회사를 통하여
  수행할 경우 회사에 상당한 이익이 될 사업기회로서 회사가 수행하고 있거나 수행할
  사업과 밀접한 관계가 있는 사업기회를 제공하는 행위로 한다. 다만, 다음 각 목의 어느
  하나에 해당하는 경우는 제외한다.

  가. 회사가 해당 사업기회를 수행할 능력이 없는 경우

  나. 회사가 사업기회 제공에 대한 정당한 대가를 지급받은 경우

  다. 그 밖에 회사가 합리적인 사유로 사업기회를 거부한 경우

3. 현금, 그 밖의 금융상품의 상당히 유리한 조건의 거래

법 제23조의2(특수관계인에 대한 부당한 이익제공 등 금지) 제1항 제3호에 따른 특수관계인과 현금, 그 밖의 금융상품을 상당히 유리한 조건으로 거래하는 행위는 특수관계인과 현금, 그 밖의 금융상품을 정상적인 거래에서 적용되는 대가보다 상당히 낮거나 높은 대가로 제공하거나 거래하는 행위로 한다. 다만, 시기, 종류, 규모, 기간, 신용상태 등이 유사한 상황에서 법 제7조 제1항에 따른 특수관계인이 아닌 자와의 정상적인 거래에서 적용되거나 적용될 것으로 판단되는 조건과의 차이가 100분의 7 미만이고, 거래당사자 간 해당 연도 거래총액이 50억 원 미만인 경우에는 상당히 유리한 조건에 해당하지 않는 것으로 본다.

4. 합리적 고려나 비교 없는 상당한 규모의 거래

법 제23조의2(특수관계인에 대한 부당한 이익제공 등 금지) 제1항 제4호에 따른 사업능력, 재무상태, 신용도, 기술력, 품질, 가격 또는 거래조건 등에 대한 합리적인 고려나 다른 사업자와의 비교 없이 상당한 규모로 거래하는 행위는 거래상대방 선정 및 계약체결 과정에서 사업능력, 재무상태, 신용도, 기술력, 품질, 가격, 거래규모, 거래시기 또는 거래조건 등 해당 거래의 의사결정에 필요한 정보를 충분히 수집·조사하고, 이를 객관적·합리적으로 검토하거나 다른 사업자와 비교·평가하는 등 해당 거래의 특성상 통상적으로 이루어지거나 이루어질 것으로 기대되는 거래상대방의 적합한 선정과정 없이 상당한 규모로 거래하는 행위로 한다. 다만, 거래당사자 간 상품·용역의 해당 연도 거래총액(2 이상의 회사가 동일한 거래상대방과 거래하는 경우에는 각 회사의 거래금액의 합계액으로 한다)이 200억 원 미만이고, 거래상대방의 평균매출액의 100분의 12 미만인 경우에는 상당한 규모에 해당하지 않는 것으로 본다.

① 들어가며

「특수관계인에 대한 부당한 이익제공 등 금지」 규정(공정거래법 제23조의2)은 2017. 4. 18. 법률 14813호로 개정된 공정거래법에 신설된 조항이다. 법 제23조 제1항 제7호의 일반 부당지원행위가 부당성을 성립요건으로 하기 때문에 특수관계인, 특히 동일인 일가에 대한 지원행위를 통해 경제적 이익이 이전되는 '소유집중'을 효과적으로 규제하기 어렵다는 비판이 있었다.[12]

---

12) 서정, 「부당지원행위 규제, 만능 치유책인가? 목적과 수단의 정합성에 대한 검토」, 연세 글로벌 비즈니스 법학 연구 제3권 제2호(2011), p.36

이러한 부당성의 요건을 완화시키되 적용 범위를 상호출자제한기업집단 내의 오너 지분이 높은 회사로 국한시킴으로써 총수일가의 부당한 사익편취 규제를 강화하기 위해 도입된 제도이다. 공정거래위원회는 「특수관계인에 대한 부당한 이익제공행위 심사지침(2020. 2. 25. 제정 공정거래위원회 예규 제341호)」(이하 '특수관계자이익제공 심사지침'이라 함)을 두고 있다.

② 적용대상

특수관계인에 대한 부당한 이익제공 금지규정(사익편취행위)의 제공주체는 당해 기업집단 소속 국내회사들의 직전 사업연도 대차대조표상 자산총액이 5조 원 이상인 동일인이 자연인인 공시대상 기업집단 소속 회사로 한정되고, 동일인이 자연인이 아닌 기업집단은 제외된다. 그래서 제공주체나 제공객체에는 공익법인이 포함되지 않는다. 거래상대방인 제공객체[13]는 동일인 및 친족(동일인의 배우자, 6촌 이내의 혈족, 4촌 이내의 인척을 말하며, 친족분리에 따라 동일인관련자로부터 제외된 자는 제외된다. 동 조에서 "특수관계인"이라 함)이 합하여 상장회사의 경우 발행주식 총수의 30%, 비상장사의 경우에는 발행주식 총수의 20% 이상을 소유하고 있는 계열회사로 한정된다. 이때, 동일인 및 친족이 계열회사 등을 통해 간접적으로 보유한 지분은 거래당사자의 지분율 요건 산정 시 제외되며, 발행주식수는 의결권 유무와 관계없이 발행된 주식의 총수를 기준으로 하여 산정된다. 동일인 등이 계열회사를 통하여 간접적으로 취득한 지분을 사익편취 규제대상 판단 시 제외한 것에 대하여는 비판의 목소리가 있다.

한편, 법 제23조 제1항 제7호의 일반 부당지원행위에서는 사업자인 특수관계인 또는 회사의 교사행위만 금지하고 있지만 제23조의2 특수관계자에 대한 부당이익제공금지 행위에서는 특수관계인이 동조를 위반하여 특수관계인에게 부당 이익이 제공되는 거래를 하도록 지시하거나 관여하지 못하게 하여 특수관계인이 동 행위를 교사나 방조하는 것을 명시적으로 금지하고 있다(동조 제4항).

---

13) 법 제23조 제1항 제7호의 일반 부당지원행위에서 거래상대방인 지원객체와 이익귀속자가 동일하지만, 법 제23조의2 특수관계자에 대한 이익제공행위에서는 거래상대방을 제공객체라 하고, 이익이 귀속되는 특수관계인인 이익귀속자와 구분된다. 거래상대방과 지원객체를 개념적으로 동일한다고 단정할 수 없다. 그 조문의 규정과 취지상, 내부거래에 의한 이익이 거래상대방이 아니라 특수관계인에게 귀속되는 것을 문제 삼기 때문이다.

③ 금지행위의 유형과 내용

공정거래법 제23조의2 제1항 각 호 및 시행령 [별표 1의3]에서는 다음과 같은 행위를 특수관계인에 대한 부당한 이익제공 행위로서 금지하고 있다. 다만, 공정거래법 시행령 [별표 1의3]에서는 각 행위 유형별로 금지규정의 적용이 배제되는 기준(안전지대)을 명시하여 규제범위가 과도하게 확대되는 것을 방지하고 있다.

구 분	내 용
상당히 유리한 조건의 거래행위	• 정상적인 거래에서 적용되거나 적용될 것으로 판단되는 조건보다 상당히 유리한 조건으로 이루어진 자금, 자산, 상품·용역, 인력거래(제1호) • 현금, 기타 금융상품을 정상적인 거래에서 적용되는 대가보다 상당히 낮거나 높은 대가로 제공하거나 거래하는 행위(제3호) [적용제외] 정상 거래조건과의 차이가 7% 미만이고 거래당사자 간 해당 연도 거래총액이 50억 원(상품·용역거래의 경우 200억 원) 미만인 경우에는 상당히 유리한 조건에 해당하지 아니함.
사업기회 제공행위	회사가 직접 또는 자신이 지배하고 있는 회사를 통하여 수행할 경우 회사에 상당한 이익이 될 사업기회로서 회사가 수행하고 있거나 수행할 사업과 밀접한 관계가 있는 사업기회를 특수관계인에게 제공하는 행위(제2호) [적용제외] (i) 회사가 해당 사업기회를 수행할 능력이 없는 경우 (ii) 사업기회 제공에 대한 정당한 대가를 지급받은 경우 (iii) 그 밖에 합리적인 사유로 사업기회를 거부한 경우
적정한 검증절차 없이 이루어지는 상당한 규모의 거래행위	거래상대방 선정 및 계약체결 과정에서 사업능력, 재무상태, 신용도, 기술력, 품질, 가격 또는 거래조건 등 해당 거래의 의사결정에 필요한 정보를 충분히 수집, 조사하고, 이를 객관적·합리적으로 검토하거나 다른 사업자와 비교·평가하는 등 거래 특성상 통상 이루어지거나 이루어질 것으로 기대되는 거래상대방의 적합한 선정과정 없이 상당한 규모로 거래하는 행위(제4호) [적용제외] 거래당사자 간 상품·용역의 해당연도 거래총액(2 이상의 회사가 동일한 거래상대방과 거래하는 경우 각 회사의 거래금액 합계액)이 200억 원 미만이고 거래상대방의 직전 3개년도 평균매출액의 12% 미만인 경우 상당한 규모의 거래로 보지 않음.

한편, 공정거래법 제23조의2 제1항 제4호에서 금지하는 상당한 규모의 거래와 관련하여서는 효율성 증대 효과가 있는 거래, 보안성이 요구되는 거래, 긴급성이 요구되는 거래 등 거래목적을 달성하기 위하여 불가피한 경우의 적용 예외가 인정되는바, 이에 관하여는 이후에 상세히 검토한다(공정거래법 제23조의2 제2항, 시행령 제38조 제4항 별표 1의4).

④ 제재 규정

공정거래위원회는 특수관계인에 대한 부당한 이익제공 금지 규정을 위반한 제공주체, 제공객체(거래상대방), 그리고 지시 및 관여를 한 특수관계인에게 해당 행위에 대한 중지 및 재발방지 등에 관한 시정조치를 명할 수 있고(공정거래법 제24조), 제공주체와 제공객체에게는 직전 3개 사업연도의 평균 매출액의 100분의 5를 곱한 금액을 초과하지 아니하는 과징금을 부과할 수 있으며 매출액이 없는 경우 등에는 20억 원을 초과하지 아니하는 범위에서 과징금을 부과할 수 있다(공정거래법 제24조의2 제2항).

또한, 공정거래법 제23조의2 제1항을 위반한 제공주체, 제2항을 위반한 제공객체, 제4항을 위반한 지시, 관여 특수관계인에 3년 이하의 징역 또는 2억 원 이하의 벌금에 처할 수 있다(공정거래법 제66조 제1항 9의2). 다른 공정거래법 위반죄와 마찬가지로 동조 위반의 경우에도 공정거래위원회의 고발이 있어야만 공소를 제기할 수 있다(공정거래법 제71조 제1항).

참고로 현행법상 이익이 귀속된 특수관계인에 대하여는 제재나 처벌이 불가하다.

제3절 기타 공정거래법상 규제

공정거래법에서는 부당한 지원행위 및 특수관계인에 대한 부당한 이익제공 금지 규정 외에도 내부거래를 감시 및 규제하기 위한 다양한 제도를 두고 있다. 아래에서 설명하는 계열회사를 위한 차별취급 금지, 채무보증금지 제도 및 각종 공시제도가 그러한 규제의 일환이라고 한다.

계열회사를 위한 차별취급 금지

계열회사를 위한 차별취급 행위는 공정거래법 제23조 제1항 제1호 후단의 차별적 취급을 통한 불공정거래행위 중 하나로서, "정당한 이유 없이 자기의 계열회사를 유리하게 하기 위하여 가격, 수량, 품질 등의 거래조건이나 거래내용을 현저히 유리하게 하거나 불리하게 하는 행위"를 의미한다(시행령 [별표 1의2] 2. 다.).

계열회사를 위한 차별금지 규정은 부당한 지원행위와 유사하게 경제력집중을 억제하고 지원객체가 속한 시장에서의 공정한 경쟁질서가 침해되는 것을 방지하기 위한 수단이지만, 그 규제 대상과 내용, 위법성 판단기준 등에서 차이가 있다. 첫째, 계열회사를 위한 차별취급 금지는 부당한 지원행위와 달리 지원객체가 계열회사에 한정된다는 점, 둘째, 지원방법이 '상품·용역 거래'를 통한 지원으로 한정적으로 해석되고 집행되기 때문에 자금, 자산, 인력 거래 등을 통한 광범위한 지원행위가 인정되는 부당한 지원행위에 비해 제한적이라는 점, 셋째, 계열회사를 위한 차별취급의 위법성 판단기준은 '정당한 이유없이'로 규정되어 있으나 부당지원행위의 위법성 판단기준은 '부당하게'로 규정되어 있다는 점이다.

특히 계열회사를 위한 차별취급 행위가 성립하려면 '자기의 계열회사를 유리하게 하기 위하여' 차별적 행위를 하였다는 행위자의 의도나 목적이 인정되어야 하는데, 이는 "특정사업자가 자기의 이익을 위하여 영업활동을 한 결과가 계열회사에 유리하게 귀속되었다는 사실만으로는 인정하기에 부족하고, 차별의 동기, 효과의 귀속주체, 거래의 관행, 당시 계열회사의 상황 등을 종합적으로 고려하여 사업자의 주된 의도가 계열회사가 속한 일정한 거래분야에서 경쟁을 제한하고 기업집단의 경제력집중을 강화하기 위한 것이라고 판단되는 경우에 한하여 인정된다"는 것이 법원의 입장이다(대법원 2004. 12. 9. 선고 2002두12076 판결). 이처럼 법원에서 계열회사를 위한 차별취급 행위의 성립요건으로서 주관적인 지원 의도를 엄격하게 요구함에 따라 2000년 초반 이후부터는 동 규정의 집행이 매우 제한적으로 이루어지고 있다.[14]

---

14) 대법원 2004. 12. 9. 선고 2002두12076 판결 선고 이후, 공정거래위원회에서 계열회사를 위한 차별취급 행위로 제재한 사례는 (주)미디어플렉스의 차별적 취급행위에 대한 건(2008. 8. 29. 의결 제2008-381호), 씨제이엔터테인먼트(주)의 차별적 취급행위에 대한 건(2008. 8. 9. 의결 제2008-380호), 금호터미널(주)의 차별적 취급행위에 대한 건(2009. 11. 12. 의결 제2009-218호) 정도로 확인된다.

대규모기업집단 규제 및 금지행위

자산이 10조 원 이상인 상호출자제한기업집단과 자산이 5조 원 이상인 공시대상기업집단을 통칭하여 대규모기업집단이라고 한다. 그중 상호출자제한기업집단은 다음과 같은 의무를 부담한다.

의 무	조 항	내 용
지주회사 설립·전환 시 채무보증해소	제8조의3	그 동일인 또는 그 특수관계인이 지주회사를 설립하거나 전환하는 경우 지주회사와 자회사 간 채무보증, 지주회사와 다른 국내계열회사 간 채무보증, 자회사 상호 간 채무보증, 자회사와 다른 국내계열회사 간 채무보증을 해소해야 한다.
상호출자금지	제9조	소속회사는 자기의 주식을 취득 또는 소유하고 있는 계열회사의 주식을 취득 또는 소유해서는 안된다. 다만, 회사의 합병·영업 전부의 양수, 담보권의 실행·대물변제의 수령으로 발생하는 상호출자에 대해서는 6개월간 예외를 인정하고 있다(공정거래법 제9조 제1, 2항).
순환출자금지	제9조의2	소속회사는 합병·분할, 주식의 포괄적 교환·이전 또는 영업전부의 양수, 담보권의 실행 등 기업구조조정 촉진법에 따라 부실징후기업의 관리절차에서의 불가피한 경우 등을 제외하고는 순환출자를 형성하는 계열출자를 하여서는 안되며, 순환출자 관계에 있는 계열회사의 계열출자대상회사에 대한 추가적인 계열출자도 금지된다.
채무보증금지	제10조의2	소속회사(금융업 또는 보험업을 영위하는 회사를 제외하고는) 국내계열회사에 채무보증을 해서는 안된다.
의결권 행사 금지·제한	제11조	소속회사로 금융업 또는 보험업을 영위하는 회사는 금융업·보험업을 영위하려는 목적으로 보험자산의 효율적인 운용 등을 위하여 승인받아 주식을 취득·소유한 경우 또는 상장회사인 국내계열회사의 임원 선임·해임, 정관변경, 다른 회사로의 합병, 영업 전부 또는 주요부분의 양도의 경우 15%를 초과하여 의결권을 행사하지 못한다.

③ 공정거래법상 공시제도

공정거래법에서는 시장 참여자들에게 공시대상 기업집단 소속 회사들의 내부거래를 비롯한 사업 및 재무현황에 관한 충분한 정보를 제공하여 정보 불평등을 해소함으로써 공정한 경쟁을 도모하고 시장의 자율적 감시가 이루어지도록 하기 위해 여러 공시의무를 부과하고 있다.

| 공정거래법상 공시 요약 |

제도명	관련 법령	도입 시기
1. 대규모 내부거래의 이사회 의결 및 공시	공정거래법 제11조의2, 동법 시행령 제17조의8	2002. 4.

- 공시주체: 공시대상기업집단 소속 계열사
- 공시주기: 이사회 의결 후, 상장사 1일, 비상장사 7일 이내(수시공시)
- 공시내용: 대규모 내부거래(거래금액이 자본금(자본총계)의 5% 이상 또는 50억 원 이상)
  - 계열회사(특수관계인)와 일정규모 이상의 거래행위를 하려는 때에는 미리 이사회 의결을 거친 후 공시해야 함.
  - 자금, 유가증권, 자산, 상품·용역거래
  - 거래의 목적, 상대방, 금액 및 조건 등 주요내용 포함
- 주요 개정사항
  1) 시행령 개정(2007. 7. 25.)으로 2007. 4/4분기 거래행위부터 적용
     - 상품·용역의 대규모 내부거래 공시(매입·매출 합산)
     - 총수일가 지분율 30% 이상인 계열사(상법상 자회사 포함)와 분기별로 자본금(자본총계)의 10% 이상 또는 100억 원 이상의 상품·용역거래
  2) 시행령 개정(2011. 12. 30.)으로 2012. 4. 1. 이후의 거래행위부터 적용
     - 경쟁입찰/수의계약 등 계약체결 방식의 공시 의무화
     - 거래규모: 자본금(자본총계)의 10% 이상 또는 10억 원 이상 → 5%, 50억 원 이상
     - 거래상대방 계열회사 범위: 총수일가 지분 30% 이상 → 20% 이상

2. 기업집단 현황 공시	공정거래법 제11조의4, 동법 시행령 제17조의11	2009. 3.

- 공시주체: 공시대상기업집단 소속 계열사
- 공시주기: 연1회(매년 5월 31일 기한) 또는 분기 1회(정기공시)
- 공시내용: - 일반현황(회사개요, 재무, 손익현황, 해외계열회사 및 계열사 변동내역)
  - 임원·이사회 운영현황
  - 주식소유 현황(소유지분, 국내 계열회사 간 출자현황)
  - 특수관계인 간 거래현황(상품·용역거래 포함)
  - 순환출자, 지주회사, 금융·보험사 의결권 행사 현황
- 주요 개정사항: 1) 시행령 개정(2016. 9. 27.)
  - 지주회사 체제 밖 계열사 현황(시행령 제17조의11 제2항 제4호의2)
  - 금융·보험사 의결권행사 여부 추가(시행령 제17조의11 제2항 제4호의4)
  2) 공시대상기업집단 소속회사의 중요사항 공시 등에 관한 규정(2018. 3. 28.)
  - 계열회사와의 상표권 사용 거래내역 공시(2018. 4. 3. 시행)

3. 비상장회사의 중요사항 공시	공정거래법 제11조의3, 동법 시행령 제17조의10	2005. 4.

- 공시주체: 공시대상기업집단 소속 계열사 중 비상장회사

제도명	관련 법령	도입 시기
• 공시주기: 사유발생일로부터 7일 이내(수시공시)		
• 공시내용: - 소유지배구조 현황(최대주주 주식 변동(1% 이상), 임원 변동 현황)		
- 재무구조 사항(자산 및 타법인 주식의 취득·처분, 증여, 담보제공 등)		
- 경영활동 사항(영업양도·양수, 합병·분할, 주식의 교환·이전 등)		

공정거래법상 공시 규정은 공시대상 기업집단 소속회사에 대해서만 적용되며, (i) 대규모 내부거래에 대한 이사회 의결 및 공시(공정거래법 제11조의2, 시행령 제17조의8),[15] (ii) 비상장회사의 중요사항 공시(공정거래법 제11조의3, 시행령 제17조의10),[16] (iii) 상호출자제한 기업집단 현황공시(공정거래법 제11조의4, 시행령 제17조의11)[17]로 구분된다.

우선, 공시대상 기업집단 소속회사들은 특수관계인을 상대방으로 하거나 특수관계인을 위하여 대통령령이 정하는 규모 이상의 대규모거래인 ① 가지급금 또는 대여금 등의 자금을 제공 또는 거래하는 행위, ② 주식 또는 회사채 등의 유가증권을 제공 또는 거래하는 행위, ③ 부동산 또는 무체재산권 등의 자산을 제공 또는 거래하는 행위, ④ 주주 구성 등을 고려하여 대통령령으로 정하는 계열회사를 상대방으로 하거나 동 계열회사를 위하여 상품 또는 용역을 제공 또는 거래하는 행위를 하고자 할 때에는 미리 이사회 의결을 거친 후 공시하여야 한다.

거래의 목적·상대방·규모 및 조건 등 대통령령이 정하는 주요내용을 포함하여 공시하여야 하며, 이러한 주요내용을 변경하고자 하는 때에도 이사회 의결 및 공시를 해야 한다(공정거래법 제11조의2).

---

15) 대규모 내부거래 이사회 의결 및 공시제도는 상호출자제한 기업집단 소속 회사가 특수관계인을 상대방으로 하거나 특수관계인을 위하여 당해 회사의 자본총계 또는 자본금 중 큰 금액의 100분의 5 이상이거나 50억 원 이상에 해당하는 (i) 가지급금이나 대여금 등의 자금을 제공 또는 거래하는 행위, (ii) 주식이나 회사채 등의 유가증권을 제공 또는 거래하는 행위, (iii) 부동산이나 무체재산권 등의 자산을 제공 또는 거래하는 행위, (iv) 일정 요건을 충족하는 계열회사를 상대로 상품 또는 용역을 제공 또는 거래하는 행위가 있을 경우(상품 또는 용역거래의 경우 분기의 거래 합계액 기준) 이사회 의결 및 공시를 하도록 하는 제도이다.

16) 비상장회사 중요사항 공시제도는 상호출자제한 기업집단 소속회사 중 비상장회사(단, 금융업 또는 보험업을 영위하는 회사는 제외)가 (i) 최대주주 및 주요주주의 주식보유현황 및 변동사항 등 회사의 소유지배구조와 관련된 중요사항으로서 대통령령이 정하는 사항, (ii) 자산, 주식의 취득, 증여, 담보제공, 채무인수, 면제 등 회사의 재무구조에 중요한 변동을 초래하는 사항으로서 대통령령이 정하는 사항, (iii) 영업 양도·양수, 합병·분할, 주식의 교환·이전 등 회사의 경영활동과 관련된 중요 사항으로서 대통령령이 정하는 사항을 공시하도록 하는 제도이다.

17) 상호출자제한 기업집단 현황 공시제도는 기업집단의 일반현황, 주식소유현황, 법 제9조의2에 따른 순환출자 현황, 특수관계인과의 거래현황 등에 관한 사항으로서 대통령령으로 정하는 사항을 공시하도록 하는 제도이다.

참고로, 상기 공시제도의 공시 대상 및 방법을 보다 구체화하고 있는 공정거래위원회의
관련 규정과 공정거래위원회의 담당 부서 등을 정리하면 다음과 같다.

제 도	규 정	대상회사	담당부서
대규모 내부거래의 이사회 의결 및 공시	대규모 내부거래 이사회 의결 및 공시에 관한 규정	공시대상 기업집단 소속회사	시장감시국
기업집단 현황 등 공시	상호출자제한 기업집단 소속회사의 중요사항 공시에 관한 규정	공시대상 기업집단 소속 비상장 회사 (금융업 또는 보험업을 영위하는 회사 제외)	기업집단과
비상장회사 등의 중요사항 공시			

한편, 공익법인과의 거래에 대한 공시 규정을 강화하려는 움직임이 있다.

제6장

세법상 통제와 규제

부당행위계산부인 제도

부당행위계산부인이란, 법률상 적법·유효한 행위계산이라 하더라도 그로 인해 조세를 부당하게 감소시키는 경우에는 그 행위계산을 부인하여 합리적인 경제인의 행위 또는 계산으로 바꾸어 놓은 상태를 기준으로 소득금액을 계산하는 제도이다. 현행 조세법규 중 법인세법, 소득세법, 부가가치세법이 부당행위계산부인에 관하여 규정을 두고 있고, 「국제조세조정에 관한 법률」(이하 "국제조세조정법" 또는 "국조법"이라 함)상 이전가격세제 역시 동일한 취지의 제도이다.

법인세 및 소득세법상 부당행위계산부인의 공통된 요건은 아래 네 가지이며, 당사자의 조세회피에 관한 주관적 의사는 요구되지 않는다.

---

① 특수관계인과의 거래일 것[18]
② 행위계산이 부당할 것(경제적 합리성이 없을 것)
③ 해당 법인(거주자)의 부당한 행위 또는 계산으로 인해 조세부담이 감소되었다고 인정
  될 것
④ 특정한 거래로 현저한 이익이 분여될 것

법인세법 및 소득세법상 부당행위계산부인의 요건 중 주로 문제되는 것은 '행위·계산의 부당성', 즉 '경제적 합리성이 없을 것'이라는 요건이다. 대법원 판례는, "경제적 합리성의 유무는 일차적으로 경제인이 통상적으로 선택할 거래가 판단기준이 되겠으나, 해당 거래행위의 대가관계만을 따로 떼어 내어 단순히 특수관계인이 아닌 자와의 거래행태에서는 통상 행하여지지 않는 것이라 하여 바로 이에 해당된다고 볼 것이 아니라, 거래행위의 제반 사정

---

18) 거래상대방이 특수관계인이 아닌 경우라면 그 거래가격이 정상가액(시가의 30% 범위 내의 것)을 초과하는 부분만 비지정기부금으로 보게 된다.

을 구체적으로 고려하여 과연 그 거래행위가 사회통념이나 상관행에 비추어 경제적 합리성을 결하였는지 여부에 따라 판단하여야 한다"는 원칙을 제시하고 있다(대법원 1997. 5. 28. 선고 95누18697 판결 등).

구체적으로 (i) 특수관계인에게 부동산을 임대하면서 임차보증금을 부동산 인도일로부터 1년이 지난 후에 지급받은 경우(대법원 1985. 12. 24. 선고 85누134 판결), (ii) 특수관계인에 대한 물품대금 채권을 보유하면서 다른 거래처에 대한 평균회수기간을 초과할 시점까지 해당 채권을 회수하지 않은 경우(대법원 2007. 9. 6. 선고 2006두18522 판결), (iii) 특수관계인과 임가공계약을 체결하면서 당초 임가공된 물건의 선적 후 지급하기로 약정한 임가공료를 선급금 명목으로 중간이자를 공제하지 않고 지급한 경우(대법원 1981. 11. 24. 선고 81누10 판결), (iv) 특수관계인으로부터 시중금리보다 높은 금리로 돈을 빌리는 경우(대법원 2018. 10. 25. 선고 2016두39573 판결), (v) 특수관계인 사이에서 경영권 프리미엄이 붙은 주식과 일반 주식을 동일한 가격으로 거래한 경우(대법원 2019. 5. 30. 선고 2016두54213 판결) 등은 경제적 합리성이 인정되지 않는 행위계산이 부당한 사안으로 판단되었다. 반면, 공사대금 미수금채권을 지급기한 내에 추심하지 않는 것이 채무자의 자력 등 제반 사정을 고려하면 경제적 합리성을 결여한 것이라고 볼 수 없다고 판단한 사례가 있다(대법원 2000. 11. 14. 선고 2000두5494 판결).

법인세법 시행령 제88조 제1항은 부당행위계산부인의 유형으로 다음을 열거하고 있다. (i) 자산의 고가매입·현물출자 및 자산의 과대상각(제1호), (ii) 무수익 자산의 매입·현물출자 및 비용부담(제2호), (iii) 자산의 무상양도 및 저가양도·현물출자(제3호), (iv) 불공정한 합병·분할에 따른 양도손익 감소(제3호의2), (v) 불량자산의 차환 및 불량채권의 양수(제4호), (vi) 출연금 부담(제5호), (vii) 금전 그 밖의 자산 또는 용역의 무상 또는 저율대부·제공(제6호), (viii) 금전 그 밖의 자산 또는 용역의 고율차용 등(제7호), (ix) 파생상품을 이용한 이익 분여(제7호의2), (x) 자본거래(합병, 증자, 감자 등)로 인한 이익 분여(제8호), (xi) 그 밖의 자본거래에 따른 이익 분여(제8호의2), (xii) 제1호 내지 제7호, 제7호의2, 제8호 및 제8호의2에 준하는 행위 또는 계산 및 그 외에 법인의 이익을 분여하였다고 인정되는 경우(제9호)이다. 이처럼 부당행위계산부인 규정은 모든 손익거래와 자본거래에 적용되는 것이어서 공정거래법상 부당한 지원행위의 규제 대상 거래의 범위와 사실상 동일하다고 볼 수 있다.

법인세법 및 소득세법뿐만 아니라 부가가치세법에서도 부당행위계산부인에 관한 규정을 두고 있다. 부가가치세법 제29조 제4항은, 특수관계인에게 공급하는 재화 또는 용역에 대한 조세의 부담을 부당하게 감소시키는 경우로서, (i) 재화의 공급에 대하여 부당하게 낮은 대가를 받거나 아무런 대가를 받지 아니한 경우, (ii) 용역의 공급에 대하여 부당하게 낮은 대가를 받는 경우, (iii) 용역의 공급에 대하여 대가를 받지 아니하는 경우로서 과세되는 사업용 부동산임대용역을 공급한 경우에 대해서는 공급한 재화 또는 용역의 '시가'를 공급가액으로 보도록 규정하고 있다. 부가가치세법상 부당행위계산부인 규정이 적용될 경우, 재화 또는 용역을 공급하는 자는 '시가'를 공급가액으로 하여 계산된 부가가치세를 신고 및 납부하여야 하나, 공급받는 자는 실제 거래금액에 따라 계산된 부가가치세에 대해서만 매입세액 공제를 받을 수 있다.

 「상속세 및 증여세법」(이하 "상증세법"이라 함)상 증여의제 제도

가. 변칙 증여 및 증여에 대한 완전포괄주의

상속세 및 증여세법(이하 "상증세법"이라 함) 제33조 내지 제43조는 변칙적 거래(저가 또는 고가 양도, 채무면제, 부동산 무상사용, 합병, 증자, 감자, 현물출자 등)에 따른 이익의 증여의 유형을 예시하여 증여 재산가액의 계산에 관한 사항을 정하고 있다.

상증세법 제2조 제6호가 정하고 있는 이른바 '포괄증여규정'의 적용에 있어, 위 개별 예시규정이 정하고 있지 아니한 유형의 거래에 관하여도 포괄증여규정에 근거한 증여세 과세가 가능한 것인지 문제된다. 포괄증여규정이 위헌이라는 주장도 있었지만, 법원은 기본적으로 합헌이라는 견지에서 새로운 유형의 증여에 대하여도 가액계산방법이 합리적이라면 과세가 가능하다고 보고 있다.[19] 하지만 원칙적 합헌론에도 불구하고 판례의 주류는 실제

---

19) 〈대법원 2011. 4. 28. 선고 2008두17882 판결〉
   우선매수청구권의 시가와 행사가격의 차액 상당액을 이전한 경우 상증세법 제33조부터 제42조까지의 증여 예시규정에 해당하지 않지만 상증세법 제2조 제3항을 직접적인 근거규정으로 인정하여 과세가 가능하다.
   〈대법원 2014. 4. 14. 선고 2011두23047 판결〉
   주식의 포괄적 교환을 통하여 이익을 증여하였는지 여부는 완전모회사가 되는 회사의 주식 평가액과 완전자회사가 되는 회사의 주식평가액의 차액이 주식의 고가, 저가 양도에 해당하는지 여부로 판단되어서는 아니되며, 완전자회사가 되려는 회사의 주식을 이전하고 배정받은 완전모회사가 되는 회사의 신주의 상증세법상 평가액의 차액, 즉 교환차익에 대하여 과세하는 것이 바람직하므로 처분청이 신주의 저가발행에 대한 이익의 증여를 규정한 상증세법 제39조 제1항 제1호를 적용하여 과세한 것은 위법하며, 대신 상증세법 제42조 제1항 제3호의 법인의 자본을 증가시키는 거래에 따른 이익의 증여규정을 적용하여 과세하여야 한다.

로는 사실상 상속·증여세법상 구체적인 증여의제 규정이나 증여가액 산정조항이 없는 경우에 증여세 과세대상이 아니라고 판단하여 사실상 포괄증여규정에 의한 과세를 불허하는 것으로 이해된다.[20] 즉, 포괄증여규정을 둔 입법취지에 비추어 볼 때, 원칙적으로 어떤 거래·행위가 상속세 및 증여세법 상 증여의 개념에 해당하는 경우에는 위 법에 따른 증여세의 과세가 가능하다고 하면서도, 납세자의 예측가능성 등을 보장하기 위하여 기존의 증여가액 계산조항을 직접 또는 유추적용할 수 없는 경우에는 증여가액 산정이 안되기 때문에 증여세 과세가 불가하다고 판단하고 있다. 더하여 개별 가액산정규정이 특정한 유형의 거래·행위를 규율하면서 그중 일정한 거래·행위만을 증여세 과세대상으로 한정하고 그 과세범위도 제한적으로 규정함으로써 증여세 과세의 범위와 한계를 설정한 것으로 볼 수 있는 경우에는, 개별 가액산정 규정에서 규율하고 있는 거래·행위 중 증여세 과세 대상이나 과세범위에서 제외된 거래·행위가 위 법상 증여의 개념에 들어맞더라도 그에 대한 증여세를 과세할 수 없다고 판시하였다(대법원 2015. 10. 15. 선고 2014두47945 판결, 대법원 2015. 10. 15. 선고 2013두13266 판결).

나. 일감몰아주기 과세: 특수관계법인과의 거래를 통한 이익의 증여의제

상증세법 제45조의3에서는 특수관계법인과의 거래를 통한 특정 이익에 관한 증여의제 규정(이른바 '일감몰아주기에 대한 증여세 과세')을 두고 있다. 이는 특수관계법인과의 일정 비율 이상의 거래를 통하여 수혜법인의 지배주주와 그 지배주주의 친족이 주식 가치 상승 등의 경제적 이익을 얻은 경우, 수혜법인의 영업이익 중 일감몰아주기와 관련된 이익을 수혜법인에 출자한 지배주주와 그 친족이 증여받은 것으로 의제하여 증여세를 과세함으로써 변칙적 증여를 통한 조세회피를 방지하기 위한 제도이다.

위 규정에서 '수혜법인'이란 특수관계거래법인 거래비율(법인의 사업연도 매출액 중에서 그 법인의 지배주주와 특수관계에 있는 법인에 대한 매출액이 차지하는 비율)이 정상거래비율(원칙적으로 30% 또는 20%를 넘으면서 특수관계법인에 대한 매출액이 1,000억 원을 넘는 경우, 다만 중견기업 40%, 중소기업 50%)을 초과하는 내국법인을 의미한다. 이때, 증여세 과세 대상은 수혜법인의 지배주주와 그 지배주주의 친족 개인으로서 수혜법인의 사업연도 종료일을 기준으로 수혜법인에 대한 직접보유비율과 간접보유비율을 합한 비율이 한

---

20) 노형철, 「세법요해」(2019. 4.), p.862 내지 p.865 참조

계보유비율(원칙적으로 3%, 수혜법인이 중소기업·중견기업에 해당하는 경우 10%)을 초과하는 주주가 된다. 위 규정에서 정한 요건에 해당하는 경우, 다음과 같은 방법으로 계산한 증여의제이익을 증여받은 것으로 간주되어 증여세가 부과된다. 다만, 이중과세 방지를 위하여 이후 주주들이 받는 배당금액 중 증여의제된 부분에 대하여는 증여의제이익에서 제외해 준다.

> 수혜법인 각 사업연도별 증여의제이익 =
> 수혜법인의 세후영업이익 × 초과거래비율[*1] × (직·간접[*2] 주식보유비율 − 한계보유비율[*3])
>
> [*1] 초과거래비율 = 특수관계법인 거래비율 − 정상거래비율의 일정비율
> 차감하는 정상거래비율의 일정거래비율: 대기업의 경우 5%, 중견기업은 20%(정상거래비율을 40%로 보고 그 1/2), 중소기업의 경우 50%(정상거래비율 50%)
> [*2] 간접주식보유비율: 최대주주 등이 거래대상 법인에 대하여 가지는 간접지분율
> [*3] 한계보유비율: 대기업 5%, 중견기업 및 중소기업 10%

다. 특수관계법인으로부터 제공받은 사업기회로 발생한 이익의 증여

법인의 지배주주와 그 친족의 주식보유비율이 30% 이상인 법인(수혜법인)의 지배주주와 특수관계에 있는 법인이 직접 수행하거나 다른 사업자가 수행하고 있던 사업기회를 임대차계약, 입점계약, 대리점계약, 프랜차이즈 계약 등의 약정을 통하여 사업기회를 제공하는 경우 해당 이익을 증여로 의제하여 증여세를 과세한다(상증세법 제45조의4). 2016. 1. 1. 이후 개시되는 사업연도에 사업기회를 제공받은 분부터 적용된다. 3년간의 이익을 일시에 증여의제하여 과세하되 3년 후 실제 손익을 반영하여 증여세를 재계산하여 추가 납부 또는 환급받는다(상증세법 시행령 제34조의3).

> 증여 의제 금액 = (제공받은 사업기회로 얻은 개시 사업연도 수혜법인의 이익 × 지배주주 등 주식보유비율 − 개시 사업연도 법인세 납부세액 중 상당액) × 사업기회제공기간(3년)

> 3년 후 정산증여의제이익 = (3년간 수혜법인 이익 × 주식보유비율 − 3년간 법인세납부상당액) − 3년간 배당소득상당액

라. 결손법인 등 특정법인과의 거래를 통한 이익의 증여의제

결손법인, 휴·폐업법인 등 특정한 법인에게 재산 등을 증여함으로써 법인세 과세를 피하고 그 법인의 특수관계 주주에게 이익을 증여하는 변칙적 증여를 막기 위하여 특수관계 주주가 얻은 이익 상당액을 증여의제해 증여세를 과세하는 것으로 1996. 12. 30. 도입된 제도이다(상증세법 제45조의5). 이후 대상 결손법인이나 휴·폐업법인이 여부와 무관하게 지배주주와 그 친족의 주식보유비율이 50% 이상인 영리법인으로 확정되었다. 그 지배주주 등과 특수관계에 있는 자(지배주주 등의 배우자 또는 직계존비속, 이들이 최대주주인 법인)가 특정법인과 일정한 거래를 하는 경우 그 특정법인이 받은 이익에 주주의 주식보유비율을 곱하여 계산한 금액을 증여받은 것으로 본다(상증세법 제45조의5).

대상 거래는 재산·용역의 무상 제공 또는 현저히 낮은 대가(시가와 30% 차이가 나거나 차액이 3억 원 이상)로 양도·제공하는 행위, 재산·용역을 현저히 높은 대가(시가와 30% 차이가 나거나 차액이 3억 원 이상)로 양도·제공받는 행위, 당해 법인의 채무를 면제·인수·변제하는 행위, 저가로 현물출자하는 행위이다.

증여의제 금액

$$= \left(특정법인\ 이익 - 법인세산출세액 \times \frac{해당\ 거래이익}{각\ 사업연도\ 법인세} \right) \times 주주\ 등\ 지분율$$

제 **2** 편

Q&A

Q 1 내부거래의 의의는 무엇인가?

A 통상 기업집단 계열사 간 거래를 가리키며, 거래조건의 정당성과 객관성이 추정되지 않는다.

해설

내부거래란 무엇인가? 거래의 적정성을 담보할 수 없는 특수관계자 간의 거래를 의미한다. 영어로는 'Related parties' transaction'이라 하고 비특수관계자 간 거래를 'Arm's length transaction'이라고 한다. 너무 가까운 사이에서의 거래로 객관적이나 중립성을 인정받지 못한다는 의미를 내포하고 있다. 개인적인 차원에서 부모·자식 간의 거래도 내부거래에 해당하지만 사회적·경제적으로 큰 의미를 가지는 것은 기업집단 내부의 거래이다. 동일한 기업집단에 속하는 법인 간의 거래, 그 법인과 소위 기업집단의 지배자 또는 특수관계자 간의 거래 등이다.

특수관계자 간 내부거래와 비특수관계자 거래의 가장 큰 차이는 거래조건의 객관성·공정성에 대한 믿음이다. 제3자 간에 이루어진 거래와 관련하여는 그것이 가장거래라든지 등의 특별한 사정이 없는 한 객관적이고 공정한 것으로 신뢰할 수 있다. 상증세법 제4조 제1항 제2호에서 "현저히 낮은 대가를 주고 재산 또는 이익을 이전받음으로써 발생하는 이익이나 현저히 높은 대가를 받고 재산 또는 이익을 이전함으로써 발생하는 이익"을 증여재산으로 보면서도 동호 단서에서 "다만, 특수관계인이 아닌 자 간의 거래인 경우에는 거래의 관행상 정당한 사유가 없는 경우로 한정한다"라고 규정하고 있다. 반대로 특수관계자 간의 거래조건은 객관적이고 공정한 것인지 여부가 의심될 수 있다. 특히 소수지분만을 가진 특정 주주가 지배하는 대규모 상장회사에서 회사와 지배주주, 경영진의 '대리인 문제(agent problem)'와 '도덕적 해이(moral hazard)' 현상과 결합하여 소위 터널링(tunneling)이라는 부의 부당한 이전이 이루어질 수 있다.

2 기업의 지배구조 및 빼돌리기 가설(tunneling hypothesis)

A 내부거래로 지배주주의 지분이 낮은 회사의 부를 지배주주의 지분이 높은 회사로 이동
시키는 배임적 거래가 발생할 위험이 크다는 이론이다.

해설

 기업의 지배구조(governance) 및 소유·지배구조는 기업 가치에 대한 권리와 의결권의
관계에서 소유분산 구조(dispersed ownership), 소유집중 구조(concentrated ownership),
소수지배(controlling minority)로 분류된다.[21] 소유분산 구조는 주식 소유가 대중에게 분산
되어 있고 전문경영인이 경영하는 형태이다. 주로 영미 기업에서 보편적이다. 소유집중 구
조는 주식 소유가 특정 주주(보통 한 가족)에게 집중되어 있고 경영도 이들을 중심으로 이
루어지는 소유과 경영이 통합된 형태이다. 소수지배 구조는 주식 소유는 대중에게 분산되
어 있지만 경영에 대하여는 특정 주주(보통 일족)가 담당하는 구조이다.

 기업 성과를 기준으로 어느 구조가 바람직한지 단정하기는 어렵다. 하지만 소수지배 구
조가 소수지분만을 소유한 오너와 회사 및 다른 주주들과의 사이에서 소유·지배의 괴리로
인해 소위 대리인 문제가 발생할 위험이 높음 또한 부인할 수 없다. 적정한 감시활동이 없
다면 대리인 격인 오너가 지분이 낮은 회사(주로 대규모 상장회사)로부터 지분이 높은 회사
(비상장회사)로 내부거래를 통해 '부'를 빼돌릴 유인이 크다. 배임·착취 가설(exproptiation
hypothesis) 또는 빼돌리기 가설(tunneling hypothesis)이라 한다.[22]

 소수의 지분율을 가진 특정 주주가 수많은 기업이 포함된 기업집단 전체를 지배하면서
아울러 소수의 기업집단이 경제 전체를 지배하는 것이 특징인 우리 경제는 가장 심화된 형
태의 소수지배 구조이다. 기업집단 계열사 전체를 기준으로 볼 때, 친족 포함 총수일가의
지분율은 2013년 현재 4.36%에 불과하다.[23] 총수 측 지분이 높은 기업일수록 내부거래 비
중도 높아진다는 실증연구도 있다. 총수가 있는 민간 대규모기업집단 41개 소속 1,225개 계
열사를 대상으로 한 공정거래위원회 조사에 의하면 총수일가 지분율이 20% 미만인 계열회
사의 경우 내부거래 비중이 13.14%에 그치는 반면 지분율이 30%를 넘는 경우에는 38.52%

---

21) 서정, 「재벌의 내부거래를 둘러싸고 나타난 규범의 지체현상과 그 극복」, 법조 2015. 5.(Vol. 704), p.191 내
  지 p.199
22) 권오승·서정, 「독점규제법 이론과 해설」, 박영사(2018), p.504
23) 공정거래위원회, 「2013년 대기업집단 정보공개」, 2013. 5. 30.자 보도자료 참고

로 증가하고, 지분율이 50% 이상이 되면 내부거래 비중도 50%를 넘는 것으로 나타났다(2012년 기준).[24]

한편, 공정거래위원회가 2018년 5월 지정한 공시대상 기업집단(60개) 소속 계열회사(2,083개 사) 중 계열제외·청산 등의 사유로 미공시한 회사와 2017년 말 기준 매출액이 없는 회사(304개 사)를 제외한 1,779개 사를 대상으로 내부거래 현황을 분석·발표한 자료에 의하더라도 별반 차이가 없다.[25] 분석대상 대기업집단의 전체 매출액 중 계열회사 간 매출액이 차지하는 비중은 11.9%이며, 내부거래 금액은 191.4조 원이었다. 비상장사(1,516개 사)의 내부거래 비중은 19.7%로 상장사(263개 사)의 내부거래 비중인 8.1%보다 11.6%p 높은 수준이다. 총수가 있는 대기업집단(52개)의 내부거래 비중은 12.1%로 총수가 없는 대기업집단(8개)의 내부거래 비중인 10.3%보다 1.8%p 높은 수준이다.

| 대기업집단 내부거래 비중 현황 |

(2017. 12. 31. 기준, 단위: %, 조 원, 개 사)

구 분	모든 계열회사		상장사		비상장사	
	내부거래 비중(금액)	회사 수	내부거래 비중(금액)	회사 수	내부거래 비중(금액)	회사 수
전체 집단(60개)	11.9(191.4)	1,779	8.1(87.2)	263	19.7(104.2)	1,516
총수 있는 집단 (52개)	12.1(171.3)	1,634	7.9(75.4)	240	20.7(95.9)	1,394
총수 없는 집단 (8개)	10.3(20.0)	145	9.1(11.7)	23	12.7(8.3)	122

2년 연속 지정된 대기업집단(27개)의 내부거래 금액은 21.8조 원이 증가(152.5조 원→174.3조 원)하였으며, 내부거래 비중은 12.8%로 전년(12.2%)보다 0.6%가 증가하였다. 구체적으로 총수가 있는 대기업집단(21개)의 내부거래 비중은 0.6%가 증가(12.5%→13.1%)하였고, 총수가 없는 대기업집단(6개)의 내부거래 비중은 0.4%가 감소(10.9%→10.5%)하였다. 상장 회사의 내부거래 비중은 0.2%가 증가(8.2% → 8.4%)하였고, 비상장회사의 내부거래 비중은 1.0%가 증가(22.3% → 23.3%)하였다.

업종별 내부거래 비중은 사업시설관리 및 조경 서비스업(73.1%), 컴퓨터 프로그래밍업

---

24) 공정거래위원회, 「2013년 대기업집단 내부거래현황에 대한 정보공개」, 2013. 8. 29.자 보도자료
25) 공정거래위원회, 「공정거래백서」(2019), p.229 내지 p.231

(67.1%), 농업(62.0%), 전문서비스업(59.0%), 전문직별 공사업(57.6%) 등 서비스업 분야에서 높게 나타난 반면, 내부거래 금액은 코크스, 연탄 및 석유정제품 제조업(30.9조 원), 자동차 및 트레일러 제조업(22.6조 원), 종합건설업(17.6조 원), 도매 및 상품 중개업(14조 원), 전자부품 제조업(13.4조 원) 등 제조업 관련 업종에서 크게 나타났다. 내부거래 금액이 2조 원 이상인 주요 업종 중 내부거래 비중이 높은 업종은 시스템 통합 및 관리업, 사업지원 서비스업, 건축기술 서비스업 순이다.

최근 5년간(2013~2017년) 주요 업종의 내부거래 비중을 살펴보면 출판업은 감소하였으나, 시스템 통합관리업, 사업지원 서비스업, 건축 기술 기타 서비스업, 코크스, 연탄 및 석유정제품 제조업은 증가하였다. 상위 5개 업종의 내부거래 합계는 98.5조 원으로 집단 전체 내부거래(191.4조 원)의 51.5%를 차지한다. 집단 내 주력 계열사에 수직 계열화된 회사의 경우 업종의 특징상 내부거래 비중이 높게 나타났다.

한편, 총수일가 또는 총수 2세의 지분율이 높은 회사일수록 내부거래 비중이 높은 경향이 있는 것으로 나타났다. 총수일가 지분율이 30% 이상인 계열회사(184개)의 내부거래 비중은 14.1%, 50% 이상(129개)인 경우에는 19.8%, 100%(69개)인 경우에는 28.5%로 나타났으며, 총수 2세의 지분율이 30% 이상인 계열회사(65개)의 경우 내부거래 비중은 29.8%, 50% 이상(49개)인 경우에는 30.5%, 100%(24개)인 경우에는 44.4%로 나타났다.

상류시장의 상품이 수평적으로 차별적이고 하류시장이 독점적인 상황에서 소유·지배의 괴리도가 클수록 내부거래를 통하여 부를 빼돌리는 터널링 효과가 발생할 가능성이 높으며, 내부거래의 유인은 시장의 잉여가 크고 내부거래 지배주주의 당사 기업들 간의 지분율 차이가 클수록 증가한다는 연구가 있다(윤경수, 2018).[26] 터널링의 효과적 규제를 위하여 총수일가의 현금청구권이 지원주체 회사보다 지원객체에 더 높은 경우, 예를 들면 5% 이상 높을 경우(현금청구권은 주주가 회사로부터 배당 등 여러 방법으로 현금을 찾아갈 권리를 의미하는 것으로 통상 지분율을 의미한다. 하지만 같은 지분율이라 하더라도 비상장회사와 같이 배당이나 이익의 처분이 용이한 경우도 포함한다), 초과 지분을 처분하도록 하는 사전 규제 제도를 도입하자는 의견이 있다.[27] 내부거래로 인한 부작용이 심각하기 때문에 그 취지는 이해하지만, 현행 법제에서 지나치게 과도한 측면이 있다.

---

26) 윤경수, 「시장경쟁과 기업집단 내 내부거래」, 한국법경제학회 '법경제학연구' 제15권 제1호(2018. 4.), p.81, pp.97~98

27) 채이배, 「물량몰아주기 규제 강화 관련 법 개정안 검토」, 경쟁과 법(2013. 10.), p.62

3 내부거래의 사회·경제적 효과와 장단점

A 회사법적 측면에서 거래비용 감소라는 긍정적 효과도 있지만 지배주주에 의한 회사 이익의 잠식이라는 부정적 효과도 있다. 그 외에도 상속·증여세 회피, 계열사 동반부실 초래, 기업집단 소속 회사의 부당 경쟁을 통한 동태적 경쟁의 제한 등 사회·경제적 악영향도 있다.

> 해설

현실적으로 내부거래의 사회·경제적 효과를 분석하기 위해서는 대규모 기업집단의 사회·경제적 효과를 먼저 볼 필요가 있다. 대규모 기업집단은 같은 업종의 공급망을 구성하는 수직결합(vertical integration) 형태와 다른 업종들끼리 구성되는 혼합결합(conglomerate integration)이 있다.

수직결합의 긍정적 측면으로는 거래비용(transaction cost) 감소, 안정적 재료 공급처 확보, 효율적 유통망 확보 등을 들 수 있다. 적절한 재료공급처나 유통망을 확보할 수 없는 경우에도 수직결합을 통해 경제적 효율성을 달성할 수 있다. 달리 말하면, 수직결합은 위와 같은 중간재 시장의 실패를 해결하는 하나의 수단이 되는 것이다. 부정적 측면으로는 시장봉쇄효과(market foreclosure)를 통한 시장지배력 확대, 행정규제나 조세회피를 위한 수단으로 활용될 우려 등을 들 수 있다. 참고로 거래비용이란 불완전한 정보 아래에서 거래대상의 의도 내지 행동양식에 관한 정보를 극복 또는 회피하기 위하여 발생하는 비용이다. 적당한 거래대상을 탐색하고, 협상을 통해 거래를 교섭하고 계약을 체결하며, 계약의 완전한 이행을 위해 감시하는데 소요되는 비용 등을 의미한다. 기업집단 구성원들 간의 거래의 경우 제3자 간 거래에 비하여 이러한 거래비용이 절감될 수 있다. 더하여 기업집단 구성원들 간에 형성되어 있는 신뢰나 평판, 그리고 경제적 이해관계의 공유 등으로 시장의 변화에 대해 빨리 대응할 수도 있고, 민감한 내부정보가 유출되는 보안상의 위험도 줄어들 수 있다. 거래비용에는 계약의 성실한 이행을 담보하기 위한 상호감시비용도 포함된다. 특히 거래상대방이 수요공급의 격심한 변화를 전략적으로 이용하여 가격의 일방적 인상을 요구하는 등의 기회주의적 행위(opportunistic behavior)를 방지하는 것 역시 거래비용의 중요한 항목이 된다.

혼합결합의 긍정적 측면으로는 효율적인 내부자본시장(internal capital market)의 기능[28]을 함으로써 자원배분의 효율성을 극대화할 수 있고 범위의 경제(economy of scope)로 원가를 떨어뜨리고 위험을 분산(risk dispersion)시키는 효과가 거론된다. 부정적 측면으로는 잠재적 경쟁을 제거하여 시장지배력을 강화할 수 있고, 기업의 정치적 영향력 확대로 인한 사회·경제적으로 부정적 영향이 이야기된다.

기업집단 형성의 사회·경제적 효과는 기업집단 구성원들 간의 거래(내부거래)의 효과로 나타난다. 먼저 내부거래의 긍정적 측면으로 해당 기업이 특수관계자와 거래함으로써 거래비용을 줄일 수 있고 효율성과 신뢰성을 높일 수 있다는 점이 거론된다. 아울러 기업집단 구성원들 간 내부거래를 통해 안정적인 공급처와 수요처를 확보하면 신규사업에 진출하거나 기존 사업을 확장함에 있어서 리스크를 줄이고 경쟁력을 단기에 확보할 수 있는 이점도 있다. 자원의 효율적 재분배나 분사화에 따른 구조조정, 기업집단 차원에서 통제권 유지 및 수급상황의 안정성 제고 등도 긍정적 효과로 지적된다. 특히 일감몰아주기는 기업집단이 새로운 사업영역에 성공적으로 진입하여 범위의 경제를 실현할 수 있는 측면도 있다[29] (이 점은 반대로 비계열, 독립기업의 성공가능성을 떨어뜨리는 부정적 효과가 된다).

하지만 지배주주가 회사 또는 다른 주주의 이익을 빼앗아 자신 또는 특수관계인의 이익을 추구하는 터널링(tunneling)의 수단이 될 수 있다. 상속·증여세를 회피해서 부를 이전하는 방법이 될 수도 있다. 기업집단에 속하지 않은 소위 독행기업에게 거래의 기회를 상실시키거나 감소시켜서 사회적 부가 기업집단에 집중되도록 하며 장기적 경쟁여건을 악화시킬 수 있으며, 심지어 기업집단 전체를 부실화시켜 동반부도 사태를 초래시킬 수 있다. 심화된 소수지배 구조에서는 부정적 영향이 크게 날 수 있으므로, 이에 대하여 좀 더 구체적으로 설명한다.

먼저 배임 또는 빼돌리기(tunneling)의 우려이다. 지배주주가 자기의 지분이 낮은 회사(통상 상장회사)보다 지분율이 높은 회사(통상 비상장회사)의 이익에 부합하는 결정을 할 경제적 유인이 크기 때문에 발생하는 현상이다. 이를 막기 위한 관리비용 또한 증가한다.

---

28) 특히 내부자본시장 기능과 관련하여 신제도주의 경제학자인 윌리엄슨(Oliver E. Williamson)은 다음과 같이 설명했다. 기업의 관리자들이 자금을 가장 수익률이 높은 곳에 배분하는 일종의 자본시장기능을 하는 것인데, 내부자본배분은 ① 투자결과 등에 대한 정보획득이나 평가능력, ② 상황변화에 대한 선별적 적응이나 신속한 적응능력, ③ 개입비용의 절감 등의 측면에서 외부자본시장보다 오히려 효율적이라는 것이다. 달리 말하면, 중간재시장의 실패라는 관점에서 수직적 결합을 이해해야 하듯이 자본시장의 실패(failures in the capital market) 및 그에 대한 대응이라는 관점에서 혼합결합기업의 장점을 이해해야 한다는 것이다.
29) 신영수, 「일감몰아주기 문제의 접근방식과 규제개선의 방향」, 경쟁저널(2012. 7.), p.8

관리비용이란, 회사가 대주주 또는 경영진의 자기 이익추구와 같은 도덕적 해이를 방지하기 위하여 여러 가지 감시장치를 도입하고 실행하는데 소요되는 비용이다.

내부거래는 상속·증여세를 회피하면서 소수주주의 이익을 지배주주 또는 그 특수관계인에게 이전시키는 편법적 부의 이전수단이 될 수 있다. 특히 다음 세대의 후계자가 대부분의 지분을 가진 비상장 회사를 설립한 다음 주력 상장회사로 하여금 물량몰아주기를 하여 성장시킨 다음, 그 회사의 자금으로 주력 상장회사 등의 지분을 매입하게 하거나 또는 그 회사를 상장하여 마련한 현금으로 후계자의 그룹 계열사 지분을 확대하는 것이 전형적인 방법이다.

경쟁법적으로는 계열회사 등이 속한 개별 시장, 당해 기업집단 및 국민경제 등 세 가지 차원에서 살펴볼 수 있다. 개별 시장 차원에서 기업집단 간 내부거래가 횡행하게 되면 비계열 독립기업, 즉 기업집단에 속하지 못한 소위 독행기업이나 단독기업(maverick)[30]이 확보할 수 있는 수요 및 사업기회는 매우 적어진다. 기업집단에 속한 기업은 내부거래를 통해 이익과 규모를 확보함으로써 우위를 가지게 되고, 그 결과 원가절감이나 혁신적 기술과 경영전략과 같은 장점에 의한 경쟁이 퇴색된다. 독행기업이나 단독기업은 생존·발전하기 어려워지는 것이다.

또한 지원행위가 없다면 도태되어야 할 기업이 존속하게 되거나 심지어 경쟁 독립기업을 시장에서 퇴출시킬 수도 있고 새로운 기업의 시장 진입을 방해할 수 있다. 결과적으로 혁신을 통한 장기적·동태적 경쟁이 감소하며 시장정합성(market contestabliity) 또는 유효경쟁(effective competition)이 저해되는 것이다. 한편, 부당지원행위로 유량 계열사의 핵심역량이 부실 계열사로 분산·유출되어 기업집단 전체가 동반 부실화될 위험이 있다. 무분별한 문어발식 사업확장 및 선단적 경영을 통해 비합리적인 경제력집중을 심화시키고 국민경제의 균형을 해칠 수 있다.

---

30) 톰 크루즈가 주연한 영화 탑건에서 톰 크루즈의 이름은 "Maverick"이다. maverick의 사전적인 의미인 "A person who thinks and acts in an independent way, often behaving differently from expected or usual way"인데, 탑건의 주인공 캐릭터의 특징을 잘 표현하기 위하여 지은 이름으로 생각된다. 사실 Maverick이란 용어는 독점규제 및 공정거래 분야에서도 종종 등장하는 단어이다. 미국 법무부의 수평적 기업결합 가이드라인에서는 경쟁제한성을 판단함에 있어 Maverick firm을 제거하여 경쟁을 감소시키는지를 검토한다고 규정하면서 Maverick firm을 "a firm that plays a disruptive role in the market to the benefit of customers"이라고 예시하고 있다.

4 가장 바람직한 내부거래 규모

A 회사법 측면에서는 거래비용과 관리비용의 합이 가장 높은 지점에서 내부거래 규모를 정하면 되지만, 사회·경제적 악영향이라는 외부비경제로 정부가 개입해서 내부거래 규모를 감독할 필요가 있다.

해설

의사결정 주체는 기업이다. 상속·증여세상의 문제나 동태적 경쟁 혁신을 저해하는 문제는 기업 측면에서는 자신이 고려할 필요가 없는 외부비경제 효과(Negative Externalities)이므로 의사결정에 큰 영향을 못 미친다. 거래비용의 감소효과와 지배주주에 의한 도덕적 해이(Moral hazard)를 막기 위한 관리비용의 증가만이 의사결정의 고려요소가 된다. 제도경제학에서는 내부거래에 따른 거래비용과 관리비용이 최소화되는 수준에서 내부거래 규모가 결정된다고 설명한다.

거래비용은 내부거래 규모가 증가할수록 낮아지지만 한계비용 체감적인 형태를 띤다(화살표 ①의 방향). 반대로 관리비용은 내부거래 규모가 증가할수록 높아지지만 한계비용 체증의 형태를 띤다(화살표 ②의 방향). 내부거래 규모와 거래비용 및 관리비용의 상관관계를 그래프로 나타내면 아래 그림과 같다. 내부거래에 대해 '외부비경제'의 효과(상속·증여 문제나 동태적 경쟁·혁신 저해)가 없다는 가정 아래에서 기업 내부 또는 기업집단 내부문제로만 보면, 거래비용과 관리비용의 합이 가장 적은 최적의 지점에서 내부거래가 정해진다(아래 그림에서 E가 된다).

| 내부거래 거래비용과 관리비용 상관관계 |

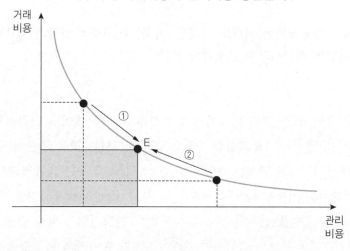

분석 개별 기업의 측면에서 분석한 것이다. 하지만 내부거래로 인한 문제는 회사와 그 주주들에게만 미치는 것이 아니라 사회 전반에 미친다. 특히 우리 사회에서는 사회·경제 전반의 문제로 인식되고 있다. 편법적인 상속증여, 대기업 집단이나 재벌에 대한 경제력집중, 대·중소기업 간의 불공정한 경쟁, 동태적 경쟁의 감소, 기업가 정신의 감소 등이다. 사회후생을 줄이는 내부거래의 외부비경제 효과이다. 외부비경제가 크면 클수록 내부거래 규모는 억제되어야 한다.

그런데 기업집단을 지배하는 동일인, 소위 오너 입장에서는 개별 기업보다는 기업집단 전체의 이익, 심지어 그중에서도 자신의 지분이 높은 회사의 이익을 우선시할 유인이 있다. 이 때문에 터널링 효과가 있는 부정적인 내부거래가 늘어날 수 있다. 이런 점까지 고려하여 내부거래에 대한 규제의 틀을 짜고 집행해야 한다.

5 내부거래를 공정거래법으로 규제하는 것에 대한 찬반론

A 관치경제와 과잉규제라는 비판도 있지만, 사회·경제적 악영향과 외부비경제에 비추어 공정거래법이 적극적으로 개입해야 한다.

해설

공정거래법상 부당지원행위가 내부거래의 부정적 효과를 줄이고 사회적으로 바람직한 수준의 내부거래를 달성하는데 적합한 수단인지에 대해서는 많은 반론이 제기되어 왔다. 구체적으로는 부당지원행위 규제는 계열사 간의 상호보조를 통한 비계열회사에 대한 시장 배제효과, 즉 가격차별 가능성 등 내부거래의 독점화(monopolization)에만 주목할 뿐 내부 거래의 효율성 증대 측면을 간과한 것이라는 견해,[31] 한계기업의 퇴출 같은 구조개혁작업의 완성은 공정거래법의 목표와 직접적인 관련이 없으므로 규제의 목적으로 적절치 않다는 견해,[32] 경쟁제한성 및 경제력집중 억제는 동일 차원에서 논의될 수 없으므로 이를 하나의 규정으로 규율하는 것은 타당하지 않으며 일감몰아주기 등을 통한 부의 편법적 이전에 대해서는 형사법, 상사법, 조세법 등 관련 법률을 동원하여 대책을 마련해야 한다는 견해,[33] 부당지원행위 규제의 목적 중 지원주체의 소수주주와 채권자 보호에 대해서만 타당성을 인정할 수 있으므로 상법상 회사기회 유용금지 등으로 충분하다는 견해,[34] 세법상 부당행위 계산부인이 특수관계 있는 사업자 간의 이상 거래에 대한 규제수단으로 작용하기 때문에 공정거래법상 부당지원행위 규제는 중복적이라는 견해[35] 등이 있다. 또, 한정된 정부기관의 인력과 자원으로 위반행위를 적발·조사·제재해야 하는 한계가 있고 선별적 조사와 집행의 위험성이 있으며, 사경제 행위에 대한 공기관의 행정적 개입이 경제주체의 정상적 활동을 위축시키고 과잉규제로 이어질 우려가 있다는 비판도 있다.[36]

그러나 경제력집중의 문제가 해소되지 않았다면 어떠한 형식이 되었든 공정거래법 차원

---

31) 이인권, 「공정거래와 법치」(2004), p.274
32) 한현옥, "내부거래 규제 근거와 타당성 검토", 「공정거래법 전면 개편방안(上)」, 한국경제연구원(2004), p.365
33) 서정, 앞의 글, p.43 이하; "개별시장 단위의 경쟁제한성과 국민경제 단위의 경제력집중 문제는 같은 평면에서 논의될 문제가 아니며, 자유로운 경쟁이 보장된다고 하더라도 경제력집중은 발생할 수 있으므로 경제력집중 방지를 위해서는 경쟁제한성과 다른 차원의 규제 논거를 검토하고 그에 부합하는 규정을 마련해야 한다."
34) 이윤석, 「공정거래법상 부당지원행위 규제의 타당성과 대체수단」, 경제법연구, 제9권 제2호(2010. 12.), p.258
35) 최승재, 「부당지원행위와 터널링 규제에 대한 연구」, 규제연구, 제18권 제2호(2009. 12.), p.156 이하 참조
36) 송창현·조중일·김남훈, 「기업집단 내부거래 규제의 현황과 개선 방안」, 법학평론 제4권(2013. 12.), p.140 내지 p.185

의 규제 필요성 자체를 부정할 수는 없으므로, 현 제도하에서 부당지원행위 금지규정의 적용에서 기업집단에 의한 경제력집중의 억제와 개별시장에서의 경쟁제한성 저지 목적이 모두 고려되어야 한다는 견해도 있다.[37]

지배주주 등이 일감몰아주기로 수혜를 받은 회사의 지분을 직접 보유한 경우라면 지배주주의 부당한 사익추구가 되어 회사법으로 규율될 가능성도 있지만, 지배주주가 직접 지분을 보유하지 않은 경우에는 이마저도 어렵다. 기업의 최고 의사결정 기구이며 아울러 대주주 또는 경영진의 전횡에 대한 감시기구 역할도 담당하는 이사회가 아직 제대로 역할하지 못하고 있는 것도 현실이다. 우리 소송법상 소수주주 등 이해관계자가 내부거래를 통하여 회사가 입은 손해를 배상하라는 소송을 제기하기도 쉽지 않고 사후적으로 주주 등 이해관계자가 비용을 부담하면서 내부거래를 부당성을 법적으로 다툴 인센티브도 거의 없다. 설사 공익적 차원에서 소송을 제기한다 하더라도 은밀하게 이루어지는 내부거래의 증거도 많지 않다. 그나마도 모두 기업 내부에 있기 때문에 미국식 전면적 증거조사 제도인 디스커버리가 도입되어 있지 않은 상황에서 사실파악 및 증거조사마저도 쉽지 않다. 이런 점에서 대기업의 경제력집중을 억제하기 위하여 공정거래법에서 해결방안을 모색하여야 한다는 주장이 설득력있게 제기되고 있다.[38] 이사에 대한 손해배상소송 제도가 미흡한 현실에서 위법행위에 대한 위하력과 억제력을 위해서라도 공정거래위원회의 개입과 강력한 법집행이 필요하다고 본다.

내부거래를 회사법적 관점으로만 파악해서는 안되고 사회경제 전반의 외부 비경제적 측면에서 보다 엄격하게 감시되고 제재되어야 한다는 주장도 있다. 일반 주주에 의한 지배주주 감시가 가능하도록 회사법과 소송법을 정비·보완해야 한다는 견해도 있다. 이사회와 같은 회사 내부기관에 의한 통제, 주주대표소송에 의한 이사의 손해배상책임제도 활성화 등 사적 집행을 활성화해야 한다는 견해도 있다.[39] 공적집행과 사적집행이라는 두 필의 말이 달려야 한다는 견해에 필자 역시 이에 동조한다.

---

37) 정병덕, 「부당지원행위의 규제목적과 적용범위」, 상사판례연구 제19집 제4권(2006. 12.), p.388
  이경윤, 「부당지원행위 금지와 부당행위계산부인의 관계 – 상호 간 대체가능성을 중심으로」, 법제(2015. 11. 26.), p.81
38) 김우찬·김우배, 「일감몰아주기에 대한 공정거래법 규율의 실효성 제고방안」, 기업지배구조연구 46권(2013), p.41
39) 송창현·조중일·김남훈, 「기업집단 내부거래 규제의 현황과 개선 방안」, 법학평론 제4권(2013. 12.), p.140 내지 p.185

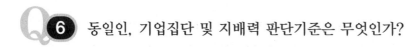

6 동일인, 기업집단 및 지배력 판단기준은 무엇인가?

A 동일인이 지배하는 기업들을 기업집단이라 하고, 동일인이 법인인 경우와 개인인 경우가 있다. 지배력은 통상 지분율로 판단하지만 지분율이 낮더라도 실질적인 지배력이 인정될 수 있다.

해설

우리 경제는 실질적으로는 기업집단을 중심으로 구성되어 있지만, 상법을 비롯한 현행 법령은 원칙적으로 개별 기업을 단위로 한 규율체계를 취하고 있다. 다만, 공정거래법은 '기업집단'에 관하여 명시적인 규정을 두고 이를 규제하고 있다. 흔히들 이야기하는 대기업 또는 여러 기업들을 계열사로 가지고 있는 그룹 또는 재벌 등의 용어는 법률상 통용되는 용어가 아니다.

기업집단이란 동일인이 사실상 사업내용을 지배하는 회사의 집단을 의미한다(법 제2조 제2항). 동일인이 회사가 아닌 경우 동일인이 지배하는 2개 이상의 회사의 집단이 기업집단이 되고, 동일인이 회사인 경우 해당 회사와 그 회사가 지배하는 하나 이상의 회사의 집단이 기업집단이 된다. 기업집단 중에서 특별히 큰 그룹은 '대규모기업집단'으로 지정해서 특별 관리를 하고 있다. 대규모기업집단은 상호출자제한기업집단(소속회사들의 자산총액이 10조 원 이상)과 공시대상기업집단(소속회사들의 자산총액이 5조 원 이상)으로 분류된다.

동일인이 지배하는 회사가 기업집단 소속 계열회사이므로(공정거래법 제2조 제3호), 기업집단은 '동일한 인격체(법인이든 자연인이든)가 자본적 영향력(지분 소유)이나 인적 영향력(혈연관계)을 통하여 지배하는 수 개의 회사의 집단'으로 정의되는 것이다. 동일인은 2개 이상의 회사의 집단을 사실상 지배하고 있는 자연인 또는 법인이다. 동일인이 자연인인 경우 통상 그룹 총수를 의미하고, 동일인이 법인인 경우 그 동일인은 기업집단의 정점에 있는 회사를 의미한다. 동일인관련자란 ① 동일인의 배우자, 6촌 이내 혈족, 4촌 이내 인척, ② 동일인 및 동일인관련자가 지배적 영향력을 행사하는 비영리법인 또는 단체, ③ 계열회사, ④ 동일인 또는 동일인관련자가 지배하는 비영리법인·단체, 계열회사의 사용인을 의미한다(공정거래법 시행령 제3조 제1호).

②의 동일인 또는 동일인관련자가 지배적 영향력을 행사하는 비영리법인 또는 단체는 지분율 기준과 지배력 기준으로 판단한다. 지분율 기준에 의하면, 동일인 또는 동일인 관계자

가 지배하는 경우란, 동일인이 단독으로 또는 동일인관련자와 합하여 당해 회사 발행주식(우선주 제외)의 30% 이상을 소유하고 최다출자자인 경우를 의미한다(공정거래법 시행령 제3조 제1호). 주식의 취득 또는 소유의 기준은 명의와 관계없이 실질적인 소유관계를 기준으로 한다(공정거래법 제7조의2).

지배력 기준에 의하면, 동일인 또는 동일인관련자가 지배적 영향력을 행사하는 경우란 다음 어느 하나에 해당되는 회사로서 동일인이 당해 회사의 경영에 대하여 지배적인 영향력을 행사하고 있다고 인정되는 때이다(공정거래법 시행령 제3조 제2호).

① 동일인이 다른 주요 주주와의 계약 또는 합의에 의하여 대표이사 또는 임원의 100분의 50 이상을 선임하거나 선임할 수 있는 회사

② 동일인이 직접 또는 동일인관련자를 통하여 당해 회사의 조직변경 또는 신규사업에의 투자 등 주요 의사결정이나 업무집행에 지배적인 영향력을 행사하고 있는 회사

③ 동일인이 지배하는 회사(동일인이 회사인 경우에는 동일인을 포함)와 당해 회사 간에 다음과 같은 인사교류가 있는 회사

i. 동일인이 지배하는 회사와 당해 회사 간에 임원의 겸임이 있는 경우

ii. 동일인이 지배하는 회사의 임·직원이 당해 회사의 임원으로 임명되었다가 동일인이 지배하는 회사로 복직하는 경우(동일인이 지배하는 회사 중 당초의 회사가 아닌 회사로 복직하는 경우를 포함)

iii. 당해 회사의 임원이 동일인이 지배하는 회사의 임직원으로 임명되었다가 당해 회사 또는 당해 회사의 계열회사로 복직하는 경우

- 통상적인 범위를 초과하여 동일인 또는 동일인관련자와 자금·자산·상품·용역 등의 거래를 하고 있거나 채무보증을 하거나 채무보증을 받고 있는 회사

- 기타 당해 회사가 동일인의 기업 집단의 계열회사로 인정될 수 있는 영업상의 표시행위를 하는 등 사회통념상 경제적 동일체로 인정되는 회사

요 건	판단기준
지분율 요건	동일인 및 동일인관련자가 30% 이상 소유하고 최다출자자인 회사
지배력 (영향력 요건)	• 동일인이 임원의 50/100 이상 선임 • 동일인이 당해 회사의 조직변경, 신규사업투자 등 주요의사결정이나 업무집행에 지배적 영향력 행사 • 동일인 지배회사와 당해 회사 간 임원겸임, 인사교류 • 통상적 범위를 초과하여 동일인 및 동일인관련자와 자금·자산·상품·용역거래, 채무보증·피보증 및 계열회사로 인정될 수 있는 영업상 표시행위 등 사회 통념상 경제적 동일체로 인정되는 회사

개인인 동일인이 지배하는 기업집단에는 삼성, 현대, SK, LG 등의 재벌과 같은 상호출자제한기업집단이나 대규모기업집단뿐만 아니라 중견기업을 중심으로 한 기업집단이 포함된다. 개인 오너(총수)가 없어 동일인이 법인이 되는 기업집단으로는 한국전력, 포스코와 같은 공기업이나 공기업에 기반된 기업집단과 은행 등 금융 기업집단 등이 대표적이다.

기업집단 내 의사결정의 특징은 무엇인가?

A 지배주주와 지배주주에 의해 선임된 이사들로 인하여 대리인 문제와 도덕적 해이가 일상적으로 나타나므로 내부통제 및 관리체제가 중요하다.

해설

기업집단이 법적인 권리·의무 주체가 될 수는 없지만 현실적으로는 인적·물적 자원의 집합체로서 마치 하나의 경제적 단위인 것처럼 단일한 의사결정을 하고 공동 투자를 실행하는 등 사업활동을 수행하는 경우가 많다. 거래상대방, 채권자나 일반 대중도 기업집단을 하나의 경제적 단위 내지는 의사결정 단위로 인식하는 경향도 없지 않다. 기업집단은 동일인이라 불리는 개인(친족공동체) 또는 법인에 의한 공동의 지배 혹은 목적하에 운영되므로 소속된 계열회사들 사이에 생산·유통의 각 단계별로 전문적 분업이 이루어지거나 상품·용역 등의 내부거래가 발생할 수 있고, 기업집단 공통 업무의 효율적 처리를 위해 하나의 독립된 계열회사를 전문회사로 설립하고 기업집단 소속 회사들이 해당 계열회사와 집중적인 거래를 하는 방식의 내부거래가 이루어질 수도 있다.

한편, 우리나라의 대규모기업집단의 특징으로 소유와 지배의 괴리도가 높은 것이 지적된다. 지배주주의 기업집단에 대한 자본 출연 비율(지분)이 극히 낮은 반면, 지배주주와 이해를 달리하는 소수주주들의 수가 상당히 많다는 의미이다. 심화된 소수지배 구조이다. 더해서 대규모기업집단이 경제에 차지하는 비중 또한 절대적이라 해도 과언이 아닐 정도로 크다. 기업집단 내에서는 지배주주에게 이익이 되는 내부거래를 할 유인이 많고, 반대로 지배주주에게 불이익이 되는 내부거래를 할 가능성은 적다. 실제 기업구조 조정이나 재무구조 개선을 위해 지배주주가 사재(私財)를 출연하는 경우가 아닌 한, 지배주주에게 불리한 내부거래가 행해진 사례는 찾아보기 어렵다.

결국 내부거래는 지배주주와 기업, 일반 주주 간의 대리인 문제이고 필연적으로 도덕적 해이가 발생한다. 기업을 지배하는 지배주주와 기업 사이의 경제적 이해관계가 일치하지 않을 경우 일반 주주로부터 경영을 위임받았다 의제되는 지배주주가 그 위임의무에도 불구하고 일반 주주보다는 자신의 이익에 부합하는 의사결정을 할 가능성이 높은 것이 내부거래가 안고 있는 본질적 문제이다. 그래서 지배주주가 도덕적 해이를 하지 못하도록 감시하고 제재하는 제도적 장치와 구조를 만드는 것이 필요하다.

다만, 그 과정에서 기업 경영의 자유를 침해할 가능성이 높을 뿐 아니라, 집행하는 과정에서 법적·행정적 자원이 낭비될 수 있다는 비판이 있다. 그래서 도덕적 해이가 발생할 가능성은 낮은 경우에는 과감하게 그 틀을 풀어버릴 필요 또한 있다. 예를 들어, 대리인 문제나 도덕적 해이의 우려가 낮은 내부거래의 경우에는 지배주주의 사익을 추구하거나 또는 계열사 일방의 이익을 희생하고 다른 계열사의 이익을 추구하는 거래일 가능성이 낮으므로 규제를 과감하게 푸는 것을 고려해야 한다. 대표적으로 100% 모자회사 간 내부거래 등이다 (완전모자회사는 아니지만 지분율·일치율이 높은 경우도 같다). 경제적 이해관계가 일치하므로 대리인 문제나 도덕적 해이의 가능성이 거의 없기 때문이다. 사견으로 완전모자회사 간 거래를 부당지원행위로 보고 있는 공정거래위원회나 법원의 입장은 이해가 되지 않는다.

기업집단의 측면에서 거래비용과 관리비용이 최소화되는 수준에서 내부거래규모를 결정할 수 있다고 이론적으로 이야기할 수는 있다. 하지만 경영권을 가진 대주주 또는 소수의 사익을 위하여 추구되는 측면이 있다면 회사 입장에서 거래비용과 관리비용의 객관적인 평가와 비교가 가능한지 의문이 있다. 무엇보다 기업이 아니라 사회적 차원에서 외부비경제 효과가 있기 때문에, 사회·경제적으로 바람직한 내부거래 수준을 달성하기 위해서라도 공정거래법 등과 같은 공법적인 관여를 통한 사회적 통제와 규제가 필요하다.

Q8 대규모기업집단(상호출자제한 기업집단, 공시대상기업집단)의 의미와 현황

A 자산총액 5조 원 이상을 공사대상 기업집단, 10조 원 이상을 상호출자제한 기업집단으로 구분하고, 공정거래위원회가 매년 5월 1일경 지정한다.

해설

대규모기업집단은 공시대상기업집단과 상호출자제한집단으로 나눈다.

상호출자제한 기업집단이란, 계열사 자산을 모두 합쳐서 10조 원이 넘는 기업집단을 의미한다. 공시대상기업집단에 적용되는 기업집단 현황공시, 비상장사 주요사항 공시, 대규모 내부거래 공시와 같은 공시의무와 특수관계인에 대한 부당한 이익 제공 금지와 같은 공정거래법 조항 외에도 상호출자제한 기업집단에는 상호·순환출자금지, 채무보증금지, 금융·보험사·의결권 제한 등이 추가적으로 적용된다. 상호출자란 2개 이상의 독립된 회사가 서로 상대방 회사의 발행주식을 소유하는 출자행위를 의미한다. 상호출자는 크게 직접 상호출자와 간접상호출자로 구분할 수 있다. 전자는 2개 회사의 상대방 회사에 대한 출자를, 후자는 3개 이상 회사 간의 환상형출자를 의미하는데, 공정거래법은 전자만을 상호출자라 하고 후자는 순환출자라 한다.

공정거래법상 상호출자 금지제도는 상호출자제한기업집단 소속회사를 대상으로 하고 있으며, 회사의 합병·영업전부의 양수, 담보권의 실행·대물변제의 수령으로 발생하는 상호출자에 대해서는 6개월간 예외를 인정하고 있다. 한편 공정거래법에서는 상호출자규제를 면탈하려는 탈법행위를 금지하고 있는데, 탈법행위의 유형으로 특정금전신탁을 이용한 상호출자, 타인의 명의를 이용한 상호출자가 규정되어 있다. 상호출자금지를 위반하는 경우에는 주식처분명령 등 시정조치 및 과징금 부과가 가능하고, 상호출자 주식은 처분명령을 받은 날부터 의결권 행사가 불가능해진다. 또한 3년 이하의 징역 또는 2억 원 이하의 벌금 부과도 가능하다.

공정거래법상 금지되는 신규순환출자는 크게 두 가지로 나누는데, 첫 번째는 대규모기업집단소속 계열회사 간 새로운 순환출자를 형성하는 경우이고, 두 번째는 기존의 대규모기업집단소속 계열회사 간 순환출자를 강화하는 추가출자를 말한다. 법 적용대상으로는 이미 지정된 대규모기업집단은 법 시행일 이후의 순환출자를, 법 시행일 이후 신규 지정되는 대규모기업집단은 지정일 이후의 순환출자만을 금지하고 있다. 공정거래법은 기존순환출자의 점진적·자발적 해소를 유도하기 위해 기업집단 현황 등에 관한 공시에서 순환출자 현황에 대한 공시의무 부과를 포함하고 있다.

공시대상기업집단이란 동일 기업집단 소속 국내회사(계열회사)들의 직전 사업연도 재무상태표상의 자산총액(금융·보험회사는 자본금 또는 자본총액 중 큰 금액) 합계액이 5조원 이상인 기업집단을 의미한다. 공정거래위원회는 매 사업연도 말을 기준으로 대규모기업집단에 소속된 계열사들의 지분율과 재무제표를 제출받아 매년 발표한다.

공정거래위원회는 매년 5월 1일(부득이한 경우 5월 15일)까지 기준에 해당하는 기업집단을 공시대상기업집단 또는 상호출자제한기업집단으로 지정하여야 하고, 지정된 기업집단은 그 기준에 해당되지 않게 된 경우 공시대상기업집단 또는 상호출자제한기업집단에서 제외하여야 한다(공정거래법 시행령 제21조 제4항). 공정거래위원회는 기업집단을 새로 지정하거나 지정 제외하는 경우 즉시 그 사실을 기업집단 소속 회사와 동일인에게 통지하여야 하고(시행령 제21조 제5항), 지정·통지 후 소속회사에 변동이 있는 경우에는 해당 회사와 해당 기업집단의 동일인에게 변동내용을 통지하여야 한다(제6항).

한편, 공정거래법 제14조의2 제1항은 "공정거래위원회는 공시대상기업집단의 계열회사로 편입하거나 계열회사에서 제외하여야 할 사유가 발생한 경우에는 해당 회사(해당 회사의 특수관계인을 포함)의 요청이나 직권으로 계열회사에 해당하는지 여부를 심사하여 계열회사로 편입하거나 계열회사에서 제외하고 그 내용을 해당 회사에 통지하여야 한다"라고 규정하고 있다.

| 공정거래위원회 지정 상호출자제한 기업집단과 공시제한 기업집단 |

공개연월	지정수	자산별 구분	기업집단 지정대상
2020년 5월	64	상호출자 제한집단(34)	삼성, 현대자동차, 에스케이, 엘지, 롯데, 포스코, 한화, 지에스, 현대중공업, 농협, 신세계, 케이티, 씨제이, 한진, 두산, 엘에스, 부영, 대림, 미래에셋, 금호아시아나, 에쓰-오일, 현대백화점, 카카오, 한국투자금융, 교보생명보험, 효성, 하림, 영풍, 대우조선해양, 케이티앤지, 에이치디씨, 케이씨씨, 코오롱, 대우건설
		공시대상 기업집단(30)	오씨아이, 이랜드, 태영, SM, DB, 세아, 네이버, 넥슨, 한국타이어, 호반건설, 셀트리온, 중흥건설, 넷마블, 아모레퍼시

공개연월	지정수	자산별 구분	기업집단 지정대상
			픽, 태광, 동원, 한라, 삼천리, 에이치엠엠, 장금상선, IMM 인베스트먼트, 한국지엠, 동국제강, 다우키움, 금호석유화학, 애경, 하이트진로, 유진, KG, 삼양
2019년 5월	59	상호출자 제한집단(34)	삼성, 현대자동차, 에스케이, 엘지, 롯데, 포스코, 한화, 지에스, 농협, 현대중공업, 신세계, 케이티, 한진, 씨제이, 두산, 부영, 엘에스, 대림, 미래에셋, 에쓰-오일, 현대백화점, 효성, 한국투자금융, 대우조선해양, 영풍, 하림, 교보생명보험, 금호아시아나, 케이티앤지, 코오롱, 오씨아이, 카카오, 에이치디씨, 케이씨씨
		공시대상 기업집단(25)	SM, 대우건설, 중흥건설, 한국타이어, 세아, 태광, 이랜드, 셀트리온, DB, 호반건설, 네이버, 태영, 넥슨, 동원, 한라, 아모레퍼시픽, 삼천리, 한국지엠, 동국제강, 유진, 금호석유화학, 하이트진로, 넷마블, 애경, 다우키움
2018년 5월	60	상호출자 제한집단(32)	삼성, 현대자동차, 에스케이, 엘지, 롯데, 포스코, 지에스, 한화, 농협, 현대중공업, 신세계, 케이티, 두산, 한진, 씨제이, 부영, 엘에스, 대림, 에쓰-오일, 미래에셋, 현대백화점, 영풍, 대우조선해양, 한국투자금융, 금호아시아나, 효성, 오씨아이, 케이티앤지, 케이씨씨, 교보생명보험, 코오롱, 하림
		공시대상 기업집단 (28)	대우건설, 중흥건설, 한국타이어, 태광, SM, 셀트리온, 카카오, 세아, 한라, 이랜드, DB, 호반건설, 동원, 현대산업개발, 태영, 아모레퍼시픽, 네이버, 동국제강, 메리츠금융, 넥슨, 삼천리, 한국지엠, 금호석유화학, 한진중공업, 넷마블, 하이트진로, 유진, 한솔
2017년 9월	26	공시대상 기업집단(26)	코오롱, 한국타이어, 교보생명보험, 중흥건설, 동부, 동원, 한라, 세아, 태영, 한국지엠, 이랜드, 아모레퍼시픽, 태광, 동국제강, SM, 호반건설, 현대산업개발, 셀트리온홀딩스, 카카오, 네이버, 한진중공업, 삼천리, 금호석유화학, 하이트진로, 넥슨, 한솔
2017년 5월	31	상호출자 제한집단(31)	삼성, 현대자동차, 에스케이(주), 엘지, 롯데, 포스코, 지에스, 한화, 현대중공업, 농협, 신세계, 케이티, 두산, 한진, 씨제이, 부영, 엘에스, 대림, 금호아시아나, 대우조선해양, 미래에셋, 에쓰-오일, 현대백화점, 오씨아이, 효성, 영풍, 케이티앤지, 한국투자금융, 대우건설, 하림, 케이씨씨

현재 기업집단의 자산규모를 기준으로 10조 원 이상 집단을 상호출자제한기업집단으로 지정하고 있으나, 현행과 같은 자산총액 지정기준은 경제여건의 변화에 따른 변경 필요성

이 지속적으로 발생하게 되고, 기준을 변경할 때마다 이해관계자들 사이의 이견으로 사회적 합의 비용이 발생하는 문제가 있다는 비판이 있었다.

이에 2020 개정 공정거래법은 상호출자제한집단의 범위가 경제규모의 성장에 연동하여 자동적으로 결정될 수 있도록 상호출자제한집단의 지정기준을 국내총생산액의 0.5퍼센트로 변경하되, 변경된 지정기준은 이 법 시행 이후 최초로 국내총생산액이 2천조 원을 초과하는 것으로 발표된 해의 다음 연도에 이루어지는 상호출자제한기업집단의 지정부터 적용하도록 하였다(제31조[40] 및 부칙 제4조[41]).

---

40) **제31조(상호출자제한기업집단 등의 지정 등)** ① 공정거래위원회는 대통령령으로 정하는 바에 따라 산정한 자산총액이 5조 원 이상인 기업집단을 대통령령으로 정하는 바에 따라 공시대상기업집단으로 지정하고, 지정된 공시대상기업집단 중 자산총액이 국내총생산액의 1천분의 5에 해당하는 금액 이상인 기업집단을 대통령령으로 정하는 바에 따라 상호출자제한기업집단으로 지정한다. 이 경우 공정거래위원회는 지정된 기업집단에 속하는 국내 회사와 그 회사를 지배하는 동일인의 특수관계인인 공익법인에 지정 사실을 대통령령으로 정하는 바에 따라 통지하여야 한다.

② 제21조부터 제30조까지 및 제47조는 제1항 후단에 따른 통지(제32조 제4항에 따른 편입 통지를 포함한다)를 받은 날부터 적용한다.

③ 제2항에도 불구하고 제1항에 따라 상호출자제한기업집단으로 지정되어 상호출자제한기업집단에 속하는 국내 회사로 통지를 받은 회사 또는 제32조 제1항에 따라 상호출자제한기업집단의 국내 계열회사로 편입되어 상호출자제한기업집단에 속하는 국내 회사로 통지를 받은 회사가 통지받은 당시 제21조 제1항·제3항 또는 제24조를 위반하고 있는 경우에는 다음 각 호의 구분에 따른다.

1. 제21조 제1항 또는 제3항을 위반하고 있는 경우(취득 또는 소유하고 있는 주식을 발행한 회사가 새로 국내 계열회사로 편입되어 제21조 제3항을 위반하게 되는 경우를 포함한다)에는 지정일 또는 편입일부터 1년간은 같은 항을 적용하지 아니한다.

2. 제24조를 위반하고 있는 경우(채무보증을 받고 있는 회사가 새로 계열회사로 편입되어 위반하게 되는 경우를 포함한다)에는 지정일 또는 편입일부터 2년간은 같은 조를 적용하지 아니한다. 다만, 이 항 각 호 외의 부분에 따른 회사에 「채무자 회생 및 파산에 관한 법률」에 따른 회생절차가 개시된 경우에는 회생절차의 종료일까지, 이 항 각 호 외의 부분에 따른 회사가 회생절차가 개시된 회사에 대하여 채무보증을 하고 있는 경우에는 그 채무보증에 한정하여 채무보증을 받고 있는 회사의 회생절차의 종료일까지는 제24조를 적용하지 아니한다.

④ 공정거래위원회는 회사 또는 해당 회사의 특수관계인에게 제1항에 따른 기업집단의 지정을 위하여 회사의 일반 현황, 회사의 주주 및 임원 구성, 특수관계인 현황, 주식소유 현황 등 대통령령으로 정하는 자료의 제출을 요청할 수 있다.

⑤ 공시대상기업집단에 속하는 국내 회사(청산 중에 있거나 1년 이상 휴업 중인 회사는 제외한다)는 공인회계사의 회계감사를 받아야 하며, 공정거래위원회는 공인회계사의 감사의견에 따라 수정한 대차대조표를 사용하여야 한다.

⑥ 제1항에 따른 국내총생산액의 1천분의 5에 해당하는 금액의 산정 기준 및 방법과 그 밖에 필요한 사항은 대통령령으로 정한다.

41) 부칙
제4조(상호출자제한기업집단의 지정에 관한 적용례) 제31조 제1항의 개정규정은 이 법 시행 이후 국내총생산액이 2천조 원을 초과하는 것으로 「한국은행법」에 따른 한국은행이 발표한 해의 다음 연도에 상호출자제한기업집단을 지정하는 경우부터 적용한다.

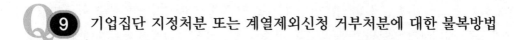

A 공정거래위원회가 매년 지정처분을 하고 그 지정처분에 대하여 행정소송을 제기하거나 계열제외신청이 거부되는 경우 그 거부처분에 대하여 행정소송을 해야 한다. 다만, 소송 중 다시 지정처분이 있으면 이전 지정처분은 실효되므로 새로운 지정처분에 대하여 다시 소송을 제기해야 한다.

해설

공정거래위원회가 실질적 지배력에 대한 판단을 잘못하여 기업집단을 잘못 지정한 경우 이에 대하여 다툴 수 있는가? 기업집단지정은 공정거래위원회에 의한 처분이므로 하자가 있다면 공정거래법에 의한 전심절차인 이의신청이 가능하고 행정소송법에 따른 취소소송도 제기할 수 있다. 또한 회사 또는 그 특수관계자가 자기의 회사에 대하여 기업집단에서 제외해 달라는 계열제외 신청을 하고 거부당하면 거부처분에 대한 이의신청이나 취소소송이 가능하다고 본다.

다만, 행정처분에 대한 쟁송이기 때문에 행정소송에 대한 까다로운 법리가 적용된다. 우선, 기업집단 지정처분은 매월 한번씩 이루어지고 각 처분은 별개의 처분이다. 새로운 지정이 이루어지면 종전의 지정처분은 실효된다. 그래서 종전의 지정처분에 대하여 최소소송이 제기되어 계속 중이더라도 다시 다음 해 5월이 되어 새로운 지정처분이 이루어지면 종전 지정처분에 대해서는 취소소송의 소의 이익이 없게 된다. 각하사유이다. 새로운 지정처분에 대하여 다시 소송을 제기해야 한다.

한편, 기업집단 지정처분이 있고 난 다음 그 이후에 발생한 사유에 한하여 기 지정된 기업집단에서 제외되어야 하는 경우 계열제외신청을 할 수 있다. 원 기업집단 지정처분 당시 존재하였던 사유는 법리상 원칙적으로 계열제외신청 사유가 될 수 없다. 예를 들어, 동일인이 실질적으로 지배하지 않는 기업에 대하여 기업집단 지정이 이루어졌다면 그 회사는 지정처분에 대하여 다투어야 하고 자신을 기업집단에서 제외시켜 달라고 신청할 수 없다.

이와 관련하여 행정법적으로 매우 흥미로운 판결이 있다. 과거 금호그룹에서 형제간의 다툼이 있었다. 금호아시아나 그룹의 경영난으로 계열주채권은행이었던 산업은행이 금호아시아나의 동일인이었던 박삼구 회장과 경영개선약정을 체결하였다. 당시 금호타이어와 금호화학 등을 사실상 소유·경영하고 있던 박찬구 회장이 금호타이어 등을 금호아시아나 그룹에서 제외시켜 달라고 공정거래위원회에 기업집단 제외신청을 하였다. 하지만 공정거래위원회는 동일인이 박삼구 회장이 아니라고 볼 입증이 부족하고 또 박상구 회장이 금호타이어 등을 지배하지 않는다고 볼 입증이 부족하다며 실질적 지배력 부존재에 대한 입증 부족으로 신청을 받아들이지 않았다. 그러자 금호타이어 측에서 기업집단 제외신청 거부처분에 대한 취소소송을 제기하였다.

대법원은 관련하여 "기업집단의 지정 및 제외에 관한 공정거래법 제14조 제1항, 제14조의2 제1항, 공정거래법 시행령 제21조 제1항 등의 문언과 공정거래위원회로 하여금 매년 일정한 시점에 기업집단의 지정을 하도록 한 취지 등에 비추어 보면, 공정거래법 제14조의2 제1항은 제14조 제1항에 의하여 기업집단이 지정된 후에 해당 계열회사를 기업집단에서 제외하여야 하는 사유가 새로이 발생된 경우에 관하여 정한 것으로 보인다. 공정거래법 제14조 제1항의 규정 등에 의하여 기업집단으로 지정되면 그에 따른 효과가 발생되며, 당해 회사 및 이해관계인은 이러한 기업집단 지정처분에 대하여 행정소송법이 정한 바에 따라 불복할 수 있으나 제소기간이 도과한 후에는 특별한 사정이 없는 한 더 이상 효력을 다툴 수 없다. 그럼에도 기업집단 지정 이전부터 존재하던 사유가 공정거래법 제14조의2에서 정한 계열제외 사유에 포함된다고 본다면, 당해 회사 및 특수관계인은 기업집단 지정처분에 대한 제소기간이 도과한 이후에도 언제나 지정처분의 흠을 다툴 수 있는 결과가 되어 행정행위의 불가쟁력에 어긋나므로, 이에 비추어 보아도 공정거래법 제14조의2 제1항에서 정한 계열회사 제외 사유는 기업집단 지정 이후에 발생한 사유에 국한된다고 해석하는 것이 타당하다"고 판시하였다(대법원 2015. 3. 20. 선고 2012두27176 판결).[42]

이후 공정거래위원회는 2014년, 2015년의 지정에서도 금호타이어 등을 금호아시아나 기업집단 소속으로 지정하였다. 금호타이어 등은 2014년, 2015년 지정처분이 실질적 지배력을 무시한 것이라며 취소소송을 제기하였고, 법원은 이 소송에서는 금호타이어의 손을 들어주었다(서울고등법원 2015. 5. 14. 선고 2014누5141, 대법원 2015. 12. 10. 선고 2015두50078 판결).[43]

---

42) 원심은 서울고등법원 2012. 11. 15. 선고 2011누23308 판결이다. 저자는 이 사건의 고등법원 단계에서 피고 공정거래위원회를 도와주는 입장이었던 금호아시아나 그룹 측의 대리인으로 소송 후반전에 참여하였다. 당시 박삼구 회장의 금호타이어 등에 대한 실질적인 지배력이 있는지가 소송의 쟁점이었는데, 필자는 박찬구 회장이 금호타이어를 지배하는 것을 부인하기 쉽지 않으므로 이를 쟁점으로 하지 말고 새로운 법리, 즉 기업집단 지정 처분에 대해 새로운 지정이 있으면 소의 이익이 없어지며, 나아가 기업집단 지정 시 사유는 계열제외신청의 사유가 될 수 없다는 법리를 펼쳐야 한다고 주장했고, 결국 소송에서 승소했다.

43) 저자는 2차 사건인 본 소송에 참여하지 않았는데, 당연히 박찬구 회장의 지배력이 부인될 수 없기에 금호아시아나 측이 패소했다. 당연한 결론이라 생각한다.

Q10 기업집단에 대한 공정거래법 규제

A 상호출자제한 기업집단 지주회사 설립제한, 상호출자 금지, 순환출자 금지, 채무보증 금지, 금융·보험회사 의결권 제한, 공익법인 의결권 제한, 이사회 의결 및 내부거래 공시 등이 있다.

해설

가. 개관

고속성장시기에 대기업들이 계열회사들 사이에서 서로 밀어주는 소위 '선단식 경영'으로 IMF 구제금융 사태를 초래했다는 반성적 고려하에 공정거래법은 기업집단에 대하여 일정한 규제를 가하고 있다. 소속회사들의 자산총액이 5조 원 이상에 해당하는 기업집단(공시대상기업집단)의 경우 계열회사 사이의 주요 거래에 대해서 금융감독원 사이트에 공시를 해야 한다. 또한 소속회사들의 자산총액이 10조 원 이상에 해당하는 기업집단(상호출자제한기업집단)의 경우 계열회사 사이에 서로 출자를 하거나, 꼬리에 꼬리를 무는 순환출자를 하거나, 채무 보증을 하면 안 된다. 계열회사 사이에서 거래를 할 때에는 서로 특정회사에게 너무 유리한 조건으로 밀어주어서는 안 된다.

대기업집단 내부에서 자율적·사전적으로 부당지원행위의 시정이 이루어질 수 있도록 공시대상기업집단에 속하는 회사가 특수관계인을 상대방으로 하거나 특수관계인을 위하여 대규모 내부거래를 하는 경우 이사회의 의결 및 공시를 원칙적으로 의무화하고 있다(법 제11조의2, 영 제17의8). 대규모 내부거래는 자본총계 또는 자본금 중 큰 금액의 100분의 5 이상이거나 50억 원 이상이 되는 거래를 말한다(영 제17의8 제2항). 이와 같이 내부적 감시수단으로 이사회 의결을 거치도록 함으로써 부당한 대규모 내부거래에 대해 이사들에 의한 사전 견제가 이루어지고, 외부적 감시수단으로서 공시를 통해 소수주주나 채권자 등 이해관계인에 의한 사후감시가 이루어지게 된다.

또한 공정거래법은 불공정거래행위로서 계열회사를 위한 차별취급을 금지한다(법 제23조 제1항, 영 제36조 제1항 [별표 1의2] 유형 및 기준 제2호 다목). 계열회사를 위한 차별취급이란 정당한 이유 없이 자기의 계열회사를 유리하게 하기 위하여 가격·수량·품질 등의 거래조건이나 거래내용에 관하여 현저하게 유리하거나 불리하게 하는 행위를 말한다. 이 규정은 기업집단 내부거래를 직접 규정하고 있다기보다는 계열회사의 경쟁사업자에 대한 차별취급을 통해 상대적으로 계열회사가 유리하게 되는 거래행위를 규제하기 위한 것이라고 할 수 있다.

나. 상호출자제한기업집단의 지주회사 설립제한

상호출자제한기업집단 소속회사는 동일인 또는 동일인의 특수관계인이 지주회사를 설립하고자 하거나 지주회사로 전환하고자 하는 경우에는 ① 지주회사와 자회사 간의 채무보증, ② 지주회사와 다른 국내계열회사(당해 지주회사가 지배하는 자회사를 제외한다) 간의 채무보증, ③ 자회사 상호 간의 채무보증, ④ 자회사와 다른 국내계열회사(당해 자회사를 지배하는 지주회사 및 당해 지주회사가 지배하는 다른 자회사를 제외한다) 간의 채무보증을 해소하여야 한다(공정거래법 제8조의3).

다. 상호출자 금지제도

상호출자란 2개 이상의 독립된 회사가 서로 상대방 회사의 발행주식을 소유하는 출자행위를 의미한다. 상호출자는 크게 직접상호출자와 간접상호출자로 구분할 수 있다. 전자는 2개 회사의 상대방 회사에 대한 출자를, 후자는 3개 이상 회사 간의 환상형출자를 의미하는데, 공정거래법은 전자만을 상호출자라 하고 후자는 순환출자라 한다. 공정거래법은 직접상호출자만을 규제하다가 2014년 7월 신설된 신규 순환출자 금지제도에 따라 간접상호출자도 규제하게 되었다. 상호출자 금지제도는 계열회사 간 가공자본 형성을 통한 변칙적인 기업집단 확장을 억제하기 위해 1986년 제1차 공정거래법 개정 시 도입되었다. 상호출자금지는 상법에도 규정되어 있지만 상법상 제도는 모자회사 관계(50% 지분율)에 있는 회사 간에만 적용되므로 대규모기업집단 소속 계열회사 간 낮은 지분율로 행해지는 상호출자를 규제할 수 없는 문제가 있다. 따라서 계열회사 간 출자를 지렛대로 총수 1인이 기업집단 전체를 지배하는 소유·지배구조를 개선하고, 경제력집중 방지라는 정책목표를 달성하기 위해 엄격한 상호출자 금지를 적용하게 된 것이다

상호출자제한기업집단 소속회사는 자기의 주식을 취득 또는 소유하고 있는 계열회사의 주식을 취득 또는 소유해서는 안된다. 다만, 회사의 합병·영업 전부의 양수, 담보권의 실행·대물변제의 수령으로 발생하는 상호출자에 대해서는 6개월간 예외를 인정하고 있다(공정거래법 제9조 제1, 2항). 상호출자제한기업집단 소속 중소기업창업 지원법에 의한 중소기업창업투자 회사는 국내계열회사 주식을 취득 또는 소유해서는 안된다(공정거래법 제9조 제3항). 1986. 12. 31. 법개정 시에 출자총액제한제도와 같이 도입된 제도로, 벤처캐피탈이 지주회사가 되어 금산분리의 원칙을 훼손하고 탈법적인 방법으로 중소기업분야에서 참여하는 것을

막기 위한 규정이다. 하지만 대기업집단 벤처캐피탈인 CVC이 스타트업 지분의 30% 소유가 금지되는 것이어서 스타트업 등의 투자를 저해한다는 비판이 있다.

이에 2020. 12. 29. 법률 제17799호로 개정되어 2022. 12. 30. 시행되는 '2020 개정 공정거래법'은 일반일반지주회사가 「벤처투자 촉진에 관한 법률」에 따른 중소기업창업투자회사 및 「여신전문금융업법」에 따른 신기술사업금융전문회사 주식을 소유할 수 있도록 하되, 일반지주회사가 지분을 100% 소유하도록 하고, 중소기업창업투자회사 및 신기술사업금융전문회사의 부채비율 200% 초과 금지, 투자업무 이외의 금융업 또는 보험업 겸영 금지, 투자대상 제한 등 안전장치를 마련하였다(2020 개정 공정거래법 제20조 제1항 내지 제3항). 일반지주회사가 중소기업창업투자회사 및 신기술사업금융전문회사 주식을 소유하는 경우 그 사실을 공정거래위원회에 보고하도록 하고, 일반지주회사의 자회사인 중소기업창업투자회사 및 신기술사업금융전문회사는 자신 및 자신이 운용 중인 모든 투자조합의 투자 현황, 출자자 내역 등을 공정거래위원회에 보고하도록 하고 있다(2020 개정 공정거래법 제20조 제4항, 제5항).[44]

---

44) 제20조(일반지주회사의 금융회사 주식 소유 제한에 관한 특례) ① 일반지주회사는 제18조 제2항 제5호에도 불구하고 「벤처투자 촉진에 관한 법률」에 따른 중소기업창업투자회사(이하 이 조에서 "중소기업창업투자회사"라 한다) 및 「여신전문금융업법」에 따른 신기술사업금융전문회사(이하 이 조에서 "신기술사업금융전문회사"라 한다)의 주식을 소유할 수 있다.
② 제1항에 따라 일반지주회사가 중소기업창업투자회사 및 신기술사업금융전문회사의 주식을 소유하는 경우에는 중소기업창업투자회사 및 신기술사업금융전문회사의 발행주식총수를 소유하여야 한다. 다만, 다음 각 호의 어느 하나에 해당하는 경우에는 그러하지 아니하다.
1. 계열회사가 아닌 중소기업창업투자회사 및 신기술사업금융전문회사를 자회사에 해당하게 하는 과정에서 해당 중소기업창업투자회사 및 신기술사업금융전문회사 주식을 발행주식총수 미만으로 소유하고 있는 경우로서 해당 회사의 주식을 보유하게 된 날부터 1년 이내인 경우(1년 이내에 발행주식총수를 보유하게 되는 경우에 한정한다)
2. 자회사인 중소기업창업투자회사 및 신기술사업금융전문회사를 자회사에 해당하지 아니하게 하는 과정에서 해당 중소기업창업투자회사 및 신기술사업금융전문회사 주식을 발행주식총수 미만으로 소유하게 된 날부터 1년 이내인 경우(발행주식총수 미만으로 소유하게 된 날부터 1년 이내에 모든 주식을 처분한 경우에 한정한다)
③ 제1항에 따라 일반지주회사가 주식을 소유한 중소기업창업투자회사 및 신기술사업금융전문회사는 다음 각 호의 어느 하나에 해당하는 행위를 하여서는 아니 된다. 다만, 제2항 각 호의 어느 하나에 해당하는 경우에는 제1호부터 제5호까지의 규정을 적용하지 아니한다.
1. 자본총액의 2배를 초과하는 부채액을 보유하는 행위
2. 중소기업창업투자회사인 경우 「벤처투자 촉진에 관한 법률」 제37조 제1항 각 호 이외의 금융업 또는 보험업을 영위하는 행위
3. 신기술사업금융전문회사인 경우 「여신전문금융업법」 제41조 제1항 제1호, 제3호부터 제5호까지의 규정 이외의 금융업 또는 보험업을 영위하는 행위
4. 다음 각 목의 어느 하나에 해당하는 투자조합(「벤처투자 촉진에 관한 법률」 제2조 제11호에 따른 벤처투자조합 및 「여신전문금융업법」 제2조 제14호의5에 따른 신기술사업투자조합을 말한다. 이하 이 조에서 같다)을 설립하는 행위

한편 공정거래법에서는 상호출자규제를 면탈하려는 탈법행위를 금지하고 있는데, 탈법행위의 유형으로는 특정금전신탁을 이용한 상호출자, 타인의 명의를 이용한 상호출자가 규정되어 있다(공정거래법 시행령 제21조의4 제1항 2의2). 상호출자금지를 위반하는 경우에는 주식처분명령 등 시정조치 및 과징금 부과가 가능하고, 상호출자 주식은 처분명령을 받은 날부터 의결권 행사가 불가능해진다. 또한 3년 이하의 징역 또는 2억 원 이하의 벌금부과도 가능하다.

라. 순환출자의 금지

상호출자제한기업집단 소속회사는 순환출자를 형성하는 계열출자를 하여서는 안된다. 다만, 상호출자제한기업집단 소속 회사 중 순환출자 관계에 있는 계열회사의 계열출자대상회사에 대한 추가적인 계열출자[계열출자회사가 「상법」 제418조 제1항에 따른 신주배정 또는 제462조의2 제1항에 따른 주식배당(이하 "신주배정등"이라 한다)에 따라 취득 또는 소유한 주식 중에서 신주배정등이 있기 전 자신의 지분율 범위의 주식, 순환출자회사집단에 속하는 계열회사 간 합병에 의한 계열출자는 제외한다] 또한 같다(공정거래법 제9조의2 제2항 본문). 순환출자회사집단이란 상호출자제한기업집단 소속회사 중 순환출자 관계에 있는 계열회사의 집단을 말한다.

가. 자신이 소속된 기업집단 소속 회사가 아닌 자가 출자금 총액의 100분의 40 이내에서 대통령령으로 정하는 비율을 초과하여 출자한 투자조합
나. 자신이 소속된 기업집단 소속 회사 중 금융업 또는 보험업을 영위하는 회사가 출자한 투자조합
다. 자신의 특수관계인(동일인 및 그 친족에 한정한다)이 출자한 투자조합(동일인이 자연인인 기업집단에 한정한다)
5. 다음 각 목의 어느 하나에 해당하는 투자(「벤처투자 촉진에 관한 법률」 제2조 제1호 각 목의 어느 하나에 해당하는 것을 말한다)를 하는 행위(투자조합의 업무집행을 통한 투자를 포함한다)
가. 자신이 소속된 기업집단 소속 회사에 투자하는 행위
나. 자신의 특수관계인(동일인 및 그 친족에 한정한다)이 출자한 회사에 투자하는 행위
다. 공시대상기업집단 소속 회사에 투자하는 행위
라. 총자산(운용 중인 모든 투자조합의 출자금액을 포함한다)의 100분의 20을 초과하는 금액을 해외 기업에 투자하는 행위
6. 자신(자신이 업무를 집행하는 투자조합을 포함한다)이 투자한 회사의 주식, 채권 등을 자신의 특수관계인(동일인 및 그 친족에 한정한다) 및 특수관계인이 투자한 회사로서 지주회사 등이 아닌 계열회사가 취득 또는 소유하도록 하는 행위
④ 일반지주회사는 제1항에 따라 중소기업창업투자회사 및 신기술사업금융전문회사의 주식을 소유하는 경우에 해당 주식을 취득 또는 소유한 날부터 4개월 이내에 그 사실을 공정거래위원회가 정하여 고시하는 바에 따라 공정거래위원회에 보고하여야 한다.
⑤ 일반지주회사의 자회사인 중소기업창업투자회사 및 신기술사업금융전문회사는 자신 및 자신이 운용 중인 모든 투자조합의 투자 현황, 출자자 내역 등을 공정거래위원회가 정하여 고시하는 바에 따라 공정거래위원회에 보고하여야 한다.

다만, 예외적으로 기업구조개편 등 정상적인 기업활동 및 거래상 권리행사 과정에서 형성된 순환출자 등 불가피성이 있는 경우인, ① 회사의 합병·분할, 주식의 포괄적 교환·이전 또는 영업전부의 양수, ② 담보권의 실행 또는 대물변제의 수령, ③ 계열출자회사가 신주배정등에 의하여 취득 또는 소유한 주식 중에서 다른 주주의 실권 등에 의하여 신주배정 등이 있기 전 자신의 지분율 범위를 초과하여 취득 또는 소유한 계열출자대상회사의 주식이 있는 경우, ④ 「기업구조조정 촉진법」에 따라 부실징후기업의 관리절차를 개시한 회사에 대하여 같은 법 제24조 제2항에 따라 금융채권자협의회가 의결하여 동일인(친족을 포함한다)의 재산출연 또는 부실징후기업의 주주인 계열출자회사의 유상증자 참여(채권의 출자전환을 포함한다)를 결정한 경우, ⑤ 「기업구조조정 촉진법」상의 금융채권자가 같은 법 제2조 제7호에 따른 부실징후기업과 기업개선계획의 이행을 위한 약정을 체결하고 금융채권자협의회의 의결로 동일인(친족을 포함한다)의 재산출연 또는 부실징후기업의 주주인 계열출자회사의 유상증자 참여(채권의 출자전환을 포함한다)를 결정한 경우에는 허용된다 (공정거래법 제9조의2 제2항 제1호 및 제3항 제1호). 하지만 이는 일시적으로 허용된 취득, 보유이다. 그래서 ① 및 ②의 경우 해당 주식을 취득, 소유한 날로부터 6개월, ③의 경우 1년, ④ 및 ⑤의 경우 3년 이내에 처분해야 한다. ③, ④ 및 ⑤의 경우 신주배정등의 결정, 재산출연 또는 유상증자 결정이 있기 전 지분율 초과분을 의미하며, 순환출자대상기업집단에 속하는 다른 회사 중 하나가 취득 또는 소유하고 있는 계열출자대상회사의 주식을 처분하여 제2항의 계열출자에 의하여 형성 또는 강화된 순환출자가 해소된 경우에는 그러하지 아니한다 (공정거래법 제9조의2 제3항).

참고로, 공정거래법상 금지되는 신규순환출자는 크게 두 가지로 나누는데, 첫 번째는 대규모기업집단소속 계열회사 간 새로운 순환출자를 형성하는 경우이고, 두 번째는 기존의 대규모기업집단소속 계열회사 간 순환출자를 강화하는 추가출자를 말한다. 법 적용대상으로는 이미 지정된 대규모기업집단은 법 시행일 이후의 순환출자를, 법 시행일 이후 신규 지정되는 대규모기업집단은 지정일 이후의 순환출자만을 금지하고 있으며 공정거래법은 기존순환출자의 점진적·자발적 해소를 유도하기 위해 기업집단 현황 등에 관한 공시에서 순환출자 현황에 대한 공시의무 부과를 포함하고 있다.

한편, 상호출자제한기업집단에 속하는 회사에 대하여 신규 순환출자를 형성하거나 강화하는 행위를 금지하고 있으나, 상호출자제한기업집단 지정 전에 이미 다수의 순환출자를 보유하고 있었던 기업집단의 경우에는 지정 이후 기존에 보유하던 순환출자로 인한 문제를 해소하기 어려운 측면이 있다는 비판이 있었다. 이에 2020 개정 공정거래법은 상호출자제한기업집단으로 지정이 예상되는 기업집단이 그 지정 전까지 순환출자를 해소하지 아니하여 순환출자 금지 규정을 회피하는 일이 발생하지 아니하도록 새로이 상호출자제한기업집단으로 지정되는 기업집단의 경우에는 지정 당시 보유한 기존 순환출자 주식에 대해서도 의결권을 제한하였다(제23조).[45]

마. 채무보증 금지제도

채무보증제한 기업집단에 속하는 회사는 국내 금융기관의 여신과 관련하여 국내 계열회사에 대하여 보증을 제공하는 것이 금지된다(공정거래법 제10조의2). 공정거래법에서는 채무보증을 매개로 하여 일부 계열회사의 부실이 기업집단 전체, 나아가 관련 금융기관 및 국가경제 전체적인 동반부실을 초래하고, 대기업 집단 소속회사에게 여신이 편중되어 경제력이 집중됨으로써 사회 전체의 자원배분이 왜곡되는 위험을 막기 위하여 채무보증금지제도를 두고 있다.

채무보증 금지제도는 (i) 국내 계열회사가 (ii) 국내 금융기관[46]과 (iii) 여신 거래를 할 경우 그 여신에 대한 보증을 금지하는 것이므로, 해외 계열사에 대한 보증이나 국내 금융기관이 아닌 비금융기관과 체결하는 계약 이행보증 또는 지급보증은 채무보증 금지대상에 해당하지 않는다. 또한 자금보충약정과 같이 주채무의 이행을 보증하는 것이 아니라, 채무자의 일반적인 자력을 담보해주는 약정도 채무보증으로 규제되지 않고 있다.

다만, 공정거래법에서는, (i) 금융업 또는 보험업을 영위하는 계열회사로부터 채무보증을 받는 경우(공정거래법 제10조의2 제1호), (ii) 조세특례제한법에 의한 합리화 기준에 따라 인수

---

45) **제23조(순환출자에 대한 의결권 제한)**
   ① 상호출자제한기업집단에 속하는 국내 회사로서 순환출자를 형성하는 계열출자를 한 회사는 상호출자제한기업집단 지정일 당시 취득 또는 소유하고 있는 순환출자회사집단 내의 계열출자대상회사 주식에 대하여 의결권을 행사할 수 없다.
   ② 순환출자회사집단에 속한 다른 국내 회사 중 하나가 취득 또는 소유하고 있는 계열출자대상회사의 주식을 처분함으로써 기존에 형성된 순환출자를 해소한 경우에는 제1항을 적용하지 아니한다.
46) 국내 금융기관이란, ①「은행법」에 의한 은행과 한국산업은행·한국수출입은행·장기신용은행 및 중소기업은행, ②「보험업법」에 의한 보험회사, ③「자본시장과 금융투자업에 관한 법률」에 따른 투자매매업자·투자중개업자 및 종합금융회사, ④「여신전문금융업법」에 따른 여신전문금융회사와「상호저축은행법」에 따른 상호저축은행 중 직전 사업연도 종료일 현재 자산총액이 3천억 원 이상인 여신전문금융회사와 상호저축은행을 의미한다.

되는 회사의 채무와 관련하여 행하는 보증, (iii) 기업의 국제경쟁력 강화를 위해 필요한 경우 등 대통령령이 정하는 경우에는 계열회사 간 채무보증을 예외적으로 허용하고 있다(공정거래법 제10조의2 제2호).

바. 금융회사 또는 보험회사의 의결권 제한

상호출자제한기업집단 소속회사로서 금융업 또는 보험업을 영위하는 회사는 취득 또는 소유하고 있는 국내계열회사의 주식에 대하여 의결권을 행사할 수 없다(공정거래법 제11조).

다만, ① 금융업 또는 보험업을 영위하기 위하여 주식을 취득 또는 소유하는 경우, ② 보험자산의 효율적인 운용·관리를 위하여 「보험업법」 등에 의한 승인 등을 얻어 주식을 취득 또는 소유하는 경우, ③ 당해 국내 계열회사(상장법인에 한한다)의 주주총회에서 (i) 임원의 선임 또는 해임, (ii) 정관 변경, (iii) 그 계열회사의 다른 회사로의 합병, 영업의 전부 또는 주요부분의 다른 회사로의 양도를 결의하는 경우는 의결권 행사를 할 수 있다. ③에서 주식의 수는 그 계열회사에 대하여 특수관계인 중 대통령령이 정하는 자를 제외한 자가 행사할 수 있는 주식수를 합하여 그 계열회사 발행주식총수(「상법」 제344조의3 제1항 및 제369조 제2항·제3항의 의결권 없는 주식의 수는 제외한다)의 100분의 15를 초과할 수 없다.

공정거래법 제11조 단서에 해당하여 의결권을 행사할 수 있는 주식에 대한 무상증자로 취득한 주식 또는 그 주식의 분할로 취득한 주식은 의결권을 행사할 수 있는 주식과 동일하게 보아야 한다(대법원 2005. 12. 9. 선고 2003두10015 판결).

사. 2020 개정 공정거래법의 공시대상 기업집단 소속 공익법인의 의결권 제한 규정 신설

공시대상기업집단 소속 공익법인은 별도 규제를 받지 아니하여 공익법인으로서 세금혜택을 받으면서 동일인 등의 기업집단에 대한 지배력 확대 및 사익편취 수단으로 이용될 우려가 있다는 비판이 있다. 이에 2020 개정 공정거래법은 상호출자제한기업집단 소속 공익법인의 국내 계열회사 주식에 대한 의결권 행사는 원칙적으로 제한하되, 계열회사가 상장회사인 경우에는 임원 임면, 합병 등의 사유에 한정하여 특수관계인이 행사할 수 있는 주식의 수와 합산하여 그 계열회사 발행주식총수의 15퍼센트 한도 내에서 의결권 행사를 허용하도록 개정하였다.

공시대상기업집단 소속 공익법인은 계열사 주식에 대한 거래 및 일정 규모 이상의 내부거래에 대하여 이사회 의결을 거친 후 이를 공시하도록 하여야 한다(제25조 제2항[47]) 및 제29조[48])).

---

47) 제25조(금융회사 · 보험회사 및 공익법인의 의결권 제한)
　② 상호출자제한기업집단에 속하는 회사를 지배하는 동일인의 특수관계인에 해당하는 공익법인(「상속세 및 증여세법」 제16조에 따른 공익법인등을 말한다. 이하 같다)은 취득 또는 소유하고 있는 주식 중 그 동일인이 지배하는 국내 계열회사 주식에 대하여 의결권을 행사할 수 없다. 다만, 다음 각 호의 어느 하나에 해당하는 경우에는 그러하지 아니하다.
　1. 공익법인이 해당 국내 계열회사 발행주식총수를 소유하고 있는 경우
　2. 해당 국내 계열회사(상장법인으로 한정한다)의 주주총회에서 다음 각 목의 어느 하나에 해당하는 사항을 결의하는 경우. 이 경우 그 계열회사의 주식 중 의결권을 행사할 수 있는 주식의 수는 그 계열회사에 대하여 특수관계인 중 대통령령으로 정하는 자를 제외한 자가 행사할 수 있는 주식수를 합하여 그 계열회사 발행주식총수의 100분의 15를 초과할 수 없다.
　　가. 임원의 선임 또는 해임
　　나. 정관 변경
　　다. 그 계열회사의 다른 회사로의 합병, 영업의 전부 또는 주요 부분의 다른 회사로의 양도. 다만, 그 다른 회사가 계열회사인 경우는 제외한다.
48) 제29조(특수관계인인 공익법인의 이사회 의결 및 공시)
　① 공시대상기업집단에 속하는 회사를 지배하는 동일인의 특수관계인에 해당하는 공익법인은 다음 각 호의 어느 하나에 해당하는 거래행위를 하거나 주요 내용을 변경하려는 경우에는 미리 이사회 의결을 거친 후 이를 공시하여야 한다.
　1. 해당 공시대상기업집단에 속하는 국내 회사 주식의 취득 또는 처분
　2. 해당 공시대상기업집단의 특수관계인(국외 계열회사는 제외한다. 이하 이 조에서 같다)을 상대방으로 하거나 특수관계인을 위하여 하는 대통령령으로 정하는 규모 이상의 다음 각 목의 어느 하나에 해당하는 거래
　　가. 가지급금 또는 대여금 등의 자금을 제공 또는 거래하는 행위
　　나. 주식 또는 회사채 등의 유가증권을 제공 또는 거래하는 행위
　　다. 부동산 또는 무체재산권 등의 자산을 제공 또는 거래하는 행위
　　라. 주주의 구성 등을 고려하여 대통령령으로 정하는 계열회사를 상대방으로 하거나 그 계열회사를 위하여 상품 또는 용역을 제공 또는 거래하는 행위
　② 제1항의 공시에 관하여는 제26조 제2항 및 제3항을 준용한다.

Q 11 공정거래법상 공시제도

A 자산 5조 원 이상의 공시대상 기업집단은 대규모 내부거래 이사회 의결 및 공시, 비상 장회사 중요사항 공시, 기업집단 현황 공시 등을 해야 한다.

해설

공정거래법에서는 시장 참여자들에게 공시대상 기업집단 소속 회사들의 내부거래를 비 롯한 사업 및 재무현황에 관한 충분한 정보를 제공하여 정보 불평등을 해소함으로써 공정 한 경쟁을 도모하고 시장의 자율적 감시가 이루어지도록 하기 위해 여러 공시의무를 부과 하고 있다. 현대의 주식회사 제도는 정확하고 투명한 정보의 공개를 기반으로 하며, 그러한 정보를 기초로 이루어진 의사결정은 합리적이라고 가정한다. 그 정보에 기초하여 주주, 규 제기관, 채권자, 투자자, 시장이 움직인다. 그래서 정보경제학에서는 정보의 공시를 매우 중 요하게 보고 있다. 내부거래에 대한 사항이 공시되면 공정거래위원회 등 규제기관이 이를 검토하여 혐의가 있으면 조사에 착수할 수도 있고, 소수주주나 시민단체 등이 주주대표소 송을 제기하거나 배임죄로 형사고소할 수 있으며 언론 등의 취재대상이 될 수도 있다. 회사 의 경영에 적극 개입하는 주주행동주의의 기초가 될 수도 있다. 이런 점에서 내부거래에 대한 공시제도는 사전적으로 이사나 지배주주의 불공정한 거래를 할 유인을 억제하고 사후 적으로 이를 감시·적발해 내는 계기가 되는 기능이 있다. 또, 공정거래위원회의 조사나 제 재와 결합하여 위하력과 억제력을 극대화시키는 역할을 한다.

공정거래법상 공시 규정은 공시대상 기업집단 소속회사에 대해서만 적용된다. (i) 대규 모 내부거래에 대한 이사회 의결 및 공시(공정거래법 제11조의2, 시행령 제17조의8),[49] (ii) 비상 장회사의 중요사항 공시(공정거래법 제11조의3, 시행령 제17조의10),[50] (iii) 공시대상 기업집단

---

49) 대규모 내부거래 이사회 의결 및 공시제도는 상호출자제한 기업집단 소속 회사가 특수관계인을 상대방으로 하거나 특수관계인을 위하여 당해 회사의 자본총계 또는 자본금 중 큰 금액의 100분의 5 이상이거나 50억 원 이상에 해당하는 (i) 가지급금이나 대여금 등의 자금을 제공 또는 거래하는 행위, (ii) 주식이나 회사채 등의 유가증권을 제공 또는 거래하는 행위, (iii) 부동산이나 무체재산권 등의 자산을 제공 또는 거래하는 행위, (iv) 일정 요건을 충족하는 계열회사를 상대로 상품 또는 용역을 제공 또는 거래하는 행위가 있을 경 우(상품 또는 용역거래의 경우 분기의 거래 합계액 기준) 이사회 의결 및 공시를 하도록 하는 제도이다.
50) 비상장회사 중요사항 공시제도는 상호출자제한 기업집단 소속회사 중 비상장회사(단, 금융업 또는 보험업 을 영위하는 회사는 제외)가 (i) 최대주주 및 주요주주의 주식보유현황 및 변동사항 등 회사의 소유지배구 조와 관련된 중요사항으로서 대통령령이 정하는 사항, (ii) 자산, 주식의 취득, 증여, 담보제공, 채무인수, 면 제 등 회사의 재무구조에 중요한 변동을 초래하는 사항으로서 대통령령이 정하는 사항, (iii) 영업 양도·양 수, 합병·분할, 주식의 교환·이전 등 회사의 경영활동과 관련된 중요사항으로서 대통령령이 정하는 사항

현황공시(공정거래법 제11조의4, 시행령 제17조의11)[51]로 구분된다.

　이사회 의결 및 공시 의무에 대하여는 「대규모 내부거래에 대한 이사회 의결 및 공시에 대한 규정」[52]에서, 나머지 공시의무에 대하여는 「공시대상 기업집단 소속회사의 중요사항 공시에 관한 규정」[53]에서 각 세부사항을 정하고 있다. 공정거래위원회는 공시와 관련되는 업무를 자본시장과 금융투자업에 관한 법률 제161조에 따른 신고수리기관에 위탁할 수 있다(공정거래법 제11조의2 제3항, 제11조의3 제2항, 제11조의4 제2항). 공시는 금융감독위원회 전자공시 시스템(dart.fss.or.kr)을 통해 이루어진다.

| 공정거래법상 기업집단 공시제도 요약[54] |

제도명	관련 법령	도입 시기
1. 대규모 내부거래의 이사회 의결 및 공시	공정거래법 제11조의2, 동법 시행령 제17조의8	2002. 4.

- 공시주체: 공시대상기업집단 소속 계열사
- 공시주기: 이사회 의결 후, 상장사 1일, 비상장사 7일 이내(수시공시)
- 공시내용: 대규모 내부거래(거래금액이 자본금(자본총계)의 5% 이상 또는 50억 원 이상)
  - 계열회사(특수관계인)와 일정규모 이상의 거래행위를 하려는 때에는 미리 이사회 의결을 거친 후 공시해야 함.
  - 자금, 유가증권, 자산, 상품·용역거래
  - 거래의 목적, 상대방, 금액 및 조건 등 주요내용 포함
- 주요 개정사항
  1) 시행령 개정(2007. 7. 25.)으로 2007. 4/4분기 거래행위부터 적용
    - 상품·용역의 대규모 내부거래 공시(매입·매출 합산)
    - 총수일가 지분율 30% 이상인 계열사(상법상 자회사 포함)와 분기별로 자본금(자본총계)의 10% 이상 또는 100억 원 이상의 상품·용역거래
  2) 시행령 개정(2011. 12. 30.)으로 2012. 4. 1. 이후의 거래행위부터 적용
    - 경쟁입찰/수의계약 등 계약체결 방식의 공시 의무화
    - 거래규모: 자본금(자본총계)의 10% 이상 또는 10억 원 이상 → 5%, 50억 원 이상
    - 거래상대방 계열회사 범위: 총수일가 지분 30% 이상 → 20% 이상

을 공시하도록 하는 제도이다.

51) 상호출자제한 기업집단 현황 공시제도는 기업집단의 일반현황, 주식소유현황, 법 제9조의2에 따른 순환출자 현황, 특수관계인과의 거래현황 등에 관한 사항으로서 대통령령으로 정하는 사항을 공시하도록 하는 제도이다.

52) 개정 2020. 7. 1. 공정거래위원회 고시 제2020-6호

53) 개정 2019. 12. 24. 공정거래위원회 고시 제2019-14호

54) 이윤아, 「대규모 내부거래 관련 기업집단 공사 현황 분석 및 향후 규제정책 방향에 대한 시사점」, 연구논단 II, pp.20~21

제도명	관련 법령	도입 시기
2. 기업집단 현황 공시	공정거래법 제11조의4, 동법 시행령 제17조의11	2009. 3.

- 공시주체: 공시대상기업집단 소속 계열사
- 공시주기: 연 1회(매년 5월 31일 기한) 또는 분기 1회(정기공시)
- 공시내용: −일반현황(회사개요, 재무, 손익현황, 해외계열회사 및 계열사 변동내역)
  −임원·이사회 운영현황
  −주식소유 현황(소유지분, 국내 계열회사 간 출자현황)
  −특수관계인 간 거래현황(상품·용역거래 포함)
  −순환출자, 지주회사, 금융·보험사 의결권 행사 현황
- 주요 개정사항: 1) 시행령 개정(2016. 9. 27.)
  −지주회사 체제 밖 계열사 현황(시행령 제17조의11 제2항 제4호의2)
  −금융·보험사 의결권행사 여부 추가(시행령 제17조의11 제2항 제4호의4)
  2) 공시대상기업집단 소속회사의 중요사항 공시 등에 관한 규정(2018. 3. 28.)
  −계열회사와의 상표권 사용 거래내역 공시(2018. 4. 3. 시행)

3. 비상장회사의 중요사항 공시	공정거래법 제11조의3, 동법 시행령 제17조의10	2005. 4.

- 공시주체: 공시대상기업집단 소속 계열사 중 비상장회사
- 공시주기: 사유발생일로부터 7일 이내(수시공시)
- 공시내용: −소유지배구조 현황(최대주주 주식 변동(1% 이상), 임원 변동 현황)
  −재무구조 사항(자산 및 타법인 주식의 취득·처분, 증여, 담보제공 등)
  −경영활동 사항(영업양도·양수, 합병·분할, 주식의 교환·이전 등)

우선, 대규모 내부거래의 공시 주체는 공시대상 기업집단 내 소속회사이다. 공정거래위원회 실무는 공시대상 기업집단에 편입된 소속회사의 경우 공정거래위원회의 편입 통지일로부터 공시주체가 된다고 본다. 또 국내시장에 미치는 영향력이 비교적 작고 국내법의 적용을 받지 않는 해외 소재 계열회사는 제외하고 있으며, 이에 따라 해외소재 계열회사는 공시 주체로 보지 않고 있다.

공시대상 기업집단 소속회사들은 특수관계인을 상대방으로 하거나 특수관계인을 위하여 거래금액(④의 경우 분기 거래금액의 합계)이 당해 회사 자본금의 5% 이상이거나 50억 원 이상인 다음 유형의 거래행위를 하고자 할 때에는 미리 이사회 의결을 거친 후 공시하여야 한다(공정거래법 제11조의2, 시행령 제17조의8 제3항). 다만, 금융업 또는 보험업을 영위하는 내부거래 공시대상회사가 약관에 의한 거래로 일상적인 거래분야의 정형화된 거래를 하는 경우에는 이사회 의결을 거치지 않을 수 있지만, 공시는 해야 한다(법 제11조의2 제4항). 공시함에

있어 거래의 목적·상대방·규모 및 조건, 거래상대방과의 동일거래유형의 총거래잔액을 포함해야 하며, 이러한 주요내용을 변경하고자 하는 때에도 이사회 의결 및 공시를 해야 한다(공정거래법 제11조의2).

① 가지급금 또는 대여금 등의 자금을 제공 또는 거래하는 행위
② 주식 또는 회사채 등의 유가증권을 제공 또는 거래하는 행위
③ 부동산 또는 무체재산권 등의 자산을 제공 또는 거래하는 행위
④ 동일인이 단독 또는 친족과 합하여 20% 이상을 소유하고 있는 계열회사 또는 그 자회사인 계열회사를 상대방으로 하거나 동 계열사를 위하여 상품·용역을 제공·거래하는 행위. 동일인이 자연인이 아닌 기업집단에 소속된 회사 및 지주회사의 자회사, 손자회사, 증손회사는 제외한다.

한편, 공시대상 기업집단 소속회사 중 금융업·보험업을 영위하는 회사를 제외한 비상장·비등록 회사[55]는 소유지배구조, 재무구조 및 경영활동과 관련된 중요한 사항을 공시해야 한다. ① 최대주주와 주요주주의 주식보유현황 및 변동사항, 임원 변동 등 회사 소유지배구조와 관련된 중요사항, ② 자산·주식의 취득, 증여, 담보제공, 채무인수·면제 등 회사 재무구조에 중요한 변동을 초래하는 사항, ③ 영업양도·양수, 합병·분할, 주식 교환·이전 등 경영활동과 관련된 중요 사항이다. 다만, 공정거래법 제11조의2에 따른 대규모내부거래 공시사항은 제외한다(법 제11조의3).

공시대상 기업집단 소속회사[56]는 회사 명칭, 사업내용, 재무현황, 임원현황, 소유지분현황, 계열회사 변동내역, 회사 간 출자현황, 특수관계인과 자금·자산 및 상품·용역 제공 또는 거래현황 그리고 사업기간 동안 계열회사와 이루어진 상품 또는 용역의 거래금액이 사업기간 매출액의 5% 이상이거나 50억 원 이상인 경우 그 계열회사와의 상품·용역의 거래내역을 공시해야 한다(공정거래법 제11조의4, 시행령 제17조의11).

이사회 의결은 상법 규정에 따른 절차와 방법에 따르며(대규모 내부거래 공시규정 제5조), 주권상장법인의 경우 이사회 의결 후 1일 이내에, 비상장법인의 경우 7일 이내에 공시해야 한다(대규모 내부거래 공시규정 제6조 제1항). 공시방법은 (i) 거래의 목적과 대상, (ii) 거래의

---

55) 직전 사업연도 말일 자산총액이 100억 원 미만인 회사로서 청산 중이거나 휴업 중인 회사는 제외한다(공정거래법 시행령 제17조의10 제1항).
56) 직전 사업연도 말일 자산총액이 100억 원 미만인 회사로서 청산 중이거나 휴업 중인 회사는 제외한다(공정거래법 시행령 제17조의10 제1항).

상대방(특수관계인이 직접적인 거래 상대방이 아니더라도 특수관계인을 위한 거래인 경우 해당 특수관계인 포함), (iii) 거래의 금액과 조건, (iv) 거래상대방과 동일 거래유형의 총 거래잔액, (v) 위 네 가지 사항에 준하는 것으로 공정거래위원회가 정하여 고시한 사항(공정거래법 제11조의2, 동 시행령 제17조의8 제4항)을 수탁기관인 금융감독위원회의 전자공시시스템 DART(Data Analysis Retreval and Transfer)에 등록된 57개 양식에 따라 공시한다(대규모 내부거래 공시규정 제6조 제3항 및 제7조 제2항).

한편, (i) 거래 목적 및 거래대상의 변경, (ii) 거래상대방의 변경, (iii) 거래금액·거래단가·약정이자율 등이 당초에 의결·공시한 것보다 20% 이상 증가·감소하는 거래금액 및 조건의 변경, (iv) 기타 계약기간 변경 등 당사자 간의 계약관계에 중대한 영향을 미치는 거래 내용의 변경이 있는 경우에는 이를 다시 이사회에서 의결하고 그 내용을 공시하여야 한다(대규모 내부거래 공시규정 제8조).

공정거래위원회는 이사회 의결 및 공시에 대한 위반행위를 한 자에 대하여 시정조치를 명할 수 있다(공정거래법 제16조 제1항). 위반하여 이사회 의결이나 공시를 하지 않은 경우 또는 주요사항을 누락하거나 허위로 공시하는 경우, 그 사업자 또는 사업자단체에 대하여 1억 원 이하, 회사 또는 사업자단체의 임원 또는 종업원 기타 이해관계자에 대하여 1천만 원 이하의 과태료에 처한다(공정거래법 제69조의2 제1항 제1호). 시행령 별표 3에 공시의무위반 관련 과태료의 부과기준을 정하고 있는데, 실무적으로 과태료 부과는 규정에 따라 기계적으로 처리된다.

한편 탈법행위는 금지되며(공정거래법 제15조), 탈법행위를 한 자에 대하여 공정거래위원회는 시정조치를 명할 수 있으며(공정거래법 제16조 제1항), 3년 이하의 징역 또는 2억 원 이하의 벌금에 처한다(공정거래법 제66조 제1항 제8호).

| 기업집단 공시제도의 이행 점검방식 현황[57] |

기업집단 공시 이행 점검방식 개선안	개선 시기
1. 기업집단 현황 공시, 비상장사의 중요사항 공시 이행 점검방식 개선	2015. 3., 2017. 4.
• 기업집단별 순차적 점검 　→ 전체 기업집단 대상으로 집단별 소속회사를 1/4씩 무작위 추출(단, 대표회사는 반드시 포함), 4년 주기 전수조사 실시(2014년 공시 점검대상 선정부터 적용) • 기업집단 전체를 대상으로 하되, 대상 회사는 계열회사 수, 최근 점검여부, 상장사·비상장사 안분 등을 고려하여 선정 • 원칙: 기업집단 대표회사는 매년, 사익편취 규제대상 회사는 2년마다 점검	
2. 대규모 내부거래 공시의무 이행 점검방식 개선	2016. 2. 17.
• 상호출자제한 기업집단 대상 상위 기업집단부터 매년 6~7개씩 순차적 점검 　→ 기업집단 규모에 따라 상·중·하 3개 그룹으로 분류하여 매년 그룹별 3개씩 총 9개 기업집단을 점검 대상으로 선정(하위 기업집단의 장기간 점검대상 제외, 형평성 문제 해소)	
3. 3개 공시제도에 대한 통합점검표 발송	2018. 6. 21.
• 매년 3개 분야별 분리점검(기업집단 현황, 비상장사의 중요사항 공시: 기업집단과 대규모 내부거래 공시: 시장감시국) 　→ 연 1회 통합점검 • 일부 집단 또는 일부 회사를 표본 추출하여 직전 3~5년간의 공시실태 점검 　→ 전체 공시대상기업집단 및 소속회사의 직전 1년간 공시내용을 매년 점검(적시성, 형평성) • 모든 공시항목에 대한 포괄적 점검 → 중요항목 집중점검(공시항목의 중요성, 공시점검의 시급성 고려, 효율성 제고)	

　이와 같은 공정거래법상 공시제도 이외에도 「주식회사의 외부감사에 관한 법률」에 따른 외부감사대상법인의 경우 매 회계연도에 대한 감사보고서를 공시해야 하고 주권상장법인과 자본시장법상 사업보고서 제출대상법인의 경우 분기·반기 보고서 및 사업보고서를 공시하여야 하며(자본시장법 제159조, 제160조), 자본시장법이 정하는 중요 사건이 발생한 경우 이에 대한 주요사항보고서를 제출해야 한다(자본시장법 제161조).

　위 공시사항들 중 분기·반기 보고서 및 사업보고서에서는 상품·용역거래 중 최근 사업연도 매출액 5% 이상에 해당하는 단일거래 또는 1년 이상 장기공급계약과 관련된 내용을 기재하도록 하고 있으나(기업공시서식 작성기준 제10-1-3조), 그 외에는 회사의 전반적 상황에 대하여 기재를 할 뿐 구체적인 거래 내용에 대하여는 공시하지 않는다. 따라서 사업보고서

---

57) 이윤아, 「대규모 내부거래 관련 기업집단 공사 현황 분석 및 향후 규제정책 방향에 대한 시사점」, 연구논단 II, pp.23~24

제출대상 법인이 아닌 회사 또는 사업보고서 제출대상 법인이라 하더라도 연간 매출액의 5% 미만으로 계열회사와 거래하는 경우 내부거래 내역이 외부에 공개되지 않는다. 공정거래법상 공시는 이에 대한 보완 역할을 하고 있다.

　한편, 상법은 일반 대중에 대한 공시는 아니지만 상장회사가 이사회 결의를 거쳐 최대주주 등과 일정 규모의 거래를 한 때에 다음 정기주주총회에서 해당거래의 목적, 상대방 등을 보고하도록 하고 있다(상법 제542조의9 제4항).

Q❷ 공정거래법상 공시와 관련하여 실무상 쟁점과 유의사항은 무엇인가?[58]

A 공시제도는 매우 복잡하고 기술적인 사항이어서 실무자 입장에서는 매우 유의해야 하며, 공정거래위원회가 배포한 「알기 쉬운 대규모 내부거래 공시제도 해설」이라는 가이드를 참고하고 홈페이지의 관련 Q&A 등을 참고할 수 있다. 포괄적 거래에서의 공시의무, 특수관계인을 위한 거래에 대한 공시의무, 특수관계인에 대한 유상증자 참여에 대한 공시의무, 공시대상인 대규모 내부거래의 구체적인 유형 및 범위(채무보증, 무체재산권 라이선스 거래, 계열증권회사를 통한 유가증권 매매거래) 등이 구체적으로 제기되는 이슈이다.

해설

계열사 간 또는 특수관계자 거래와 공시수준과의 관련성에 대한 실증연구에 의하면, 내부거래 성격이 비정상적일수록 이익조정과 관련성이 높으며(이익 빼돌리기를 의미), 경영자는 이에 대한 공시를 꺼리고 공시의 타이밍을 전략적으로 정하는 방식으로 사적이익을 추구한다고 한다(Claessens et al., 2000; Lo and Wong, 2011; Rogers and stocken, 2005; Rogers, 2008).[59]

사실 공시회피 의도가 없더라도 공정거래법상 공시제도는 매우 복잡하고 기술적이어서 기업이나 담당 실무자 입장에서 고의 없이 위반하기가 쉽다. 위반 시 제재가 상당히 강하기 때문에 항상 유의해서 운영해야 한다. 공정거래위원회도 매년 업데이트된 「알기 쉬운 대규모 내부거래 공시제도 해설」이라는 가이드를 배포하고 홈페이지를 통하여 관련 Q&A를 운영하고 있다.

(1) 포괄적인 이사회 의결 및 공시

계열회사 간 내부거래 중에는 하나의 거래에 다수의 이행행위·집행행위가 존재하는 등의 이유로 하나의 내부거래로 볼 수 있는지 문제되는 경우가 있다. 대규모 내부거래 공시규정 제4조 제2항은 자산거래, 유가증권거래, 자산거래에 있어서는 대규모 내부거래에 해당하는지는 '거래상대방과의 동일 거래대상에 대한 거래행위'를 기준으로 판단하도록만 규정

---

58) 이준택·가장현·박지형, 「내부거래에 대한 공정거래법 및 상법상 사전규제의 실무상 쟁점」, BFL 제78호 (2016. 7.), p.54 내지 p.61
59) 이윤아, 「대규모 내부거래 관련 기업집단 공사 현황 분석 및 향후 규제정책 방향에 대한 시사점」, 연구논단 II, p.25

되어 있을 뿐이다.

관련하여 실제 계열회사의 유상증자에 대한 출자행위와 관련된 서울남부지방법원의 결정이 있어 소개한다(서울남부지방법원 2013. 6. 12. 선고 2012라101 결정). 본 사건에서 항고인은 2007. 9.경 자회사 A 설립과 460억 원 출자를 의결하고 "출자금액 및 출자 상대방 총출자액 460억 원", "상기 공시는 신규 사업 진출에 따른 자회사 설립과 관련된 내용이며 출자금액은 설립출자금(16억 원) 및 사업진행에 따라 순차적으로 진행될 유상증자 참여금(444억 원)을 포함하고 있음", "상기 제1항 법인명 및 제2항 출자일정 등은 확정되지 않은 상황이며 사업진행과정에서 구체화될 예정임"이라는 내용을 포함하여 공시하였다. 항고인은 위 이사회 결의를 집행하기 위하여 2007. 8. 21. 16억 원, 2007. 12. 12. 50억 원, 2007. 12. 20. 190억 원, 2008. 2. 12. 64억 원의 총 320억 원을 출자하였다. 공정거래위원회는 항고인이 이사회 결의를 토대로 2007. 12. 20. 그 계열회사인 A에게 190억 원을 출자하면서 별도 공시를 하지 않았다고 5천만 원의 과태료를 부과하였다. 법원은 공정거래법 시행령 제17조의 8 제4항 제3호가 "거래상대방과의 도일 거래유형의 총거래잔액"을 공시내용 중 하나로 규정하고 있고, 대규모 내부거래 공시규정 제4조 제2항에서 "거래상대방과의 동일거래대상에 대한 거래행위"를 기준으로 대규모 내부거래에 해당하는지 판단하도록 되어 있으며, 쟁점이 된 190억 원 출자행위는 출자에 대한 이사회 결의를 실행하기 위한 구체적인 집행행위에 불과하고, 2009. 12. 8. 개정된 공시규정에서 부수적 거래로서 새로운 거래관계가 성립하지 않는 행위를 대규모 내부거래로 보지 않는다고 신설한 점에 비추어 항고인은 전체 460억 원 출자를 공시함으로써 공시의무를 다하였다고 보았다(서울남부지방법원 2013. 6. 12. 선고 2012라101 결정).

사실 애초 출자행위에 대한 공시로 내부거래에 대한 사항이 사전에 정보가 공개되고 충분히 통제되었다고 볼 수 있으므로 포괄적인 이사회 의결 및 공시를 인정함으로써 공시대상회사의 이사회 의결과 공시에 대한 시간과 비용, 노력을 줄일 수 있다는 점에 포괄적 이사회 의결과 공시를 인정한 판결이다.

(2) 특수관계인을 위한 거래의 범위

대규모 내부거래는 "특수관계인을 상대방으로"하거나 "특수관계인을 위한 거래"를 의미한다. 여기서 "특수관계인을 위한 거래"의 의미가 문제된다. 공정거래위원회는 공시 가이드라인에서 그 예시로 계열회사가 발행한 주식, 기업어음 등을 비계열 금융회사를 통하여 취득하는 경우를 제시하고 있다.

관련된 판결로 대법원 2008. 1. 11. 선고 2007마810 결정이 있다. 항고인은 2003. 4. 18.부터 2004. 4. 29.까지 총 91회에 걸쳐 10개 비계열 금융기관이 발행한 기업어음을 매입하거나 콜거래를 위하여 각 100억 원 이상의 자금을 제공하고 위 금융회사로 하여금 항고인의 계열회사들에게 우회적으로 자금을 제공하였다. 공정거래위원회는 대규모 내부거래 이사회 의결 및 공시를 하지 않았다는 이유로 10억 원의 과태료를 부과했고 대법원도 관련 규정들이 거래행위의 구체적 목적이나 태양을 정하고 있지 아니한 점, 특수관계인 상호 간의 부당 내부거래를 사전에 억제하고 대규모 내부거래에 관한 정보를 시장에 제공한다는 입법 취지에 사안과 같이 특수관계인을 위하여 독립된 금융기관들과 거래한 행위를 대규모 내부거래로 보았다.

다만, 공정거래위원회는 위 판례와 같이 내부거래 공시대상회사가 독립된 금융기관 등 제3자를 도관으로 이용하여 실질적으로 계열회사에게 자금을 지원하는 경우뿐 아니라 금융기관 등 제3자로부터 계열회사의 주식 등을 취득하는 모든 경우를 공시대상으로 파악하고 있는 것으로 보이며, 그에 따라 공시대상회사들 역시 모든 제3자를 통한 계열회사 주식 등의 취득에 대하여 이사회 의결 및 공시를 하고 있는 것으로 알려져 있다.

(3) 특수관계인의 유상증자 참여에 대한 이사회 의결 및 공시 시기

공정거래법은 구체적으로 언제 이사회 의결 및 공시를 해야 하는지를 명확하게 규정하고 있지는 않다. 대규모 내부거래 공시규정도 주권상장법인의 경우 이사회 의결 후 1주일, 비상장법인의 경우 이사회 결의 후 7일 내 각각 공시해야 한다고만 규정하고 있다. 대부분 내부거래가 있기 전에 이사회 의결 및 공시를 하면 되지만, 경우에 따라서는 언제 이사회 의결과 공시를 하는지에 따라 공시내용이 달라질 수도 있다. 특수관계인의 주주배정방식 유상증자 참여에 대한 이사회 의결 및 공시 시점을 언제로 할 것인지가 대표적인 문제이다.

공시대상 기업집단 소속 회사는 다른 소속회사의 주요주주인 경우가 많다. 내부거래 공시대상 회사가 특수관계인에게 대규모 주주배정방식의 유상증자를 하고 주주인 계열회사(특수관계인)가 인수하는 신주의 규모가 대규모 내부거래에 해당하는 경우 내부거래 공시대상회사와 그 주주인 계열회사는 모두 대규모 내부거래 공시제도상의 이사회 의결 및 공시를 할 의무가 있다. 이에 대하여 주주인 특수관계인은 "특수관계인에 대한 출자" 형태의 대규모 내부거래에 대한 이사회 의결 및 공시를 신주 인수 청약 전에만 하면 될 것이지만,

위 내부거래 공시대상회사가 "특수관계인의 유상증자 참여" 형태의 대규모 내부거래에 대한 이사회 의결 및 공시를 언제해야 하는지 문제된다. 공정거래위원회는 위 공시대상회사가 유상증자에 대한 상법 제416조의 이사회 결의 시 대규모 내부거래 공시제도상의 이사회 결의를 함께 하고 공시하여야 한다는 취지로 해석하고 있다.[60]

그러나 이 시점에서의 이사회 의결 및 공시를 하는 경우 아직 위 특수관계인이 신주 인수권을 행사할지 여부가 확정되지 않은 상태에서 이사회 의결과 공시가 이루어지는 결과가 발생한다. 만약 그 후에 특수관계인이 신주인수권을 행사하지 않는다면 결과적으로 잘못된 공시를 하여 시장에 부정적 영향을 미칠 가능성도 배제할 수 없다. 내부거래 공시대상회사에게는 불측으로 변경 이사회 결의 및 공시를 해야 하는 부담이 발생할 수 있다. 그래서 신주인수권 행사가 확정된 시기부터 공시하도록 하여 위 공시시기에 대한 예외를 인정하는 방안을 고려할 수 있다.

(4) 대규모 내부거래의 구체적인 유형 및 범위: 채무보증, 무체재산권 라이선스 거래, 계열 증권회사를 통한 유가증권 매매거래

대규모 내부거래는 (i) 자금, (ii) 유가증권, (iii) 자산, (iv) 상품·용역 거래로 나눌 수 있고(공정거래법 제11조의2 제1항), 전자공시시스템 DART에서는 세분화된 총 57개 양식에 따라 공시하도록 하고 있다. 그럼에도 불구하고 대규모 내부거래에 해당하는 유형인지, 해당한다면 어떤 거래유형 또는 양식으로 공시해야 하는지에 대하여 실무상 모호함이 있다.

먼저, 채무보증의 대규모 내부거래 해당 여부이다. 2000. 4. 1. 대규모 내부거래 공시제도가 처음 도입될 당시에는 채무보증을 제공하거나 제공받는 행위를 대규모 내부거래 부동산 또는 무체재산권 등의 자산을 제공 또는 거래하는 행위로 규정하여 공시대상으로 삼았다. 그러나 2004. 12. 15. 대규모 내부거래 공시규정(공정거래위원회 고시 제2004-10호)은 채무보증을 제공하거나 제공받는 행위가 대규모 내부거래인 자산거래행위에 해당한다는 내용을 삭제했고 공정거래위원회 홈페이지 Q&A를 통해서도 공시대상이 아님을 명확히 했다. 공정거래위원회가 채무보증을 공시대상에서 제외한 이유는 공정거래법상 경제력억제조항(제10조의2)에 의한 규제와 증권거래법 등 타 법령의 규제를 이미 받고 있기 때문에 중복적으로 이사회 결의 및 공시를 요구하는 것이 과잉규제라고 보았기 때문으로 알려져 있다.

---

60) 공정거래위원회 홈페이지 내부거래 Q&A 참조

　다음으로 계열회사 간 무체재산권 라이선스 거래에 관한 것이다. 통상 기업집단은 소속회사의 동일성을 기하기 위하여 지주회사 등 상위 지배회사는 소속회사가 공동으로 사용할 CI 로고 관련 무체재산권을 보유하고 소속회사들에게 라이선스 대가를 받고 사용하게 해주는 거래를 한다. 이러한 라이선스 거래를 자산거래로 볼 것인지 아니면 상품·용역 거래로 보고 이사회 의결 및 공시를 해야 할지가 문제된다. 상품·용역으로 볼 경우 거래상대방 회사가 동일인이 단독으로 또는 친족과 함께 20% 이상 지분을 소유하고 있는 계열회사 또는 그 계열회사의 상법 제324조의2에 따른 자회사와의 거래에 대해서만 이사회 의결 및 공시를 하면 될 것이고, 앞서의 거래에 해당하더라도 동일인이 자연인이 아닌 기업집단에 소속된 회사와 지주회사의 자회사·손자회사와 증손회사는 공시를 할 필요가 없다(공정거래법 시행령 제17조의8 제4항). 나아가 분기에 이루어진 다른 상품·용역 거래와 합산하여 분기공시를 하면 된다(대규모 내부거래 공시규정 제9조의2 제1항을 적용하는 경우 1년). 공정거래위원회는 대규모 내부거래 상품·용역 거래 유형이 도입되기 전인 2007. 7. 25. 이전에는 라이선스 거래를 무체재산권을 제공하는 "자산거래"로 보아 대규모 내부거래에 해당하는 라이선스 거래 당사자 모두에게 자산거래에 이사회 결의 및 공시를 할 의무가 있는 것으로 보았다. 그러나 상품·용역 거래 공시가 도입된 이후에는 대가를 지급하고 무체재산권 사용권을 부여받은 회사는 자산거래를 한 것이라 보지만, 무체재산권에 대한 사용권을 부여하고 그 대가를 지급받는 회사에 대하여는 회계처리상 영업수익으로 처리하므로 상품·용역 거래를 한 것으로 판단하였다가, 다시 CI라는 무체재산권에 대한 사용권을 부여하는 거래로 계속·반복적인 일상적 영업활동과는 구분되기 때문에 라이선스를 부여한 측 역시도 자산거래로 이사회 결의 및 공시를 해야 한다는 입장으로 변경했다.[61]

　마지막으로 계열증권회사의 중개거래를 통한 유가증권 등 매매에 대한 것이다. 내부거래 공시대상 회사가 계열증권회사의 중개거래를 통하여 기업어음 등 유가증권을 매매하는 경우 어떠한 경우에 위 중개거래에 대하여 대규모 내부거래 공시제도상의 이사회 의결 및 공시를 해야 하는지가 문제된다. 중개거래가 형식적으로는 매매방식이라 하더라도 중개인인 계열증권회사는 실질적으로 매도인과 매수인 사이에서 중개거래를 통하여 중개수수료만 받기 때문에 일반적인 유가증권매매와 성질이 다르기 때문에, 대규모 내부거래에 해당하는지에 대하여 중개된 유가증권의 규모가 아니라 중개수수료의 규모를 기준으로 결정하는 것을 생각해 볼 수 있기 때문이다.

---

61) 공정거래위원회, 「대규모 내부거래 공시 가이드라인」, p.29

공정거래위원회는 다른 유가증권매매와 마찬가지로 계열증권회사의 중개거래에 있어서도 거래금액이 대규모 내부거래에 해당한다면 중개거래 당사자 모두 이사회 의결 및 공시를 해야 한다는 입장이다(공정거래위원회 2002. 11. 14. 의결 제2002-306호, 공정거래위원회 2004. 3. 10. 의결 제2004-087호). 대법원도 같은 입장이다(대법원 2007. 4., 13. 선고 2005마226 결정). 내부거래가 부당하게 악용될 여지가 많기 때문에 법 규정을 문리적으로 해석함으로써 내부거래 공시제도의 적용범위를 넓게 보려는 입장으로 이해된다.

13 2020. 3. 21. 입법예고된 내부거래 공시 규정의 개정 내용의 주요사항은 무엇인가?

A 중요사항 공시 규정 개정안의 주요내용은 ① 공익법인과의 내부거래 현황 공시 신설, ② 물류 · SI 내부거래 현황 공시 신설, ③ 분기별 공시사항의 연간 거래금액 추가 공시 및 상품 · 용역 연간 거래금액의 분기별 구분 등이고, 대규모 내부거래 공시 규정 개정안의 주요내용은 ① 금융 · 보험사 약관에 의한 거래 특례 규정 명확화, ② 일방의 이사회 의결에 의한 거래 취소 시 상대방의 이사회 의결 면제 등이다. 내년부터 적용될 예정이다.

해설

공정거래위원회는 「공시대상기업집단 소속회사의 중요사항 공시 등에 관한 규정」(이하 '중요사항 공시 규정') 및 「대규모내부거래에 대한 이사회 의결 및 공시에 관한 규정」(이하 '대규모내부거래 공시 규정') 개정안을 마련하여 2021년 3월 31일부터 4월 21일까지 20여 일간 행정예고하였다. 중요사항 공시 규정 개정안의 주요내용은 ① 공익법인과의 내부거래 현황 공시 신설, ② 물류 · SI 내부거래 현황 공시 신설, ③ 분기별 공시사항의 연간 거래금액 추가 공시 및 상품 · 용역 연간 거래금액의 분기별 구분 등이고, 대규모내부거래 공시 규정 개정안의 주요내용은 ① 금융 · 보험사 약관에 의한 거래 특례 규정 명확화, ② 일방의 이사회 의결에 의한 거래 취소 시 상대방의 이사회 의결 면제 등이다.

공정거래위원회는 행정예고 기간 동안 이해관계자 의견을 충분히 수렴한 후 전원회의 의결을 거쳐 개정안을 확정할 계획이다. 특별한 하자가 발견되지 않는 한 그대로 통과, 확정되는 경우가 통상이다. 공정거래위원회는 개정안이 의결되어 통과되면 대규모내부거래 공시 규정에 대하여는 즉시 시행하되, 공시항목 신설과 관련된 중요사항 공시 규정은 2022년 5월부터 시행할 예정이다.

〈중요사항 공시 규정〉의 주요 내용

가. 공익법인과의 내부거래 현황 공시 신설

□ (개정배경) 현재 공시대상기업집단 소속회사는 비영리법인 전체와의 자금 · 유가증권 · 자산 거래총액만 공시하고 있어 그중 공익법인*과의 내부거래 현황은 별도로 파악이 불가능하며, 상품 · 용역 거래현황은 비영리법인과의 거래현황도 공시하지 않고 있다.

　* 비영리법인 중 「상속세 및 증여세법」상 결산서류 의무 공시대상인 비영리법인

○ 공익법인 실태조사('18. 1월~'18. 3월) 결과 대기업 공익법인의 자산·수입·지출 규모가 전체 공익법인 평균보다 매우 크고,* 자산에서 계열사 주식이 차지하는 비중(약 16%) 및 상품·용역 내부거래 비중(약 19%)이 높게 나타남에 따라 공익법인에 대한 감시 요구가 증대되었다.

    * 자산 약 1,200억 원(전체의 5배), 수입 및 지출액 500억 원(전체의 3.5배)

○ 특히, 공익법인에게 대규모내부거래 시 이사회 의결 및 공시의무를 부과하는 내용의 공정거래법이 개정('20. 12월)됨에 따라, 그 후속조치로서 공시대상 기업집단 소속회사에게도 공익법인과의 전체 거래현황을 공시하도록 할 필요성이 높아졌다.

☐ (개정내용) 공시대상기업집단 소속회사가 공익법인과 내부거래한 내용을 연 1회 공시하도록 의무를 신설하였다.

○ 앞으로, 공시대상기업집단 소속회사가 공익법인과 자금·유가증권·자산·상품 및 용역 내부거래 시 개별 공익법인별 거래내용을 공시해야 한다.

    − (기존) 공익법인 A가 계열사 B부터 유가증권 및 상품·용역을 고가 매입 시, 50억 원 이상 유가증권 거래에 한해 B가 공시(상품·용역 공시 없음) → (개선) 금액 무관히 상품·용역 포함 모든 거래 현황을 B가 공시

나. 물류·SI 내부거래 현황 공시 신설

☐ (개정배경) 현재 대기업집단 소속회사의 상품·용역 내부거래는 업종 구분 없이 연 1회 총액만 공시하고, 업종별 내부거래 현황은 공시하지 않아 특정 업종에 관한 구체적 현황 파악 및 감시에 한계가 있다.

○ 특히, 물류·SI 업종 실태조사('19. 4월~'19. 5월) 및 연구용역('19. 10월, '20. 7월) 추진 결과 양 업종 모두 오랜 기간 동안 기업집단 대표회사가 계열사들을 통해 상당히 높은 매출을 달성하고 있어 감시 필요성이 높으나,

○ 현재의 공시 항목만으로는 내부거래를 통한 물류·SI 영위회사의 매출현황 및 계열회사들의 매입 현황 확인이 불가능했다.

☐ (개정내용) 공시대상기업집단 소속회사가 물류·SI 내부거래 시 그 현황을 연 1회 공시하도록 의무를 신설하였다.

○ 앞으로, 공시대상기업집단 소속 물류·SI 영위회사는 계열회사에 대한 매출현황을, 물류·SI를 영위하지 않는 회사들은 계열회사로부터 물류·SI 매입현황을 각각 공시해야 한다.

    − (기존) A집단 소속회사들(A1~A10)이 낮은 품질에도 불구, 계열사 B로부터 SI 전량 매입 시, 내부거래 비중 확인 불가 → (개선) B는 매출 현황, A1~A10은 매

입 현황 공시하므로 A집단의 SI 업종 거래현황 및 내부거래 비중 확인 가능

다. 분기별 및 연간 내부거래금액을 손쉽게 확인

□ (개정배경) 현재 중요사항 공시 사항은 항목별로 공시빈도 및 공시대상 금액이 달라 연간 거래내역 및 분기별 거래금액을 한눈에 확인하기 어려운 한계가 있다.

ㅇ 상품·용역을 제외한 내부거래 현황은 분기별로 공시(분기 종료 후 2개월 이내)하고 있어 신속한 현황 확인이 가능하나, 연간 거래금액을 알기 위해서는 정보이용자가 분기별 금액을 취합해야 하는 불편이 있다.

ㅇ 한편, 계열사 간 내부거래가 주로 상품·용역을 통해 이루어지고 있어 감시 필요성이 높음에도 불구하고, 상품·용역은 일부 경우*를 제외하고는 연간 거래금액만 공시하고 있어 분기별 거래내역을 알 수 없다.

  * 상장사 중 직전 사업분기 동안 계열사와 내부거래한 금액이 해당 분기 매출액 5% 또는 50억 원 이상인 경우만 분기별 금액 표기

□ (개정내용) 정보이용자가 연간 및 분기별 내부거래 금액을 손쉽게 확인할 수 있도록 내부거래 현황 관련 공시빈도 및 공시대상금액을 변경하였다.

ㅇ 앞으로, 공시대상기업집단 소속회사는 자금·유가증권·자산 내부거래 시 분기별 공시 외에 연간 거래현황을 취합하여 연 1회 공시*해야 한다.

  * 채무보증 및 담보제공 현황은 분기말 기준 잔액이므로 취합 불요

ㅇ 상품·용역 내부거래 시에는 연간 거래금액을 분기별로 구분하여 공시하되, 비상장사 등의 공시 부담을 고려하여 분기마다 공시하지 않고 연 1회 공시*하도록 하였다.

  * 거래금액이 확정되는 회계연도 종료 후, 연간금액 및 분기별 금액 공시

  – 공시보고서('21. 5월)를 통해 확인 가능한 항목
    ① [자금·유가증권·자산]
      (기존) '21. 1분기 내역 → (개선) '21. 1분기 및 '20년 거래내역
    ② [상품용역]
      (기존) '20년 거래내역 → (개선) '20년 거래내역 및 '20. 1~4분기 거래내역

〈대규모내부거래 공시 규정〉의 주요 내용

가. 거래취소 시 이사회 의결 면제

□ (개정배경) 현재 공시대상기업집단 소속회사는 대규모내부거래의 주요내용*이 변경되는 경우에도 이사회 의결 및 공시를 거쳐야 하므로, 거래상대방이 일방적으로 거래를

취소하는 경우에도 거래를 취소당한 상대방이 형식적으로 이사회 의결을 거쳐야 하는 불편이 있다.

* 거래의 목적 및 대상, 거래상대방, 거래금액 및 조건, 계약체결방식 등

□ (개정내용) 앞으로 일방의 이사회 의결에 의한 거래 취소 시 그 상대방은 이사회 의결 없이 취소일로부터 7일 이내에 사후 공시하면 된다.

나. 금융 · 보험사 약관에 의한 거래 특례 규정 명확화

□ (개정배경) 현재 금융 · 보험업 관련 약관거래의 특성*을 반영해 대규모내부거래 이사회 의결 및 공시 특례 규정을 운용 중이나, 일부 규정 해석이 명확치 않아 이사회 의결 누락 등 혼선이 발생하고 있다.

* 금융 · 보험상품 중 약관으로 조건을 규정하고 있어 거래상대방과 무관히 동일한 기준으로 거래하는 경우, 내부거래에 대한 감시 필요성이 낮은 편

○ 금융 · 보험사가 일상적 거래분야에서 약관에 의해 내부거래하는 경우 이사회 의결 의무를 면제하나, "일상적 거래분야"의 범위 등에 대해 명확한 기준이 없었다.

 − 이에 따라 공시대상기업집단 소속 금융 · 보험사가 자신이 영위하지 않는 금융 · 보험업 거래분야에서의 거래*에 대해 이사회 의결을 거치지 않는 등 특례 규정의 취지를 벗어난 경우가 발생하였다.

  * (예) 금융지원서비스업 영위 회사(카드사)가 계열 보험사와 직원들의 퇴직연금 가입을 위해 내부거래하는 경우 → 금융보험업 관련 거래나 영위 업종 아님.

○ 한편, 해당 거래의 상대방도 이사회 의결을 분기별로 일괄해서 하도록 특례 규정을 운영 중이나, 非금융 · 보험사로 범위를 한정함에 따라 금융 · 보험사는 동 규정을 적용받지 못하는 문제가 있었다.

□ (개정내용) 이사회 의결 면제 특례 규정을 "금융 · 보험업 관련 영위업종에서의 거래분야*"로 한정하여 특례의 적용대상이 되는 거래의 범위를 명확히 하였다.

* 자신이 영위하는 업종 중 통계청 한국표준산업분류상 K64~66으로 시작하는 금융 · 보험업 관련 거래분야로 한정

○ 앞으로, 금융 · 보험사가 약관에 의한 거래와 관련하여 특례 규정을 잘못 해석하거나 적용할 소지가 없어 특례와 무관한 약관 거래는 공시를 통해 감시할 수 있게 된다.

○ 한편, 금융 · 보험사도 계열 금융 · 보험사와 약관에 의해 거래하는 경우 이사회 의결을 분기별로 할 수 있도록 개선하였다.

공정거래위원회는 이번 개정으로 시장에서 새롭게 필요로 하는 내부거래 관련 정보가 공시될 뿐 아니라, 누구나 공시정보를 손쉽게 이용할 수 있게 되어 공시를 통한 시장감시 효

과가 더욱 강화될 것으로 기대하고 있다. 공익법인, 물류·SI 등 집중감시가 필요한 분야에 대한 공시가 이루어짐으로써 정보공개를 통한 부당 내부거래 예방 효과를 높이고 점진적인 거래 구조 개선에도 효과가 있을 것으로 보고 있다. 한편, 대규모내부거래 규정을 합리화하여 제도 운영과정에서 나타난 문제점을 해소하고 불필요한 기업 부담은 완화할 것으로 기대하고 있다.

또한 공정위는 행정예고 기간 동안 이해관계자의 의견을 충분히 수렴한 후 전원회의 의결을 거쳐 개정안을 확정·시행할 계획이다. 특히, 공시항목 신설로 인한 기업집단의 부담을 최소화하기 위해 기업집단 의견 수렴을 거쳐 공시대상이 되는 거래범위 및 금액 등 구체적 기준, 예를 들어 물류 공시 기준금액이나 SI업종 거래범위 등을 매뉴얼에 반영할 예정이며, 대규모내부거래 공시 규정은 즉시 시행하되, 중요사항 공시 규정은 충분한 준비 기간을 가질 수 있도록 2022년 5월부터 시행한다고 밝혔다.

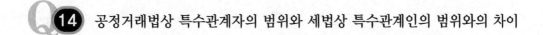

Q 14 공정거래법상 특수관계자의 범위와 세법상 특수관계인의 범위와의 차이

A 동일인과 그 친족, 이들이 지배하는 기업 등 개념적으로 동일하지만 세부적으로 차이가 있다. 심지어 일반지원행위와 특수관계자 이익제공행위의 특수관계자 범위도 조금 다르고, 법인세법과 상속증여세법상 특수관계자의 범위도 차이가 있으므로 개별적으로 유의해서 살펴보아야 한다.

해설

특수관계인이란 동일인과 일정한 관계에 있는 자를 의미한다. 기업 또는 기업집단의 소유구조와 관련하여 특수관계인은 일반적으로 기업 또는 기업집단을 소유·지배하는 자와 특별한 관계에 있는 개인 또는 법인을 모두 포괄한다.

공정거래법 제11조의2(대규모내부거래의 이사회 의결 및 공시) 및 제23조 제1항(불공정거래행위의 금지) 제7호에서 동일인과 특수관계자의 범위에 대해 규정하면서 구체적이고 자세한 사항에 대하여는 규정하도록 위임하였다. 공정거래법 시행령 제11조에서 규정하는 '회사를 사실상 지배하고 있는 자' 또는 동일인 및 동일인관련자인 특수관계인의 범위를 획정하는 기준은 시행령 제3조에서 찾아볼 수 있다. 시행령 제3조 제1호의 기준에 따르면 '사실상 그 사업내용을 지배하는 회사'라 함은 동일인이 단독으로 또는 동일인관련자와 합하여 당해 회사 발행주식총수의 30% 이상을 소유하는 경우로서 최다출자자인 회사이다. '동일인관련자'에 해당하는 특수관계인으로는 ① 동일인의 배우자 및 친인척(6촌 이내 혈족, 4촌 이내 인척) ② 동일인 등이 설립 또는 지배하는 비영리법인 ③ 동일인 등이 사실상 지배하는 회사(계열회사) ④ 동일인 등이 사실상 지배하는 계열회사 또는 비영리법인의 임원 등을 포함한다. '사실상 사업내용을 지배하는 관계'와 관련하여 시행령 제3조 제2호는 대표이사의 임면이나 주요 의사결정에 미치는 영향 등을 판단기준으로 제시하고 있다. 2 이상의 회사가 동일한 기업집단에 속하는 경우에 이들 회사는 서로 상대방의 위 시행령 제3조의 특수관계인 범위에서 제외시키기 위한 기준이 시행령 제3조의2(기업집단으로부터의 제외)와 제3조의3(동일인관련자로부터의 제외)에서 구체적으로 명시되어 있다. 이 기준 역시 동일인과 동일인관련자의 범위를 판단하거나 제외하기 위해 고려해야 할 기준으로 작용한다.

한편, 총수일가 사익편취와 관련한 제23조의2 제1항의 특수관계인은 사익편취를 통하여 이익이 귀속되는 자연인인 동일인과 친인척으로 정의되고 있어, 공정거래법 시행령 제11조의 특수관계인과 범위가 다르다.

아래 표에서 나타나는 바와 같이, 공정거래법상 특수관계인과 세법상 특수관계인은 규정의 형식과 범위에 있어 차이가 있다. 유의할 만한 사항은 다음과 같다.

① 공정거래법과 달리 국세기본법은 특수관계인인 '배우자'에 '사실상 혼인관계에 있는 자'를 포함하여 규정하였다(소득세법 및 상증세법에서 준용).

② 법인세법에서는 소액주주를 제외한 모든 주주와 그 친족을 특수관계인으로 규정하고 있으나, 공정거래법 및 그 밖의 세법에서는 일정 비율 이상의 지분을 가지고 있는 등 지배적 영향력을 행사하는 주주 등을 특수관계인으로 규정하고 있다.

③ 세법에서는 친족관계 등이 아니더라도 '본인의 금전이나 그 밖의 재산으로 생계를 유지하는 자'를 특수관계인의 범위에 포함시키고 있으나, 공정거래법은 이와 같은 규정을 두고 있지 않다.

| 공정거래법과 세법상 특수관계인의 범위 |

법 령	특수관계인의 범위
공정거래법 (공정거래법 시행령 제11조)	1. 당해 회사를 사실상 지배하고 있는 자 2. 동일인관련자. 다만, 시행령 제3조의2(기업집단으로부터의 제외) 제1항의 규정에 의하여 동일인관련자로부터 분리된 자를 제외한다. [동일인관련자의 범위에 관한 규정(시행령 제3조)] 1. 동일인이 단독으로 또는 다음 각 목의 어느 하나에 해당하는 자(이하 "동일인관련자"라 한다)와 합하여 당해 회사의 발행주식[「상법」 제370조(의결권 없는 주식)의 규정에 의한 의결권 없는 주식을 제외한다. 이하 이 조, 제3조의2(기업집단으로부터의 제외), 제17조의5(채무보증금지대상의 제외요건), 제17조의8(대규모내부거래의 이사회 의결 및 공시) 및 제18조(기업결합의 신고등)에서 같다] 총수의 100분의 30 이상을 소유하는 경우로서 최다출자자인 회사 가. 배우자, 6촌 이내의 혈족, 4촌 이내의 인척(이하 "친족"이라 한다) 나. 동일인이 단독으로 또는 동일인관련자와 합하여 총출연금액의 100분의 30 이상을 출연한 경우로서 최다출연자가 되거나 동일인 및 동일인관련자 중 1인이 설립자인 비영리법인 또는 단체(법인격이 없는 사단 또는 재단을 말한다. 이하 같다) 다. 동일인이 직접 또는 동일인관련자를 통하여 임원의 구성이나 사업운용 등에 대하여 지배적인 영향력을 행사하고 있는 비영리법인 또는 단체 라. 동일인이 이 호 또는 제2호의 규정에 의하여 사실상 사업내용을 지배하는 회사 마. 동일인 및 동일인과 나목 내지 라목의 관계에 해당하는 자의 사용인

법 령	특수관계인의 범위
	(법인인 경우에는 임원, 개인인 경우에는 상업사용인 및 고용계약에 의한 피용인을 말한다) 2. 다음 각 목의 1에 해당하는 회사로서 당해 회사의 경영에 대하여 지배적인 영향력을 행사하고 있다고 인정되는 회사 　가. 동일인이 다른 주요 주주와의 계약 또는 합의에 의하여 대표이사를 임면하거나 임원의 100분의 50 이상을 선임하거나 선임할 수 있는 회사 　나. 동일인이 직접 또는 동일인관련자를 통하여 당해 회사의 조직변경 또는 신규사업에의 투자 등 주요 의사결정이나 업무집행에 지배적인 영향력을 행사하고 있는 회사 　다. 동일인이 지배하는 회사(동일인이 회사인 경우에는 동일인을 포함한다. 이하 이 목에서 같다)와 당해 회사 간에 다음의 1에 해당하는 인사교류가 있는 회사 　　(1) 동일인이 지배하는 회사와 당해 회사 간에 임원의 겸임이 있는 경우 　　(2) 동일인이 지배하는 회사의 임·직원이 당해 회사의 임원으로 임명되었다가 동일인이 지배하는 회사로 복직하는 경우(동일인이 지배하는 회사 중 당초의 회사가 아닌 회사로 복직하는 경우를 포함한다) 　　(3) 당해 회사의 임원이 동일인이 지배하는 회사의 임·직원으로 임명되었다가 당해 회사 또는 당해 회사의 계열회사로 복직하는 경우 3. 경영을 지배하려는 공동의 목적을 가지고 당해 기업결합에 참여하는 자
국세기본법 및 소득세법 (국세기본법 시행령 제1조의2, 소득세법 제98조 제1항)	[친족관계에 있는 자] 1. 6촌 이내의 혈족 2. 4촌 이내의 인척 3. 배우자(사실상의 혼인관계에 있는 자를 포함한다) 4. 친생자로서 다른 사람에게 친양자 입양된 자 및 그 배우자·직계비속 [경제적 연관관계에 있는 자] 1. 임원과 그 밖의 사용인 2. 본인의 금전이나 그 밖의 재산으로 생계를 유지하는 자 3. 제1호 및 제2호의 자와 생계를 함께 하는 친족 [경영지배관계에 있는 자] 1. 본인이 개인인 경우 　가. 본인이 직접 또는 그와 친족관계 또는 경제적 연관관계에 있는 자를 통하여 법인의 경영에 대하여 지배적인 영향력을 행사하고 있는 경

법 령	특수관계인의 범위
	우 그 법인 나. 본인이 직접 또는 그와 친족관계, 경제적 연관관계 또는 가목의 관계에 있는 자를 통하여 법인의 경영에 대하여 지배적인 영향력을 행사하고 있는 경우 그 법인 2. 본인이 법인인 경우 　가. 개인 또는 법인이 직접 또는 그와 친족관계 또는 경제적 연관관계에 있는 자를 통하여 본인인 법인의 경영에 대하여 지배적인 영향력을 행사하고 있는 경우 그 개인 또는 법인 　나. 본인이 직접 또는 그와 경제적 연관관계 또는 가목의 관계에 있는 자를 통하여 어느 법인의 경영에 대하여 지배적인 영향력을 행사하고 있는 경우 그 법인 　다. 본인이 직접 또는 그와 경제적 연관관계, 가목 또는 나목의 관계에 있는 자를 통하여 어느 법인의 경영에 대하여 지배적인 영향력을 행사하고 있는 그 법인 　라. 본인이 「독점규제 및 공정거래에 관한 법률」에 따른 기업집단에 속하는 경우 그 기업집단에 속하는 다른 계열회사 및 그 임원
법인세법 (법인세법 시행령 제87조)	1. 임원의 임면권의 행사, 사업방침의 결정 등 당해 법인의 경영에 대하여 사실상 영향력을 행사하고 있다고 인정되는 자(「상법」 제401조의2 제1항의 규정에 의하여 이사로 보는 자를 포함한다)와 그 친족 2. 주주등(소액주주 등을 제외한다. 이하 이 관에서 같다)과 그 친족 3. 법인의 임원·사용인 또는 주주등의 사용인(주주등이 영리법인인 경우에는 그 임원을, 비영리법인인 경우에는 그 이사 및 설립자를 말한다)이나 사용인 외의 자로서 법인 또는 주주등의 금전 기타 자산에 의하여 생계를 유지하는 자와 이들과 생계를 함께 하는 친족 4. 해당 법인이 직접 또는 그와 제1호부터 제3호까지의 관계에 있는 자를 통하여 어느 법인의 경영에 대하여 지배적인 영향력을 행사하고 있는 경우 그 법인 5. 해당 법인이 직접 또는 그와 제1호부터 제4호까지의 관계에 있는 자를 통하여 어느 법인의 경영에 대하여 지배적인 영향력을 행사하고 있는 경우 그 법인 6. 당해 법인에 100분의 30 이상을 출자하고 있는 법인에 100분의 30 이상을 출자하고 있는 법인이나 개인 7. 당해 법인이 「독점규제 및 공정거래에 관한 법률」에 의한 기업집단에 속하는 법인인 경우 그 기업집단에 소속된 다른 계열회사 및 그 계열회사의 임원
상증세법 (상증세법 시행령 제12조의2)	1. 「국세기본법 시행령」 제1조의2 제1항 제1호부터 제4호까지의 어느 하나에 해당하는 자(이하 "친족"이라 한다) 및 직계비속의 배우자의 2촌 이내의 혈족과 그 배우자

법 령	특수관계인의 범위
	2. 사용인(출자에 의하여 지배하고 있는 법인의 사용인을 포함한다. 이하 같다)이나 사용인 외의 자로서 본인의 재산으로 생계를 유지하는 자
	3. 다음 각 목의 어느 하나에 해당하는 자
	가. 본인이 개인인 경우: 본인이 직접 또는 본인과 제1호에 해당하는 관계에 있는 자가 임원에 대한 임면권의 행사 및 사업방침의 결정 등을 통하여 그 경영에 관하여 사실상의 영향력을 행사하고 있는 기획재정부령으로 정하는 기업집단의 소속 기업[해당 기업의 임원(「법인세법 시행령」 제20조 제1항 제4호에 따른 임원과 퇴직 후 5년이 지나지 아니한 그 임원이었던 사람으로서 사외이사가 아니었던 사람을 말한다. 이하 같다)을 포함한다]
	나. 본인이 법인인 경우: 본인이 속한 기획재정부령으로 정하는 기업집단의 소속 기업(해당 기업의 임원을 포함한다)과 해당 기업의 임원에 대한 임면권의 행사 및 사업방침의 결정 등을 통하여 그 경영에 관하여 사실상의 영향력을 행사하고 있는 자 및 그와 제1호에 해당하는 관계에 있는 자
	4. 본인, 제1호부터 제3호까지의 자 또는 본인과 제1호부터 제3호까지의 자가 공동으로 재산을 출연하여 설립하거나 이사의 과반수를 차지하는 비영리법인
	5. 제3호에 해당하는 기업의 임원이 이사장인 비영리법인
	6. 본인, 제1호부터 제5호까지의 자 또는 본인과 제1호부터 제5호까지의 자가 공동으로 발행주식총수 또는 출자총액(이하 "발행주식총수등"이라 한다)의 100분의 30 이상을 출자하고 있는 법인
	7. 본인, 제1호부터 제6호까지의 자 또는 본인과 제1호부터 제6호까지의 자가 공동으로 발행주식총수등의 100분의 50 이상을 출자하고 있는 법인
	8. 본인, 제1호부터 제7호까지의 자 또는 본인과 제1호부터 제7호까지의 자가 공동으로 재산을 출연하여 설립하거나 이사의 과반수를 차지하는 비영리법인

Q 15 동일인 및 관련자 등 소위 오너(동일인, 총수)의 법률적 지위와 책임은 무엇인가?

A 동일인 및 그 관련자들이 회사의 업무에 실질적으로 관여하는 경우 설사 개별 이사의 이사 등 공식 직책이 없더라도 상법상의 업무지시집행자 또는 사실상 경영자로 법적 책임을 진다.

해설

공정거래법은 기업집단을 지배하는 '동일인'이라는 핵심 개념에 대해 별도의 정의 규정을 두고 있지 않다. 자연인과 법인 모두 동일인이 될 수 있는데, 자연인이 동일인인 경우 흔히 오너 또는 그룹 총수라고 불린다. 이러한 오너의 상법 또는 형법상에서의 오너의 지위가 문제된다.

상법은 이사의 선관의무와 충실의무를 비롯하여, 주요주주 그리고 이사 및 주요주주의 친인척과 회사가 거래하는 경우에도 이사회의 승인을 받도록 하고(제398조), 회사의 기회 및 자산의 유용을 금지하고 있다(제397조의2). 상법은 그룹 총수가 직접 계열회사를 지배하면서 회사에 대한 영향력을 행사하여 소수주주나 채권자를 희생시켜 자신의 이익을 도모하는 행위에 대해 책임을 지우기 위하여 제401조의2(업무집행지시자 등의 책임)에서 어떠한 형태로든 업무집행에 관여한 경우에는 법률상 이사와 같이 지도록 규정하고 있다. ① 회사에 대한 자신의 영향력을 이용하여 이사에게 업무집행을 지시한 자, ② 이사의 이름으로 직접 업무를 집행한 자, ③ 이사가 아니면서 명예회장·회장·사장·부사장·전무·상무·이사 기타 회사의 업무를 집행할 권한이 있는 것으로 인정될 만한 명칭을 사용하여 회사의 업무를 집행한 자를 업무집행지시자로 규정하고 있다. 이들은 지시하거나 집행한 업무와 관련하여 회사 및 제3자에 대한 손해배상책임에서 '이사'로 보도록 규정하고 있다. 경영에 관여하는 대부분의 오너가 이에 해당할 것으로 본다.

한편, 형법 제355조 제2항에서는 배임죄가 규정되어 있고, 제356조는 업무자의 배임행위에 대해 가중처벌하고 있다. 한편, 특정경제범죄 가중처벌 등에 관한 법률 제3조는 이득액에 따라 배임죄를 가중처벌하도록 하고 있다. 이득액에 따라 임무를 해태하여 불법적인 거래로 이익을 취득하거나 취득하게 하는 경우에는 배임죄 등의 형사책임을 면할 수 없다. 기업집단 내부거래와 관련하여 개별 기업에 아무런 공식적 직책이 없는 총수에게 배임죄가 성립하는지 여부와 관련하여, 공식직책이 없음에도 배임죄 책임을 지우는 것은 업무상 임무의 의미를 너무 추상적으로 개념하여 확대시키는 것이고 나아가 계열사 간 지원 행위에 대해서는 경영판단이므로 원칙적으로 배임으로 보아서는 안된다는 견해가 있지만, 다수 판례와 학설은 개별기업의 이사 등 공식 직책에 있지 않더라도 총수가 개별 기업의 타인사무 처리자로서의 배임죄의 주체가 될 수 있음은 인정하고 있다.

다만, 최근 대법원은 내부거래에 있어 총수 배임죄 기준을 처음으로 제시하면서, "그룹 내 계열사 사이의 지원 행위가 계열사들의 공동이익을 위한 것으로, 특정 회사나 특정인의 사익을 위해서가 아니라 합리적인 경영 판단의 재량 범위 내에서 행해졌다면 배임의 고의를 인정하기 어렵다"고 판시하여(대법원 2017. 11. 9. 선고 2015도12633 판결), 배임죄 범위를 엄격히 좁게 보고 있다. 대법원은 동 판결에서 고의성을 판단하는 기준으로써, 지원을 주고받은 계열회사들이 실질적으로 공동의 이익을 추구하는 관계에 있는지, 지원 결정이 특정인이나 특정 회사가 아닌 공동의 이익을 위한 것인지, 지원한 계열사의 능력과 의사를 충분히 고려해 객관적·합리적으로 결정했는지, 구체적인 지원이 정상적·합법적인 방법으로 이루어졌는지, 지원하는 계열사가 부담이나 위험에 상응하는 보상을 기대할 수 있었는지 등을 제시했다.

완전히 동일한 개념은 아니지만 유사한 것으로 상법상 '주요주주'가 있다. 상법상 주요주주란 "누구의 명의로 하든지 자기의 계산으로 의결권 없는 주식을 제외한 발행주식총수의 100분의 10 이상의 주식을 소유하거나 이사·집행임원·감사의 선임과 해임 등 상장회사의 주요 경영사항에 대하여 사실상의 영향력을 행사하는 주주 및 그의 배우자와 직계존속·비속"을 의미하다(제542조의8 제1항 제6호).

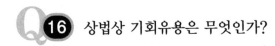 **16** 상법상 기회유용은 무엇인가?

A 회사의 사업기회 또는 자산을 이사가 자기 또는 제3자를 위하여 유용하는 것은 원칙적으로 금지되며, 설사 회사에 무해하거나 불가피한 경우라도 이사 2/3 이상의 승인을 받는 등 적법한 절차를 거쳐야 한다.

해설

> **상법 제397조의2(회사의 기회 및 자산의 유용 금지)**
> ① 이사는 이사회의 승인 없이 현재 또는 장래에 회사의 이익이 될 수 있는 다음 각 호의 어느 하나에 해당하는 회사의 사업기회를 자기 또는 제3자의 이익을 위하여 이용하여서는 아니 된다. 이 경우 이사회의 승인은 이사 3분의 2 이상의 수로써 하여야 한다.
> 1. 직무를 수행하는 과정에서 알게 되거나 회사의 정보를 이용한 사업기회
> 2. 회사가 수행하고 있거나 수행할 사업과 밀접한 관계가 있는 사업기회
> ② 제1항을 위반하여 회사에 손해를 발생시킨 이사 및 승인한 이사는 연대하여 손해를 배상할 책임이 있으며 이로 인하여 이사 또는 제3자가 얻은 이익은 손해로 추정한다

이사는 이사회의 승인 없이 현재 또는 장래에 회사의 이익이 될 수 있는 회사의 사업기회를 자기 또는 제3자의 이익을 위하여 이용해서는 안 된다(상법 제397조의2 제1항 전단). 여기서 회사의 사업기회란 ① 이사가 직무를 수행하는 과정에서 알게 되거나 회사의 정보를 이용한 사업기회와 ② 회사가 수행하고 있거나 수행할 사업과 밀접한 관계가 있는 사업기회를 말한다.

이사는 회사에 선관주의 의무, 즉 충실의무(fiduciary duty)를 부담하며(상법 제382조의3), 상법은 이와 관련해 경업금지 규정(제397조)과 자기거래금지 규정(제398조)을 두고 있다.[62]

---

[62] 이해관계자 거래와 관련하여 이미 상법 제542조의9 제3항 이하의 대규모 이해관계자 거래 규제나 상법 제398조의 이사 및 주요주주와의 자기거래 규제에서 이사회 승인 및 이해관계자 거래의 절차와 내용의 공정성 요건 등을 요구하고 있다. 이는 이사의 충실의무에 기초한 것이다. 선관주의의무의 범위로서 사익추구금지를 포함시키는 등 선관주의의무를 탄력적으로 해석하는 것이 가능하므로 충실의무는 선관주의의무를 구체화한 것에 불과하다는 반대견해도 있지만, 상법 제382조의3에서 상법 제382조 제2항 및 민법 제681조에 의한 이사의 선관주의의무와 별개로 이사의 충실의무를 규정하고 있는 이상, 충실의무는 회사의 일반적인 업무집행에 대해서 적용되는 이사의 선관주의의무와는 별개의 의무로서 보는 것이 타당하다. 그러므로 이는 영미법상의 충실의무(Duty of Loyalty)를 반영한 것으로서 이해관계자 거래를 포함하여 이사와 회사 사이에 이해충돌이 발생할 수 있어서 선관주의의무만으로는 적절한 이해조정을 할 수 없는 행위영역에 적용된다고 보는 것이 보다 합리적이다. 김지평, 「상장회사 이해관계자 거래 규제(상법 제542조의9)의 실무상 쟁점」, 선진상사법률연구 통권 제81호(2018. 1.)

당연히 회사의 기회 및 자산 유용금지 의무는 이에 포함되는 것이지만, 이사가 그 지위를 이용해 얻은 정보를 이용해 회사에 제안된 사업기회를 유용하는 것을 막기에 한계가 있었다. 회사 규모와 영리기회가 확대됨에 따라 기존의 의무를 위반하지 않고도 이사가 회사의 이익을 가로챌 수 있는 기회가 늘어났다.

이에 2011년 개정상법은 미국법에서 발전한 Usurpation of corporate opportunity doctrine을 입법화하여 제397조의2(회사의 기회 및 자산의 유용금지)를 신설했다. 경업금지 의무는 동종영업을 대상으로 하고 회사의 현재 이익을 보호하기 위함이지만 동조는 동종영업이라는 제한이 없고 원칙적으로 미래의 이익을 보호하기 위한 것이다.

계열사 간 일감몰아주기와 사업기회 배분이 사회적 문제로 부각됨에 따라 이사의 충실의무를 엄격히 적용하여 규제해야 한다는 입장이 부각되고 있다. 피지원기업은 특별히 유리한 가격이 아닌 정상적인 시장가격으로 거래하더라도 별다른 어려움 없이 안정적인 매출을 유지할 수 있게 되고 또 급속도로 성장하는 이익을 얻는 반면, 지원기업은 그에 상응하는 대가를 받지 못할 뿐 아니라 대부분 손해를 보기 때문이다. 다만, 계열사 간 일감몰아주기는 계약의 상대방 선택과 관련된 계약자유의 원칙이 적용되는 영역이기도 하고 계열사 간 사업기회의 배분을 통해 기업집단 전체의 효율성을 도모하는 정상적인 경영판단일 수 있으므로 동 조항의 신설과 적극적인 적용을 우려하는 입장도 있다.

사견으로 그러한 우려는 기우이다. 오히려 동 조항이 너무 추상적이어서 실제 적용이 어려운 점이 걱정이다. 회사의 사업기회는 매우 엄격한 요건을 충족해야 인정된다. 직무수행 관련성(이사 등이 직무수행 과정에서 알게 되거나 회사 정보를 이용해 알게 된 것이어야 하는 것 또는 회사의 비용(at the expense of corporation)으로 획득된 것이어야 한다), 회사사업 관련성(회사가 수행하거나 수행할 사업과 밀접한 관계가 있는 것이어야 한다), 사업기회의 이익성 기준(회사의 현재 또는 장래에 이익이 되는 것이어야 한다) 등을 충족해야하기 때문이다. 더하여 사업기회 유용에 대해 책임을 묻는 주주와 규제기관(공정거래위원회가 부당지원행위로 의율하려는 경우)이 사업기회 유용에 대해 엄격한 입증책임을 부담하는 법제에서 실제 위법성이 인정되는 경우가 많지 않을 것이다.

더하여 대법원은 "이사회가 충분한 정보를 수집·분석하고 정당한 절차를 거쳐 회사의 이익을 위하여 의사를 결정함으로써 어떠한 사업기회를 포기하거나 어느 이사가 그것을 이용할 수 있도록 승인했다면 그 의사결정과정에 현저한 불합리가 없는 이상 그와 같이 결의한 이사들의 경영판단은 존중되어야 한다"고 판시한 바 있다(대법원 2013. 9. 12. 선고 2011다 57869 판결).

경영판단의 원칙에 따라 이사들의 행위가 결과적으로 손해로 귀결되더라도 면책됨을 밝힌 것인바, 결국 형식적이나 정해진 절차를 거쳐 이루어진 행위에 대하여 동조가 적용되어 문제가 될 가능성은 없다고 볼 수 있다.

Q17 이사의 자기거래

A 이사가 자기 또는 제3자의 계산으로 회사와 거래하는 것은 원칙적으로 2/3 이상의 이사회 사전 승인을 받지 않으면 무효이고, 설사 그러한 절차를 거치더라도 그 거래가 객관적으로 회사에 불리해서는 안된다.

해설

> **상법 제398조(이사 등과 회사 간의 거래)** 다음 각 호의 어느 하나에 해당하는 자가 자기 또는 제3자의 계산으로 회사와 거래를 하기 위하여는 미리 이사회에서 해당 거래에 관한 중요사실을 밝히고 이사회의 승인을 받아야 한다. 이 경우 이사회의 승인은 이사 3분의 2 이상의 수로써 하여야 하고, 그 거래의 내용과 절차는 공정하여야 한다.
> 1. 이사 또는 제542조의8 제2항 제6호에 따른 주요주주
> 2. 제1호의 자의 배우자 및 직계존비속
> 3. 제1호의 자의 배우자의 직계존비속
> 4. 제1호부터 제3호까지의 자가 단독 또는 공동으로 의결권 있는 발행주식 총수의 100분의 50 이상을 가진 회사 및 그 자회사
> 5. 제1호부터 제3호까지의 자가 제4호의 회사와 합하여 의결권 있는 발행주식총수의 100분의 50 이상을 가진 회사

　고유한 의미에서의 '이사의 자기거래'란 이사가 자기 또는 제3자의 계산으로 회사와 거래를 하는 것을 말한다. 이때 이사가 권한을 남용하여 회사와 주주 전원에게 손해를 끼치면서 자기 또는 제3자의 이익을 도모할 우려가 있기 때문에 상법은 이사회의 승인을 거치도록 하였다(상법 제398조). 형식적으로는 이사의 지위에 있지 않지만 실질적으로는 회사의 경영에 영향을 미치는 자가 회사와의 거래를 통하여 사익을 추구하는 것을 방지할 필요성이 제기되면서, 2009년 개정상법은 상장회사에 대한 특례로서 상법 제542조의9를 신설하였다. 상장회사가 그의 주요주주 등을 위해 신용을 공여하지 못하도록 하였고, 상장회사가 그의 최대주주 등과 거래를 하기 위해서는 이사회의 승인을 얻도록 규제한 것이다. 2012 개정상법 전에는 해석상 이사의 겸임이 없는 계열회사 관계에 있는 회사와 거래를 하고자 하는 경우 자기거래에 해당하지 않는다고 보았다. 그런데 2012 개정상법에서 기존 이사의 자기거래 제한의 범위를 확대하여 이사뿐 아니라 주요주주(의결권 있는 주식의 10% 이상을 소유하거나 이사 등의 선임과 해임 등 회사의 주요 경영사항에 대하여 사실상 영향력이 있는

주주를 의미한다: 상법 제542조의8 제2항 제6호)와 친족 또는 직·간접적 지분관계에 있는 자와 회사가 거래하고자 할 때에 사전에 이사 2/3 이상의 이사회 승인을 받도록 하면서, 그 승인 대상인 거래상대방의 범위를 확대하여 주주가 단독 또는 일정 범위의 친족과 함께 발행주식 총수의 50% 이상을 가진 회사 및 그 자회사 등과의 거래도 포함시켰다. 즉, 승인대상인 계열회사 거래의 범위가 확대된 것이다.

주식회사의 이사, 주요주주 및 그들과 친족관계 및 이들이 50% 이상 소유한 회사와 자회사 등과 회사와의 거래를 자기거래로 규정하고 있다. 이사란 주주총회에서 적법하게 선임된 이사로, 상근·비상근, 사내·사외를 가리지 않은 모든 이사이다. 소위 등기이사들이며, 통상 기업에서 이사, 상무, 전무 등으로 불리는 비등기이사는 포함되지 않는다.

한편, 상법 제401조의2의 '업무집행지시자'가 자기거래의 주체가 되는 이사에 해당하는지 문제된다. 업무집행지시자에 의한 이해상충거래의 우려가 높은 것은 주지의 사실이지만, 상법 제401조의2에서 상법 제399조(회사에 대한 책임), 제401조(제3자에 대한 책임), 제403조(주주의 대표소송)를 열거하며 업무집행지시자를 이사로 본다고 규정하고 있기 때문에, 여기에 열거되지 않은 자기거래에서는 업무집행지시자는 이사에 해당되지 않는다고 해석함이 옳다.[63] 다만, 가장 우려가 큰 지배주주 등 오너는 상법상 주요주주에 해당하여 자기거래 제한의 대상이 된다.

주요주주란 누구의 명의인지 무관하게 자기의 계산으로 의결권 없는 주식을 제외한 발행주식 총수의 10%를 소유하거나 이사, 집행임원, 감사의 선임과 해임 등 상장회사의 주요 경영사항에 대하여 사실상의 영향력을 행사하는 주주를 의미한다(상법 제542조의8 제2항 제6호).

한편, 자기거래에 대한 이사회 승인은 특별결의사항으로 이사 2/3 이상의 동의가 필요하다. 이해관계 있는 이사는 의결권이 없으므로, 이해관계 없는 이사를 제외한 2/3의 동의가 있어야 한다. 개정 전 상법의 해석은 사후승인도 가능한 것으로 보았지만(대법원 2007. 5. 10. 선고 2005다4284 판결), 개정상법에서 해당 거래의 중요사항을 밝히고 이사회 사전 승인을 받는 것으로 명문화했다. 개정상법에서도 무권대리 행위에 대한 사후추인의 법리를 들어 사후승인도 가능하다는 주장이 있지만,[64] 명문의 규정에 반한다. 뿐만 아니라 사전에 논의하였을 경우에 승인되지 않을 사안에 대해서도 사후에 논의될 경우 승인될 여지가 있다. 행동

---

63) 한국상사법학회 편, 「주식회사법대계 II」, 법문사, p.685
64) 한국상사법학회 편, 「주식회사법대계 II」, 법문사, p.702

경제학에서도 사전적 의사결정과 사후적 의사결정의 결과는 상당히 다를 수 있다고 지적한다. 이런 점에서 사후승인은 상법상 자기거래에 필요한 '승인'이라 볼 수 없다. 자기거래에 대한 사후승인은 거래에 대한 민사적 효력을 사후적으로 추인하여 유효하게 할 수는 있지만, 이사회 승인 없이 이루어진 자기거래에 대한 이사 및 관련자의 책임을 면제시키지는 못한다 할 것이다.

승인방법은 이사회 회의 방법에 의하는 것이 원칙이지만, 대법원은 정식 이사회가 아니더라도 이해관계 없는 이사들 간의 합의가 있으면 무방하다 판시한 바 있다(대법원 1967. 3. 21. 선고 66다2435 판결).

한편, 거래의 공정성은 교환의 등가성, 즉 해당 거래가 정상거래, 독립당사자 간 거래(arm's length transaction)에 해당하는지 여부에 따라 결정된다. 반대급부의 적정성(fair price)이 가장 중요한 판단기준이지만, 가격의 적정성뿐 아니라 거래의 모든 조건을 종합적으로 고려하여 대가의 상당성을 판단해야 한다. 판단기준은 회사 입장에서 (i) 거래조건이 시장가격을 반영하고 있는지, (ii) 다른 당사자와 거래했다면 더 좋은 조건의 거래를 할 수 있었는지, (iii) 거래를 통해 충분한 보상을 받았는지, (iv) 거래가 회사에 반드시 필요했는지, (v) 거래에 응할 경제적 능력을 보유했는지, (vi) 거래 조건에 대하여 충분한 정보가 공개되었는지, (vii) 독립적인 판단에 기초하여 제안에 응했는지, (viii) 이사들이 회사의 이익을 가로챘는지가 중요한 판단기준이라고 한다.[65]

이사회 승인 없이 이루어진 이사의 자기거래는 무효이다. 이를 제3자에게 주장하기 위하여는 거래의 안전과 선의의 제3자를 보호할 필요상 이사회의 승인을 얻지 못하였다는 것 외에 제3자가 이사회 승인이 없음을 알았다는 사실을 입증하여야 한다. 거래상대방이 이사회 결의가 없음을 알았거나 알 수 있었던 사정은 이를 주장하는 회사가 주장·입증하여야 할 사항이다. 특별한 사정이 없는 한 거래상대방으로서는 거래에 필요한 회사의 내부절차를 마쳤을 것으로 신뢰하였다고 보는 것이 일반 경험칙이다(대법원 1990. 12. 11. 선고 90다카 25253 판결 참조). 다만, 제3자가 선의였다 하더라도 이를 알지 못한 데 중대한 과실이 있음을 입증한 경우에는 악의인 경우와 마찬가지라고 할 것이며, 중대한 과실이라 함은 제3자가 조금만 주의를 기울였더라면 그 거래가 이사와 회사 간의 거래로서 이사회의 승인이 필요하다는 점과 이사회의 승인을 얻지 못하였다는 사정을 알 수 있었음에도 불구하고 만연히

---

65) Shlensky vs South Parkway Building Corp., 19 Ⅲ.2d 268, 166 N.E.2d 794, 801~802(Ⅲ. 1960)

이사회의 승인을 얻은 것으로 믿는 등 거래통념상 요구되는 주의의무에 현저히 위반하는 것으로서 공평의 관점에서 제3자를 구태여 보호할 필요가 없다고 봄이 상당하다고 인정되는 상태를 말한다(대법원 2004. 3. 25. 선고 2003다64688 판결).

어음 할인 등 여신을 전문적으로 취급하는 은행이 대표이사의 개인적인 연대보증채무를 담보하기 위하여 대표이사 본인 앞으로 발행된 회사 명의의 약속어음을 취득함에 있어서 당시 위 어음의 발행에 관하여 이사회의 승인이 없음을 알았거나 이를 알지 못한 데 대하여 중대한 과실이 있다고 보았다(대법원 2004. 3. 25. 선고 2003다64688 판결).

참고로 우리 개정 상법이 참조한 미국 회사법의 경우, 충실의무(fiduciary duty)는 범위의 회사의 내부자, 즉 회사의 이사, 상급임원(senior executive), 지배주주(controlling shareholder)에게 적용되고, 다만 이사와 특수관계에 있거나 또는 이사와 동일시할 수 있는 제3자에게까지 확대되는 것으로 이해된다.[66] 자기거래가 유효하기 위하여는 (i) 절차적으로 이사 등이 이해상충의 사실 및 거래의 주요조건을 개시한 후 이에 근거하여 이사 또는 주주 과반수의 승인을 득하거나, (ii) 이사회나 주주총회의 승인이 없었더라도 거래의 조건과 절차가 공정해야 한다(Entire Fairness Rule/Doctrine).

(i)과 관련하여는 경영판단의 원칙(Business judgement rule)에 의하여 정보가 공개되어 이사 또는 주주의 승인을 얻었다면 거래의 공정성과 적적성이 추정되고 그 번복은 매우 어렵다. 다만, 이사회나 주주총회에서 충분한 정보를 제공받았어야 하고 그렇지 않은 경우에는 이러한 추정이 발생하지 않는다. 회사법적으로 존중받을 수 있는 이사의 결정은 이사가 충분한 정보를 제공받고 이에 기초하여 내린 결정으로 국한된다. 미국 회사법에서는 'informed decision'이라 한다.

(ii)와 관련하여 이사회나 주주총회의 승인이 없지만 충실의무에 위반되지 않는 결정이 되려면 결정을 한 이사가 거래의 조건과 절차의 공정성에 대하여는 입증해야 한다. 하지만 '거래의 조건과 절차가 공정하다'는 것을 입증하는 것은 실무적으로 매우 어렵다.

한편, 자기거래 금지와 궤를 같이 하는 제도로, 상장회사의 특수관계자 신용공여 금지와 자산총액 2조 원 이상인 상장회사(대규모 상장회사)의 특수관계자 거래에 대한 이사회 승인(상법 제542조의9 제3항)이 있다. 대규모 상장회사는 최대주주, 그 특수관계인 및 상장회사

---

66) 한국상사법학회 편, 「주식회사법대계 II」, 법문사, p.675

의 특수관계인을 상대방으로 하거나 그를 위하여 (ⅰ) 단일 거래규모가 자산총액의 1% 등 대통령령이 정하는 규모 이상인 거래 또는 (ⅱ) 해당 사업연도 중에 특정인과의 해당 거래를 포함한 거래총액이 자산총액의 5% 등 대통령령이 정하는 규모 이상의 거래를 하게 되면 이사회의 사전 승인을 받아야 한다. 동 조항은 상법 제398조의 자기거래와 중첩적으로 적용된다. 한편, 자산규모 5조 원 이상인 공시대상기업집단 소속회사의 경우 대규모 내부거래를 하는 경우 이사회 의결 및 공시를 거치도록 하고 있다(공정거래법 제11조의2 제1항).

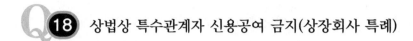

Q 18 상법상 특수관계자 신용공여 금지(상장회사 특례)

A 상장회사는 계열사가 포함되는 주요주주와 특수관계자 등에게 신용공여를 해서는 안 된다. 다만, 경영상 필요에 의하여 예외적으로 허용되는 경우가 있지만 예외가 인정되기 매우 어려울 뿐 아니라 위반 시 형사처벌이 가능하므로 유의하여야 한다.

해설

상법 제542조의9(주요주주 등 이해관계자와의 거래)
① 상장회사는 다음 각 호의 어느 하나에 해당하는 자를 상대방으로 하거나 그를 위하여 신용공여(금전 등 경제적 가치가 있는 재산의 대여, 채무이행의 보증, 자금 지원적 성격의 증권 매입, 그 밖에 거래상의 신용위험이 따르는 직접적·간접적 거래로서 대통령령으로 정하는 거래를 말한다. 이하 이 조에서 같다)를 하여서는 아니 된다.
1. 주요주주 및 그의 특수관계인
2. 이사(제401조의2 제1항 각 호의 어느 하나에 해당하는 자를 포함한다. 이하 이 조에서 같다) 및 집행임원
3. 감사
② 제1항에도 불구하고 다음 각 호의 어느 하나에 해당하는 경우에는 신용공여를 할 수 있다.
1. 복리후생을 위한 이사·집행임원 또는 감사에 대한 금전대여 등으로서 대통령령으로 정하는 신용공여
2. 다른 법령에서 허용하는 신용공여
3. 그 밖에 상장회사의 경영건전성을 해칠 우려가 없는 금전대여 등으로서 대통령령으로 정하는 신용공여
③ 자산 규모 등을 고려하여 대통령령으로 정하는 상장회사는 최대주주, 그의 특수관계인 및 그 상장회사의 특수관계인으로서 대통령령으로 정하는 자를 상대방으로 하거나 그를 위하여 다음 각 호의 어느 하나에 해당하는 거래(제1항에 따라 금지되는 거래는 제외한다)를 하려는 경우에는 이사회의 승인을 받아야 한다.
1. 단일 거래규모가 대통령령으로 정하는 규모 이상인 거래
2. 해당 사업연도 중에 특정인과의 해당 거래를 포함한 거래총액이 대통령령으로 정하는 규모 이상이 되는 경우의 해당 거래
④ 제3항의 경우 상장회사는 이사회의 승인 결의 후 처음으로 소집되는 정기주주총회에 해당 거래의 목적, 상대방, 그 밖에 대통령령으로 정하는 사항을 보고하여야 한다.
⑤ 제3항에도 불구하고 상장회사가 경영하는 업종에 따른 일상적인 거래로서 다음 각 호

의 어느 하나에 해당하는 거래는 이사회의 승인을 받지 아니하고 할 수 있으며, 제2호에 해당하는 거래에 대하여는 그 거래내용을 주주총회에 보고하지 아니할 수 있다.

1. 약관에 따라 정형화된 거래로서 대통령령으로 정하는 거래
2. 이사회에서 승인한 거래총액의 범위 안에서 이행하는 거래

제624조의2(주요주주 등 이해관계자와의 거래 위반의 죄) 제542조의9 제1항을 위반하여 신용공여를 한 자는 5년 이하의 징역 또는 2억 원 이하의 벌금에 처한다.

상법 시행령 제35조(주요주주 등 이해관계자와의 거래)
① 법 제542조의9 제1항 각 호 외의 부분에서 "대통령령으로 정하는 거래"란 다음 각 호의 어느 하나에 해당하는 거래를 말한다.

1. 담보를 제공하는 거래
2. 어음(「전자어음의 발행 및 유통에 관한 법률」에 따른 전자어음을 포함한다)을 배서(「어음법」 제15조 제1항에 따른 담보적 효력이 없는 배서는 제외한다)하는 거래
3. 출자의 이행을 약정하는 거래
4. 법 제542조의9 제1항 각 호의 자에 대한 신용공여의 제한(금전·증권 등 경제적 가치가 있는 재산의 대여, 채무이행의 보증, 자금 지원적 성격의 증권 매입, 제1호부터 제3호까지의 어느 하나에 해당하는 거래의 제한을 말한다)을 회피할 목적으로 하는 거래로서 「자본시장과 금융투자업에 관한 법률 시행령」 제38조 제1항 제4호 각 목의 어느 하나에 해당하는 거래
5. 「자본시장과 금융투자업에 관한 법률 시행령」 제38조 제1항 제5호에 따른 거래

② 법 제542조의9 제2항 제1호에서 "대통령령으로 정하는 신용공여"란 학자금, 주택자금 또는 의료비 등 복리후생을 위하여 회사가 정하는 바에 따라 3억 원의 범위에서 금전을 대여하는 행위를 말한다.

③ 법 제542조의9 제2항 제3호에서 "대통령령으로 정하는 신용공여"란 회사의 경영상 목적을 달성하기 위하여 필요한 경우로서 다음 각 호의 자를 상대로 하거나 그를 위하여 적법한 절차에 따라 이행하는 신용공여를 말한다.

1. 법인인 주요주주
2. 법인인 주요주주의 특수관계인 중 회사(자회사를 포함한다)의 출자지분과 해당 법인인 주요주주의 출자지분을 합한 것이 개인인 주요주주의 출자지분과 그의 특수관계인(해당 회사 및 자회사는 제외한다)의 출자지분을 합한 것보다 큰 법인
3. 개인인 주요주주의 특수관계인 중 회사(자회사를 포함한다)의 출자지분과 제1호 및 제2호에 따른 법인의 출자지분을 합한 것이 개인인 주요주주의 출자지분과 그의 특수관계인(해당 회사 및 자회사는 제외한다)의 출자지분을 합한 것보다 큰 법인

④ 법 제542조의9 제3항 각 호 외의 부분에서 "대통령령으로 정하는 상장회사"란 최근 사업연도 말 현재의 자산총액이 2조 원 이상인 상장회사를 말한다.

⑤ 법 제542조의9 제3항 각 호 외의 부분에서 "대통령령으로 정하는 자"란 제34조 제4항의 특수관계인을 말한다.

⑥ 법 제542조의9 제3항 제1호에서 "대통령령으로 정하는 규모"란 자산총액 또는 매출총액을 기준으로 다음 각 호의 구분에 따른 규모를 말한다.

1. 제4항의 회사가 「금융위원회의 설치 등에 관한 법률」 제38조에 따른 검사 대상 기관인 경우: 해당 회사의 최근 사업연도 말 현재의 자산총액의 100분의 1

2. 제4항의 회사가 「금융위원회의 설치 등에 관한 법률」 제38조에 따른 검사 대상 기관이 아닌 경우: 해당 회사의 최근 사업연도 말 현재의 자산총액 또는 매출총액의 100분의 1

⑦ 법 제542조의9 제3항 제2호에서 "대통령령으로 정하는 규모"란 다음 각 호의 구분에 따른 규모를 말한다.

1. 제4항의 회사가 「금융위원회의 설치 등에 관한 법률」 제38조에 따른 검사 대상 기관인 경우: 해당 회사의 최근 사업연도 말 현재의 자산총액의 100분의 5

2. 제4항의 회사가 「금융위원회의 설치 등에 관한 법률」 제38조에 따른 검사 대상 기관이 아닌 경우: 해당 회사의 최근 사업연도 말 현재의 자산총액 또는 매출총액의 100분의 5

⑧ 법 제542조의9 제4항에서 "대통령령으로 정하는 사항"이란 다음 각 호의 사항을 말한다.

1. 거래의 내용, 날짜, 기간 및 조건

2. 해당 사업연도 중 거래상대방과의 거래유형별 총거래금액 및 거래잔액

⑨ 법 제542조의9 제5항 제1호에서 "대통령령으로 정하는 거래"란 「약관의 규제에 관한 법률」 제2조 제1호의 약관에 따라 이루어지는 거래를 말한다.

상법은 회사의 자본금충실을 해하고 재무 건전성을 해칠 우려가 크기 때문에 상장회사가 원칙적으로 주요주주 및 그의 특수관계인을 상대방으로 하거나 그를 위해 신용공여를 하는 것을 제한하면서 예외적인 경우에 허용하고 있다(상법 제542조의9 제1항, 제2항). 상법 제542조의9 제3항 이하의 대규모 이해관계자 거래 규제나 상법 제398조의 이사 및 주요주주와 자기거래 규제에서 요구하고 있는 이사회 승인 요건 및 이해관계자 거래의 절차와 내용의 공정성 요건 등을 갖춘 경우에도 상장회사의 이해관계자에 대한 신용공여가 일반적으로 금지되도록 규정하고, 문언상 신용공여의 범위 등도 상당히 넓게 규정되어 있다. 따라서 그 적용범위와 관련하여 실무상 문제가 되는 경우가 빈번하다. 그러므로 위 규정의 취지를 존중하면서도 상장회사의 이해관계자 거래의 실질적인 필요성 및 경영의 유연성을 훼손하지 않는 조화로운 해석이 필요하지만, 위반 시 형사처벌이 가능하기 때문에 기업 실무자 입장에

서 매우 유의해야 한다.

법무부 실무예에 의하면 금전 등 경제적 가치가 있는 재산의 대여, 채무이행의 보증, 자금 지원적 성격의 증권매입, 그 밖의 거래상 신용위험이 따르는 직·간접적 거래라고 포괄적으로 규정된 점에 비추어 상대방 입장에서 자금적 측면에서 도움이 되는 모든 거래가 신용공여에 해당된다고 본다. 예를 들면, 모회사의 자회사에 대한 유상증자 참여까지도 신용공여이다.

법상 예외적으로 허용되는 경우란 복리후생을 위한 이사·집행임원 또는 감사에 대한 금전대여 등으로서 대통령령으로 정하는 신용공여, 다른 법령에서 허용하는 신용공여, 그 밖에 상장회사의 경영건전성을 해칠 우려가 없는 금전대여 등으로서 대통령령으로 정하는 신용공여를 말한다.

신용공여 조항을 위반한 경우 5년 이하의 징역, 2억 원 이하의 벌금에 처하게 된다(형법 제624조의2). 법인에게는 범죄능력이 없으므로 형법상으로 신용공여를 행한 주체는 임직원이 된다. 신용공여를 결정하는 대표이사, 이사, 집행임원 등과 함께 그 실무를 집행한 대리인, 사용인, 그 밖의 종업원이 된다. 한편, 이 경우 법인에게도 벌금형을 부과하는 양벌조항을 두고 있다(상법 제634조의3 본문).

실무상 논란이 있는 것은 경영건전성을 해칠 우려가 없는 대통령령이 정하는 신용공여의 범위이다. 상법 시행령은 아래의 상대방을 위하여 하거나 그를 위하여 적법한 절차에 의한 신용공여만 예외적으로 허용하고 있다.

① 법인인 주요주주
② 법인인 주요주주의 특수관계인 중 회사(자회사를 포함한다)의 출자지분과 해당 법인인 주요주주의 출자지분을 합한 것이 개인인 주요주주의 출자지분과 그의 특수관계인(해당 회사 및 자회사는 제외한다)의 출자지분을 합한 것보다 큰 법인
③ 개인인 주요주주의 특수관계인 중 회사(자회사를 포함한다)의 출자지분과 제1호 및 제2호에 따른 법인의 출자지분을 합한 것이 개인인 주요주주의 출자지분과 그의 특수관계인(해당 회사 및 자회사는 제외한다)의 출자지분을 합한 것보다 큰 법인

특히 ② 및 ③에 대하여는 너무 복잡하여 이해하기가 어렵다는 이야기가 많다. 단순화시켜 말하자면(Rule of thumb) 신용공여를 할 법인과 법인 주주의 지분이 그 오너와 친인척,

또는 그들이 50% 이상 주식을 소유한 회사, 즉 오너 회사의 지분보다 높은 회사에 대한 신용공여가 허용된다는 뜻이다. 관련하여 위 법인인 주요주주 및 그의 특수관계인의 범위에 대해서 실무적으로는 법인인 주요주주와 주요주주의 특수관계인 중 법인의 경우에는 모두 신용공여가 허용되고, 개인인 주요주주 및 주요주주의 특수관계인 중 개인에 한하여 신용공여가 금지되다는 견해가 있다.[67] 우리나라의 경우 상장회사가 여러 계열회사와 기업집단 관계를 이루면서 상호 거래관계에 의존하는 경우가 많아서 상장회사의 법인인 특수관계인에 대한 신용공여 허용 필요성이 많다는 점을 고려한 견해이다. 하지만 이러한 해석에 의하면 개인인 주요주주가 자신이 100% 지분을 출자한 회사나 법인을 설립하여서 상장회사로부터 신용공여를 받는 것이 가능해지므로 부당하다는 견해도 있다.[68] 동 견해는 상법 시행령 개정을 통하여 법인인 주요주주에게만 신용공여를 허용한다는 점을 명확히 하고, 주요주주의 특수관계인인 경우는 신용공여를 받는 회사의 지분을 기준으로 신용공여를 주는 회사 및 그 자회사의 지분과 법인인 주요주주의 지분의 합이 개인인 주요주주 및 특수관계인의 지분보다 큰 경우에 신용공여를 허용하는 것으로 규정한 것으로 보고 있다.

한편, 위 ① 내지 ③에 대한 신용공여가 '경영건전성을 해칠 우려가 없는 것'이라는 점에 대한 입증책임은 신용공여를 하는 측에 있다고 본다. 당연히 경영상 필요성도 입증되어야 한다.

2013년 한라건설이 부실해지자 주식회사 만도가 100% 자회사인 유한회사 마이스터를 통하여 주요주주인 한라건설의 유상증자에 참여한 것을 두고 총수가 불법신용공여로 고발당한 적이 있었다. 주식회사 한라는 2013년 4월 3,435억 원의 제3자 배정 유상증자를 실시했다. 이때 주식회사 만도는 유한회사 마이스터를 통해 유상증자 대상 주식 98.84%를 인수했다. 당시 주식회사 한라는 주식회사 만도의 주식 19.99%을 보유하고 있었다. 경제개혁연대는 이에 따라 2013년 5월 8일 공정거래위원회에 주식회사 만도의 계열사 부당지원 여부에 대한 조사요청을 하였고, 2013년 6월 26일 주식회사 만도 및 정몽원 회장 등 주식회사 만도의 경영진을 상법 제542조의9 제1항의 신용공여 금지 위반 혐의로 검찰에 고발했다. 검찰은 주식회사 만도의 주식회사 한라의 유상증자 참여가 신용공여에 해당되는 것은 사실이나, 이는 상법 제542조의9 제2항의 신용공여 금지의 예외로서 경영상 목적 달성을 위해

---

67) 임재연, 「회사법 II 개정판」(2016), p.466

68) 김재연, 「상장회사 이해관계자 거래 규제(상법 제542조의9)의 실무상 쟁점」, 선진상사법률연구 통권 제81호 (2018. 1.)

필요한 경우로 인정된다고 하여 불기소처분 결정을 내렸다. 검찰은 ① 5년 후의 한라건설 주식회사 지분가치가 상승할 것으로 예상되어 유상증자에 참여하더라도 손실이 발생하지 않을 것으로 판단하였던 점, ② 실제 유상증자 후 한라건설 주식회사의 재정안정성이 확보되어 주가가 상승하였다는 점, ③ 주식회사 한라가 추진 중인 사업에 유한회사 마이스터가 지분참여를 하고 있었기 때문에 주식회사 한라의 재무구조 악화를 방지해야 할 필요성이 있었다는 점, ④ 주식회사 한라의 유동성 문제가 해소되지 못하여 주식회사 만도에 대한 경영권을 상실하게 될 경우 주식회사 만도의 지속적인 성장 동력을 상실하게 될 가능성이 있는 점(주식회사 만도와 현대차그룹의 특수관계 등 고려), ⑤ 주식회사 한라가 자금 경색을 해결하기 위해 2012년 1월부터 지속적으로 자구책을 시행하여 유동성 문제를 해결해 나가고 있어 한라의 경영정상화가 이루어질 것으로 판단하였던 점 등을 근거로 경영상 목적 달성을 위하여 필요한 경우에 해당된다고 판단했던 것이다.[69]

엄격한 법인격 주의를 취하는 우리 법제에서 개별기업의 이익과는 다른 기업집단 전체의 이익을 이유로 부당지원행위나 부당행위계산부인에서 '부당성'이 부인되기 어렵고, 배임죄의 고의 역시 조각되기 어렵기 때문에 이와 같은 검찰의 불기소처분은 이례적인 결정이다. 법리적으로 기소되었더라도 전혀 이상할 것이 없는 케이스라는 논평도 있다.

이런 점에서 '경영상 목적'이라는 불확정 개념을 사용함으로써 기소 재량을 가진 검찰이 사실상 처벌 유무를 결정하게 된다는 비판이 가능하다. 차라리 금지되는 신용공여 범위를 줄이고 불확정 조항의 예외 조항을 삭제하는 것이 합당하다고 본다. 특히 유상증자 중에서도 주주배정방식의 증자는 제외하고, 제3자 배정방식에 대하여만 신용공여로 보는 것이 바람직하다.

상법 제542조의9 제3항 및 제4항에서는 일정한 대규모 상장회사는 일정한 이해관계자를 상대방으로 하거나 그를 위하여 일정 규모 이상의 대규모 거래를 하려는 경우에는 이사회의 승인을 받아야 한다고 규정하고, 이에 대해서 주주총회에 대한 사후보고도 규정하고 있다.

---

69) 김지평, 「상장회사 이해관계자 거래규제(상법 제542조의9)의 실무상 쟁점」, 선진상사법률연구 통권 제81호 (2018. 1.)

Q 19 부당한 내부거래에 대해 이사의 위법행위유지청구

A 부당한 내부거래를 하려는 이사에 대하여 1% 이상의 소수주주권 행사로 위법행위유지청구를 소송 또는 소송 외 방법으로 할 수 있다.

해설

> **상법 제402조(유지청구권)** 이사가 법령 또는 정관에 위반한 행위를 하여 이로 인하여 회사에 회복할 수 없는 손해가 생길 염려가 있는 경우에는 감사 또는 발행주식의 총수의 100분의 1 이상에 해당하는 주식을 가진 주주는 회사를 위하여 이사에 대하여 그 행위를 유지할 것을 청구할 수 있다.

이사의 위법행위유지청구권이란 이사가 법령 또는 정관에 위반한 행위를 하여 이로 인하여 회사에 회복할 수 없는 손해가 생길 염려가 있는 경우에 감사(감사위원회) 또는 100분의 1 이상에 해당하는 주식을 가진 주주가 회사를 위하여 당해 이사에게 그 행위를 중지할 것을 청구할 수 있는 권리를 말한다(상법 제402조). 불법행위는 물론 법률행위나 준법률행위, 그리고 사실행위도 유지청구의 대상이 될 수 있으므로, 부당한 내부거래 역시 법령 또는 정관에 위반되는 한 유지청구의 대상이 된다. 구체적인 법령이나 정관 위반 이외에도 이사의 선관주의의무 위반도 포함된다.[70] 이사의 고의, 과실인지 여부 및 권한범위 내의 행위인지 여부와 무관하게 대상이 된다. 원인행위와 이행행위가 분리되어 있는 경우 원인행위의 유지를 청구할 수도 있지만, 원인행위가 이루어진 이후 이행행위의 유지를 청구할 수도 있다.

회복할 수 없는 손해인지 여부는 사회통념에 따라 판단된다. 회복이 법률적으로 불가능한 것만을 뜻하는 것이 아니라 회복을 위한 비용이나 절차 등에 비추어 회복이 곤란하거나 상당한 시일을 요하는 경우에도 유지청구가 인정된다.

한편, 6개월 전부터 계속하여 상장회사 주식총수의 50%(대통령령이 정하는 상장회사, 즉 자본금 1천억 원 이상인 회사의 경우 25%)의 경우, 10만분의 25 이상 주식을 보유한 자는 상법 제402조의 이사의 위법행위에 대한 유지청구권을 행사할 수 있다는 상장회사 특례가 있다(상법 제542조의6 제5항).

---

70) 임재연, 「회사법」, 박영사(2012), p.460

계열사 간의 내부거래 자체가 정관이나 법령 위반이 되지는 않는다. 다만, 공정하지 않은 내부거래, 절차적으로 문제가 있는 내부거래, 특히 공정거래법이나 세법에 위반되는 내부 거래라면 정관에 금지하는 개별 규정을 두지 않더라도 금지됨에는 이견이 없다. 따라서 다른 계열사나 특수관계자를 지원하려는 행위를 하려는 이사에 대한 위법행위유지청구를 할수 있다.

관련하여 내부거래를 통하여 손해를 입은 기업 입장에서는 정관이나 법령 위반임이 명백하지만, 이득을 본 기업 입장에서 그것이 정관이나 법령 위반으로 보기 어려운 것 아니냐는 논란이 있다. 하지만 2013년 개정된 공정거래법 제23조 제2항은 특수관계자 또는 회사에게 부당지원을 받는 행위를 금지하였다. 뿐만 아니라 지원받는 기업 역시 과징금 부과처분을 받을 수 있다(공정거래법 제24조의2). 이득을 받는 기업 입장에서도 법령 위반행위이므로 이를 하려고 하는 이사에 대한 위법행위유지청구를 할 수 있다.

소로써 유지청구를 하는 경우에는 판결에 따른 효과가 발생한다. 단순한 의사표시로 이사에게 청구한 경우에는 그 유지청구만으로 이사가 한 행위가 무효가 되지는 않는다. 하지만 이사가 유지청구에도 불구하고 강행한 행위에 대하여 충실의무 위반으로 손해배상을 지게 될 가능성을 높인다.

한편, 이사를 피고로 유지청구의 소를 제기한 경우 이를 본안으로 가처분으로서 행위의 금지를 구할 수 있다. 이는 개별행위의 금지를 구하는 가처분이므로 전반적인 직무집행의 금지를 구하는 직무집행정지 가처분과는 차이가 있다. 가처분 역시 신청권자는 유지청구권자인 감사(감사위원회) 및 1% 이상의 주식을 가진 주주이다.

20 이사의 회사에 대한 책임과 경영판단의 원칙

A 이사가 회사의 이익에 부합하는 것으로 믿고 한 경영판단은 결과적으로 회사의 손해로 귀결되더라도 책임이 면제된다는 법리이지만, 위법행위에 대하여는 원칙적으로 적용되지 않는다.

해설

상법 제399조(회사에 대한 책임)
① 이사가 고의 또는 과실로 법령 또는 정관에 위반한 행위를 하거나 그 임무를 게을리한 경우에는 그 이사는 회사에 대하여 연대하여 손해를 배상할 책임이 있다.
② 전항의 행위가 이사회의 결의에 의한 것인 때에는 그 결의에 찬성한 이사도 전항의 책임이 있다.
③ 전항의 결의에 참가한 이사로서 이의를 한 기재가 의사록에 없는 자는 그 결의에 찬성한 것으로 추정한다.

제400조(회사에 대한 책임의 감면)
① 제399조에 따른 이사의 책임은 주주 전원의 동의로 면제할 수 있다.
② 회사는 정관으로 정하는 바에 따라 제399조에 따른 이사의 책임을 이사가 그 행위를 한 날 이전 최근 1년간의 보수액(상여금과 주식매수선택권의 행사로 인한 이익 등을 포함한다)의 6배(사외이사의 경우는 3배)를 초과하는 금액에 대하여 면제할 수 있다. 다만, 이사가 고의 또는 중대한 과실로 손해를 발생시킨 경우와 제397조 제397조의2 및 제398조에 해당하는 경우에는 그러하지 아니한다.

제401조(제삼자에 대한 책임)
① 이사가 고의 또는 중대한 과실로 그 임무를 게을리한 때에는 그 이사는 제3자에 대하여 연대하여 손해를 배상할 책임이 있다.
② 제399조 제2항, 제3항의 규정은 전항의 경우에 준용한다.

제401조의2(업무집행지시자 등의 책임)
① 다음 각 호의 1에 해당하는 자는 그 지시하거나 집행한 업무에 관하여 제399조·제401조 및 제403조의 적용에 있어서 이를 이사로 본다.
1. 회사에 대한 자신의 영향력을 이용하여 이사에게 업무집행을 지시한 자
2. 이사의 이름으로 직접 업무를 집행한 자
3. 이사가 아니면서 명예회장·회장·사장·부사장·전무·상무·이사 기타 회사의 업무

를 집행할 권한이 있는 것으로 인정될 만한 명칭을 사용하여 회사의 업무를 집행한 자
② 제1항의 경우에 회사 또는 제3자에 대하여 손해를 배상할 책임이 있는 이사는 제1항에 규정된 자와 연대하여 그 책임을 진다.

제403조(주주의 대표소송)

① 발행주식의 총수의 100분의 1 이상에 해당하는 주식을 가진 주주는 회사에 대하여 이사의 책임을 추궁할 소의 제기를 청구할 수 있다.
② 제1항의 청구는 그 이유를 기재한 서면으로 하여야 한다.
③ 회사가 전항의 청구를 받은 날로부터 30일 내에 소를 제기하지 아니한 때에는 제1항의 주주는 즉시 회사를 위하여 소를 제기할 수 있다.
④ 제3항의 기간의 경과로 인하여 회사에 회복할 수 없는 손해가 생길 염려가 있는 경우에는 전항의 규정에 불구하고 제1항의 주주는 즉시 소를 제기할 수 있다.
⑤ 제3항과 제4항의 소를 제기한 주주의 보유주식이 제소 후 발행주식총수의 100분의 1 미만으로 감소한 경우(發行株式을 보유하지 아니하게 된 경우를 제외한다)에도 제소의 효력에는 영향이 없다.
⑥ 회사가 제1항의 청구에 따라 소를 제기하거나 주주가 제3항과 제4항의 소를 제기한 경우 당사자는 법원의 허가를 얻지 아니하고는 소의 취하, 청구의 포기·인락·화해를 할 수 없다.
⑦ 제176조 제3항, 제4항과 제186조의 규정은 본조의 소에 준용한다.

제404조(대표소송과 소송참가, 소송고지)

① 회사는 전조 제3항과 제4항의 소송에 참가할 수 있다.
② 전조 제3항과 제4항의 소를 제기한 주주는 소를 제기한 후 지체없이 회사에 대하여 그 소송의 고지를 하여야 한다.

제405조(제소주주의 권리의무)

① 제403조 제3항과 제4항의 규정에 의하여 소를 제기한 주주가 승소한 때에는 그 주주는 회사에 대하여 소송비용 및 그 밖에 소송으로 인하여 지출한 비용 중 상당한 금액의 지급을 청구할 수 있다. 이 경우 소송비용을 지급한 회사는 이사 또는 감사에 대하여 구상권이 있다.
② 제403조 제3항과 제4항의 규정에 의하여 소를 제기한 주주가 패소한 때에는 악의인 경우 외에는 회사에 대하여 손해를 배상할 책임이 없다.

제406조(대표소송과 재심의 소)

① 제403조의 소가 제기된 경우에 원고와 피고의 공모로 인하여 소송의 목적인 회사의 권

리를 사해할 목적으로써 판결을 하게 한 때에는 회사 또는 주주는 확정한 종국판결에 대하여 재심의 소를 제기할 수 있다.

② 전조의 규정은 전항의 소에 준용한다.

2020 개정상법(2020. 12. 29. 법률 제17764호, 2020. 12. 29. 시행)

제406조의2(다중대표소송)

① 모회사 발행주식총수의 100분의 1 이상에 해당하는 주식을 가진 주주는 자회사에 대하여 자회사 이사의 책임을 추궁할 소의 제기를 청구할 수 있다.

② 제1항의 주주는 자회사가 제1항의 청구를 받은 날부터 30일 내에 소를 제기하지 아니한 때에는 즉시 자회사를 위하여 소를 제기할 수 있다.

③ 제1항 및 제2항의 소에 관하여는 제176조 제3항·제4항, 제403조 제2항, 같은 조 제4항부터 제6항까지 및 제404조부터 제406조까지의 규정을 준용한다.

④ 제1항의 청구를 한 후 모회사가 보유한 자회사의 주식이 자회사 발행주식총수의 100분의 50 이하로 감소한 경우(발행주식을 보유하지 아니하게 된 경우를 제외한다)에도 제1항 및 제2항에 따른 제소의 효력에는 영향이 없다.

⑤ 제1항 및 제2항의 소는 자회사의 본점소재지의 지방법원의 관할에 전속한다.

이사는 회사에 대하여 수임자의 지위에 있으면서 선관주의위무를 부담하므로 그 의무를 위반한 경우 민법 제390조에 따른 채무불이행 책임을 지며 민법 제750조에 따른 불법행위 책임도 진다. 이에 더하여 상법은 제399조 등에서 회사 및 제3자에 대한 손해배상책임을 별도로 규정하고 있다. 당연히 민법 및 상법상 책임은 중첩적으로 적용되고 상법상 규정은 민법규정의 특별법이다.

이사의 의무는 선량한 관리자로서의 주의의무, 즉 선관주의의무(duty of care), 충실의무(duty of loyalty 또는 fiduciary duties), 경업금지의무, 회사의 기회 및 자산 유용금지의무, 자기거래 제한의무, 감시의무(상법 제393조 제2항은 이사회에게 이사의 직무집행에 대한 감독의무를 부여하고 있지만 해석상으로 이사회 구성원인 개별 이사에게도 다른 이사들의 직무집행에 대한 감시의무가 인정된다고 본다), 그 외에도 영업비밀유지의무(상법 제392조의4), 정기적으로 업무집행을 보고할 의무(상법 제393조의4), 회사에 현저한 손해를 미칠 사유를 발견한 경우 보고할 의무(상법 제412조의2), 상장회사의 경우 신용공여를 받아서는 안될 의무(상법 제542조의9), 상장회사의 경우 미공개중요정보를 이용행위 금지의무(자본시장법 제174조 제1항) 등이다.

이사의 책임은 (i) 고의 또는 과실로 임무를 게을리하여, (ii) 법령 또는 정관에 위반한 행위를 하여, (iii) 회사에 손해를 끼친 경우에 부담하게 된다. 그중 (i)의 '과실로 업무를 게을리한 경우'에 대한 판단이 문제된다. 선관주의 의무를 위반한 경우를 의미한다. 우리 법원은 결과적으로 회사에 손해가 되었다 하더라도 그것만으로는 바로 선관주의의무 위반이라 볼 수 없다고 본다(대법원 2011. 10. 13. 선고 2009다80521 판결). 다만, 금융기관 이사의 선관주의의무는 금융시장 안정 및 국민경제 발전에 이바지해야 하는 공공적 역할을 감안해 일반회사 이사의 그것보다 더 무겁다고 한다(대법원 2003. 10. 10. 선고 2003도3516 판결, 대법원 2002. 3. 15. 선고 2000다9086 판결). 사실 이사는 각자 회사와 위임관계를 가지고 독자적 권한과 의무를 부여받고 있으므로 주주총회나 이사회 결의가 있었다 하더라도 그 결의내용이 객관적으로 위법·불공정하다고 인정된다면 이를 따라서는 안된다. 따랐을 경우 회사에 대한 책임을 면하기 어렵다. 당연히 대주주의 지시라 해도 따라서는 안된다.

이사의 선관주의의무 인정에 있어 '경영판단의 원칙(business judgement rule/doctrine)'이 있다. 19세기 미국 판례들을 중심으로 170년에 걸쳐 형성된 법리로, 이사가 자기 권한 내의 경영사항에 관하여 합리적인 근거에 의하여 성실하게 회사의 최상의 이익이 되는 것으로 신뢰하는 바에 따라 독자적 판단을 했다면, 결과적으로 회사에 손해가 발생하더라도 그 이사에게 책임을 물을 수 없다는 것이다. 미국에서도 경영판단원칙의 요건에 대하여 기준이 통일되어 있지는 않지만 통상적으로 ① 이사회의 적법한 결의를 거쳤을 것, ② 충분한 정보를 기초로 내린 판단일 것(informed decision), ③ 주어진 상황에서 기대되는 합리적인 의사결정절차를 거쳤을 것(reasonable decision making process), ④ 선의(good faith)로 결의하고 위법하지 않을 것, ⑤ 이해관계나 이해충돌(conflict of interest) 없이 독립적으로 결정하였을 것, ⑥ 사기, 불법행위, 권한 남용이나 회사자산의 낭비에 해당하지 않을 것 등의 요건이 요구된다 설명되고 있다.[71] 이러한 요건에 대하여 이사가 입증책임을 진다. 하지만 이사가 충분한 정보에 기초해 판단한 것으로(informed decision) 적법한 절차를 거친 것임을 입증하면 이사가 선의로, 회사의 최상의 이익에 부합하는 것으로 신뢰하고 결정한 것으로 추정된다고 본다. 반대로 미국법률협회의 "회사지배구조의 원칙: 분석과 권고(Principles of Corporate Governance: Analysis and Recommendation)"에 의하면 공정한 절차에 따라 사전의 승인이나 사후 추인을 받은 경우에는 거래의 공정성과 적정성이 추정되지만, 이러한 절차요건을 충족하지 못한 경우 내부거래의 공정성에 대하여 지배주주가

---

71) 한국상사법학회 편, 「주식회사법 대계 Ⅱ」, 법문사, p.776

입증책임을 져야 하며, 다만 통상 이루어지는 빈번한 거래에 대하여는 절차와 무관하게 부당성을 주장하는 측이 입증책임을 진다고 한다(§ 5. 10. (a) 및 (c)).[72] 추정적 효과로 인하여 이사의 책임을 주장하는 측에서 경영판단 원칙 적용요건의 부존재를 사실상 입증해야 한다.

한편, 유사한 맥락으로 독일법계에서는 모험거래의 원리가 논의된다. 이사 등의 사무처리가 본인에게 미칠 손익에 대한 전망이 불투명함에도 불구하고 행위자가 그 사무를 처리하는 경우, 타인의 재산을 관리함에 있어 조심스러운 기업운영이나 재산관리는 아니지만 비교적 현저한 이익을 기대하면서 위험하나 원칙적으로 금지되지 아니하는 심사숙고한 업무를 하였다면, 이는 허용된 위험으로 배임의 비난에 대하여 정당화 사유로 고려되어야 한다는 주장이다. 모험거래의 가벌성은 본인과 행위자 사이의 내부관계에서 '모험거래에 대한 동의'가 존재하였는지 여부가 결정적이며, 모험거래에 대한 동의는 구성요건을 양해하는 문제로서 이러한 동의의 범주 내에서 모험거래를 한 경우에는 불가벌이라 본다.

경영판단의 원칙이 우리 법제에서 인정되는지에 관련하여, 소유와 경영이 분리된 공개기업에 적용되는 법리이므로 오너 중심의 인적 지배가 이루어지는 우리 회사법에 적용하기에는 시기상조라는 입장이 있다.[73] 하지만 우리 법제 역시 미국과 유사한 회사법이 적용되고 있어 법제 측면에서 본질적 차이가 없다. 오히려 오너의 지시 때문에 이사가 제대로 판단할 수 없었다면 그 자체로 충실의무 위반이므로 경영판단 원칙을 고려할 필요가 없다. 기업문화 및 지배구조의 특성을 아예 무시할 수는 없지만, 자리와 직책의 책임을 이를 이유로 면제될 수는 없다고 본다.

우리 판례 역시 미국 판례법상 경영판단원칙을 완전히 수용한 것으로 볼 수 없을지언정 기본원칙을 수용하고 있다. 대법원은 "금융기관의 임원은 소속 금융기관에 대하여 선량한 관리자의 주의의무를 지므로, 그 의무를 충실히 한 때에야 임원으로서 임무를 다하였다고 할 것이지만, 금융기관이 그 임원을 상대로 대출과 관련된 임무 해태를 내세워 채무불이행으로 인한 손해배상책임을 물을 경우 임원이 한 대출이 결과적으로 회수곤란 또는 회수불

---

72) 손영화, 「기업집단 내 내부거래에 관한 연구(2011년 개정상법을 중심으로)」, p.91
73) 권재열, 「경영판단의 원칙 - 도입 여부에 관한 비판적 검토 - 」, 비교사법 제6권 제1호(한국비교사법학회, 1999. 6.), p.30 이하, 김기섭, 「법인대표의 경영상 판단과 법무상 배임죄」, 판례연구 제18집(서울지방변호사회, 2005. 1.), p.206, 김석연, 「경영판단의 원칙. 입법화의 전제조건과 입법방향」, 기업지배구조연구 제23호 여름(좋은기업지배구조연구소, 2007), pp.10~11

능으로 되었다고 하더라도 그것만으로 바로 대출결정을 내린 임원에게 그러한 미회수금 손해 등의 결과가 전혀 발생하지 않도록 하여야 할 책임을 물어 대출결정을 내린 임원의 판단이 선량한 관리자로서의 주의의무 내지 충실의무를 위반한 것이라고 단정할 수 없다. 대출과 관련된 경영판단을 하면서 통상의 합리적인 금융기관 임원으로서 그 상황에서 합당한 정보를 가지고 적합한 절차에 따라 회사의 최대이익을 위하여 신의성실에 따라 대출심사를 한 것이라면 의사결정과정에 현저한 불합리가 없는 한 임원의 경영판단은 허용되는 재량의 범위 내의 것으로서 회사에 대한 선량한 관리자의 주의의무 내지 충실의무를 다한 것으로 볼 수 있고, 금융기관의 임원이 위와 같은 선량한 관리자의 주의의무에 위반하여 자신의 임무를 해태하였는지는 대출결정에 통상의 대출담당임원으로서 간과해서는 안 될 잘못이 있는지를 대출의 조건과 내용, 규모, 변제계획, 담보의 유무와 내용, 채무자의 재산 및 경영상황, 성장가능성 등 여러 가지 사항에 비추어 종합적으로 판정해야 한다"고 판시하였다(대법원 2011. 10. 13. 선고 2009다80521 판결). 법원은 일련의 판결에서 미국 판례법과 같이 추정(presumption)을 하고 있지는 않지만 경영판단에 이르게 된 과정이나 실질적 판단내용에까지 구체적으로 심사하여 이사의 임무해태를 판단하라는 것으로 이해된다(대법원 2005. 1. 14. 선고 2004다34349 판결, 대법원 2004. 8. 20. 선고 2004다19524 판결, 2003. 4. 11. 선고 2002다61378 판결 등 다수). 다만, 이사가 법령을 위반하여 업무집행을 한 경우에는 경영판단의 원칙이 적용될 여지가 없다고 판시하였다(대법원 2011. 4. 14. 선고 2008다14633 판결, 대법원 2006. 11. 9. 선고 2004다41651 판결, 대법원 2005. 10. 28. 선고 2003다69638 판결, 대법원 2005. 7. 15. 선고 2004다34929 판결).

대규모회사의 경우 이사의 임무해태로 인한 손해를 이사 개인에게 전부의 배상을 명하는 것은 현실성도 없고 부당한 측면도 있다. 그래서 우리 법원은 이사에게 책임을 묻는 경우 손해배상액책임을 제한하고 있다. 대법원은 일관되게 "이사가 법령 또는 정관에 위반한 행위를 하거나 임무를 해태함으로써 회사에 대하여 손해를 배상할 책임이 있는 경우에 손해배상의 범위를 정할 때에는, 당해 사업의 내용과 성격, 당해 이사의 임무 위반의 경위 및 임무 위반행위의 태양, 회사의 손해 발생 및 확대에 관여된 객관적인 사정이나 정도, 평소 이사의 회사에 대한 공헌도, 임무 위반행위로 인한 당해 이사의 이득 유무, 회사의 조직체계의 흠결 유무나 위험관리체제의 구축 여부 등 제반 사정을 참작하여 손해분담의 공평이라는 손해배상제도의 이념에 비추어 손해배상액을 제한할 수 있다. 이때 손해배상액 제한의 참작 사유에 관한 사실인정이나 제한의 비율을 정하는 것은, 그것이 형평의 원칙에 비추어 현저히 불합리한 것이 아닌 한 사실심의 전권사항이다"라고 판시하고 있다(대법원 2019.

5. 16. 선고 2016다260455 판결). 관련하여 동일인(기업총수)과 그 친인척, 그 외 일반 이사들 사이에는 책임성, 행위로 인한 이익의 귀속여부 및 보유 재산규모 등에 차이가 크므로 손해배상제한의 수준도 차이를 두는 것이 재판 실무이다.

한편, 이사의 회사에 대한 손해배상책임에서 손익상계도 많이 주장된다. 손해배상의 일반법리상 손해발생 원인이 되는 행위로 인하여 피해자가 새로운 이득을 얻었고 그 이득과 원인 사이에 상당한 인과관계가 있어야 하며 이득은 배상의무자가 배상하여야 할 손해 범위에 대응하는 것이어야 한다(대법원 2005. 10. 28. 선고 2003다69638 판결 등 다수). 하지만 현실적으로 손익상계로 인정될 수 있는 이득은 거의 없다. 예를 들어, 계열회사 주식을 비싸게 샀다가 싸게 팔아서 회사에 손해를 끼친 경우 그로 법인세를 절감한 사정이 있더라도 그 법인세 상당액을 손익상계할 수 없고(대법원 2005. 10. 28. 선고 2003다69638 판결), 국가가 입찰담합에 의한 불법행위 피해자인 경우 가해자에게 입찰담합에 의한 부당한 공동행위에 과징금을 부과하여 이를 가해자에게서 납부받은 사정이 있다 하더라도 이를 가리켜 손익상계 대상이 되는 이익을 취득하였다고 할 수 없다(대법원 2011. 7. 28. 선고 2010다18850 판결). 밀가루 회사들의 담합에 대하여 수요자가 손해배상을 구한 사안에서 밀가루 회사로부터 받은 장려금 및 수요자가 소비자에게 전가한 금액은 손익상계 대상이 될 수 없다(대법원 2012. 11. 29. 선고 2010다93790 판결).

한편, 2020. 12. 29. 법률 제17764호로 개정되어 2020. 12. 29. 시행되는 "2020 개정상법"은 다중대표소송 제도를 신설했다(제406조의2). 모회사 주식의 1% 이상을 가진 주주는 자회사 이사가 자회사에게 손해를 입힌 자회사에게 이를 배상하도록 하는 책임을 추궁할 소의 제기를 청구할 수 있다. 이 경우 자회사는 청구를 받은 날로부터 30일 내에 소를 제기하지 아니할 때 즉시 자회사를 위하여 소를 제기할 수 있다. 청구를 한 후 모회사가 보유한 자회사의 주식이 발행주식 총수의 50% 이하로 감소한 경우(발행주식을 보유하지 아니하게 된 경우도 포함)에도 소의 제기 청구나 소제기에 영향이 없다. 소송 관할은 자회사 본점소재지의 지방법원이다.

Q 21 내부거래 규제와 관련한 현행 회사법상 이사회 제도의 문제점은 무엇인가?

A 형식적으로는 사외이사제도를 통한 독립성 확보, 자기거래 규제, 기회유용 금지와 같은 개별적 규정들과 이사의 충실의무 조항 및 손해배상제도 등이 구비되어 있는 것으로 보이지만, 실제로는 사외이사의 독립성 부족, 지배주주에 의한 이사회 장악, 이사회 운영의 형식화, 이사들의 윤리의식 부족 등으로 효과적인 통제가 이루어지고 있다고 보기는 어렵다.

해설

내부거래와 관련하여 현행법은 이사회의 승인을 요구하고 있지만, 사외이사의 독립성 부족, 지배주주의 이사회 장악, 이사회 운영의 형식화, 이사들의 책임의식 및 윤리의식 부족 등으로 제대로 운영되고 있다고 단정할 수는 없다.

이사회가 제대로 작동하지 못하는 가장 큰 원인은 그 구성에 있다. 대규모 기업집단들은 계열사 간 순환출자를 바탕으로 매우 복잡한 지분구조를 취하고 있고, 지배주주 일가는 직접 보유한 지분이 높지 않더라도 계열회사가 보유한 지분을 통하여 기업집단 전반의 경영을 장악하고 있다. 이사회 구성 역시 지배주주의 의사에 따라 지배주주에 우호적인 인사들로 구성되는 경향이 있고, 현실적으로 사외이사의 직위 유지가 지배주주 의사에 달려 있기 때문에 이사로서의 독립적 판단이 쉽지 않다. 사외이사의 견제기능이 기대에 못미치는 문제도 있다. 상장회사는 이사 총수의 1/4 이상을 사외이사로 선임해야 하며, 상장회사의 자산총액이 2조 원 이상이면 사외이사를 3명 이상으로 하되 이사 총수의 과반수이어야 한다(상법 제542조의8). 하지만 실제 사외이사들의 전문성이나 적극성이 부족할 뿐 아니라 내부정보에 대한 접근이 제한되고 회사로부터 경영의사결정이나 감독, 견제를 위한 제대로 된 정보 제공도 받지 못하는 현실에서 실질적 역할을 기대하기 어려운 것도 현실이다. 물론 상법이 이에 대한 대안으로 소수주주 등의 다양한 이해관계자의 의사가 반영될 수 있도록 집중투표제를 도입하였지만(상법 제382조의2), 정관 규정으로 집중투표제가 배제될 수 있어 실효가 없다는 지적이 있다.

이에 대한 대안으로 일정 규모 이상의 내부거래에 대하여는 추가적으로 주주총회 승인을 요구함으로써 소수주주가 지배주주 및 그 영향력 아래에 있는 경영진에 대한 견제 기능을 수행하는 방안을 모색해 볼 수 있지만, 거래의 승인에 있어 번거롭고 복잡한 주주총회 승인을 요구하도록 하는 것은 경영의 효율성 측면에서 현실성이 부족하고, 우리 기업집단의 지배구조상 계열회사 간 순환출자 등을 통하여 동일인 및 그 관련자가 지배하고 있기 때문에 주주총회 승인의 실효성이 부족하며, 기관투자자들의 적극적 경영참가 역시 사회·문화적으로 반감이 심하여 쉽지 않으며, 사실상 '투자'나 '투기'자에 불과한 일반 주주들이 과연 제대로 된 참여를 할 것인지 의문이다. 그래서 주주총회 승인이 소위 '주총꾼'들에 의한 협잡판이 될 수 있다며 반대하는 견해도 있다.[74]

사견으로는 주주총회의 사전 승인을 요구하는 것은 현실적으로 어렵지만, 주주총회에 내부거래에 대한 사항을 구체적으로 보고하고 감사위원회나 내부 위원회의 내부거래 검토 및 감사분석서를 제출하여 일정 규모 이상에 대하여 사후 승인을 받도록 하는 것에 대하여는 입법론적으로 고려해 볼 필요가 있다고 본다.

---

74) 송창현·조중일·김남훈, 「기업집단 내부거래 규제의 현황과 개선 방안」, 법학평론 제4권(2013. 12.), p.140 내지 p.185

Q 22 공정거래법상 부당지원행위 규제의 역사

A IMF 경제위기 이후에는 주로 기업집단 내 자금거래를 규제하는 방향으로 집행되거나 차츰 상품 및 용역에 대한 내부거래 규제로 발전하였으며, 이후 2013년 개정법에서 특수관계자이익제공행위(총수일가 사익편취행위) 금지규정을 신설하였고 2020년 개정법에서 그 적용 범위를 확대하였다.

해설

부당지원행위 금지는 1996년 5차 공정거래법 개정을 통해 도입되어 1997. 4. 1.부터 시행되었다. 다른 나라에서는 입법례를 찾을 수 없는 독특한 제도로서, 소위 '오너'라 불리는 개인 동일인의 인적 지배와 선단식 경영으로 특징지어 지는 재벌 기업집단 중심의 산업구조에 대응한 경제력집중을 막는 제도이다. 주로 재벌 기업집단 내의 내부거래에 대한 규제를 염두에 둔 것이고, 실제 집행 역시 이에 집중되어 왔다. 제3장인 '기업결합의 제한 및 경제력집중의 억제'에 규정되는 것이 합리적이다. 그런데 대규모 기업집단 계열회사뿐 아니라 일반 사업자 간에도 이루어지고 있는 내부거래에 대해 특정 범위의 기업집단 소속 회사에 대해서만 중지시키는 것은 평등원칙에 반한다는 이유로 경제계에서 큰 반발이 있었다.[75] 그래서 우여곡절 끝에 제23조의 불공정거래행위의 한 유형으로 규정하게 되었다. 그 덕분에 계열회사 이외에도 친족회사나 사실상 관련회사에 대한 지원행위도 규제대상이 되었다는 긍정적 평가도 있을 수 있지만, 입법취지와 규정형식의 불일치,[76] 제도와 규율 체제에 대한 부조화와 정체성 혼란으로 이후 많은 해석상의 논란을 야기했다는 비판이 크다. 결과적으로 1996. 12. 30. 개정 공정거래법 제23조 제1항 제7호에 신설되었고 1997. 7. 29. 「부당한 지원행위의 심사지침」이 제정되었다.

초기에는 부당지원행위에 대한 공정거래법 제도가 위헌이라는 주장도 있었다. 실제 2001. 9. 기업집단 SK의 1차 부당내부거래 사건 행정소송에서 서울고등법원이 직권으로 부당한 지원행위에 대한 과징금 부과 근거조항인 법 제24조의2에 대한 위헌심판을 하였고(서울고등법원 98누13159), 헌법재판소가 합헌 결정을 내리는 일도 있었다(헌법재판소 2003. 7. 24. 결정 2001헌가25 결정).[77]

---

75) 권오승, 「공정거래와 법치(권오승 편)」, p.23
76) 박준영, 「부당지원행위 규제의 정상가격에 대한 방법론 연구」, 경쟁과 법 제7호(2016. 10.), p.96
77) 헌법재판소 결정요지
   1. 행정권에는 행정목적 실현을 위하여 행정법규 위반자에 대한 제재의 권한도 포함되어 있으므로, '제재를

한편, 집행 초기에는 주로 기업집단 내 우량 계열사의 자금으로 신용대출, 보증, 자금대여 또는 유상증자 참여나 전환사채 인수 등 부실 계열사 자금 지원 등 자금 및 금융지원에 대한 규제를 염두에 두고 있었다. 실제 1997년 IMF 경영위기 이후 이루어진 대기업 집단 내부거래 조사에서도 이 분야에 대한 집중적인 조사와 제재가 있었고,[78] 이후 이 분야에 대한 판례들이 내려져 법리가 구축되어 갔다. 당시의 판결들을 보면 개별정상금리 등 정상가격의 입증 없이도 공정거래위원회 처분이 적법하다는 등 최근의 법리로는 이해하기 어려운 사례도 꽤 보인다. 어찌보면 그 당시의 부당지원행위 금지는 계열사 간 자금지원을 막는 것에 주안점을 준 대기업 규제의 하나로서 (시가 입증이 반드시 필요한) 조세법상 부당행

통한 억지'는 행정규제의 본원적 기능이라 볼 수 있는 것이고, 따라서 어떤 행정제재의 기능이 오로지 제재(및 이에 결부된 억지)에 있다고 하여 이를 헌법 제13조 제1항에서 말하는 국가형벌권의 행사로서의 '처벌'에 해당한다고 할 수 없는바, 구 독점규제 및 공정거래에 관한 법률 제24조의2에 의한 부당내부거래에 대한 과징금은 그 취지와 기능, 부과의 주체와 절차 등을 종합할 때 부당내부거래 억지라는 행정목적을 실현하기 위하여 그 위반행위에 대하여 제재를 가하는 행정상의 제재금으로서의 기본적 성격에 부당이득환수적 요소도 부가되어 있는 것이라 할 것이고, 이를 두고 헌법 제13조 제1항에서 금지하는 국가형벌권 행사로서의 '처벌'에 해당한다고는 할 수 없으므로, 공정거래법에서 형사처벌과 아울러 과징금의 병과를 예정하고 있더라도 이중처벌금지원칙에 위반된다고 볼 수 없으며, 이 과징금 부과처분에 대하여 공정력과 집행력을 인정한다고 하여 이를 확정판결 전의 형벌집행과 같은 것으로 보아 무죄추정의 원칙에 위반된다고도 할 수 없다.

2. 위 과징금은 부당내부거래의 억지에 그 주된 초점을 두고 있는 것이므로 반드시 부당지원을 받은 사업자에 대하여 과징금을 부과하는 것만이 입법목적 달성을 위한 적절한 수단이 된다고 할 수 없고, 부당지원을 한 사업자의 매출액을 기준으로 하여 그 2% 범위 내에서 과징금을 책정토록 한 것은, 부당내부거래에 있어 적극적·주도적 역할을 하는 자본력이 강한 대기업에 대하여도 충분한 제재 및 억지의 효과를 발휘하도록 하기 위한 것인데, 현행 공정거래법의 전체 체계에 의하면 부당지원행위가 있다고 하여 일률적으로 매출액의 100분의 2까지 과징금을 부과할 수 있는 것이 아니어서, 실제 부과되는 과징금액은 매출액의 100분의 2를 훨씬 하회하는 수준에 머무르고 있는바, 그렇다면 부당내부거래의 실효성 있는 규제를 위하여 형사처벌의 가능성과 병존하여 과징금 규정을 둔 것 자체나, 지원기업의 매출액을 과징금의 상한기준으로 삼은 것을 두고 비례성원칙에 반하여 과잉제재를 하는 것이라 할 수 없다.

3. 법관에게 과징금에 관한 결정권한을 부여한다든지, 과징금 부과절차에 있어 사법적 요소들을 강화한다든지 하면 법치주의적 자유보장이라는 점에서 장점이 있겠으나, 공정거래법에서 행정기관인 공정거래위원회로 하여금 과징금을 부과하여 제재할 수 있도록 한 것은 부당내부거래를 비롯한 다양한 불공정 경제행위가 시장에 미치는 부정적 효과 등에 관한 사실수집과 평가는 이에 대한 전문적 지식과 경험을 갖춘 기관이 담당하는 것이 보다 바람직하다는 정책적 결단에 입각한 것이라 할 것이고, 과징금의 부과 여부 및 그 액수의 결정권자인 위원회는 합의제 행정기관으로서 그 구성에 있어 일정한 정도의 독립성이 보장되어 있고, 과징금 부과절차에서는 통지, 의견진술의 기회 부여 등을 통하여 당사자의 절차적 참여권을 인정하고 있으며, 행정소송을 통한 사법적 사후심사가 보장되어 있으므로, 이러한 점들을 종합적으로 고려할 때 과징금 부과 절차에 있어 적법절차원칙에 위반되거나 사법권을 법원에 둔 권력분립의 원칙에 위반된다고 볼 수 없다.

78) 공정거래위원회는 IMF 위기 이후 국내 재벌 기업집단이 부실 계열사에 대한 지원행위를 적극적으로 실행한 1998년부터 2003년 말까지 주요 대기업과 공기업 등을 대상으로 14회의 직권조사를 실시하여 384개 회사에 대하여 3,615.3억 원의 과징금 부과했다. 이후 2004년 2월부터는 공정거래위원회가 종전의 그룹 규모에 따른 순위별 기획조사방식에서 혐의가 있는 기업에 대한 선별적 직권조사방식으로 전환하였다.

위계산부인과는 완전히 궤를 같이 한 제도는 아니라고 본 것으로 생각된다.

그래서 상품과 용역 거래에 대해서는 조세법상 부당지원행위만이 문제될 뿐이고 부당지원행위로 규제해서는 안된다는 법리 주장도 있었다. 구법(2007. 4. 13. 개정되기 이전의 것) 제23조 제1항 제7호 및 시행령은 부당한 자금지원, 자산지원, 인력지원 세 가지 유형만 명시적으로 규정하고 있었고 당시 상품 및 용역의 거래도 부당지원행위에 해당하는지에 대하여 다수의 행정소송에서 다투어지기도 했다. 서울고등법원에서는 상품·용역 거래가 부당지원행위에 해당하지 않는다는 판결들이 내려졌다(서울고등법원 2003. 9. 23. 선고 2002누1047 등 다수). 하지만 대법원은 대우 2차 부당내부거래 사건에서 상품 및 용역 거래 역시 부당한 자산지원행위의 일종이라고 판단하였고(대법원 2004. 10. 14. 선고 2001두2935 판결), 이후 판결에서도 동일한 법리를 확립시켰다(위 서울고법 2002누1047 판결의 상고심 판결인 대법원 2005. 9. 15. 선고 2003두12059 판결 등 다수). 대법원 2001두2935 판결은 상품 및 용역 지원행위도 부당지원행위의 일종임을 분명해 했다. 대법원은 "부당지원행위를 불공정거래행위의 한 유형으로 규정하여 이를 금지하는 입법 취지가 공정한 거래질서의 확립과 아울러 경제력집중의 방지에 있는 점, 구 공정거래법(1999. 12. 28. 법률 제6043호로 개정되기 전의 것) 제23조 제1항 제7호가 부당지원행위의 규제대상을 포괄적으로 규정하면서 '가지급금·대여금·인력·부동산·유가증권·무체재산권'을 구체적으로 예시하고 있을 뿐 상품·용역이라는 개념을 별도로 상정하여 상품·용역거래와 자금·자산·인력거래를 상호구별하여 대응시키거나 상품·용역거래를 부당지원행위의 규제대상에서 제외하고 있지 아니한 점, 시행령에서 부당지원행위의 유형 및 기준을 지원내용과 효과에 초점을 두어 자금지원행위, 자산지원행위, 인력지원행위로 나누어 규정한 것이고 지원행위를 거래형식별로 상정하여 그것만을 규제의 대상으로 삼은 것이라거나 상품·용역이라는 개념을 별도로 상정하여 그것을 부당지원행위의 규제대상에서 제외하고 있지 아니한 점, 부당지원행위와 계열회사를 위한 차별이나 경쟁사업자 배제와는 입법 취지, 요건 및 효과가 서로 다른 별개의 제도인 점 등을 종합하면, 상품·용역의 제공 또는 거래라는 이유만으로 부당지원행위의 규제대상에서 제외되는 것은 아니고 그것이 앞에서 본 바와 같은 부당지원행위의 요건을 충족하는 경우에는 부당지원행위의 규제대상이 될 수 있다"고 판시하였다.

이후 2007년 법 개정을 통하여 법 제23조 제1항 제7호에 명시적으로 부당한 지원행위의 거래객체에 '상품·용역'을 포함시켜 규정하였고, 이에 따라 시행령 역시 종전의 '부당한 자산지원'을 '부당한 자산·상품 등 지원'으로 개정하였다(법 시행령 제36조 제1항 별표 1. 10. 나).

초기의 자금지원행위에서 상품·용역 거래로 규제의 초점이 바뀌었고 가격지원행위에서는 정상가격, 물량지원행위에서는 거래규모의 현저성(상당성)이 법 해석의 쟁점이 되었다.[79] 그리고 총수 2세가 대부분의 지분을 보유한 회사에게 일감몰아주기, 물량몰아주기를 통해 부를 이전하고 낮은 조세만을 부담하고 기업을 승계하는 내부거래가 성행하였다.[80]

자금지원행위에서 개별정상금리 등 정상가격과 실제가격 간의 현저한 차이가 있는지가 주로 다투어졌지만, 현대그룹의 제3차 부당내부거래 사건에서 대가를 현저히 낮거나 높게 책정하지 않은 채 대규모 거래를 통하여 사실상 경제적 이익을 이전한 행위, 즉 물량몰아주기만으로도 부당지원행위가 성립하는지가 쟁점이 되었다. 대법원은 2007. 1. 25. 선고 2004두7610 판결을 통하여 '현저한 규모로 유동성을 확보할 수 있다는 것 자체가 현저히 유리한 조건의 거래가 될 수 있으므로, 현저한 규모로 제공 또는 거래하여 과다한 경제상 이익을 제공하는 것도 지원행위라고 할 수 있다'고 보면서도 투신사의 부실을 보전하기 위하여 금융당국의 승인 아래 이루어졌고 대출규모가 다른 투신사에 비하여 대규모로 볼 수 없다는 이유로 지원행위에 해당하지 않는다고 보았다. 해당 판결에서 "현저한 규모의 거래라 하여 바로 과다한 경제상 이익을 준 것이라고 할 수 없고 현저한 규모의 거래로 인하여 과다한 경제상 이익을 제공한 것인지 여부는 지원성 거래규모 및 급부와 반대급부의 차이, 지원행위로 인한 경제상 이익, 지원기간, 지원횟수, 지원시기, 지원행위 당시 지원객체가 처한 경제적 상황 등을 종합적으로 고려하여 구체적·개별적으로 판단하여야 한다"라고 판시하여, 현저한 규모에 의한 거래에 추가로 과다한 경제적 이익을 요구했다. 이후 서울고등법원은 현대자동차 등의 글로비스 물량 지원행위 및 현대카드를 현대카드 결제지원행위에서 물량몰아주기에 의한 지원행위를 인정한 바 있다(서울고등법원 2009. 8. 19. 선고 2007누30903 판결). 물량몰아주기에 대한 역사적인 판결이었다.

이후 지원행위가 반드시 직접적인 거래일 필요는 없고 간접적이고 우회적인 거래를 통해 경제적 이익의 이전이 이루어지면 성립할 수 있다는 판결이 나왔다(대법원 2004. 3. 12. 선고 2001두7220 판결, 대법원 2004. 10. 14. 선고 2001두2881, 2001두2935 판결, 대법원 2006. 7. 13. 선고 2004두3007 판결 등). 나아가 부작위에 의한 지원행위도 인정하였다(대법원 2006. 7. 13. 선고 2004두3007 판결).

한편, 대법원은 유명한 SDS 전환사채 사건에서 '지원객체가 일정한 거래분야에서 시장

---

79) 송태원, 「부당지원행위 규제의 판례 동향에 대한 소고」, 연구논단 III, p.61
80) 채이배, 「지배주주의 사익추구행위로서의 일감몰아주기 실태와 규제방안」, 경쟁저널(2013), p.26

에 직접 참여하고 있는 사업자일 것을 요구하지는 않지만, 부의 세대 간 이전이 가능해지고 특수관계인들을 중심으로 경제력이 집중될 기반이나 여건이 조성될 여지가 있다는 것만으로는 공정거래 저해성(부당성)을 인정할 수 없고, 위 특수관계인들이 지원받은 자산을 계열회사에 투자하는 등으로 관련시장에서 공정한 거래를 저해할 우려가 있다는 사실이 입증되지 않았다면 부당성을 인정할 수 없다'며, 동일인 및 동일인의 특수관계 개인에게 이익이 제공된 경우에는 특별한 사정이 없는 한 지원행위가 되지 않는다고 판시하였다(대법원 2004. 9. 24. 선고 2001두6364 판결). 이후 사실상 특수관계자 개인(특히 오너 및 그 일가)에 대한 지원행위에 대하여는 공정거래법이 무력화되었다.

2011년에 상속·증여세법 개정으로 소위 일감몰아주기 증여세 과세가 도입되었지만, 내부거래에 대한 부당지원행위에 개혁은 2012년 대선 과정에서 경제민주화 주제 아래에서 본격적으로 논의되었다. 2013. 2. 새정부가 출범하면서 경제민주화 입법이 추진되었고, 그 핵심 중 하나가 일감몰아주기 등 부당지원행위에 대한 제재 강화였다. 1996년 입법 당시와 마찬가지로 경제력집중 억제시책의 일환으로 제3장으로 규정하는 방안이 논의되었지만, 재계의 반대 등으로 결국 제5장에 존치하되 총수일가 사익규제 조항을 제23조의2로 신설하였다. 지배주주의 대리인 문제 해결에 초점을 맞춘 입법이다.[81] 추가로 '현저히 유리한 조건'을 '상당히 유리한 조건'으로 완화하고, 거래 중간 단계에서 실질적 역할없이 이익을 챙기는 '통행세 거래'에 대한 규제도 명확하게 하였으며, 부당이득을 본 지원객체에 대한 과징금 부과 조항도 신설했다.

이후 2013년 개정 공정거래법(2013. 8. 13. 법률 제12095호)에서 제23조의2 "특수관계자에 대한 부당한 이익제공"을 금지하는 조항을 신설하였다. 이에 대하여 공정거래위원회는 "현행법상 규제의 대상이 되는 부당지원행위는 현저히 유리한 조건의 거래를 통해 특수관계인 또는 다른 회사를 지원하고 이로써 공정한 거래를 저해할 우려가 있는 경우로 한정되어 있어, 그 지원행위가 현저히 유리한 정도에 미치지 못하거나 사업자가 아닌 특수관계인 개인을 지원하는 경우에는 사실상 공정거래 저해성을 입증하는 것이 곤란하여 규제가 어려운 실정이며, 이러한 부당지원을 통해 실질적으로 이득을 얻는 수혜자에 대해서는 별도의 제재수단이 없어 부당지원행위를 억제하는데 한계가 있는바, 부당지원행위의 성립요건을 완화하고, 부당지원을 통해 실제 이득을 얻은 수혜자에 대해서도 과징금을 부과하는 한편, 공정한 거래를 저해하는지 여부가 아닌 특수관계인에게 부당한 이익을 제공하였는지 여부를

---

81) 서정, 「재벌의 내부거래를 둘러싸고 나타난 규범의 지체현상과 그 극복」, 법조 2015. 5.(Vol. 704), p.223

기준으로 위법성을 판단하는 특수관계인에 대한 부당이익제공 금지규정을 신설하려는 것임"이라고 그 입법취지를 밝혔다.

한편, 당시까지는 정상가격 산정이 어려운 경우에도 부당지원행위로 의율할 수 있는지에 대하여 판례가 명확하지 않았다. 원칙적으로는 정상가격 입증이 필요하다는 입장이었지만 정상가격 산정이 쉽지 않은 경우에도 위법성을 인정하지 않은 사례도 있었다. 그런데 웅진 그룹 계열사 부당지원행위 사건에서 정상가격 산정 및 입증이 엄격히 요구된다는 점을 명확히 하였다(대법원 2014. 6. 12. 선고 2013두4255 판결). 이후 신세계그룹의 부당지원행위 사건에서도 정상가격에 대한 공정거래위원회의 산정 및 입증책임을 매우 엄격히 판단함(서울고등법원 2014. 3. 14. 선고 2013누45067 판결, 대법원 2015. 1. 29. 선고 2014두36112 판결[82])으로써 정상가격 산정 및 입증책임의 정도가 세법상 부당행위계산부인의 경우와 마찬가지라는 법리를 확립한 것으로 이해된다.

대법원은 2013두4255 판결에서 "원고 주식회사 웅진씽크빅 등이 자사의 각종 소모성 자재(Maintenance, Repair and Operation, 이하 'MRO'라고 한다)와 원부자재 구매 업무 외에 출판물 제작 및 기타 여러 가지 업무를 웅진홀딩스에게 대행하도록 하고 그 대가로 MRO 구매 관련 상품별 마진(중간이윤) 외에 이 사건 대행 업무를 위해 자사에서 웅진홀딩스로 전출시킨 인력에 대한 인건비 등 제반 경비에 상당하는 대행 수수료를 지급한 이 사건 각 거래에서, 상품별 마진까지 포함한 이 사건 대행 업무에 대한 총 대가가 정상가격보다 높다는 점을 인정할 만한 증거가 없고, … 이 사건 같은 대행 업무의 수수료를 산정하는 데에는 다양한 방법이 있을 수 있으므로 그 일부로 대행 업무를 담당하는 직원의 인건비 상당을 포함하였다고 하여 그것만으로 위 수수료 산정방식이 부당하다고 보기는 어렵다"고 판시하여 공정거래위원회 처분을 취소하였던 것이다.

---

82) 〈판결요지〉

　　정상가격이 이와 같이 부당한 지원행위에 해당하는지 여부의 판단요소가 되어 부당한 지원행위에 따른 시정명령이나 과징금부과 등 제재적 행정처분과 형사처벌의 근거가 된다는 점이나 구 공정거래법이 부당한 지원행위를 금지하는 취지 등을 고려할 때, 피고가 당해 거래와 동일한 실제 사례를 찾을 수 없어 부득이 유사한 사례에 의해 정상가격을 추단할 수밖에 없는 경우에는, 단순히 제반 상황을 사후적·회고적인 시각에서 판단하여 거래 당시에 기대할 수 있었던 최선의 가격이나 당해 거래가격보다 더 나은 가격으로 거래할 수도 있었을 것이라 하여 가벼이 이를 기준으로 정상가격을 추단하여서는 아니 되고, 먼저 당해 거래와 비교하기에 적합한 유사한 사례를 선정하고 나아가 그 사례와 당해 거래 사이에 가격에 영향을 미칠 수 있는 거래조건 등의 차이가 존재하는지를 살펴 그 차이가 있다면 이를 합리적으로 조정하는 과정을 거쳐 정상가격을 추단하여야 한다. 그리고 정상가격이 이와 같은 과정을 거쳐 합리적으로 산출되었다는 점에 대한 증명책임은 어디까지나 시정명령 등 처분의 적법성을 주장하는 피고에게 있다.

| 공정거래위원회의 내부거래 규제 역량 강화를 위한 기업집단국 신설 |

부당지원행위 조사 전담 조직 기업집단국 신설(2017. 9.)

- 5개과: 기업집단정책과, 지주회사과, 공시점검과, 내부거래감시과, 부당지원감시과
- 기업집단정책, 지주회사 및 공시제도 운영, 부당지원 및 특수관계인에 대한 부당이익제공 조사 전담
- 5개과는 각 소관 업무가 있으나 부당지원행위 등의 조사 사건은 명확한 구분 없이 담당(예컨대, 지주회사과에서 부당지원행위 사건을 담당하는 경우 등)

최근 기업집단국 조사의 특징

- 조사 단서: 시민단체 제보, 국회 등의 조사 촉구 또는 언론에서 이슈화되는 사례 증가
- 부당지원행위와 총수일가 사익편취 금지는 별도 규정으로 요건 차이가 있으나 조사는 동시 진행
  - 제23조의2 조사 중 내부거래 단가가 정상가격과 상이하다는 단서가 있으면 계열사 간 부당내부거래도 조사
- 조사대상회사 범위도 쉽게 확대
  - A사의 B사에 대한 자금지원을 조사하다가 C사의 B사에 대한 용역비 지원 단서가 발견되면서 C사로 확대
- 기습적인 현장조사 증가
  - 과거에는 조사일정을 예고하고 필요한 자료 비치를 요구하는 경우가 많았으나, 최근에는 카르텔조사와 같이 기습적으로 실시되는 경향

최근 기업집단국 조사의 특징

조사대상	• 대상거래: 기업집단국 신설 이전에는 상품·용역 거래 중심 단발성 조사가 다수. 최근에는 자금, 자산 등 전통적인 지원유형 거래까지 조사 범위 확대 • 대상회사: 거래당사자 제한이 없으므로 SPC 그룹과 같은 중견그룹까지 대규모 조사 중이며, 중견그룹 조사는 향후에도 지속될 가능성 높음. 공익법인, 지주회사(수익구조조사) 등에 대한 조사도 확대되는 추세 • 대상부서 등: 조사 대상거래의 실무자 및 상급자, 그 외 담당 중역의 사무실이나 PC를 조사하거나 감사팀, 경영지원실, 법무팀까지도 조사하는 경향. 임원 회의자료 등 경영 핵심자료까지 조사하는 경우 증가
조사방식	• 조사인력: 2018년부터 조사반을 30여 명으로 편성하여 대규모 조사 • 포렌식 조사 활성화: 2017년 9월 디지털조사분석과(포렌식 조사팀) 신설하여 20여 명(5개팀)의 포렌식 전문가 확보, 결정적 포렌식 증거 수집하는 경우 증가 • 조사 순서: 지원객체로 의심되는 회사부터 순차로 다른 계열사 조사하는 경우 vs. 다수 조사반을 편성하여 여러 계열회사 동시 조사 경우(절대 다수)

제재 수준 강화되는 추세

- 과징금: 대부분 매우 중대한 위반행위로 판단하여 지원금액의 80% 과징금 부과
- 고발: 법인뿐 아니라 담당 고위 임원 개인까지 고발하는 경우 증가

Q23 2013년 공정거래법 개정 시에 대폭 개정된 내부거래와 관련된 공정거래법 및 동법 시행령, 심사지침 등의 주요 개정사항은 무엇인가?

A 2013년 8월 13일 특수관계자이익제공행위 금지 등 부당 내부거래 규제를 강화하는 공정거래법 개정이 이루어졌고, 2014년 2월 14일부터의 개정법 시행에 대비하여 시행령, 관련 심사지침 등 하위 규정이 정비되었다.

해설

부당 내부거래 규제와 관련된 2013년 개정 공정거래법상 주요 개정사항을 요약하면 아래 표와 같다. 일반 부당지원행위(공정거래법 제23조 제1항 제7호) 규제와 관련하여서는, 지원행위의 성립요건 완화, 지원행위 유형 중 하나로서 통행세 거래의 신설, 지원주체 외에 지원객체에 대한 제재규정 신설, 특수관계인에 대한 부당한 이익제공 금지 조항(공정거래법 제23조의2)의 신설 등이 주목할만한 부분이다.

| 부당지원행위 관련 주요 개정사항 |

주요내용	구 법	현행법
지원행위의 성립요건 완화	"현저히 유리한 조건"의 거래	"상당히 유리한" 조건의 거래
통행세 거래 금지 신설	현저히 유리한 조건의 거래에 의한 일반 부당지원행위로 규제	통행세 거래를 독립된 지원행위 유형으로 명시
지원객체 제재규정 신설, 지원주체 형사처벌 강화	지원주체만 행정제재 및 형사처벌 (2년 이하 징역 또는 1.5억 원 이하의 벌금)	• 지원객체: 행정제재(시정조치 및 과징금 부과처분) 조항 신설 • 지원주체: 행정제재 및 3년 이하 징역 또는 2억 원 이하 벌금으로 제재 수준 강화
특수관계인에 대한 부당한 이익제공 금지규정 신설	거래 당사자들의 자산규모나 동일인 보유지분과 무관하게 제23조 제1항 제7호의 일반 부당지원행위로 규제	총수일가에 대한 경제적 이익의 이전을 실효적으로 규제하기 위해 특수관계인에 대한 부당한 이익제공 등 금지 규정 신설(부당성 요건을 요하지 않는 대신, 일종의 안전지대 규정을 두었음)

Q 24 2020년 개정 공정거래법에서 주로 개정된 「특수관계자 이익 제공 행위」 (총수일가 사익편취행위) 부분은 무엇인가?

A 2020. 12. 29. 공정거래3법 개정의 일환으로 개정된 공정거래법(법률 제17799호, 2022. 12. 30. 시행)에서는 특수관계자 이익제공행위(총수일가 사익편취) 금지에 대하여 적용대상이 되는 지원객체 회사의 범위를 확대하고 과징금을 상향 조정하였다.

해설

현행 법률에서 대기업집단의 경제력집중을 심화시키고 중소기업의 공정한 경쟁 기반을 훼손하는 부당내부거래를 근절하기 위하여 공시대상기업집단 소속 회사가 특수관계인(동일인 및 그 친족으로 한정한다)이 대통령령으로 정하는 비율(상장회사의 경우 30퍼센트, 비상장회사의 경우 20퍼센트) 이상 지분을 보유한 계열회사와의 거래를 통하여 특수관계인에게 부당한 이익제공을 하지 못하도록 하고 있으나, 규제기준에 못 미치는 회사의 내부거래 비중이 더 높은 것으로 나타나는 등 규제의 실효성이 미흡한 측면이 있다는 비판이 있었다. 이에 2020 개정법은 상장회사와 비상장회사 간 상이한 규제기준을 상장·비상장사 구분 없이 총수일가 등 특수관계인이 발행주식총수의 20퍼센트 이상 지분을 보유한 회사로 일원화하고, 동시에 이들 회사가 발행주식총수의 50퍼센트를 초과하는 지분을 보유한 자회사까지 규제대상에 포함시켜 사익편취 규제 적용대상을 확대하였다. 아울러 종래에는 지원금액(지원금액 산출이 어려운 경우 지원성 거래규모의 10%)의 5% 범위에서 과징금을 부과하도록 하면서 지원금액이 없는 경우 20억 원 이하의 정액과징금을 부과하도록 하였는데, 개정법에서는 지원금액의 10% 또는 40억 원 이하의 정액과징금으로 상향 개정하였다.

제23조의2(특수관계인에 대한 부당한 이익제공 등 금지)	제47조(특수관계인에 대한 부당한 이익제공 등 금지)
① 공시대상기업집단(동일인이 자연인인 기업집단으로 한정한다)에 속하는 회사는 **특수관계인**(동일인 및 그 친족에 한정한다. 이하 이 조에서 같다)<u>이나 특수관계인이 대통령령으로 정하는 비율 이상의 주식을 보유한 계열회사*</u>와 다음 각 호의 어느 하나에 해당하는 행위를 통하여 특수관계인에게 부당한 이익을 귀속시키는 행위를 하여서는 아니 된다. 이 경우 각 호에 해당하는 행위의 유형 또는 기준은 대통령령으로 정한다.	① 공시대상기업집단(동일인이 자연인인 기업집단으로 한정한다)에 속하는 국내 회사는 **특수관계인**(동일인 및 그 친족으로 한정한다. 이하 이 조에서 같다), **동일인이 단독으로 또는 다른 특수관계인과 합하여 발행주식총수의 100분의 20 이상의 주식을 소유한 국내 계열회사 또는 그 계열회사가 단독으로 발행주식총수의 100분의 50을 초과하는 주식을 소유한 국내 계열회사**와 다음 각 호의 어느 하나에 해당하는 행위를 통하여 특수관계인에게 부당한 이익을 귀속시

*시행령 제38조 제2항에서 동일인이 단독 또는 동일인 친족과 합하여 발행주식 총수의 30%(주권상장법인이 아닌 경우 20%) 이상을 소유한 계열회사로 한정

1. 정상적인 거래에서 적용되거나 적용될 것으로 판단되는 조건보다 상당히 유리한 조건으로 거래하는 행위
2. 회사가 직접 또는 자신이 지배하고 있는 회사를 통하여 수행할 경우 회사에 상당한 이익이 될 사업기회를 제공하는 행위
3. 특수관계인과 현금, 그 밖의 금융상품을 상당히 유리한 조건으로 거래하는 행위
4. 사업능력, 재무상태, 신용도, 기술력, 품질, 가격 또는 거래조건 등에 대한 합리적인 고려나 다른 사업자와의 비교 없이 상당한 규모로 거래하는 행위

② 기업의 효율성 증대, 보안성, 긴급성 등 거래의 목적을 달성하기 위하여 불가피한 경우로서 대통령령으로 정하는 거래는 제1항 제4호를 적용하지 아니한다.

③ 제1항에 따른 거래 또는 사업기회 제공의 상대방은 제1항 각 호의 어느 하나에 해당할 우려가 있음에도 불구하고 해당 거래를 하거나 사업기회를 제공받는 행위를 하여서는 아니 된다.

④ 특수관계인은 누구에게든지 제1항 또는 제3항에 해당하는 행위를 하도록 지시하거나 해당 행위에 관여하여서는 아니 된다.

제24조의2(과징금)

② 공정거래위원회는 제23조(불공정거래행위의 금지) 제1항 제7호 또는 같은 조 제2항, 제23조의2(특수관계인에 대한 부당한 이익제공 등 금지) 제1항 또는 제3항을 위반하는 행위가 있을 때에는 **해당 특수관계인 또는 회사에 대하여 대통령령으로 정하는 매출액에 100분의 5를 곱한 금액을 초과하지 아니하는 범위에서 과징금을 부과할 수 있다. 다만, 매출액이 없는 경우 등에는 20억 원을 초과하지 아니하는 범위에서 과징금을 부과할 수 있다.**

키는 행위를 하여서는 아니 된다. 이 경우 다음 각 호에 해당하는 행위의 유형 및 기준은 대통령령으로 정한다.

1. 정상적인 거래에서 적용되거나 적용될 것으로 판단되는 조건보다 상당히 유리한 조건으로 거래하는 행위
2. 회사가 직접 또는 자신이 지배하고 있는 회사를 통하여 수행할 경우 회사에 상당한 이익이 될 사업기회를 제공하는 행위
3. 특수관계인과 현금이나 그 밖의 금융상품을 상당히 유리한 조건으로 거래하는 행위
4. 사업능력, 재무상태, 신용도, 기술력, 품질, 가격 또는 거래조건 등에 대한 합리적인 고려나 다른 사업자와의 비교 없이 상당한 규모로 거래하는 행위

② 기업의 효율성 증대, 보안성, 긴급성 등 거래의 목적을 달성하기 위하여 불가피한 경우로서 대통령령으로 정하는 거래에는 제1항 제4호를 적용하지 아니한다.

③ 제1항에 따른 거래 또는 사업기회 제공의 상대방은 제1항 각 호의 어느 하나에 해당할 우려가 있음에도 불구하고 해당 거래를 하거나 사업기회를 제공받는 행위를 하여서는 아니 된다.

④ 특수관계인은 누구에게든지 제1항 또는 제3항에 해당하는 행위를 하도록 지시하거나 해당 행위에 관여해서는 아니 된다.

제50조(과징금)

② 공정거래위원회는 제45조 제1항 제9호 또는 같은 조 제2항, 제47조 제1항 또는 제3항을 위반하는 행위가 있을 때에는 **해당 특수관계인 또는 회사에 대통령령으로 정하는 매출액에 100분의 10을 곱한 금액을 초과하지 아니하는 범위에서 과징금을 부과할 수 있다. 다만, 매출액이 없는 경우 등에는 40억 원을 초과하지 아니하는 범위에서 과징금을 부과할 수 있다.**

25 지원주체와 지원객체가 반드시 특수관계에 있어야 하는가?

A 일반 부당지원행위 규제대상은 특수관계인 간 거래에 한정되지 않는다. 그러나, 실무상 특수관계 없는 거래당사자 사이의 거래가 부당한 지원행위로 규제되는 경우는 거의 없다.

해설

　공정거래법 제23조 제1항 제7호에서는 부당한 지원행위의 지원객체를 특수관계인에 한정하지 않고 있으므로 비특수관계인에 대한 지원행위도 성립될 수 있다. 공정거래법 집행에서도 특수관계 또는 사실상 특수관계에 있는 경우에만 지원행위가 문제된다. 공정거래법에서 특수관계를 전제하지 않은 이유에 대하여 사실상 특수관계, 예를 들어 위장계열사나 또는 친족 기업집단이나 방계기업과 같이 사실상 비특수관계로 볼 수 없는 경우의 지원행위를 규제하기 위함으로 이해되고 있다. 정책적으로는 경제력집중 억제시책으로 계열분리 촉진을 도모하고 있지만, 특정 대규모기업집단이 친족 간 계열분리를 시도하여 독립된 기업집단으로 분리시킨 다음 친족 기업집단에게 자금·자산·인력 등을 부당하게 지원하는 경우 실질적 계열분리가 이루어지지 않는 결과가 초래된다. 특수관계인으로 한정하지 않은 현행 부당지원행위 규제가 이런 경우를 막을 수 있는 긍정적인 측면이 있다는 주장이 있다.

　판례도 반드시 계열회사에 한정되지 않는다는 입장이다. 공정거래법 제23조 제1항 제7호 및 시행령에서 지원객체의 하나로 '다른 회사'라고 규정하고 있을 뿐 다른 제한을 두지 않고 있다는 점과 부당한 지원행위 금지제도의 입법취지에 비추어 볼 때 지원객체는 대규모기업집단 계열회사에 한정되지 않는다고 전제한 뒤, 계열회사로 편입되지 아니하였으나 사실상의 계열회사 관계에 있는 회사에 대한 사업 운영자금 대여행위를 부당한 자금 지원행위에 해당한다고 판시하였다(대법원 2004. 10. 14. 선고 2001두2881 판결, 판기환송심 서울고등법원 2005. 11. 16. 선고 2004누22765). 다만, 이 사건은 지원거래 당사자들이 사실상 계열회사 관계에 있는 경우였다.

　법리상 특수관계 없는 제3자 간 거래조건은 객관적이고 공정한 것으로 추정되고 그 추정을 번복하기 위하여는 특별한 사정이 있어야 하므로 특수관계 또는 사실상 특수관계에 있는 것으로 볼만한 사정이 없는 경우에 부당지원행위가 성립할 가능성은 거의 없다. 법률상 특수관계가 아닌 경우라면 (ⅰ) 거래당사자가 사실상의 계열회사 관계에 있다거나 (ⅱ) 지원주체가 제3자와의 거래를 매개로 하여 궁극적으로 특수관계인에게 경제적 이익을 공여하는 간접적인 지원행위를 하는 등 특별한 사정이 존재하지 않는 한, 순수한 비특수관계인과의 거래가 부당한 지원행위로 판단될 가능성은 사실상 없다. 세법의 규정이기는 하지만 상증세법 제4조 제1항 제2호에서 "현저히 낮은 대가를 주고 재산 또는 이익을 이전받음으로써 발생하는 이익이나 현저히 높은 대가를 받고 재산 또는 이익을 이전함으로써 발생하는 이익"을 증여재산으로 보면서도 동호 단서에서 "다만, 특수관계인이 아닌 자 간의 거래인 경우에는 거래의 관행상 정당한 사유가 없는 경우로 한정한다"라고 규정하고 있다.

　참고로, 세법에서는 이러한 점을 감안하여 비특수관계인 사이의 거래에는 부당행위계산부인 규정을 적용하지 않고, 다만 시가와 거래가격의 차이가 30%를 초과하는 경우에는 비지정기부금으로 의제하는 규정을 두고 있다. 법인세법 시행령 제35조 제2항에서 '법인이 특수관계인 외의 자에게 정당한 사유 없이 자산을 정상가액보다 낮은 가액으로 양도하거나 정상가액보다 높은 가액으로 매입함으로써 그 차액 중 실질적으로 증여한 것으로 인정되는 금액'을 기부금으로 간주하되, 여기서 정상가액은 '시가에 시가의 100분의 30을 가산하거나 100분의 30을 차감한 범위 안의 가액'으로 규정한 것이다. 즉, 법인세법의 적용에 있어 비특수관계인 간의 자산양수도 거래는 (i) 시가의 70∼130% 범위 내에서 거래가 이루어지거나, (ii) 이러한 정상가액이 범위를 벗어나더라도 정당한 사유가 인정되는 경우에는 기부금 손금불산입이 적용되지 않는다. 또한 상증세법 제4조 제1항 제2호에서 "현저히 낮은 대가를 주고 재산 또는 이익을 이전받음으로써 발생하는 이익이나 현저히 높은 대가를 받고 재산 또는 이익을 이전함으로써 발생하는 이익"을 증여재산으로 보면서도 동호 단서에서 "다만, 특수관계인이 아닌 자 간의 거래인 경우에는 거래의 관행상 정당한 사유가 없는 경우로 한정한다"라고 규정하고 있다.

　한편, 공정거래법 제23조 제1항에서 "사업자는 … 행위를 하거나 계열회사 또는 다른 사업자로 하여금 이를 행하도록 하여서는 아니된다"라고 규정하고 있으므로 반드시 지원주체가 지원객체에게 경제적 이익을 제공하지 않는 경우라도 부당지원행위가 성립할 수 있다. 우회적, 간접적 방식에 의한 지원도 가능하다고 지원행위의 교사로 금지된다.

Q 26 사업자가 아닌 개인에 대한 부당지원행위가 가능한가?

A 지원객체에는 제한이 없지만, 삼성 SDS 부당지원행위 사건에서 법원은 개인에 대한 지원이 다시 계열회사에 투자 등을 통하여 관련시장에서의 경쟁을 저해하거나 경제력을 집중시킬 우려가 인정되어야 한다며 오너 등 개인에 대한 지원행위의 공정거래저해성을 사실상 부정한 바 있다. 그 극복을 위하여 사익편취행위에 대한 제23조의2가 신설되었다.

해설

공정거래법 제23조 제1항 제7호가 지원객체(거래상대방)에 대하여 "특수관계인 또는 다른 회사"라고 규정하고 있으므로 지원객체가 사업자로만 한정되지 않는다. 하지만 개인에 대한 지원행위와 관련하여 우리 법원은 원칙적으로 공정거래저해성(부당성)을 사실상 부정하고 있다. 삼성 SDS의 특수관계인에 대한 부당지원행위 건 등에서 공정거래법 제23조 제1항 제7호 해석과 관련하여 "변칙적인 부의 세대 간 이전 등을 통한 소유집중의 직접적 규제는 법의 목적이 아니"라고 전제하면서 "특수관계인을 중심으로 경제력이 집중될 기반이나 여건이 조성될 여지가 있다는 것만으로는 공정한 거래를 저해할 우려가 있다고 단정하기 어렵고, 위 특수관계인이 지원받은 자산을 계열회사에 투자하는 등으로 관련시장에서의 공정한 거래를 저해할 우려가 있다는 점에 대한 입증이 필요"하다고 판시한 바 있다(대법원 2004. 9. 24. 선고 2001두6364 판결 등 참고). 즉, 지원행위를 통해 지원객체인 개인 또는 그 특수관계자들이 국민 경제에서 차지하는 부의 비중이 커지거나 그로 인해 취득한 이익으로 계열회사들에 대한 지분을 추가로 확보하였다고 하더라도, 부당지원행위의 부당성 요건을 충족하였다고 보기 어렵다는 취지이다.[83]

소유집중만으로는 부당성 요건이 충족되지 않으며, 일반집중이나 소유집중에 이르렀음이 인정되어야 한다는 입장을 보인 것이다. 이후 일반지원행위 심사지침에서 이를 반영하여 IV. 1. 나.의 "사업자가 아닌 특수관계인에 대한 지원행위의 부당성은 특수관계인이 해당 지원행위로 얻은 경제상 급부를 계열회사 등에 투자하는 등으로 인하여 지원객체가 직접 또는 간접적으로 속한 시장에서 경쟁이 저해되거나 경제력집중이 야기되는 등으로 공정한 거래를 저해할 우려가 있는지 여부에 따라 판단한다"가 추가되었다. 한편, 총수일가에 대한 이익제공 행위 및 이로 인한 소유집중에 대하여도 규제하기 위하여 제23조의2 특수관

---

83) 김경연, 「동일인에 대한 부당지원행위 평가의 접근 방향」, 경제법 판례연구(2007년), p.169

계인에 대한 부당이익 제공 금지 규정이 도입되었다.

한편, 공정거래법 제23조 제2항에 따라 일반지원행위에 해당할 우려가 있음에도 불구하고 해당 지원을 받는 것을 금지하는 지원객체의 의무도 포함되었다. 그 주체로 특수관계인 또는 다른 회사라고 규정하고 있지만, 사업자가 아닌 개인이 지원객체가 되기는 어려우므로, 특별한 사정이 없는 한 기업집단에 지배적 영향을 행사하는 동일인관련자나 임직원은 동항의 특수관계인에 해당하지는 않는다. 동항의 '특수관계인 또는 다른 회사'는 지원객체만을 의미한다. 지원행위를 결정하거나 실행한 동일인관계자등 특수관계자는 해당되지 않는다. 다만, 공정거래법 제23조의2의 사익편취규제에서는 교사 또는 관여한 동일인 관계자 등 특수관계자의 행위로 금지된다.

Q 27 부당지원행위의 교사행위도 금지되는가?

A 공정거래법 제23조 제1항 후문에 의하여 교사행위도 금지되지만, 그 주체는 사업자로 만 한정되므로 동일인관련자 등 특수관계인 개인은 교사행위의 주체가 될 수 없다.

해설

공정거래법 제23조 제1항 전문에서 "사업자는 다음 각 호의 어느 하나에 해당하는 행위 로서 공정한 거래를 저해할 우려가 있는 행위를 하거나"라고 규정하고 있고 그 후문에서 사업자에 대하여 "계열회사 또는 다른 사업자로 하여금 이를 행하도록 해서는 안된다"고 규정하고 있으므로 후문에 따라 교사행위도 금지된다. 다만, 법문상 후문의 주어 역시도 "사업자"이므로, 사업자가 아닌 개인인 특수관계인이나 동일인은 그 주체가 될 수 없다.

공정거래법 제23조 제1항 후문 해석과 관련하여 교사행위만 해당하는지 아니면 방조행위 도 금지되는 것인지에 대하여 논란이 있을 수 있다. 관련하여 법원은 다른 사업자로 하여금 부당한 공동행위를 행하도록 하는 행위를 금지하고 있는 법 제19조 제1항 후단과 관련하여 '이는 다른 사업자로 하여금 부당한 공동행위를 하도록 교사하는 행위 또는 이에 준하는 행위 를 의미하고, 다른 사업자의 부당한 공동행위를 단순히 방조하는 행위는 포함되지 않는다'고 판시한 바 있다(서울고법 2008. 12. 25. 선고 2008누14854 판결, 동 고등법원 판결은 대법원 2009. 5. 14. 선고 2009두1556 판결에서 심리불속행 기각되었다). 따라서 부당한 지원행위를 행하도록 하는 행위 역시 다른 사업자로 하여금 부당한 지원행위를 하도록 교사하는 행위 또는 이에 준하는 행위 를 의미하는 것이므로, 단순한 방조행위는 해당되지 않는 것으로 해석할 수 있다.

한편, 사익편취행위를 금지한 공정거래법 제23조의2에서는 제4항에서 "특수관계인은 누 구에게든지 제1항 또는 제3항에 해당하는 행위를 하도록 지시하거나 해당 행위에 관여하여 서는 아니 된다"고 규정하여 지시 및 관여행위를 금지하고 있다. 국어적 의미에서 지시는 교사에 해당하고 관여는 방조행위에 해당하는 것으로 보이므로, 일반 지원행위와 달리 교 수 뿐 아니라 방조행위까지 금지하는 것으로 보아야 한다. 한편, 여기서 특수관계인은 제23 조의2 제1항이나 제3항의 거래상대방을 의미하는 것이 아니라 이익제공행위를 한 특수관 계인으로서 개인과 사업자 모두를 포함한다고 해석된다.

공정거래위원회의 '총수일가 사익편취 가이드라인'에서도 "구체적으로는 총수일가가 지 원주체의 의사결정에 직접 또는 간접적으로 관여할 수 있는 지위에 있었는지 여부, 당해 행위와 관련된 의사결정 내용을 보고받고 결재하였는지 여부, 당해 행위를 구체적으로 지시하였는지 여부 등을 종합적으로 고려하여 판단한다"고 설명하고 있다(특수관계자 이익제공 행위 가이드라인 제27면).

관련하여 총수일가의 지분율이나 거래의 종류를 기준으로 관여를 추정하도록 하는 것이어서 입증책임을 법집행기관이 아닌 사인에게 사실상 전가한 것이라는 비판이 있다.[84] 사견으로 총수일가의 '관여'에 대하여 원칙적인 입증책임은 공정거래위원회에 있고 아울러 '관여'와 관련한 모든 사실관계 및 증거는 규제기관보다는 총수일가인 행위자의 지배영역에 있는 것이기 때문에 입증책임 배분에 대한 법 원칙에 위반된다 보기 어렵다.

---

84) 이호영, 「물량몰아주기 관련 법 개정안에 대한 소고」, 경쟁과 법(2013. 10.), p.65

Q28 100% 모자회사, 자매회사 사이에서도 부당지원행위나 총수일가 사익 편취행위가 성립되는가?

A 완전모자회사 관계에서도 부당한 지원행위나 사익편취 행위가 성립될 수 있다. 다만, 경제적으로 동일한 이해 관계를 가지는 완전모자회사에 대해서는 회사법 이론상 부당한 측면이 있다.

해설

경제적 동일체에 다름 없는 완전모자회사 사이의 거래에 경쟁법이 적용될 수 있는지 여부에 관하여는 국내외적으로 논의가 있어 왔다. 카르텔 규제와 관련하여, 공동행위 심사기준에서는 '사업자가 다른 사업자의 주식을 모두 소유한 경우'에는 실질적·경제적 관점에서 '사실상 하나의 사업자'에 해당한다고 보아 완전모자회사 사이의 공정거래법 제19조 제1항 각 호 사항(단, 입찰담합은 제외)에 관한 합의에는 부당한 공동행위 금지규정의 적용을 배제하고 있다(공동행위 심사기준 V. 1. 2. 참고).

반면 부당한 지원행위의 경우, 대법원은 LG 반도체 외 18개 사의 부당지원행위 건에서 "모회사가 주식의 100%를 소유하고 있는 완전자회사라 하더라도 양자는 법률적으로는 별개의 독립한 거래주체라 할 것이고, 부당지원행위의 객체를 정하고 있는 법 제23조 제1항 제7호의 '다른 회사'의 개념에서 완전자회사를 지원객체에서 배제하는 명문의 규정이 없으므로 모회사와 완전자회사 사이의 지원행위도 법 제23조 제1항 제7호의 규율대상이 된다"고 판시하였다. 모회사와 완전자회사는 경제적인 이익과 손실을 완전히 같이 하는 단일한 경제단위(a single economic unit)에 해당하므로 지원객체에 해당하지 아니한다는 원고의 주장을 배척한 것이다(대법원 2004. 11. 12. 선고 2001두2034 판결; 대법원 2011. 9. 8. 선고 2009두11911 판결 등도 같은 취지). 공정거래위원회도 다음커뮤니케이션 및 다음솔루션의 부당지원행위에 대한 건(2002. 9. 3. 의결 제2002-180호), 한국가스공사의 부당지원행위에 대한 건(2008. 10. 30. 의결 제2008-290호), 한국전력공사 소속회사의 부당지원행위에 대한 건(2015. 3. 23. 의결 제2015-087호) 등에서 완전모자회사 사이의 거래를 부당지원행위로 제재한 바 있다.

이에 대해서는 완전모자회사는 경제적 이해관계가 완전히 일치하는 하나의 사업자에 다름없음에도 형식적인 법인격의 도그마에 빠져 규제 여부를 판단하였다는 비판이 있다.[85] 같은 맥락에서, 완전모자회사 사이에서 지원행위가 이루어진다 하더라도 관련 시장에 영향

---

85) 송옥렬, 「기업집단 내부거래 및 일감몰아주기 규제의 법정책」, p.3

이 없고 추가적인 경제력의 집중도 야기되지 않으므로 '부당성'이 인정되지 않는다는 이유로 이를 부당한 지원행위로 규제하는 것은 납득하기 어렵다는 의견이 있다.

그러나, 상기 판례의 취지와 공정거래위원회의 집행 실무에 비추어 볼 때 완전모자회사 간 거래라 하더라도 부당지원행위에 해당할 수 있으므로 현실적으로 조사와 제재를 받을 리스크가 존재한다. 다만, 완전모자회사는 경제적 손익을 같이 하므로 지원행위로 인한 현실적인 부의 이전이 발생하지 않는다는 점에서, 부당성 여부를 판단함에 있어 상대적으로 느슨한 잣대가 적용될 수 있다.

한편, 세법의 경우 100% 모자회사 또는 자매회사 관계라 하더라도 법인세법상의 부당행위계산부인 규정 또는 국조법상의 이전가격세제 규정이 적용된다. 세법은 납세의무 단위별로 소득을 계산하여 부과하는 것이므로 '지원'이 성립하지 않더라도 과세에는 지장이 없다. 공정거래법의 경우 '지원'이 있어야 하는데 경제적 동일체 간에는 '지원'이 성립할 수 없으므로, 세법상 과세가능하다는 것이 완전모자회사 간의 지원행위를 인정하는 현재 대법원의 입장을 정당화시켜 주지는 않는다. 이러한 대법원 판례는, 1인 회사에 대한 100% 주식을 보유한 주주의 배임죄 성립을 인정하는 판례 역시 궤를 같이 한다고 본다.[86]

---

86) 〈대법원 1983. 12. 13. 선고 83도2330 전원합의체 판결〉
　　배임죄의 주체는 타인을 위하여 사무를 처리하는 자이며, 그의 임무위반 행위로써 그 타인인 본인에게 재산상의 손해를 발생케 하였을 때 이 죄가 성립되는 것인즉, 소위 1인회사에 있어서도 행위의 주체와 그 본인은 분명히 별개의 인격이며, 그 본인인 주식회사에 재산상 손해가 발생하였을 때 배임죄는 기수가 되는 것이므로 궁극적으로 그 손해가 주주의 손해가 된다 하더라도 이미 성립한 죄에는 아무 소장이 없다.
　　〈대법원 1983. 12. 13. 선고 83도2330 전원합의체 판결〉
　　주식회사의 주식이 사실상 1인주주에 귀속하는 1인회사에 있어서도 회사와 주주는 분명히 별개의 인격이어서 1인회사의 재산이 곧바로 그 1인주주의 소유라고 볼 수 없으므로 사실상 1인주주라고 하더라도 회사의 금원을 임의로 처분한 소위는 횡령죄를 구성한다.

Q 29 일반 부당지원행위 유형은 무엇인가? 제23조의2 총수일가 사익편취 제공행위와는 유형이 다른가?

A 공정거래법은 자금 지원, 자산·상품 등 지원, 인력지원, 통행세로 나누고 있지만 성립요건 및 판단기준의 측면에서 가격 등 가격 지원행위(거래조건 지원행위), 물량몰아주기, 통행세로 나누는 것이 바람직하다. 반면 특수관계자 부당이익 제공행위에도 가격지원행위, 물량몰아주기, 통행세가 있고 더하여 사업기회 제공행위가 추가로 금지되어 있다.

해설

일반지원행위와 관련하여 공정거래법 제23조 제7항은 가목에서 '유리한 조건의 거래'를 통한 지원행위와 '실질적 역할 없는 거래'를 통한 지원행위를 규정하고 있고, 공정거래법 시행령 제36조 제1항 별표 1의2 제10호에서 부당한 자금지원, 부당한 자산·상품 등 지원, 부당한 인력지원, 부당한 거래단계 추가(거래상 역할이 없거나 미미한 특수관계인 등을 추가하여 거래하는 행위와 직접 거래하면 유리함에도 특수관계인 등을 통해 거래하면서 과도한 대가를 지급하는 행위)로 분류하고 있다. 하지만 '유리한 조건의 거래'는 실무상·해석상으로 거래조건(주로 가격)을 유리하게 거래하는 행위(거래조건 지원행위 또는 가격 지원행위)와 물량몰아주기로 나눈다. 전자는 '정상가격'을 산정하여 실제 거래조건이 이보다 유리하면 성립하는 것이고, 후자는 거래 물량이 비특수관계인 사이에 이루어질 수 없는 상당한 거래물량으로 거래함으로써 성립하는 것으로 구성요건 및 판단기준이 다르다. 그래서 이 두 유형으로 분류하는 것이 합리적이다. 공정거래위원회 실무와 판례 역시 같은 입장으로 이해한다. 본 책에서는 이런 분류법을 따른다.

공정거래법 제23조 제1항 제7호의 일반 부당지원행위에는 ① 정상가격에 비하여 상당히 유리한 조건으로 거래하여 과다한 경제적 이익을 제공하는 거래조건 지원행위, ② 상당한 규모로 거래하여 과다한 경제적 이익을 제공하는 물량 지원행위, ③ 당사자 간 직접 거래하는 것이 유리함에도 거래단계에 추가해 거래하여 과도한 대가를 지급하는 통행세 거래가 있다. 반면, 제23조의2 특수관계자 부당이익 제공행위에는 ① 거래조건 지원행위와 함께 ② 통상 기대되는 거래상대방의 적합한 선정과정 없이 상당한 규모로 이루어지는 거래 및 ③ 회사가 직접 수행하는 것이 이익이 되는 사업기회를 특수관계인에게 제공하는 사업기회 제공행위가 있다.

제23조 행위이든 제23조의2 행위이든 통상 ①유형은 동일한다고 생각된다. ②유형은 일반 지원행위에서는 '상당히 유리한 조건'이 필요한 것으로 이해되지만, 특수관계자 부당이익 제공에 있어서는 규정상으로는 적정한 검증절차를 거치는 것만이 요건으로 규정되어 있다. 이후에 추가로 설명하겠지만 적정한 절차를 거치지 않은 경우라 하더라도 정상가격이나 정상적인 거래조건으로 거래하였다면 법 위반이라고 볼 수 없고, 적정한 절차를 거쳤다 해도 정상가격으로 거래되지 않았다면 그 역시 법 위반되는 것으로 해석해야 하므로, ②유형도 본질적으로 같은 유형이라 생각된다.

하지만 ③의 경우에는 일반 지원행위와 특수관계자 부당이익 제공의 유형이 동일하다고 보기는 어렵다. 일반 지원행위에서 통행세 거래는 거래 중간에 특수관계인을 추가하는 행위이지만 특수관계자 부당이익 제공의 사업기회 제공행위는 본인을 제외하고 특수관계인에게만 사업기회를 제공하는 유형이기 때문이다.

30 거래조건 지원행위(가격지원행위)의 구체적인 유형

A 자금거래 지원행위, 자산거래 지원행위, 부동산임대차 지원행위, 상품·용역 거래조건 지원행위, 인력 지원행위가 있다.

해설

공정거래법 제23조 제7항은 가목에서 '유리한 조건의 거래'를 통한 지원행위와 '실질적 역할 없는 거래'를 통한 지원행위를 규정하고 있고, 공정거래법 시행령 제36조 제1항 별표 1의2 제10호에서 부당한 자금지원, 부당한 자산·상품 등 지원, 부당한 인력지원, 부당한 거래단계 추가(거래상 역할이 없거나 미미한 특수관계인 등을 추가하여 거래하는 행위와 직접 거래하면 유리함에도 특수관계인 등을 통해 거래하면서 과도한 대가를 지급하는 행위)로 분류하고 있다. 하지만 '유리한 조건의 거래'는 실무상·해석상으로 거래조건(주로 가격)을 유리하게 거래하는 행위(거래조건 지원행위 또는 가격 지원행위)와 물량몰아주기로 나눈다.

견해에 따라서는 가격 차이와 크면 거래량이 미미해도 지원행위가 성립하지 않으며 가격 차이가 크지 않아도 거래량이 많으면 지원행위가 성립하기 때문에, 가격 지원행위와 물량몰아주기의 본질적 차이가 없다고 보는 경우도 있다.[87] 하지만 가격 지원행위는 경제적 이익의 비등가적 이전이 본질이기 때문에 '정상가격'을 산정하여 실제 거래조건과 비교하여 판단하는 특성이 있는 반면, 물량몰아주기는 비특수관계인 사이라면 이루어질 수 없었던 상당한 물량의 거래를 의미하는 것이므로 그 구성요건 및 판단기준이 다르다. 그래서 가격 지원행위와 물량몰아주기로 분류하는 것이 합리적이고 공정거래위원회 실무와 판례 역시 이렇게 크게 분류하는 것으로 이해한다.

비특수관계인 사이에서 정해졌을 정상가격보다 유리한 조건으로 자금·자산·상품·용역·인력을 거래하는 가격 지원행위는 직접적 지원행위뿐 아니라 제3자를 매개로 한 간접적 지원행위도 포함되고, 작위뿐 아니라 부작위에 의한 지원행위도 가능하다(대법원 2004. 10. 14. 선고 2001두2881 판결).

자금거래 지원행위란, 지원주체가 지원객체와 가지급금·대여금 등 자금을 정상적인 거래에서 적용되는 대가보다 상당히 낮거나 높은 대가로 제공 또는 거래하는 행위를 통하여

---

87) 권오승·서정, 「독점규제법 이론과 실무」, 법문사(2018), p.516

과다한 경제상 이익을 제공하는 것이다. 또한 지원주체가 지원객체와 가지급금·대여금 등 자금을 상당한 규모로 제공 또는 거래하는 행위를 통하여 과다한 경제상 이익을 제공하는 것을 말한다. 실제 적용된 금리(이하 "실제적용금리"라 한다)가 해당 자금거래와 시기, 종류, 규모, 기간, 신용상태 등의 면에서 동일 또는 유사한 상황에서 특수관계가 없는 독립된 자 사이에 자금거래가 이루어졌다면 적용될 금리(이하 "개별정상금리"라 한다)보다 상당히 낮거나 높은 경우에 성립한다. 회계처리상 계정과목을 가지급금 또는 대여금으로 분류하고 있는 경우에 국한하지 아니하고, 지원주체가 지원객체의 금융상 편의를 위하여 직접 또는 간접으로 현금 기타 자금을 이용할 수 있도록 경제상 이익을 제공하는 일체의 행위를 말한다. 그 예시는 다음과 같다(일반지원행위 심사지침 III. 1.).

- 지원주체가 지원객체의 금융회사로부터의 차입금리보다 저리로 자금을 대여하는 경우
- 계열금융회사에게 콜자금을 시중 콜금리보다 저리로 대여하는 경우
- 계열투신운용회사가 고객의 신탁재산으로 지원객체에게 저리의 콜자금 등을 제공하는 경우
- 상품·용역 거래와 무관하게 「선급금 명목으로」 지원객체에게 무이자 또는 저리로 자금을 제공하는 경우
- 계열금융회사가 특수관계가 없는 독립된 자의 예탁금에 적용하는 금리보다 낮은 금리로 계열금융회사에 자금을 예치하는 경우
- 단체퇴직보험을 금융회사에 예치하고 이를 담보로 지원객체에게 저리로 대출하도록 하는 경우
- 계열금융회사가 지원객체에게 대여한 대여금의 약정 연체이자율을 적용하지 않고 일반 대출이자율을 적용하여 연체이자를 수령하는 경우
- 주식매입을 하지 않으면서 증권예탁금 명목으로 계열증권회사에 일정 기간 자금을 저리로 예탁하는 경우
- 보유하고 있는 지원객체 발행주식에 대한 배당금을 정당한 사유없이 수령하지 않거나 수령을 태만히 하는 경우
- 지원객체소유 부동산에 대해 장기로 매매계약을 체결하고 계약금 및 중도금을 지급한 뒤 잔금지급 전 계약을 파기하여 계약금 및 중도금 상당액을 변칙 지원하는 경우
- 지원주체가 제3자인 은행에 정기예금을 예치한 다음 이를 다시 지원객체에 대한 대출금의 담보로 제공함으로써 지원객체로 하여금 은행으로부터 낮은 이자율로 대출받도

록 하는 경우

　자산거래 지원행위란, 지원주체가 지원객체에게 유가증권·부동산·무체재산권이나 기타 자산(이하 "자산"이라 한다)을 정상적인 거래에서 적용되는 대가보다 상당히 낮거나 높은 대가로 제공 또는 거래하는 행위를 통하여 과다한 경제상 이익을 제공하는 것을 말한다. 또한 지원주체가 지원객체에게 자산을 상당한 규모로 제공 또는 거래하는 행위를 통하여 과다한 경제상 이익을 제공하는 것을 의미한다. 실제 거래가격이 해당 자산 거래와 시기, 종류, 규모, 기간 등이 동일 또는 유사한 상황에서 특수관계가 없는 독립된 자 사이에 이루어졌다면 형성되었을 거래가격에 비하여 상당히 낮거나 높은 경우에 성립한다. 그 예시는 다음과 같다(일반지원행위 심사지침 III. 1.).

- 지원객체가 발행한 기업어음을 비계열사가 매입한 할인율보다 낮은 할인율로 매입하는 경우 [기업어음 고가매입]
- 지원객체의 신용등급에 적용되는 할인율보다 낮은 할인율을 적용하여 발행한 기업어음을 매입하는 경우 [기업어음 고가매입]
- 지원주체가 제3자 발행의 기업어음을 매입하고 그 제3자로 하여금 그 매출금액의 범위 내에서 지원객체 발행의 기업어음을 지원객체에게 유리한 조건으로 매입하도록 하는 경우 [기업어음 고가매입]
- 역외펀드를 이용하여 지원객체가 발행한 주식을 고가로 매입하거나 기업어음 등을 저리로 매입하는 경우 [주식 또는 기업어음 고가매입]
- 계열투신운용회사가 고객의 신탁재산으로 지원객체의 기업어음이나 회사채를 저리로 매입하는 경우 [기업어음 또는 회사채 고가매입]
- 금융회사의 특정금전신탁에 가입하고 동 금융회사는 동 자금을 이용하여 위탁자의 특수관계인 등이 발행한 기업어음 또는 사모사채를 저리로 인수하는 경우
  [기업어음 또는 사모사채 고가매입]
- 특수관계가 없는 독립된 자가 인수하지 않을 정도의 낮은 금리수준으로 발행된 후순위사채를 지원주체가 인수하는 경우 [후순위사채 고가매입]
- 제3자 배정 또는 실권주 인수 등의 방식을 통해 유상증자에 참여하면서 특수관계가 없는 독립된 자가 인수하지 않을 정도의 고가로 발행한 주식을 지분을 전혀 보유하고 있지 않던 지원주체가 인수하는 경우 [주식 고가매입]
- 제3자 배정 또는 실권주 인수 등의 방식을 통해 유상증자에 참여하면서 특수관계가 없

는 독립된 자가 인수하지 않을 정도의 고가로 발행한 주식을 기존 주주인 지원주체가 인수하여 증자 후의 지분율이 증자 전의 지분율의 50/100 이상 증가하는 경우(다만, 증자 전 제1대 주주이거나 증자 후 제1대 주주가 되는 주주가 유상증자에 참여한 경우는 제외하며, 의결권이 제한되는 계열 금융사 등은 제1대 주주로 보지 아니함)
[주식 고가매입]
- 금융관련 법규위반을 회피하기 위해 금융회사를 통하여 실권주를 높은 가격으로 우회 인수하거나 기타 탈법적인 방법으로 지원주체가 인수하는 경우 [주식 우회인수]
- 전환권행사가 불가능할 정도로 전환가격이 높고, 낮은 이자율로 발행된 전환사채를 지원주체가 직접 또는 제3자를 이용하여 우회 인수하는 경우 [전환사채 고가매입]
- 지원객체가 발행한 전환사채에 관하여 지원주체가 제3자인 대주단에 지원주체 소유의 부동산을 담보로 제공하고 위 전환사채에 관하여 대주단과 총수익스와프(TRS, Total Return Swap) 계약을 체결하여 대주단으로 하여금 위 전환사채를 인수하도록 하는 경우 [전환사채 고가매입]
- 경영권 방어목적 등 특별한 사유없이 전환권행사로 인해 포기되는 누적이자가 전환될 주식의 시세총액과 총 전환가액의 차액보다 큼에도 불구하고 지원주체가 전환권을 행사하는 경우 [전환사채 저가주식 전환]
- 시가보다 낮은 가격으로 신주인수권부사채를 발행하여 지원객체에 매각하는 경우 [신주인수권부사채 저가매각]
- 비계열금융회사에 후순위대출을 해주고, 동 금융회사는 지원객체가 발행한 저리의 회사채를 인수하는 경우 [회사채 고가매입]
- 계열금융회사가 지원객체가 보유한 부도난 회사채 및 기업어음 등 유가증권을 고가에 매입하는 경우 [부도 유가증권 고가매입]
- 시가에 비하여 저가로 지원객체에 매도하거나, 고가로 지원객체로부터 매수하는 경우 [부동산 저가매도 또는 부동산 고가매수]
- 계열회사가 단독으로 또는 지원객체와 공동으로 연구개발한 결과를 지원객체에 무상 양도하여 지원객체가 특허출원을 할 수 있도록 하는 경우 [무체재산권 무상양도]

부동산임대차 지원행위란, 지원주체가 지원객체에게 부동산을 무상으로 사용하도록 제공하거나, 정상임대료보다 상당히 낮은 임대료로 임대하거나 정상임차료보다 상당히 높은 임차료로 임차하는 행위를 통하여 과다한 경제상 이익을 제공하는 것을 말한다. 또한 지원주체가 지원객체에게 부동산을 상당한 규모로 임대차하는 행위를 통하여 과다한 경제상 이익을 제공하는 것을 의미한다. 정상임대료는 해당 부동산의 종류, 규모, 위치, 임대시기, 기간 등을 참작하여 유사한 부동산에 대하여 특수관계가 없는 독립된 자 사이에 형성되었을 임대료로 하되, 이를 합리적으로 산정하기 어려운 경우에는 「(부동산 정상가격의 50/100) × 임대일수 × 정기예금이자율/365 = 해당 기간의 정상임대료」로 산정한다. 그 예시는 다음과 같다(일반지원행위 심사지침 III. 1.).

- 지원객체에게 공장·매장·사무실을 무상 또는 낮은 임대료로 임대하는 경우 [부동산 저가임대]
- 임대료를 약정납부기한보다 지연하여 수령하면서 지연이자를 받지 않거나 적게 받는 경우 [부동산 저가임대]
- 지원객체로부터 부동산을 임차하면서 고가의 임차료를 지급하는 경우 [부동산 고가임차]
- 지원주체가 지원객체 소유 건물·시설을 이용하면서 특수관계가 없는 독립된 자와 동일하게 이용료를 지불함에도 불구하고 임차보증금 또는 임차료를 추가적으로 지급하는 경우 [부동산 고가임차]

상품·용역 거래조건 지원행위란, 지원주체가 지원객체와 상품·용역을 정상적인 거래에서 적용되는 대가보다 상당히 낮거나 높은 대가로 제공 또는 거래하는 행위를 통하여 과다한 경제상 이익을 제공하는 것을 의미한다. 상품·용역 거래에 의한 지원행위 중 거래대가 차이로 인한 지원행위는 실제 거래가격이 해당 상품·용역 거래와 시기, 종류, 규모, 기간 등이 동일 또는 유사한 상황에서 특수관계가 없는 독립된 자 사이에 이루어졌다면 형성되었을 거래가격에 비하여 상당히 낮거나 높은 경우에 성립한다. 그 예시는 다음과 같다(일반지원행위 심사지침 III. 1.).

- 지원객체에 대한 매출채권회수를 지연하거나 상각하여 회수불가능 채권으로 처리하는 경우
- 외상매출금, 용역대금을 약정기한 내에 회수하지 아니하거나 지연하여 회수하면서 이에 대한 지연이자를 받지 아니하는 경우
- 지원객체가 생산·판매하는 상품을 구매하는 임직원에게 구매대금을 대여하거나 융자금을 알선해 주고 이자의 전부 또는 일부를 임직원 소속 계열회사의 자금으로 부담하는 경우

- 지원객체가 운영하는 광고매체에 정상광고단가보다 높은 단가로 광고를 게재하는 방법으로 광고비를 과다 지급하는 경우
- 주택관리업무를 지원객체에게 위탁하면서 해당 월의 위탁수수료 지급일보다 지원객체로부터 받는 해당 월의 임대료 등 정산금의 입금일을 유예해주는 방법으로 지원객체로 하여금 유예된 기간만큼 정산금 운용에 따른 이자 상당의 수익을 얻게 하는 경우
- 지원객체가 지원주체와의 상품·용역 거래를 통하여 지원객체와 비계열회사 간 거래 또는 다른 경쟁사업자들의 거래와 비교하여 상품·용역의 내용·품질 등 거래조건이 유사함에도 높은 매출총이익률을 시현하는 경우

인력 지원행위란, 지원주체가 지원객체와 인력을 정상적인 거래에서 적용되는 대가보다 상당히 낮거나 높은 대가로 제공 또는 거래하는 행위를 통하여 과다한 경제상 이익을 제공하는 것을 의미한다. 지원주체가 지원객체와 인력을 상당한 규모로 제공 또는 거래하는 행위를 통하여 과다한 경제상 이익을 제공하는 것은 지원행위에 해당한다. 지원객체가 지원주체 또는 해당 인력에 대하여 지급하는 일체의 급여·수당 등("실제지급급여"라 한다)이 해당 인력이 근로제공의 대가로서 지원주체와 지원객체로부터 지급받는 일체의 급여·수당 등(이하 "정상급여"라 한다)보다 상당히 적은 때에 성립한다.[88]

- 업무지원을 위해 인력을 제공한 후 인건비는 지원주체가 부담하는 경우
- 인력파견계약을 체결하고 인력을 제공하면서 지원주체가 퇴직충당금 등 인건비의 전부 또는 일부를 미회수하는 경우
- 지원객체의 업무를 전적으로 수행하는 인력을 지원주체 회사의 고문 등으로 위촉하여 지원주체가 수당이나 급여를 지급하는 경우
- 지원주체가 자신의 소속 인력을 지원객체에 전적·파견시키고 급여의 일부를 대신 부담하는 경우

인력지원과 관련하여 공정거래위원회의 실무는 당해 인력이 지원주체와 지원객체 양자에게 근로를 제공하는 경우에는 근로제공 및 대가지급의 구분관계가 합리적이고 명확할 때

---

88) 한국가스공사가 자회사인 한국가스엔지니어링의 업무지원을 위하여 직원을 파견 근무토록 조치하면서 발생하는 비용을 자기 부담으로 처리함으로써 한국엔지니어링의 인적구성요건을 현저히 개선시키고 다른 경쟁사업자에 비하여 경쟁조건을 유리하게 하거나 경쟁사업자의 신규진입을 저해하는 것이므로 인력 부당지원이라고 보았고(서울고등법원 2001. 6. 21. 선고 99누7236 판결), 한국전기통신공사 및 한국공중전화가 자회사에게 상당수의 인력을 장기간에 걸쳐 파견하면서 그 인력에게 지급하여 온 임금보다 더 적은 보사를 그 회사로부터 지급받은 것 역시 인력부당지원이라고 보았다(서울고등법원 2001. 4. 3. 선고 99누6622 판결).

에는 지원객체와 지원주체로부터 지급받은 일체의 급여, 수당 등에서 당해 인력의 지원주체에 대한 근로제공의 대가를 차감한 것을 정상급여로 간주하고, 구분관계가 합리적이지 않거나 불명확한 때에는 지원객체와 지원주체로부터 지급받은 일체의 급여, 수당 등에서 지원객체와 지원주체의 당해 사업연도 매출액 총액 중 지원객체의 매출액이 차지하는 비율에 의한 분담금액을 정상급여로 간주하는 것이다(매출규모에 따라 안분하여 산정한다). 하지만 지원객체와 지원주체가 공동으로 인력을 사용한 경우라도 그 인력이 각 회사에게 기여한 시간과 근로에 따라 임금을 배분하는 것이 합리적이고 그에 대한 입증책임 역시 공정거래위원회에 있다. 위와 같은 실무적 입장은 다소 행정편의주의에 치우친 것으로 입증책임 원칙에 비추어 맞지 않다.

Q 31 지원객체를 위해 담보나 보증을 제공하여 금융기관으로부터 대출을 받게 해 준 경우 부당지원행위에 해당하는가? 해당한다면 지원금액은 어떻게 산정하는가?

A 부당지원행위에 해당한다. 통상적으로 지원객체가 담보나 보증을 제공받아 낮아진 거래금리와 정상금리와의 차이를 지원금액으로 산정하게 된다.

해설

가지급금 또는 대여금 등에 의한 지원행위는 회계처리상 계정과목을 가지급금 또는 대여금으로 분류하고 있는 경우에 국한되지 아니하고, 지원주체가 지원객체의 금융상 편의를 위하여 직접 또는 간접으로 자금을 이용할 수 있도록 경제상 이익을 제공하는 일체의 행위를 의미한다.

일반지원행위 심사지침에서는 '단체퇴직보험을 금융회사에 예치하고 이를 담보로 지원객체에게 저리로 대출하도록 한 경우'를 지원행위 중 하나로 예시하고 있다. 이 경우 지원금액은 [지원객체에 적용된 지원거래상 이자 - 담보가 없었을 경우의 정상이자]로 계산된다는 입장과 담보를 제3자로부터 제공받았다면 지급했어야 할 담보제공 대가인 정상수수료가 지원금액이 된다는 입장이 있다.

세법에서는 후자에 따라 과세하는 것이 일반적이지만, 공정거래위원회는 자금대여에 따른 지원행위에서 지원금액은 정상금리를 기준으로 산정한다는 점을 근거로 전자의 산정방법을 취하고 있다. 법원도 담보 제공행위가 부당지원행위에 해당할 수 있다고 판단하면서, 이때 지원금액은 담보가 없었다면 책정되었을 정상금리와 거래금리의 차액이라고 판단한 공정거래위원회의 처분을 지지한 바 있다(서울고등법원 2004. 2. 5. 선고 2000누11071 판결. 대법원 2006. 10. 27. 선고 2004두3274 판결).

다만, 지원객체의 신용이 매우 열악하여 담보나 보증 없이는 제3자와 대출거래가 사실상 어려운 경우가 있는데, 이러한 경우에는 담보없이 자금을 대출받았을 경우를 가정한 정상금리를 찾을 수 없다는 문제가 있다. 참고로, 담보제공 관련 정상수수료 산정을 위해 과세관청이 활용하고 있는 수수료 산정모델이 있으므로 이를 참고할 만하고, 개념적으로 보더라도 지원객체는 담보를 지원받은 것이므로 담보 제공행위의 대가인 정상수수료를 지원금액으로 산정할 수도 있다.

Q 32 유상증자 참여(신주 인수)는 회사법적 행위임에도 부당지원행위가 성립될 수 있는가?

A 회사법적 행위를 통한 부당지원행위도 성립될 수 있다. 지원행위의 법적 성격이나 형태가 민사법적 행위인지 회사법적 행위인지 여부는 중요하지 않다.

해설

신주 인수행위는 단체법적·회사법적 행위로서 그 인수대금이 발행회사의 자본을 구성하는 것이므로 지원행위에 해당된다고 볼 수 없다는 견해가 있다. 하지만 법원은 지원주체 입장에서는 발행회사로부터 주식을 취득하여 주주가 된다는 점에서 신주 인수가 구주 매수와 실질적 차이가 없고, 정상가격보다 현저히 높은 가격으로 신주를 인수함으로써 발행회사에 경제상 이익을 제공하는 행위가 출자행위의 성질을 가진다고 하여 규제대상이 아니라고 볼 수는 없다는 취지로 판시하였다(대법원 2005. 4. 29. 선고 2004두3281 판결).

일반지원행위 심사지침에서도 유가증권 거래를 통한 지원행위의 예시로서 '제3자 배정 또는 실권주 인수 등의 방식을 통해 유상증자에 참여하면서 특수관계가 없는 독립된 자가 인수하지 않을 정도의 고가로 발행한 주식을 지분을 전혀 보유하고 있지 않은 특수관계인 등이 인수한 경우[주식 고가매입]'를 들고 있다(일반지원행위 심사지침 III. 2. 가.). 실제로 (i) 완전자본잠식 등으로 계열회사의 실질적인 주식가격이 액면가에 현저히 미치지 못함에도 유상증자에 참여하여 신주를 액면가로 인수한 행위(대법원 2005. 4. 29. 선고 2004두3281 판결), (ii) 일반공모방식의 유상증자에 참여하여 기준주가보다 25% 할증된 발행가격으로 신주를 인수한 행위(서울고등법원 2007. 7. 11. 선고 2006누10223판결) 등이 현저히 유리한 조건의 거래에 따른 부당한 지원행위로 제재된 바 있다.

그런데 신주 발행회사에 대한 기존 지분이 없는 특수관계인이 아니라 대주주가 경영권을 확보하거나 공고히 하기 위하여 신주를 인수한 경우에도 그 인수가격이 다소 높다는 이유로 부당지원행위로서 문제되는지 의문이 있을 수 있다.

일반지원행위 심사지침은 '제3자 배정 또는 실권주 인수 등의 방식을 통해 유상증자에 참여하면서 특수관계가 없는 독립된 자가 인수하지 않을 정도의 고가로 발행한 주식을 기존 주주인 특수관계인 등이 인수하여 증자 후의 지분율이 증자 전의 지분율의 50/100 이상 증가하는 경우(다만, 증자 전 제1대 주주이거나 증자 후 제1대 주주가 되는 주주가 유상증자에 참여한 경우는 제외하며, 의결권이 제한되는 계열 금융사 등은 제1대 주주로 보지 아니함)'라고 별도의 단서를 달아 1대 주주의 경우에는 예외로 본다는 취지를 명시하였다. 이는 1대 주주가 되는데 대한 경영권 프리미엄까지 주식 가치에 고려해야 한다는 취지로 이해된다. 신주 인수주체에 따른 구체적 사정까지 고려하여 부당한 지원행위 성립 여부를 판단할 필요가 있다.

Q③③ 계열회사에 대한 채권을 지연 회수하는 행위만으로 부당지원행위가 될 수 있는가?

A 부작위에 의한 지원행위가 가능하며 따라서 채권회수를 하지 않은 행위도 부당지원행위로 문제될 수 있다.

해설

　일반지원행위 심사지침에서는 '지원객체에 대한 매출채권회수를 지연하거나 상각하여 회수불가능 채권으로 처리한 경우'를 지원행위의 하나로 예시하고 있다(일반지원행위 심사지침 Ⅲ. 4. 가. 1.). 법리적으로도 부작위에 의한 지원행위도 가능하므로, 채권 미회수나 회수 지연에 의한 지원행위도 성립될 수 있다.

　매출채권 지연회수의 경우 지연기간 동안의 이자 상당액이 지원금액이 될 것이다(자금대여적 성격). 회수 불가능한 채권으로 처리하여 회수를 포기한 경우라면 사실상 채무면제에 해당하므로 매출채권 원금 및 지연이자 합계액을 지원금액으로 볼 수 있다. 다만, 지원객체의 재무상황 등에 비추어 매출채권의 회수가 불가능한 정도는 아니고 회수가능성이 매우 낮은 경우라면 그 매출채권의 정상가격과 지연이자에 상응하는 금액을 지원금액으로 산정함이 타당하다.

　참고로, 법원은 인쇄비를 6개월 어음으로 지급받고 어음 지급기일이 도래한 이후에도 만기를 계속해서 연장하여 줌으로써 약 96억 원 상당의 인쇄비를 수령하지 아니하고 이자도 계상하지 않은 행위는 해당 기간 동안 무이자로 자금을 대여해 준 것과 동일하다고 판단하고 개별정상금리(지원객체가 지원기간 중 독립적으로 차입한 금리)를 적용한 지연이자 상당액을 지원금액으로 산정하기도 하였다(서울고등법원 2004. 1. 13. 선고 2001누 12477 판결, 대법원 2005. 5. 13. 선고 2004두2233 판결, 환송심 서울고등법원 2006. 4. 20. 선고 2005누10547 판결).

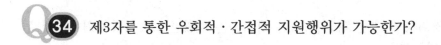

Q34 제3자를 통한 우회적 · 간접적 지원행위가 가능한가?

A 경제적 이익의 최종 귀속주체를 기준으로 부당지원행위 성립 여부를 판단하는 것이 원칙이므로, 제3자와의 거래를 통한 계열회사에 대한 간접적인 지원행위도 이루어질 수 있다.

해설

지원주체가 지원객체를 지원하려는 의도를 가지고 제3자를 매개로 하여 간접적인 거래를 하는 방법으로, 지원객체에게 실질적으로 경제상 이익을 제공하는 행위 역시 지원행위에 포함된다(일반지원행위 심사지침 III. 1. 마.).

한편, 지원주체가 경제적 부담을 지지 않고 직접 거래상대방인 제3자로 하여금 지원객체에게 이익을 제공하도록 하였을 경우에도 부당한 지원행위가 성립될 수 있는지 여부가 문제된다. 공정거래법 제23조 제1항에서는 사업자가 직접 불공정 거래행위를 하는 것뿐만 아니라 제3자(계열회사 또는 다른 사업자)로 하여금 불공정 거래행위를 하도록 하는 행위도 금지하고 있으므로 지원주체가 제3자에게 지원객체에 대한 지원행위를 하도록 한 행위가 여기에 해당될 수 있다.

하급심 판결 중에는 계열회사(현대자동차 등)가 계열관계의 카드회사(현대카드)를 지원할 목적으로 거래상대방과의 대금결제방식을 종래 현금, 어음, 기업구매전용카드, 외상매출채권담보대출에서 계열 카드회사의 카드 결제 방식으로 변경한 것을 부당한 지원행위(물량몰아주기 유형)에 해당한다고 판단하고, 지원금액을 카드사 수수료에서 카드사의 금융조달비용 등 직접 비용을 뺀 금액으로 산정한 공정거래위원회 처분이 적법한다고 판단한 사례가 있다(서울고등법원 2009. 8. 19. 선고 2007누30903 판결. 원고 상고포기로 확정). 동 사례는 지원주체가 대금결제 방식을 계열 카드회사에게 유리하게 변경한 것이 부당지원행위로서 문제된 것이지만, 지원객체가 받은 경제적 이익은 지원주체인 계열사(상품, 용역의 구매자)가 아니라 카드 수수료를 부담하는 제3자(상품, 용역의 판매자)로부터 비롯된 특징이 있다. 그래서 지원주체가 제3자로 하여금 지원객체에 대한 지원행위를 하도록 하는 간접적 부당지원행위도 성립될 수 있음을 보여주는 사례로 생각된다.

Q 35 시가란 무엇인가? 공정거래법상 정상가격, 세법상 시가와의 개념 비교

A 시가란 특수관계 없는 제3자 간에 이루어졌을 정상적인 거래가격을 의미한다. 공정거래법과 세법상 시가는 개념적으로 동일하지만, 구체적인 적용과정에서 다른 판단이 이루어질 수 있다.

해설

공정거래법에 "정상가격"이 무엇인지 정의하고 있는 규정은 없다. 다만, 공정거래위원회 예규인 일반지원행위 심사지침에 따르면 "지원주체와 지원객체 간에 이루어진 경제적 급부와 동일한 경제적 급부가 시기, 종류, 규모, 기간, 신용 상태 등이 유사한 상황에서 특수관계가 없는 독립된 자 간에 이루어졌을 경우 형성되었을 거래가격"이라고 정의하고 있다. 결국 부당한 지원행위가 성립하는지를 판단하는 잣대로서의 "정상가격"은 ① "특수관계가 없는 자들"이 ② "유사한 상황에서" ③ "거래하였을" 가격이다. 쉽게 말해 특수관계 없는 제3자 사이에 거래하였을 '시장가격(시가)'이다. 이에 대해 대법원은 "정상가격이 시정명령이나 과징금 부과 등 제재적 행정처분의 근거가 된다는 점이나 공정거래법이 부당지원을 금지하는 취지 등을 고려할 때 당해 거래 당시의 실제 사례를 찾을 수 없어 부득이 여러 가지 간접적인 자료에 의해 정상가격을 추단할 수밖에 없는 경우에는 통상의 거래당사자가 당해 거래 당시의 일반적인 경제 및 경영상황과 장래 예측의 불확실성까지도 모두 고려하여 보편적으로 선택하였으리라고 보이는 현실적인 가격을 규명하여야 할 것"이라고 판시하였다.

한편, 세법상 "부당행위계산부인"과 관련하여 법인세법 제52조 제2항은 건전한 사회 통념 및 상거래 관행과 특수관계인이 아닌 자 간의 정상적인 거래에서 적용되거나 적용될 것으로 판단되는 가격을 시가로 보고 있다. 보다 구체적으로 법인세법 시행령 제89조는 해당 거래와 유사한 상황에서 해당 법인이 특수관계인 외의 불특정 다수인과 계속적으로 거래한 가격 또는 특수관계인이 아닌 제3자 간에 일반적으로 거래된 가격이 있는 경우에는 그 가격(거래사례가격)을(제1항), 시가가 불분명한 경우에는 감정가액(제2항 제1호) 또는 상속세 및 증여세법상 보충적 평가방법에 따라 계산한 가액(제2항 제2호)을 시가로 제시하고 있다. 상증세법 제4조 제1항 제2호에서 "현저히 낮은 대가를 주고 재산 또는 이익을 이전받음으로써 발생하는 이익이나 현저히 높은 대가를 받고 재산 또는 이익을 이전함으로써 발생하는 이익"을 증여재산으로 보면서도 동호 단서에서 "다만, 특수관계인이 아닌 자 간의 거래

인 경우에는 거래의 관행상 정당한 사유가 없는 경우로 한정한다"라고 규정하고 있다.

공정거래법상 "부당지원행위 금지"와 법인세법상의 "부당행위계산부인"은 "정상가격"에 의하지 않은 특수관계인 간의 거래를 규제한다는 점에서 큰 틀에서는 동일한 개념이라 생각된다. 따라서 부당지원행위 금지에서의 "정상 가격"을 산정함에 있어 "부당행위계산부인"에서의 시가 규정을 참고할 수 있다. 다만, 두 개념이 완전히 동일한 것은 아니므로(심지어 개별 세법의 시가도 완전히 동일한 방식으로 계산되는 것이 아니다) 완전히 세법상의 시가 개념 및 세법상 보충적 평가방법에만 의존하여 거래조건을 산정해서는 안되고 중립적인 전문가를 통해 객관적이고 합리적인 방법에 따라 거래가격을 결정하는 것이 바람직하다.

Q 36 공정거래법상 정상가격, 지원금액 및 지원성 거래규모에 대한 계산방식

A 일반지원행위 심사지침에는 다양한 거래유형에 대한 시가계산 방식이 예시되어 있으므로, 이를 참조하는 것이 필요하다.

해설

"정상가격"이라 함은 지원주체와 지원객체 간에 이루어진 경제적 급부와 동일한 경제적 급부가 시기, 종류, 규모, 기간, 신용상태 등이 유사한 상황에서 특수관계가 없는 독립된 자간에 이루어졌을 경우 형성되었을 거래가격 등을 말한다(일반지원행위 심사지침 II. 5.). 특수관계 없는 제3자 간의 거래가격은 특별한 사정이 없는 이상 정상적인 가격이라고 보는 것이다. 여기서 "지원금액"이라 함은 지원주체가 지원객체에게 제공하는 경제적 급부의 정상가격에서 그에 대한 대가로 지원객체로부터 받는 경제적 반대급부의 정상가격을 차감한 금액을 말한다. "지원성 거래규모"라 함은 지원주체가 지원객체에게 지원행위를 한 기간 동안해당 지원행위와 관련하여 이루어진 거래(무상제공 또는 무상이전을 포함한다. 이하 이 지침에서 같다)의 규모를 말한다.

먼저 정상가격에 대해 살펴본다. 일반지원행위 심사지침은 정상가격과 관련해 '개별정상금리' 개념을 중심으로 한 자금거래에서의 정상가격 산정방식에 대하여 구체적으로 기술하고 있다. 자산, 부동산 임대차, 상품·용역 거래에 대하여도 동일한 원칙이 적용된다(일반지원행위 심사지침 III. 1. 내지 4.). 그런데 비전형적인 거래, 특히 용역거래의 경우 유사한 상황에서 독립된 비특수관계자들 간에 형성되었을 가격자료를 확보하는 것이 쉽지 않다. 유사한 거래를 발견하더라도 가격 변화요소도 많고 사업자별로 원가 구조가 다른 점도 정상가격 산정에 어려움을 가중시킨다. 그럼에도 불구하고 이와 같이 당해 거래 당시 적용할만한 실제 사례를 찾을 수 없는 경우라면 부득이 여러 가지 간접적인 자료에 의하여 정상가격을 추단할 수밖에 없다. 이 경우 통상의 거래 당사자가 당해 거래 당시 일반적인 경제 및 경영상황과 장래 예측의 불확실성까지도 고려하여 보편적으로 선택하였으리라 보이는 현실적인 가격을 규명해야 한다(대법원 2014. 11. 13. 선고 2009두20366 판결). 이러한 과정을 거쳐 정상가격이 합리적으로 산출되었다는 점에 대한 입증책임은 시정명령 등의 적법성을 주장하는 공정거래위원회에 있다(대법원 2008. 2. 14. 선고 2007두1446 판결, 2014. 11. 13. 선고 2009두20366 판결, 대법원 2015. 1. 29. 선고 2014두36112 판결).

　이하에서 자금거래 지원거래에서는 개별정상금리라는 개념을 통하여 정상가격을 산정하는 방법에 대한 '일반지원행위 심사지침'의 내용을 해설한다. 지원주체와 지원객체 간의 가지급금 또는 대여금 기타 자금의 거래(이하 "자금거래"라 한다)에 의한 지원행위는 실제 적용된 금리(이하 "실제적용금리"라 한다)가 해당 자금거래와 시기, 종류, 규모, 기간, 신용상태 등의 면에서 동일 또는 유사한 상황에서 특수관계가 없는 독립된 자 사이에 자금거래가 이루어졌다면 적용될 금리(이하 "개별정상금리"라 한다)보다 상당히 낮거나 높은 경우에 성립한다. 개별정상금리는 다음의 방법에 따라 순차적으로 산출한다.

① 지원주체와 지원객체 사이의 자금거래와 시기, 종류, 규모, 기간, 신용상태 등의 면에서 동일한 상황에서 그 지원객체와 그와 특수관계가 없는 독립된 자 사이에 자금거래가 이루어졌다면 적용될 금리

② 지원주체와 지원객체 사이의 자금거래와 시기, 종류, 규모, 기간, 신용상태 등의 면에서 유사한 상황에서 그 지원객체와 그와 특수관계가 없는 독립된 자 사이에 자금거래가 이루어졌다면 적용될 금리. 여기서 유사한 시점이란 사안별로 지원규모, 지원시점의 금리변동의 속도 등을 종합적으로 고려하여 결정하되, 해당일 직전·직후 또는 전후의 3개월 이내의 기간을 말한다. 다만, 유사한 시점에 독립적인 방법으로 차입한 금리는 없으나 그 이전에 변동금리 조건으로 차입한 자금이 있는 경우에는 지원받은 시점에 지원객체에게 적용되고 있는 그 변동금리를 유사한 시점에 차입한 금리로 본다.

③ 지원주체와 지원객체 사이의 자금거래와 시기, 종류, 규모, 기간, 신용상태 등의 면에서 동일 또는 유사한 상황에서 특수관계가 없는 독립된 자 사이에 자금거래가 이루어졌다면 적용될 금리

　한편, 공사대금 미회수, 기간이 특정되어 지지 않은 단순대여금 등 지원시점에 만기를 정하지 않은 경우에는 지원객체의 월별평균차입금리를 개별정상금리로 본다. 여기서 월별평균차입금리는 지원객체가 해당 월에 독립적으로 차입한 자금의 규모를 가중하여 산정한 금리를 말한다. 다만, 상기 원칙에 따라 정해진 금리를 개별정상금리로 볼 수 없거나 적용순서를 달리할 특별한 사유가 있다고 인정될 경우, 또는 지원주체의 차입금리가 지원객체의 차입금리보다 높은 경우 등 다른 금리를 개별정상금리로 보아야 할 특별한 사유가 있는 경우에는 그 금리를 개별정상금리로 본다. 개별정상금리를 위에서 규정된 방법에 의해 산정하기 어렵고, 또한 지원객체의 재무구조, 신용상태, 차입방법 등을 감안할 때 개별정상금리

가 한국은행이 발표하는 시중은행의 매월 말 평균 당좌대출금리(이는 해당 월말 현재 시중은행의 당좌대출계약에 의하여 실행한 대출액 잔액 전부를 가중평균하여 산출한 금리를 말한다. 이하 "일반정상금리"라 한다)를 하회하지 않을 것으로 보는 것이 합리적인 경우에는 해당 자금거래의 실제적용금리와 일반정상금리를 비교하여 지원행위 여부를 판단한다. 전항의 규정에도 불구하고, 지원객체의 재무구조, 신용상태, 차입방법 등을 감안할 때 지원객체의 개별정상금리가 일반정상금리보다 높은 수준인 것으로 보는 것이 합리적인 상황에서 일반정상금리 수준으로 상당한 규모의 자금거래를 하는 것은 지원행위에 해당한다.

개별정상금리를 구체적으로 특정할 수 없는 경우에는 지원객체와 그와 특수관계가 없는 독립된 금융기관 사이에 또는 특수관계 없는 독립된 자 사이에 이루어진 시기, 종류 내지 거래의 성격 등의 면에서는 동일 또는 유사하지만 기간이나 신용상태 등의 면에서 우위의 조건을 가진 거래행위가 있는 경우 해당 거래에 적용된 금리를 지원주체와 지원객체 간 자금거래에 대한 개별정상금리의 최하한으로 볼 수 있다. 심사지침에 의하면 자금지원행위에서 지원주체와 지원객체 간의 자금거래에 적용된 실제적용금리가 개별정상금리보다 상당히 낮거나 높은 것으로 보는 것이 합리적이나 개별정상금리의 구체적 수준을 합리적으로 산정하기 어려운 경우에는 지원성 거래규모를 기준으로 지원금액을 산정한다.

다만, 지원금액 산정은 부당지원행위가 성립한다는 판단을 한 이후 과징금 산정 등 제재수준 결정에 필요한 것이므로, 정상가격 산정이 어려운 경우 지원성 거래규모를 기준으로 지원금액을 산정할 수 있다는 심사지침이 정상가격의 입증 없이 부당지원행위로 의율할 수 있다는 것으로 해석되어서는 안된다. 사견으로 정상가격 입증이 되지 않으면 부당지원행위 입증에 실패한 것이므로, 지원성 거래규모로 지원금액을 산정할 수 있다는 심사지침 내용은 실무적으로 적용될 수 없거나 백보 양보하더라도 정상가격에 대한 엄격한 입증이 불필요하고 판례가 인정하는 물량몰아주기에서나 제한적으로 적용될 수 있을 뿐이다. 그래서 물량몰아주기 이외의 지원행위 유형에서는 삭제함이 바람직하다.

한편, 지원주체가 지원객체를 지원하려는 의도하에 제3자를 매개하여 자금거래를 하고 그로 인하여 지원객체에게 실질적으로 경제상 이익을 제공하는 경우의 지원금액은 지원주체가 지원과정에서 부수적으로 제3자에게 지출한 비용을 제외하고 지원객체가 받았거나 받은 것과 동일시할 수 있는 경제상 이익만을 고려하여 산정한다(유가증권 등 자산거래, 부동산임대차, 상품·용역 거래, 인력제공 등에 의한 지원행위의 경우에도 이를 준용한다).

자금거래에 의한 지원행위의 정상가격과 지원금액 산정방식이다. 지원객체에게 상당히 유리한 조건의 거래인지 여부는 실제적용금리와 개별정상금리 또는 일반정상금리 사이의 차이는 물론 지원성 거래규모와 지원행위로 인한 경제상 이익, 지원기간, 지원횟수, 지원시기, 지원행위 당시 지원객체가 처한 경제적 상황 등을 종합적으로 고려하여 구체적·개별적으로 판단한다(유가증권 등 자산거래, 부동산 임대차, 상품·용역 거래, 인력제공 등에 의한 지원행위의 상당성 판단에도 이를 준용한다). 다만, 지원주체와 지원객체 간의 자금거래에 의한 실제적용금리와 개별정상금리 또는 일반정상금리와의 차이가 개별정상금리 또는 일반정상금리의 7% 미만으로서 개별 지원행위 또는 일련의 지원행위로 인한 지원금액이 1억 원 미만인 경우에는 지원행위가 성립하지 아니하는 것으로 판단할 수 있다.

지원주체와 지원객체 간의 자산 거래에 의한 지원행위는 실제 거래가격이 해당 자산 거래와 시기, 종류, 규모, 기간 등이 동일 또는 유사한 상황에서 특수관계가 없는 독립된 자 사이에 이루어졌다면 형성되었을 거래가격에 비하여 상당히 낮거나 높은 경우에 성립한다. 정상가격은 다음의 방법에 따라 순차적으로 산출한다.

① 해당 거래와 시기, 종류, 규모, 기간 등이 동일한 상황에서 특수관계가 없는 독립된 자 사이에 실제 거래한 사례가 있는 경우 그 거래가격을 정상가격으로 한다.
② 해당 거래와 동일한 실제사례를 찾을 수 없는 경우에는 (i) 먼저 해당 거래와 비교하기에 적합한 유사한 사례를 선정하고, (ii) 그 사례와 해당 지원행위 사이에 가격에 영향을 미칠 수 있는 거래조건 등의 차이가 존재하는지를 살펴, (iii) 그 차이가 있다면 이를 합리적으로 조정하는 과정을 거쳐 정상가격을 산정한다.
③ 해당 거래와 비교하기에 적합한 유사한 사례도 찾을 수 없다면 부득이 통상의 거래 당사자가 거래 당시의 일반적인 경제 및 경영상황 등을 고려하여 보편적으로 선택하였으리라고 보이는 현실적인 가격을 규명함으로써 정상가격을 산정한다. 이 경우 자산의 종류, 규모, 거래상황 등을 참작하여 국제조세조정에 관한 법률 제5조(정상가의 산출방법) 및 동법 시행령 제2장(국외특수관계인과의 거래에 대한 과세조정) 또는 상속세 및 증여세법 제4장(재산의 평가) 및 동법 시행령 제4장(재산의 평가)에서 정하는 방법을 참고할 수 있다. 다만, 사업자가 자산거래 과정에서「국제조세조정에 관한 법률」등에 따라 가격을 산정하였다고 하여 그러한 사정만으로 부당한 지원행위에 해당하지 않는 것으로 판단되는 것은 아니다.

한편, 지원주체와 지원객체 간의 자산거래에 적용된 실제 거래가격이 정상가격보다 상당히 낮거나 높은 것으로 보는 것이 합리적이나 정상가격의 구체적 수준을 합리적으로 산정하기 어려운 경우에는 지원성 거래규모를 기준으로 지원금액을 산정한다. 다만, 다음과 같이 본 지침에서 지원성 거래규모의 산정방법을 따로 정한 경우에는 그에 따른다.

① 후순위사채의 경우 지원주체가 매입한 후순위사채의 액면금액을 지원성 거래규모로 본다.
② 유상증자 시 발행된 주식의 경우 지원주체의 주식 매입액을 지원성 거래규모로 본다.

부동산임대차 지원거래는 정상임대료를 기준으로 판단한다. 정상임대료는 해당 부동산의 종류, 규모, 위치, 임대시기, 기간 등을 참작하여 유사한 부동산에 대하여 특수관계가 없는 독립된 자 사이에 형성되었을 임대료로 하되, 이를 합리적으로 산정하기 어려운 경우에는 다음 산식에 의한다. 산식을 적용함에 있어 정기예금이자율은 임대인이 정한 이자율이 없거나 정상이자율로 인정하기 어려운 때에는 부가가치세법 시행규칙 제47조에 의한 정기예금이자율을 기준으로 한다(이하 이 지침에서 같다).

$$(부동산\ 정상가격의\ 50/100)\times임대일수\times정기예금이자율/365=해당기간의\ 정상임대료$$

상품·용역 거래에 의한 지원행위는 정상가격을 기준으로 판단한다. 정상가격의 산정은 유가증권 등 자산의 정상가격 판단의 순서와 방법을 준용한다. 즉, 특수관계 없는 자 간의 실제 거래사례가 있으면 이를 적용하고, 실제 사례가 없다면 유사한 사례를 선정해 그와 해당 지원행위 사이의 거래조건 등의 차이를 확인하여 이를 조정하는 방식으로 정상가격을 산정하며, 적합한 유사 사례도 없다면 통상 거래 당사자가 보편적으로 선택하였으리라 보이는 현실적 가격을 규명해 정상가격으로 보는 것이다.

통행세 거래에서는, 지원주체가 지원객체를 거래단계에 추가하거나 거쳐서 거래함에 있어 지원주체 또는 지원주체와 유사한 사업을 영위하는 사업자가 통상적으로 다른 사업자와 직접 거래하는 것이 일반적인 관행인 경우에는 지원주체가 특수관계에 있는 지원객체를 배제한 채 다른 사업자와 직거래를 했을 경우 형성되었을 가격을 정상가격으로 볼 수 있다. 다만, 계열회사1(지원주체) - 계열회사2(지원객체) - 계열회사3의 거래구조에서는 계열회사1 또는 계열회사1과 유사한 사업을 영위하는 사업자가 통상적으로 계열회사 또는 다른 사업자와 직접 거래하는 것이 일반적인 관행인 경우에 계열회사1이 특수관계에 있는 계열회사2를 배제한 채 계열회사2의 거래상대방인 계열회사3과 직거래를 했을 경우 형성되었을 가격을 정상가격으로 볼 수 있다. 공정거래위원회의 실무는 통행세 거래에서 계열회사1과 계열회사3이 직접 거래하였을 경우의 가격에서 중간에 개입한 계열회사2의 직접비용(직접원가)을 차감해서 지원금액을 산정하기로 한다. 계열회사2의 직접비용(직접원가)을 차감해 주는 논리에 동의하지는 않지만, 만약 비용을 차감해 준다면 간접비용(간접원가)까지 포함시켜야 논리적이다. 물론 간접원가는 배부방식으로 산정되는 것으로 자의적이라는 문제가 있지만, 이는 입증의 문제에 불과하여 배제시킬 논리가 되지는 않기 때문이다.

지원주체와 지원객체 간의 상품·용역 거래에 적용된 실제 거래가격이 정상가격보다 상당히 낮거나 높은 것으로 보는 것이 합리적이나 정상가격의 구체적 수준을 합리적으로 산정하기 어려운 경우에는 지원성 거래규모를 기준으로 지원금액을 산정한다.

Q 37 공정거래법상 부당지원행위에서의 정상가격과 세법상 부당행위계산부인에서의 시가는 어떻게 다른가? 두 가격이 서로 다른 경우 어떻게 해결해야 하는가?

A 공정거래법상 정상가격과 세법상 시가가 언제나 일치하는 것은 아니지만, 공정거래법상 정상가격을 찾기 어려운 경우에는 세법상 시가를 참고하여 거래가격을 결정할 수 있다.

해설

공정거래법상 정상가격은 원칙적으로 특수관계가 없는 당사자 사이의 거래에서 형성되었을 "시가"에 따라 산정한다. 일반지원행위 심사지침에서는 유가증권·부동산·무체재산권 등 자산의 거래와 상품·용역의 거래에서 정상가격 산정 시 자금거래에 적용되는 정상금리 산정방법을 준용하되, 그럼에도 불구하고 "시가를 산정하기 어려운 경우에는 당해 자산의 종류, 규모, 거래상황 등을 참작하여 상증세법 제4장 및 동법 시행령 제4장에서 정하는 방법을 준용할 수 있다"고 규정하고 있다(일반지원행위 심사지침 Ⅲ. 2. 나.). 정상가격의 개념요소는 (i) 실제 이루어진 경제적 급부와 동일한 경제적 급부, (ii) 해당 거래와 유사한 상황, (iii) 특수관계 없는 자 간의 가격이다.

이러한 심사지침의 해석과 관련하여, (i) 자산 및 상품·용역 거래에서 자금 지원행위에 적용되는 기준에 따라 정상가격을 산정하기 어려운 경우에는 상증세법에서 정한 보충적 평가방법으로 정상가격을 평가해야 하는지 여부와 나아가 (ii) 상증세법에서 정한 방법으로 산정한 거래가격이 공정거래법상 정상가격으로 인정되는지 여부가 문제될 수 있다.

특히 자산 거래 중 비상장주식의 가치를 어떤 기준으로 평가하여 거래가격을 정하여야 하는지는 실무상 어려운 문제이다. 공정거래위원회는 "상증세법상의 평가는 상속세 과세표준 산정을 위한 것으로 이를 곧바로 공정거래법상 개별정상가격으로 볼 수 없고, (…) 외부평가기관의 객관적인 가치산정과 제3자 간의 거래 시 통용되는 각종 평가방법을 동원하여 가장 적절한 가격으로 주식가치를 산정하여 거래하는 것이 일반적이고 정당한 거래"라는 입장을 취하고 있다(공정거래위원회 2001. 1. 15. 의결 제2001-07호, 엘지석유화학 비상장주식 사건). 즉, 심사지침에서는 상증법상 보충적 평가방법을 '준용하여야 한다'가 아니라 '준용할 수 있다'라고 규정하고 있기 때문에 상증법에 따른 평가방법이 정상가격 산정을 위한 하나의 참고사항은 될지언정 그러한 방법에 구속되지는 않는다는 입장을 밝힌 것이다.

한편, 법원은 일관되게 심사지침상의 정상가액 산정방법이 공정거래위원회 내부의 사무처리준칙에 불과하여 대외적으로 법원이나 일반 국민을 기속하는 법규명령적 성질이 없다는 입장이다(대법원 2004. 4. 23. 선고 2001두6517판결 등). 심사지침 규정 자체로 보더라도 상증세법의 평가방법을 '준용할 수 있다'라고 규정되어 있어 이러한 공정거래위원회 해석이 법리적으로도 타당하다고 판단된다. 대법원 역시 대림정보통신의 비상장주식 매매거래와 관련된 부당지원행위 건에 관한 판결에서, 관련 산업과 당해 기업의 현황과 전망 등 개별 구체적 상황을 고려하여 해당 주식의 객관적인 가치를 반영할 수 있는 적절한 방법에 의하여 평가된 가격이 정상가격이라고 전제하고, 상증세법의 평가방법으로 산정된 가격이라고 하여 당연히 정상가격이 되는 것은 아니라고 판시한 바 있다(대법원 2005. 6. 9. 선고 2004두7153 판결).[89]

반면, 세법상 시가 산정기준이 공정거래법상 정상가격 산정방법과 동일하지 않더라도 납세의무자로서는 이에 따를 수밖에 없는 것이어서, 세법을 준수하기 위해 산정된 거래조건에 따른 거래를 공정거래법 위반으로 보는 것은 부당하다는 입장이 있다. 법원은 서울스포츠신문사 부당지원행위 건에서, "부가가치세법상 보증금의 월세환산 임대수익률은 부가가치세를 부과하기 위한 과세표준을 정한 것일 뿐 월세 전환율을 제한하거나 강제하는 것이 아니어서 얼마든지 더 높은 전환율을 적용할 수 있는 것이므로 부가가치세법에 따라 임대료를 정하였다 하여 공정거래법 제58조의 법령에 따른 정당행위로 볼 수 없다"고 판시하였다(서울고등법원 2004. 7. 15. 선고 2002누1092 판결, 대법원 2004. 11. 12. 선고 2004두9630 판결).

이상의 내용을 정리하면, 특수관계인들 사이에서 비상장주식을 거래할 때, 세법상으로는 시가를 산정하기 어려운 경우 보충적 평가방법에 따라 산정된 조건으로 거래하면 되지만, 이러한 거래가격이 곧 공정거래법상 정상가격은 아니므로 회사로서는 정상가격에 부합하는 가장 합당한 거래조건을 찾는 노력을 다하여 이를 적용해야 한다.[90] 즉, 세법상 보충적 평가방법에만 의존하여 거래조건을 산정해서는 안되고 중립적인 전문가를 통해 객관적이고 합리적인 방법에 따라 가치평가를 하여 거래가격을 결정하는 것이 바람직하다. 물론 복

---

89) 이 사건에서는 "순자산가치 또는 과거 순손익가치를 기준으로 한 평가"와 "미래 추정이익을 기준으로 한 평가" 중 어떠한 것이 적정한 평가방법인지 여부가 쟁점이었는데, 이 두 방법은 모두 구 상증세법에서 비상장주식의 평가방법으로 규정하고 있던 것이었다. 그런데 대법원은 비상장주식의 적정한 평가방법은 상증세법에 따른 것이냐의 여부가 아니라 해당 비상장주식의 개별 구체적인 사정을 기준으로 가장 적절한 방법인지 여부로 판단해야 한다는 입장을 판시한 것이다.

90) 참고로, 민법상 이사의 선관주의의무 준수 여부 또는 형법상 배임죄 판단과 관련하여도 법원은 세법상 평가기준에 따라 거래하더라도 배임죄가 성립될 수 있다는 취지로 판단하였다.

수의 전문가들의 평가를 종합하는 것이 신뢰성을 높이는 방안이 될 수 있고, 이 과정에서 세법상 평가액과의 차이가 발생하여 추가적인 조세부담이 발생할 수도 있다.

한편, 자금거래와 관련해서도 공정거래법상 정상금리와 세법상 시가 산정방법이 다르기 때문에 수범자 입장에서 혼란이 있을 수 있다. 공정거래법에서 정한 개별정상금리와 세법상의 가중평균 차입이자율이 반드시 같다고 볼 수 없기 때문인바, 전자는 문제된 거래와 동일 또는 유사한 거래에서 적용될 금리를 뜻하지만 후자는 수범자의 조건이 다른 모든 대출금리의 평균을 의미한다. 또한 공정거래법상 일반정상금리도 세법상 당좌대출 이자율과 일치하지 않는다. 전자는 한국은행이 발표하는 예금은행 가중평균 당좌대출금리로서 계속 변동되는 지표이지만, 후자는 기획재정부령으로 정하는 금리이므로 부령으로 변경되기 전까지는 고정되기 때문이다.

공정거래위원회는 수범자가 세법에 부합하는 금리를 적용하여 거래할 경우 그러한 사정을 어느 정도 고려할 수 있지만, 그렇다고 세법상 거래조건이 반드시 적법하다 볼 수는 없다는 입장으로 이해된다. 다만, 지원행위에 해당하려면 정상금리에 비하여 실제적용금리가 상당히 유리해야 한다. 세법상 정상금리가 공정거래법상 정상금리와 다르더라도 본질적으로 그 차이가 '상당한' 정도에 이르기는 어렵다. 특별한 사정이 없는 한 세법에 따라 산출된 금리를 적용할 경우 공정거래법상 지원행위에 해당된다고 판단할 가능성이 높지 않다고 볼 수 있다. 참고로, 세법상 자금대여와 관련해서는 '상당성' 요건이 없기 때문에 세법상 금리와 일치하지 아니하는 공정거래법상 정상금리를 적용할 경우 과세를 피할 방법이 없다. 세법과 공정거래법에 따라 산정된 금리 중 굳이 하나를 택해야 한다면 전자를 선택하여 거래하는 것이 보다 현실적인 대안이다.

한편, 사업자가 내부거래를 하기 위해 정상가격을 찾아야 하거나 공정거래위원회 심의나 소송에서 거래가격의 적정성을 입증해야 하는 상황이 발생할 수 있다. 정상가격 산정에 어려움이 있는 경우는 대부분 심사지침의 방법론으로 정상가격을 찾기 어려운 상황인바, 이 경우 「국제조세 조정에 관한 법률」(이하 "국조법")의 이전가격세제에서 사용되는 정상가격 산정 방식에 따르는 것도 하나의 방법이 될 수 있다. 국조법상 방법론은 전세계적으로 통용되는 방식으로 내부거래에 적용될 정상가격에 대한 체계적·합리적인 산정방법으로 이해될 수 있기 때문이다(보다 자세한 내용은 후술). 필자는 이러한 입장을 계속 피력하였고 실제 공정거래위원회는 2020. 9. 10. 일부개정 예규 제355호의 일반지원행위 심사지침

Ⅲ. 2. 다에서 "국제조세조정에 관한 법률 제5조(정상가격의 산출방법) 및 동법 시행령 제2장(국외특수관계인과의 거래에 대한 과세조정) 또는 상속세 및 증여세법 제4장(재산의 평가) 및 동법 시행령 제4장(재산의 평가)에서 정하는 방법을 참고할 수 있다. 다만, 사업자가 자산거래 과정에서 국제조세조정에 관한 법률 등에 따라 가격을 산정하였다고 하여 그러한 사정만으로 부당한 지원행위에 해당하지 않는 것으로 판단되는 것은 아니다"라는 규정을 명확히 하여 추가하였다.

아울러 거래상대방 선정 및 거래가격 결정에 있어서의 절차적 정당성을 확보하는 것도 정상가격을 입증하는데 중요한 요소가 될 수 있다. 공정하고 객관적인 절차에 따라 거래상대방이 선정되고 당사자들 사이의 진지한 협상을 거쳐서 거래조건이 정해진다면 특수관계인 사이의 거래라 하더라도 제3자 간 거래처럼 정상가격으로 주장될 수 있기 때문이다. 미국 판례법 등으로 축적된 법리에 의하면 절차의 공정성과 적정성이 입증될 경우 거래조건의 적정성이 추정되기 때문이기도 하다.

Q 38 시가에서의 본질적 논의는 무엇인가?

A 내부거래의 핵심 구성요건인 시가의 입증책임을 누구에게 지울 것이며, 어느 정도 엄격하게 요구할 것인지가 본질이다. 우리 법제는 시가에 대한 입증책임을 내부거래에 반대하거나 규제하려는 주주와 정부에 너무 엄격한 수준으로 지우고 있고, 이는 사회·경제적으로 과도하게 많은 수준의 내부거래로 이어진다는 비판이 있다.

해설

공정거래위원회는 실무상 정상가격이 특정되기 어렵거나 그에 관한 입증이 다소 부족하더라도, 제반 정황과 간접 증거를 종합하여 부당지원행위로 의율할 수 있다는 입장이다. 일반지원행위 심사지침에서도 정상가격이 명확하지 않더라도 부당지원행위가 성립한다고 볼 여지가 있는 규정을 두고 있다.

> "지원주체와 지원객체 간의 자금거래에 적용된 실제적용금리가 개별정상금리보다 상당히 낮거나 높은 것으로 보는 것이 합리적이나 개별정상금리의 구체적 수준을 합리적으로 산정하기 어려운 경우에는 지원성 거래규모를 기준으로 지원금액을 산정한다."(III. 1. 차)
> "지원주체와 지원객체 간의 자산거래에 적용된 실제 거래가격이 정상가격보다 상당히 낮거나 높은 것으로 보는 것이 합리적이나 정상가격의 구체적 수준을 합리적으로 산정하기 어려운 경우에는 지원성 거래규모를 기준으로 지원금액을 산정한다. 다만, 다음과 같이 본 지침에서 지원성 거래규모의 산정방법을 따로 정한 경우에는 그에 따른다."(III. 2. 라)
> "지원주체와 지원객체 간의 자산거래에 적용된 실제 거래가격이 정상가격보다 상당히 낮거나 높은 것으로 보는 것이 합리적이나 정상가격의 구체적 수준을 합리적으로 산정하기 어려운 경우에는 지원성 거래규모를 기준으로 지원금액을 산정한다. 다만, 다음과 같이 본 지침에서 지원성 거래규모의 산정방법을 따로 정한 경우에는 그에 따른다."(III 4. 가. 5))

그러나 법원은 "정상가격이 시정명령이나 과징금부과 등 제재적 행정처분의 근거가 된다는 점이나 공정거래법이 부당지원을 금지하는 취지 등을 고려할 때, 당해 거래 당시의 실제 사례를 찾을 수 없어 부득이 여러 가지 간접적인 자료에 의해 정상가격을 추단할 수밖에 없는 경우에는, 통상의 거래 당사자가 당해 거래 당시의 일반적인 경제 및 경영상황과 장래 예측의 불확실성까지도 모두 고려하여 보편적으로 선택하였으리라고 보이는 현실적인 가격을 규명하여야 할 것이고, 단순히 제반 상황을 사후적·회고적인 시각으로 판단하여 거래 당시에 기대할 수 있었던 최선의 가격 또는 당해 거래가격보다 더 나은 가격으로 거래할 수도 있었을 것이라 하여 가벼이 이를 기준으로 정상가격을 추단하여서는 아니 될 것이며, 정상가격에 대한 입증책임은 어디까지나 피고에게 있다"고 판시하여(대법원 2008. 2. 14. 선고 2007두1446 판결, 대법원 2014. 11. 13. 선고 2009두20366 판결, 대법원 2015. 1. 29. 선고 2014두36112 판결 등 다수), 시정명령 등의 적법성을 주장하는 공정거래위원회에 대하여 엄격한 정상가격 입증책임을 부여하고 있다.

그런데 비전형적인 거래, 특히 용역 거래의 경우 유사한 상황에서 독립된 비특수관계자들 간에 형성되었을 가격자료를 확보하는 것이 쉽지 않다. 유사한 거래를 발견하더라도 가격 변화요소도 많고 사업자별로 원가 구조도 다른 점도 정상가격 산정에 어려움을 가중시킨다. 그럼에도 불구하고 이와 같이 당해 거래 당시 적용할만한 실제 사례를 찾을 수 없는 경우라면 부득이 여러 가지 간접적인 자료에 의하여 정상가격을 추단할 수밖에 없다. 이 경우 통상의 거래 당사자가 당해 거래 당시 일반적인 경제 및 경영상황과 장래 예측의 불확실성까지도 고려하여 보편적으로 선택하였으리라 보이는 현실적인 가격을 규명해야 한다(대법원 2014. 11. 13. 선고 2009두20366 판결, 동지의 판결로 대법원 2015. 1. 29. 선고 2014두36112 판결, 대법원 2016. 3. 10. 선고 2014두8568 판결 등 다수).

대법원은 현대자동차, 기아자동차가 현대하이스코에게 구입한 강판가격이 포스코로부터 구입한 강판가격보다 높다며 부당지원행위로 제재한 공정거래위원회의 처분과 관련하여 "먼저 당해 거래와 비교하기에 적합한 유사한 사례를 선정하고 나아가 그 사례와 당해 거래 사이에 가격에 영향을 미칠 수 있는 거래조건 등의 차이가 존재하는지를 살펴 그 차이가 있다면 이를 합리적으로 조정하는 과정을 거쳐 정상가격을 추단하여야 한다"는 법리를 전제한 후 "현대하이스코의 경우 포스코보다 원료가 되는 열연코일의 조달가격에 있어서 차이가 있는 이상 단순히 경쟁사보다 비싸다는 이유만으로는 정상가격의 범주를 벗어났다고 보기 어렵다"고 판시했다(대법원 2012. 10. 25. 선고 2009두15494 판결).

이런 특성으로 인하여 찾아낸 정상가격이 특정 점의 가격이기보다는 일정 가격 범주로 개념되는 경우도 많다(실제 국제조세조정에 관한 법률은 일정 범위의 정상가격을 산정하고 있다).

한편, 정상가격에 대한 입증책임이 기업에게 부여된다면 총수일가의 사익추구나 부당한 방식으로 이루어지는 비효율적인 내부거래를 줄일 수 있을지 모르나, 기업집단 전체의 이익과 효율성은 저하될 수 있다는 비판론이 있다. 공정거래위원회 내부에서도 경제민주화의 큰 틀과 세부적인 공정경쟁을 확립하는 원칙에는 찬성하되 기업 투자를 지나치게 옥죄거나 산업 기반을 무너뜨릴 수 있는 수준의 지나친 내부거래 규제가 되지 않도록 신중하게 접근해야 한다는 의견이 있다.

기업집단의 내부거래는 긍정적 측면과 부정적 측면을 모두 가지고 있으므로, 공정하고 효율적으로 이루어지는 기업집단의 내부거래 및 사익추구나 부당한 방식으로 이루어지는 비효율적인 내부거래가 무엇인지에 대한 사회적 합의를 이루고 이에 근거하여 내부거래의 핵심 구성요건인 '시가'에 대한 입증책임의 주체와 그 정도에 대하여 법제를 정비하는 것이 중요하다.

다만, 적정한 절차를 거쳤다면 거래내용의 공정성이 추정되므로 이를 다투는 자(주주, 공정거래위원회 등)가 거래내용이 불공정함을 입증해야 하지만, 적정한 절차를 거치지 못한 경우 거래내용의 공정성을 지배주주가 입증해야 한다는 미국법률협회의 "회사지배구조의 원칙: 분석과 권고(Principles of Corporate Governance: Analysis and Recommendation)"[91]에 비추어 볼 때, 시가 또는 정상가격에 대한 모든 입증책임을 공정거래위원회에 돌리는 현행 법률과 해석에 대하여는 비판이 있을 수 있다. 가정적인 개념으로 실제 존재하지 않을 수도 있는 정상가격에 대한 입증책임을 규제기관과 원고에게 지나치게 엄격하게 요구하여 사실상 규제를 어렵게 만들고 사회·경제적으로 바람직하지 않은 과잉 내부거래를 초래할 수 있으므로 이를 '정상가격 도그마(Dogma)'라고 비판하는 견해도 있다.[92]

성과로서의 공정성(outcome), 즉 실체적 공정성(substantive fairness)의 객관적인 평가는 매우 어렵고 상대적이기 때문에 거래로 인하여 단순히 경제상 이익이 거래상대방에게 귀속되었다는 것은 거래를 통하여 공정성이 침해되었다고 인정하기 위한 충분한 기준이 되지 못하는 것이고, 경제상 이익은 정상적인 거래에서 상대방이 속한 시장의 상황이나 경제적 능력에 비추어 기대할 수 있는 수준 이상의 것, 즉 경제활동의 정상성에 반하는 것을 의미하는 것이라고 보는 견해도 있다. 정상가격에 대해 엄격한 입증을 옹호하는 입장으로 해석된다.[93] 사견으로는 정상가격에 대한 입증책임을 현재와 같이 공정거래위원회와 같은

---

91) 손영화, 「기업집단 내 내부거래에 관한 연구(2011년 개정상법을 중심으로)」, p.91
92) 박준영, 「부당지원행위 규제의 정상가격에 대한 방법론 연구」, 경쟁과 법 제7호(2016. 10.), pp.113~114
93) 홍대식, 「공정거래법상 특수관계인에 대한 부당이익제공행위의 의미 및 판단기준」, 교보문고(2010), pp.200~201

규제기관 및 내부거래를 다투는 측에 두면서 그것도 엄격한 입증을 요구하는 것을 완화시키고 개정하는 입법이 필요하다고 본다.

미국 판례법과 같이 적정한 절차와 방식을 통한 내부거래에 대해서만 거래의 공정성을 추정하고, 그렇지 않은 경우에는 거래의 공정성을 오히려 내부거래를 한 측에 지우는 적극적인 입법이 필요하다.

Q 39 자금지원행위에서 '정상금리'는 어떻게 산정해야 하는가?

A 당해 거래의 특수성에 근거한 '개별 정상금리'를 우선적으로 고려하고, 개별 정상금리의 산정이 어려울 경우에는 '일반 정상금리'를 정상금리로 본다.

해설

공정거래법상 정상가격이란, 지원주체와 지원객체 간에 이루어진 경제적 급부와 동일한 경제적 급부가 시기, 종류, 규모, 기간, 신용상태 등이 유사한 상황에서 특수관계 없는 독립된 자 간에 이루어졌을 경우 형성되었을 거래가격을 의미한다(일반지원행위 심사지침 Ⅱ. 5.).

심사지침에서는 지원행위 유형에 따라 정상가격 산정방법 및 기준을 구체화하고 있다. 정상가격은 지원행위 성립 여부를 판단하기 위한 전제로서 확정되어야 한다. 법원은 "정상가격이 시정명령이나 과징금부과 등 제재적 행정처분의 근거가 된다는 점이나 공정거래법이 부당지원을 금지하는 취지 등을 고려할 때, 당해 거래 당시의 실제 사례를 찾을 수 없어 부득이 여러 가지 간접적인 자료에 의해 정상가격을 추단할 수밖에 없는 경우에는, 통상의 거래 당사자가 당해 거래 당시의 일반적인 경제 및 경영상황과 장래 예측의 불확실성까지도 모두 고려하여 보편적으로 선택하였으리라고 보이는 현실적인 가격을 규명하여야 할 것이고, 단순히 제반 상황을 사후적·회고적인 시각으로 판단하여 거래 당시에 기대할 수 있었던 최선의 가격 또는 당해 거래가격보다 더 나은 가격으로 거래할 수도 있었을 것이라 하여 가벼이 이를 기준으로 정상가격을 추단하여서는 아니 될 것이며, 정상가격에 대한 입증책임은 어디까지나 피고에게 있다(대법원 2008. 2. 14. 선고 2007두1446 판결 참조)"고 판시하여 공정거래위원회에 대하여 엄격한 정상가격 입증책임을 부여하고 있다.

자금거래에서 정상가격은 아래와 같이 산정되는 개별정상금리를 원칙으로 하되, 개별정상금리 산정이 어렵고 그것이 일반정상금리를 하회하지 아니할 것이 명확한 경우에는 일반정상금리를 정상가격으로 볼 수 있다.

(i) 개별정상금리 산정 방법: 지원객체가 특수관계 없는 제3자로부터 (a) 동일한 방법과 시기에 차입한 금리, 다음으로 (b) 유사한 방법과 시기에 차입한 금리, 그러한 금리가 없는 경우 (c) 지원객체와 신용상태가 유사한 회사가 특수관계 없는 제3자로부터 동일한 시기와 방법에 차입한 금리, 다음으로 (d) 유사한 시기와 방법으로 차입한 금리를 의미한다.

(ⅱ) <u>일반정상금리 산정 방법</u>: 개별정상금리의 산정이 어렵고 개별정상금리가 일반정상금리(한국은행이 발표하는 예금은행의 가중평균 당좌대출금리)를 하회하지 않을 것으로 보는 것이 합리적인 경우에는 일반정상금리를 정상금리로 볼 수 있다.

(ⅲ) <u>상기 방법에 의한 시가 산정이 어려운 경우</u>: 위와 같이 정상금리를 산정하기 어려운 경우에는 당해 자산의 종류, 규모, 거래상황 등을 참작하여 상증세법 제4장(재산의 평가) 및 동법 시행령 제4장(재산의 평가)에서 정하는 방법을 준용할 수 있다.

Q 40 비상장주식 거래 시의 세법상 보충적 평가방법에 따라 비상장주식 가격을 평가하여 거래하면 부당지원행위에 해당하지 않는지? 어떤 기준으로 정상가격을 산정해야 하는가?

A 세법상 보충적 평가방법에 의한다 하더라도 부당지원행위에 해당하지 않는다고 단언할 수 없으므로, 최대한 합리적이고 객관적인 방법을 통해 비상장주식을 평가하여 그 가격대로 거래해야 한다.

해설

상장주식의 경우 주식시장의 가격을 정상가격 또는 시가로 볼 수 있으므로 특수관계인 사이의 거래라 하더라도 그에 따라 거래하면 부당지원행위에 해당한다고 의율될 위험이 거의 없다. 하지만 비상장주식의 경우 '정상가격' 산정이 쉽지 않다. 반면, 세법에서는 아래와 같은 보충적 평가방법으로 비상장주식을 평가해야 하고 그렇지 않으면 세무적으로 인정받지 못한다(상증세법 시행령 제54조). 이 경우 내부거래와 관련한 다른 법률, 즉 상법, 형법, 공정거래법에서도 정당한 가격으로 인정받을 수 있는지 문제이다.

---

1. 원칙: 시가가 확인되는 경우 시가로 평가
   * 시가는 평가기준일 전후 6개월(증여재산은 증여일 전 6개월 또는 후 3개월) 이내 불특정다수인 사이의 객관적인 교환가치를 반영한 거래가격 또는 경매·공매가격
   * 주식은 부동산과 달리 감정가액 인정하지 않음.

2. 보충적 평가방법: 시가 확인이 어려운 경우 상증세법상 보충적 평가방법

   > 비상장주식 1주당 평가액
   > =max(1주당 순자산가치와 손손익가치 가중평균액, 1주당 순자산가치 80%)

   순자산가치와 손손익가치의 가중평균비율
     일반법인 2 : 3
     부동산과다보유법인 3 : 2(*자산총액 중 부동산 비율이 50% 이상 법인)
     특정법인은 순자산가치로만 평가(자산총액 중 부동산 비율 80%, 청산·폐업 등 법인)
   순손익가치＝최근 3년간 손손익액 가중평균값 / 0.1(순손익가치 환원율)
   3년간 순손익 가중평균값은 평가기준일 3년, 2년, 1년 순손익액을 각 1, 2, 3의 비율로 가중평균

---

3. 최대주주 주식 할증평가 특례
   최대주주 등의 보유주식 평가 시 20% 가산
   * 최대주주: 주주1인과 특수관계인 보유주식을 합하여 그 합계가 가장 많은 경우의 해당 주주1인과
     특수관계인 모두

중소기업이나 평가기준일 이전 3년 계속 결손금이 있는 경우, 상속일 전후 6개월(증여일 3개월) 내 최대주주 등이 보유주식을 전부 매각한 경우 등에는 최대주주할증 배제

위에서 보는 바와 같이 상증세법상 비상장주식 평가방법은 세무적 목적으로 매우 단순한 형태이다. 통상 계속기업의 경우 순손익가치에 의한 기업가치 평가가 더 높은 경우가 훨씬 많고 순자산가치 역시 부동산의 경우 시가 평가가 쉽지 않기 때문에 실제 가치보다 낮은 경우가 많다. 더욱이 세법에서 10%를 순손익가치 환원율로 사용하는데 실제 기업가치 평가에서 사용되는 할인율보다 훨씬 높기 때문에, 일반 계속기업의 경우 상증세법상 비상장주식 평가방법에 따른 가액이 실제 가액보다 훨씬 낮은 경우가 대부분이다. 이런 점 때문에 세법상 비상장주식 평가가액을 공정하고 객관적이라고 보기 어렵다.

만약 특수관계자 간에 비상장주식 평가가액으로 거래하였는데 실제 가격보다 훨씬 상대에게 유리한 조건이었다면 배임 또는 부당지원에 해당할 수 있다. 이에 대하여 우리 법원은 거래를 하는 측에서 DCF, PER, PBR 등 다양한 기업가치평가방법을 기초로 최대한 노력을 다해서 객관적이고 공정한 가격조건을 찾아 거래하도록 하고 있다.

대법원은 배임죄 사안에서 "증권거래소에 상장되지 않거나 증권협회에 등록되지 않은 법인이 발행한 주식의 경우에도 그에 관한 객관적 교환가치가 적정하게 반영된 정상적인 거래의 실례가 있는 경우에는 그 거래가격을 시가로 보아 주식의 가액을 평가하여야 할 것이고, 한편 상속세 및 증여세법 시행령 제54조 소정의 비상장주식의 평가방법은 보충적 평가방법에 불과하므로 그에 의하여 산정한 평가액이 곧바로 주식의 가액에 해당한다고 볼 수는 없다"고 판시하였다(대법원 2001. 9. 28. 선고 2001도3191 판결). 또, 서울고등법원은 "비상장주식의 시가 또는 실제 가치는 그에 관한 객관적 교환가치가 적정하게 반영된 정상적인 거래의 실례가 있는 경우에는 그 거래가격을 시가로 보아 주식의 가액을 평가하여야 할 것이나, 만약 그러한 거래사례가 없는 경우에는 보편적으로 인정되는 여러 가지 평가방법들을 고려하되, 그러한 평가방법을 규정한 관련 법규들은 각 그 제정 목적에 따라 서로 상이한

기준을 적용하고 있음을 감안할 때 어느 한 가지 평가방법이 항상 적용되어야 한다고 단정할 수는 없고, 거래 당시 당해 비상장법인 및 거래 당사자의 상황, 당해 업종의 특성 등을 종합적으로 고려하여 합리적으로 판단하여야 한다"고 판시하였다(서울고등법원 2007. 5. 29. 선고 2005노2371 판결).

한편, 부당지원행위 사건에서 대법원은 "비상장주식의 양도가 현저히 유리한 조건의 거래로서 부당지원행위에 해당하는지 여부에 관하여 판단함에 있어서 공정거래위원회의 부당지원행위 심사지침은 공정거래위원회 내부의 사무처리준칙에 불과하므로 공정거래위원회가 위 심사지침에서 원용하고 있는 구 상속세 및 증여세법 시행령 제56조 제1항 제2호에서 추정이익을 산출할 수 있도록 한 평가기관에 의뢰하지 않고 스스로 위 규정에 따른 방법으로 주식을 평가하였다고 하더라도 그것만으로는 그 평가가 부적절한 것이라고 할 수는 없고(다만, 위 평가기관에 의뢰하여 평가함으로써 그 평가에 대한 신뢰도를 높일 수 있을 것이다), 따라서 그 평가방법이 주식의 객관적인 가치를 반영할 수 있는 적절한 것인지, 그 방법에 의한 가격산정에 다른 잘못은 없는지 여부 등에 관하여 나아가 살펴보아야 할 것인바, 급속히 발전할 것으로 전망되는 정보통신 관련 사업을 영위하면서 장래에도 계속 성장할 것으로 예상되는 기업의 주식가격은 기준시점 당시 당해 기업의 순자산가치 또는 과거의 순손익가치를 기준으로 하여 산정하는 방법보다는 당해 기업의 미래의 추정이익을 기준으로 하여 산정하는 방법이 그 주식의 객관적인 가치를 반영할 수 있는 보다 적절한 방법이라고 할 것이고, 또한 당해 기업의 미래의 추정이익을 기준으로 주식가격을 산정하고자 할 경우 미래의 추정이익은 그 기준시점 당시 당해 기업이 영위하는 산업의 현황 및 전망, 거시경제전망, 당해 기업의 내부 경영상황, 사업계획 또는 경영계획 등을 종합적으로 고려하여 산정하여야 한다"고 판시하였다(대법원 2005. 6. 9. 선고 2004두7153 판결).

더욱이 우리 공정거래위원회와 법원은 세법상 불이익을 피하기 위하여 세법에 따른 가액으로 거래할 수밖에 없었다는 항변을 인정해 주지 않고 있다. 현대자동차 등이 현대제철의 주식을 경영권 안정화를 위하여 현대캐피탈 등 계열사들로부터 프리미엄을 주고 산 다음 이를 주식시장 시가에 따라 프리미엄을 받지 않고 기아자동차에게 매도한 것과 관련하여 법인세법상 부당행위계산부인에 해당되지 않기 위해 불가피한 행위였다 주장하였지만, 대법원은 "법인세법에 정한 부당행위계산부인의 법리는 구 독점규제 및 공정거래에 관한 법률(2007. 4. 13. 법률 제8382호로 개정되기 전의 것) 제23조 제1항 제7호에 정한 지원행위와 그 제도의 취지 및 판단 기준 등을 달리하는 것이고, 구 공정거래법 제58조에 정한 정당한 행위는 당해 사업의 특수성으로 경쟁 제한이 합리적이라고 인정되는 사업 또는 인가제 등에 의하여 사업자의 독점적 지위가 보장되는 반면, 공공성의 관점에서 고도의 공적규제가 필요한 사업 등에 있어 자유경쟁의 예외를 구체적으로 인정하고 있는 법률 또는 그 법률에 의한 명령의 범위 내에서 행하는 필요·최소한의 행위를 말하는 것인바, 부당행위계산부인에 관한 법인세법 제52조 등을 구 공정거래법 제58조가 규정하고 있는 자유경쟁과 관련된 법령으로 볼 수 없는 이상, 설령 사업자가 법인세법 제52조 등에 따른 불이익을 피하기 위한 목적으로 주식의 매매가격 등을 결정하였다고 하더라도, 이러한 주식의 매매가격에 따른 주식매매 행위가 구 공정거래법 제58조에 정한 정당한 행위에 해당한다고 할 수는 없다"고 판시하였다(대법원 2007. 12. 13. 선고 2005두5963 판결).

Q41 계열회사 사이에서 부동산 임대차 거래를 할 때에는 어떤 기준으로 정상임대료를 산정하여야 하는가?

A 심사지침에서 규정한 부동산의 정상가격의 50%에 이자율을 곱하여 산정되는 정상임대료 산정기준을 참고하되, 제3의 객관적인 감정평가기관을 통해 구체적인 금액을 산정하는 것이 바람직하다.

해설

(i) 제3자와의 거래에서 산정될 임대료: 당해 부동산의 종류, 규모, 위치, 임대시기, 기간 등을 참작하여 유사한 부동산에 대하여 특수관계 없는 독립된 자와의 거래에서 형성되었을 임대료

(ii) 제3자와의 거래에서 적용될 임대료 산정이 어려운 경우:

(부동산의 정상가격의 50/100) × 임대일수 × 정기예금 이자율/365

단, 임대보증금을 포함하는 임대차계약의 경우에는 아래 산식에 따라 정상임대료를 산정한다.

당해 기간의 임대보증금 × 임대일수 × 정기예금 이자율/365

※ 임대인이 정한 이자율이 없거나 이를 정상이자율로 인정하기 어려운 때 국세청장이 고시한 정기이자율(부가가치세법 시행규칙 제47조에 의해 고시하는 정기예금이자율, 2019년 개정 규정 기준 연 1.8%)인 정기예금 이자율을 기준으로 한다.

Q 42 정상가격에 대한 입증이 반드시 필요한가, 정상가격을 입증하지 못하면 공정거래위원회의 처분은 위법하게 되는가?

A 공정거래위원회는 정상가격이 명확히 입증되기 어려운 경우 제반 사정을 종합적으로 고려하여 지원행위 성립 여부를 판단하고 있으나, 법원에서는 보다 엄격한 수준의 정상가격 입증을 요구하고 있다. 최근 법원 판결의 경향은 물량몰아주기가 아닌 한 정상가격 입증이 되지 않으면 부당지원행위 입증에 실패한 것으로 보고 있다.

해설

공정거래위원회는 실무상 정상가격이 특정되기 어렵거나 그에 관한 입증이 다소 부족하더라도, 제반 정황과 간접 증거를 종합하여 부당지원행위로 의율할 수 있다는 입장으로 이해된다. 공정거래위원회 심결례 중에서는 이러한 맥락에서 '정상가격'을 엄격하게 입증하지 아니하고 매출액, 이익률, 가격인상률 등 간접적인 지표와 정황에 근거하여 지원행위가 성립된다고 판단한 선례가 있다.[94] 나아가 정상가격 산정이 사실상 어렵거나 비교기준이 정상가격으로 삼기에 적절하지 않은 경우에는 참고가 되는 다른 지표를 종합적으로 고려하여 지원행위 여부를 판단할 수 있다는 견해도 있다.[95]

하지만 법원의 주류적 판례는 지원행위 성립 여부 판단에 핵심적인 전제가 되는 '정상가격'에 관한 공정거래위원회의 입증이 필요하다는 입장이다. 대법원은 "거래 당시 실제 사례를 찾을 수 없어 부득이 여러 간접적인 자료로 정상가격을 추단할 수밖에 없는 경우에는 통상의 거래 당사자가 거래 당시 일반적인 경제 및 경영상황과 장래 예측의 불확실성까지 모두 고려하여 보편적으로 선택하였으리라 보이는 현실적인 가격을 규명하여야 하고, 단순히 제반 상황을 사후적·회고적인 시각으로 판단하여 거래 당시 기대할 수 있었던 최선의 가격 또는 당해 거래가격보다 더 나은 가격으로 거래할 수도 있었을 것이라 하여 가벼이 이를 기준으로 정상가격을 추단하여서는 아니 된다. 정상가격의 입증책임은 어디까지나 공정거래위원회에 있다"는 취지를 분명히 하고 있다(대법원 2008. 2. 14. 선고 2007두1446 판결 등 다수).

나아가 자금거래를 부당지원행위로 제재할 경우 엄격한 증명을 통하여 정상금리가 확정

---

94) 에스티엑스조선해양의 부당지원행위에 대한 건(2012. 2. 22. 의결 제2012-028호), SK기업집단 계열회사의 부당지원행위에 대한 건(2012. 9. 3. 의결 제2012-227호), 한국전력공사 소속회사의 부당지원행위에 대한 건(2015. 3. 23. 의결 제2015-087호) 등
95) 서정, 박사학위논문, 「부당한 지원행위 규제에 관한 연구」(2008. 4.), p.37

되어야 하고 그 입증책임은 공정거래위원회가 부담하며(대법원 2011. 9. 8. 선고 2009두11911 판결), 정상금리 산정 시에는 방식의 타당성뿐만 아니라 전제조건이나 적용된 수치의 타당성까지 확보되어야 한다는 입장이다(대법원 2008. 3. 27. 선고 2005두9972 판결).

최근 법원은 웅진 기업집단 계열사들의 웅진홀딩스에 대한 부당지원행위 건(서울고등법원 2013. 1. 24. 선고 2012누10293 판결, 대법원 2014. 6. 12. 선고 2013두4255 판결), SK기업집단 계열회사들의 SK C&C에 대한 부당지원행위 건(서울고등법원 2014. 5. 14. 선고 2012누30440 판결) 및 신세계 기업집단 계열회사들의 부당지원행위 건(서울고등법원 2014. 3. 14. 선고 2013누45067 판결) 등에서도 정상가격에 대한 공정거래위원회(피고)의 주장이 잘못되었거나 입증이 부족한 경우에는 처분의 적법성이 인정될 수 없다고 판단한 바 있다.

'상당히 유리한 조건'의 거래가 이루어졌는지 여부는 침익적 행정행위의 성립 요건이므로 특별한 사정이 없는 한 그러한 지원행위 판단의 전제가 되는 '정상가액'에 대해서도 엄격한 입증이 이루어져야 한다. 즉, 정상가격보다 필연적으로 더 높은 가격이 있어 이를 정상가격 대용으로 사용한 경우이거나(예컨대, 개별정상금리보다 높은 일반정상금리를 대용으로 사용하는 경우), 개별적 거래에 부합하는 정상가격을 명확하게 제시하기 어렵더라도 그것이 정상가격보다 상당히 유리한 조건임에 반증의 여지가 없는 상황 등에서는 정상가격에 대한 엄밀한 입증이 없더라도 처분의 적법성이 인정될 수 있을 것이나, 단순히 지원주체의 이익률이 높다던지 지원거래의 마진율이 높다는 점만으로는 특별한 사정이 존재한다고 볼 수 없다. 이러한 경우에는 정상가격 입증이 사실상 불가능하다는 사정에 대한 입증까지 공정거래위원회가 부담해야 한다. 상증세법상 보충적 평가방법을 사용하기 위하여 시가가 존재하지 않는다는 점을 입증해야 하는 것과 같은 논리이다.

부당지원행위 심사지침 등에서는 '실제가격이 정상가격보다 상당히 낮거나 높은 것으로 보는 것이 합리적이나 정상가격의 구체적 수준을 합리적으로 산정하기 어려운 경우에는 지원성 거래규모를 기준으로 지원금액을 산정한다'는 규정이 있고(심사지침 III. 1. 차 등 다수), 「과징금부과 세부기준 등에 관한 고시」(2017. 11. 30. 개정 공정거래위원회 예규 제2017 - 21호, 이하 '과징금고시'라 함)에서도 '일반 부당지원행위 및 특수관계자 이익제공행위에서 지원금액의 산출이 어렵거나 불가능한 경우에는 당해 지원성 거래규모의 100분의 10에 해당하는 금액을 위반액으로 본다'는 규정이 있다(과징금고시 II. 8. 나).

공정거래위원회의 실무예 중에는 해당 지침이나 고시를 근거로 정상가격 입증이 어려운 경우라도 부당지원행위가 성립된다고 보는 경우가 있다. 하지만 지원금액은 부당지원행위 성립에 대한 법리 판단이 이루어진 이후 과징금 등 제재수준을 정함에 필요한 고려요소일 뿐이므로 이런 지침의 내용을 근거로 정상가격 입증이 안되더라도 부당지원행위 성립이 가능하다고 보는 것은 주객이 전도된 해석이다. 법원은 물량몰아주기 지원행위 유형에 대해서만 정상가격의 구체적 수준 입증 없이도 거래의 유리성을 보여주는 부수적 지표, 예를 들어 가격 인상률, 매출총이익률, 내·외부 거래 간 이익률 차이 등으로 상당히 유리한 조건의 거래에 해당한다고 판단하였을 뿐(서울고등법원 2009. 8. 19. 선고 2007누30903 판결), 그 외 지원행위유형에 대하여는 정상가격의 입증을 엄격히 요구하고 있는바, 이에 비추어 보더라도 지원금액 산정과 관련한 심사지침과 과징금고시 규정은 물량몰아주기 이외의 부분에서는 삭제함이 바람직하다.

참고로, 부당행위계산부인의 경우 간접적 증거들을 통해 실제 거래가격이 시가보다 높은 수준인지 여부를 간접적으로 추단할 수 있다고 하더라도 과세관청이 시가 자체를 입증하지 못하는 경우에는 과세요건을 충족하지 못한 것으로 보는 법리와 판례가 확립되어 있다.

Q43 하이닉스 문화일보 부당행위계산부인 판결을 통하여 알 수 있는 '시가' 입증책임의 법리는 무엇인가?

A 여러 가지 재무지표와 정황사실에 비추어 일방에게 유리한 거래라고 보여지더라도 시가 또는 정상가격에 대한 입증책임을 다하지 못한다면 내부거래에 대한 부당성 입증에 실패한 것이므로 처분이 유지될 수 없다는 엄격한 입증책임의 법리를 단적으로 보여주는 사례이다.

해설

정상가격 또는 시가에 대한 입증책임을 지는 공정거래위원회는 정상가격 또는 시가 입증을 위하여 실제 거래사례를 찾아서 그 가격을 적용하거나 실제 사례를 찾을 수 없어서 부득이 유사한 사례에 의하여 정상가격을 산정할 수밖에 없는 경우 먼저 당해 거래와 비교하기에 적합한 유사한 사례를 산정하고 나아가 그 사례와 당해 거래 사이의 가격에 영향을 미칠 수 있는 거래조건 등의 차이가 존재하는지를 살펴 그 차이가 있다면 이를 합리적으로 조정하는 과정을 거쳐 정상가격을 추단하여야 한다(대법원 2005. 1. 29. 선고 2014두36112 판결). 하지만 이러한 방법을 거쳐 제대로 된 정상가격이 산정되었다는 점에 대한 입증책임은 처분의 적법성을 주장하는 공정거래위원회에 있다. 종래 부당지원행위에서 정상가격이 제대로 산정되었음에 대한 공정거래위원회의 입증책임이 부당행위계산부인에서 시가에 대한 국세청의 입증책임보다 훨씬 낮다고 보는 견해가 많았지만, 신세계 기업집단의 부당지원행위 사건 등에서 보인 최근 판결들(대법원 2015. 1. 29. 선고 2014두36112 판결 등 다수) 등에 비추어 사실상 동일한 것으로 이해되고 있다.

부당행위계산부인과 관련한 것이기는 하지만, 유사한 사례를 선정하여 여러 가격요소를 보정하는 방식으로 시가 또는 정상가격을 산정하였음에 대한 행정청의 입증책임의 정도에 대한 기념비적인 판결이 있어 소개한다.

외환위기 당시 공정거래위원회와 국세청은 현대그룹에 대하여 내부거래 조사를 대대적으로 실시하였다. 문화일보는 과거 구 현대그룹의 계열사 언론이었다. 현대 계열사들이 계열 언론사였던 문화일보에게 광고를 게재하면서 특별히 많은 금액을 지급했음이 밝혀져 공정거래위원회는 부당지원행위에 대하여 시정조치 및 과징금 부과처분을 하고 국세청 역시도 부당행위계산부인으로 법인세 등을 부과했다.

현대계열사들은 모두 그 처분에 불복하지 않았는데 당시 계열에서 떨어져 나온 하이닉스만이 법인세부과처분에 대하여 행정소송을 제기했다. 그 행정소송에서 '시가' 또는 '정상가격'의 법률적 의미와 입증책임에 대해 매우 구체적이고 치밀하게 논의되었다. 참고로 해당 1차 부과처분에 대하여는 필자가 담당하여 1심부터 3심까지 수행하여 승소하였고(대법원 2006두4691, 서울고등법원 2003누21239, 수원지방법원 2002구합3820), 이후 과세관청이 재처분한 것에 대하여 하이닉스가 다른 법무법인을 선임하여 진행했지만 패소하고(수원지방법원 2011. 3. 30. 선고 2010구합12515 판결), 이후 항소심인 서울고등법원에서 조정으로 소취하되어 확정된 것으로 알고 있다(서울고등법원 2011누14776 사건). 그 경과는 다음과 같다.

하이닉스는 1995년, 1996년에 문화일보가 광고를 게재하고 그 광고료(이하 '이 사건 광고료'라 한다)로 1995년 및 1996년에 별지 표2의 '광고료'란 기재 금원을 각 지급하였다. 국세청은 문화일보와 특수관계가 없는 광고주들이 문화일보에 지급한 광고료를 정상가액으로 본 다음, 하이닉스가 특수관계자인 문화일보에게 시가보다 높은 가액으로 광고료를 지급하였다며 부당행위계산부인을 해 법인세를 부과했다(1차 부과처분).

하이닉스는 다음과 같은 논리로 국세청이 시가에 대한 입증을 제대로 하지 못하였다며 처분의 취소를 구하였다.

원고 하이닉스의 주장

전반적으로 비계열사 광고주들보다 높은 광고료를 준 것은 사실이지만 과세관청이 '시가' 개념을 잘못 잡았고 결국 입증을 못한 것 아니냐는 것이 쟁점이다. 신문 광고는 1면 광고, 2면 광고 등 광고면수와 크기별로 가격이 매겨진 표를 가지고 있었지만, 실제로는 개별 광고별로 가격이 표를 기준으로 협상으로 정하는 것이 아니라, 그 시점에서 광고를 요청하는 광고주의 업종, 규모, 재무상황 등에 따라 개별적으로 정해졌다. 예를 들어 1면 광고라 하더라도 가격이 천차만별이고 심지어 같은 광고주라 해도 날짜별로 가격이 달랐다. 심지어 광고주의 업종에 따라서도 조금씩 가격이 달랐다. 그런데 국세청은 1면 광고의 평균가격을 시가로 보고 과세했던 것이다. 이는 통계학에서 '단일하지 않은 집단'을 '표본'으로 보고 평균을 낸 소위 '표본오류'에 해당하는 것이다. 표본을 제대로 설정하고 그 평균값을 시가로 주장하는 입증책임이 국세청에 있는데 이를 다하지 못하였으므로 조세부과처분은 취소되어야 한다.

이에 대하여 수원지방법원은 "원고가 특수관계에 있는 문화일보사에게 광고료를 과다하게 지급하였고 이는 부당행위계산부인의 대상이 되나, 4대 중앙일간지를 제외한 기타 국내 신문사들은 1996년경 대기업에 대하여 중소기업보다 광고단가를 훨씬 높이 책정하였고, 각 게재면별로도 광고단가를 달리 책정하였으며, 문화일보사가 지급받은 광고단가에는 광고주별로 상당한 편차가 있었으므로, 피고로서는 이러한 사정을 종합적으로 고려하여 광고주를 일정한 수의 대기업으로 제한하고 광고게재면을 좀 더 세분하는 등의 방법으로 표본을 압축하고, 그 표본의 광고단가를 기초로 적정한 정상가액을 산정하였어야 마땅함에도 여기까지 이르지 못한 채 단순히 문화일보사와 특수관계 없는 광고주가 광고를 의뢰하고 지급한 광고료를 표본으로 하여 이를 전체 평균하여 그 광고단가를 정상가액으로 산정함으로써 일반적으로 광고단가를 정하는데 영향을 주는 요소를 제대로 반영하지 못한 금액을 정상가액으로 산정하였으므로, 이는 적정한 정상가액이라고 할 수 없으며, 정상가액을 다시 산정하여 정당한 세액을 계산하여야 할 것이나, 기록에 나타난 증거자료만으로는 적정한 정상가액을 산정할 수 없다"는 이유로 1차 처분을 전부 취소하는 판결(이하 '종전 판결'이라 한다)을 선고하였다. 피고가 불복하여 항소를 제기하였으나, 항소심 법원(서울고등법원 2003누21239)은 2006. 2. 1. 항소를 기각하는 판결을 선고하였으며, 다시 피고가 상고하였으나, 대법원(2006두4691)은 2006. 6. 2. 상고를 기각하는 판결을 선고하여 종전 판결은 그대로 확정되었다.

이후 국세청은 다시 광고주를 대규모기업집단으로 한정하고 광고게재면을 1995 사업연도 13가지, 1996 사업연도 17가지로 세분화하는 방식으로 표본설정을 한 다음 그 평균값을 시가로 하여 재부과처분을 하였고(조세심판을 통해 상당 부분 감액되어 결과적으로 1차 부과처분에 비하여 50% 이상 감액되었다. 이를 '2차 부과처분'이라 한다), 수원지방법원에서는 표본집단을 세분화하여 그 평균값으로 시가를 산정한 것이 정당하다며 원고 청구를 기각했다(수원지방법원 2011. 3. 30. 선고 2010구합12515 판결). 하이닉스는 항소를 제기하였다가 고등법원에서 원·피고에게 조정권고를 하였고, 이를 하이닉스가 받아들여 항소를 취하함으로써 판결이 확정되었다(서울고등법원 2011누14776 사건).

참고로 동일한 부당지원사건에서 법원은 공정거래법상 '정상가격'의 입증책임 및 정도에 대하여 결이 다른 판단을 하였다. 법원은 현대그룹 계열사들에 의한 문화일보 지원과 관련하여 "광고의 가격은 게재면, 게재일자, 광고효과 등을 고려하여 책정되는 점에 비추어 위에서 본 정상가격을 산정하기 어려운 것으로 보이고, 한편 이런 사정으로 '실제 지원금액이 산출되기 어렵거나 불가능한 경우'에 당해 지원성 거래규모의 10% 내에서 과징금을 부과할 수 있다고 규정하고 있으므로 결국 원고의 문화일보에 대한 과징금부과처분은 합당하다'는 판시를 한 것이다(서울고등법원 2007. 9. 13. 선고 2007누2519 판결).[96)

부당지원행위의 정상가격 입증과 관련한 법리가 미확립되었던 시기의 판결로 필자는 이에 동조하지 않는다. 사견으로 최근 이 해당 사건이 법원에 의하여 심리된다면 정상가격에 대한 입증 부족으로 처분이 취소되는 판결이 내려질 것으로 확신한다(그 전에 아마 공정거래위원회가 보다 과학적이고 합리적인 방식으로 표본을 나누어 정상가격을 산정·입증했을 것이라 믿는다).

---

96) 대법원 2007. 1. 11. 선고 2004두350 판결의 파기환송심

Q44 정상가격을 산정하기 어려운 경우 지원성 거래규모를 기초로 지원금액을 산정할 수 있다는 심사지침과 지원금액 산정이 어려운 경우 거래금액의 10%를 위반금액으로 과징금을 부과할 수 있다는 과징금고시가 있는데, 이를 기초로 정상가격 입증이 되지 않더라도 위법성을 인정하고 과징금을 부과할 수 있는가?

A 정상가격 입증이 되지 않으면 위법성이 인정되지 않으므로 거래금액을 기준으로 과징금을 부과할 수 없다고 보아야 한다. 물론 규정의 취지와 목적은 이해되지만 해당 심사지침과 과징금고시는 정상가격 입증책임에 대한 오해를 일으킬 수 있으므로 수정되어야 한다.

해설

지원금액이란 지원주체가 지출한 금액이 아니라 지원객체가 받았거나 받은 것과 동일시할 수 있는 경제상 이익을 의미한다. 즉, 지원주체가 지원객체에게 제공하는 경제적 급부의 정상가격에서 그에 대한 대가로 지원객체로부터 받는 경제적 반대급부의 정상가격을 차감한 금액을 말한다(일반지원행위 심사지침 II. 6.).

공정거래법 시행령 및 「과징금부과 세부기준 등에 관한 고시」(이하 "과징금 고시")에서는 지원금액의 산출이 어렵거나 불가능한 경우에는 당해 지원성 거래규모의 10%를 지원금액으로 간주하도록 규정하고 있다(시행령 제61조 제1항 별표 2. 2. 가. 및 과징금고시 II. 8. 나. 및 다.). 이때 지원성 거래규모란, 지원주체가 지원객체에게 제공하는 경제적 급부의 실제거래가격이 정상가격보다 높거나 낮은 것으로 보는 것이 합리적이지만 정상가격의 구체적 수준을 합리적으로 산정하기 어려운 경우에 당해 거래(무상제공 또는 무상이전 포함)의 규모를 뜻한다(일반지원행위 심사지침 II. 7.). 한편, 부당지원행위 심사지침 등에서는 '실제가격이 정상가격보다 상당히 낮거나 높은 것으로 보는 것이 합리적이나 정상가격의 구체적 수준을 합리적으로 산정하기 어려운 경우에는 지원성 거래규모를 기준으로 지원금액을 산정한다'는 규정이 있다(심사지침 III. 1. 차 등 다수).

공정거래위원회는 심사지침과 과징금고시의 조항들을 근거로 '정상가격' 입증이 모든 경우에 엄격하게 이루어져야 하는 것은 아니며 정상가격 산정이 어려운 경우에는 지원성 거래규모를 기초로 지원금액을 산정할 수 있고, 지원금액 산정이 어려운 경우에는 지원성 거래규모의 10%를 위반액으로 보아 과징금을 부과할 수 있다는 입장으로 이해된다.

하지만 법원의 주류적 판례는 정상가격 입증이 엄격히 요구된다는 것이다. 물론 과거에는 위험 회피를 위한 옵션계약을 대신 체결해 주는 경우의 위험회피 비용(서울고등법원 2005. 7. 28. 선고 2004누2884 판결, 대법원 2007. 7. 27. 선고 2005두10866 판결), 또는 게재면, 게재일자, 광고효과 등에 따라 달라지는 신문광고료(서울고등법원 2003. 12. 2. 선고 2002누1139 판결, 대법원 2007. 1. 11. 선고 2004두350 판결, 환송심 서울고등법원 2007. 9. 13. 선고 2007누2519 판결[97])와 같이 정상가격 산정이 사실상 불가능한 경우에도 부당지원행위가 성립한다고 본 사례가 있지만, 이는 부당지원행위의 정상가격 입증에 대한 법리가 확립되지 않았던 시기의 판단일 뿐이다. 명시적으로 전원합의체를 통하여 변경된 것은 아니지만 최근 웅진 기업집단 계열사들의 웅진홀딩스에 대한 부당지원행위 건(서울고등법원 2013. 1. 24. 선고 2012누10293 판결, 대법원 2014. 6. 12. 선고 2013두4255 판결), SK기업집단 계열회사들의 SK C&C에 대한 부당지원행위 건(서울고등법원 2014. 5. 14. 선고 2012누30440 판결) 및 신세계 기업집단 계열회사들의 부당지원행위 건(서울고등법원 2014. 3. 14. 선고 2013누45067 판결) 등의 판결에서 예외 없이 정상가격에 대한 공정거래위원회의 입증책임을 엄격히 요구하고 입증이 부족한 경우 처분을 취소하였던 바, 이에 비추어 볼 때 사실상 위 2004두350 판결이나 2007누2519 판결은 파기된 것으로 보아야 한다. 특별한 사정이 없는 한 공정거래위원회의 정상가격의 입증은 엄격히 이루어져야 함이 판례이다.

종합하면, 지원성 거래규모를 기초로 지원금액을 산정할 수 있다거나 지원성 거래규모의 10%를 위반액으로 보아 과징금을 부과할 수 있다는 조항은 정상가격 산정이 불가능하고 다른 증거에 비추어 실제 거래조건이 정상가격보다 훨씬 유리함이 반박의 여지가 없을 정도로 명확하게 입증된 경우에 한하여 적용될 수 있는 규정으로 해석해야 하지, 정상가격이 입증되지 않더라도 위법성을 인정하고 과징금을 부과할 수 있다는 취지가 아니다. 다만, 이러한 경우라도 피심인이 실제가격이 정상가격에 부합할 가능성이 있음을 보여주는 경우에

---

97) 현대그룹 계열사들에 의한 문화일보 지원과 관련하여 "광고의 가격은 게재면, 게재일자, 광고효과 등을 고려하여 책정되는 점에 비추어 위에서 본 정상가격을 산정하기 어려운 것으로 보이고, 한편 이런 사정으로 '실제 지원금액이 산출되기 어렵거나 불가능한 경우'에 당해 지원성 거래규모의 10% 내에서 과징금을 부과할 수 있다고 규정하고 있으므로 결국 원고의 문화일보에 대한 과징금부과처분은 합당하다"는 판시를 한 바 있다(서울고등법원 2007. 9. 13. 선고 2007누2519 판결). Q40에서 설명한 바와 같이 하이닉스의 문화일보 부당행위계산부인의 법인세부과처분취소 사건과 같은 맥락의 사건이지만 우리 법원은 당시 조세법의 '시가'와 같은 정도의 '정상가격'에 대한 입증책임을 요구하지 않았다. 정상가격 산정이 실무상 어려우면(조세법에서 법원은 어렵더라도 게재면, 게재일자, 광고효과뿐 아니라 광고자의 업종, 규모 등을 감안하여 표본집단을 나누어서 시가를 산정해야 한다고 했다) 정상가격 산정 없이도 지원성거래규모를 산정하여 처분할 수 있다고 본 것이다.

는 위법성을 인정할 수 없으며, 지원금액이 지원성 거래규모의 10%에 해당하는 금액보다 적다는 점을 입증한다면 이를 위반액으로 보아 과징금을 부과할 수 없다고 본다.

사견으로, 해당 조항들의 고유의 목적과 취지가 있겠지만 정상가격에 대한 공정거래위원회의 입증책임 소재 및 정도에 대하여 오해를 불러일으킬 수 있으므로, 법원이 정상가격의 구체적 수준 입증이 아니라 가격인상률, 매출이익률 등 재무지표로 거래조건의 유리성을 입증할 수 있다고 본 물량몰아주기 이외의 지원행위유형의 심사지침 및 과징금고시에서 삭제함이 바람직하다.

Q 45 정상가격에 대한 입증이 부족하다는 이유로 부당지원행위 성립이 부정된 주요 사례는 무엇이 있는가?

A 웅진그룹, 신세계그룹, SK그룹 등의 부당지원 사건에서 엄격한 정상가격 증명을 요구하는 법원의 판결이 내려졌으며, 종래 정상가격의 입증책임 소재와 정도에 대하여 흔들리던 법원 판결을 명확히 정리한 것이라 본다.

해설

종래 공정거래위원회와 일부 법원 판결은 부당지원행위에서 공정거래위원회가 '정상가격'을 입증해야 하기는 하지만, 구체적인 '정상가격' 산정이 어려운 경우에는 전체적으로 유리한 거래임이 인정되면 부당지원행위의 상당히 유리한 조건의 입증이 된 것으로 볼 수 있다는 입장에 가까웠다. 앞서 본 현대그룹의 문화일보 광고료 지원사건에서 법원이 하이닉스의 문화일보 부당행위계산부인 사건에서는 전반적으로 유리한 조건임이 인정되더라도 적절한 표본을 선정해 '시가'를 산정하지 않았으면 처분이 위법하다고 본 반면, 공정거래법의 부당지원행위와 관련하여는 실제 지원금액이 산출되기 어렵거나 불가능한 경우에도 전반적으로 유리한 조건임이 명확하다면 부당지원행위가 성립한다고 판시를 한 바 있다(서울고등법원 2007. 9. 13. 선고 2007누2519 판결).[98] 이처럼 세법에서의 '시가'와 공정거래법상 '정상가격'에 대하여 법원이 요구하는 입증의 정도에 큰 차이가 있었다. 하지만 2010년대 이후에 법원의 기류에 큰 변화가 생겼다. 법원이 일련의 사건에서 일관되고 명확하게 공정거래법상 '정상가격'에 대하여 공정거래위원회가 개별적으로 입증하지 못하면 전반적으로 유리한 조건에 해당하더라도 부당지원행위로 의율하지 못한다며 취소판결들을 내린 것이다.

정상가격 또는 시가에 대한 입증 부족 등으로 인해 공정거래위원회의 원처분이 위법하다고 판단된 최근의 판결들을 정리하면 다음과 같다.

사 건	사실관계 및 판결이유
웅진그룹 계열사의 부당지원행위 사건 (서울고법 2012누10293 판결, 대법원 2013두4255 판결[99])	① 웅진그룹 소속 5개 계열사들이 웅진홀딩스에게 각종 소모성 자재(Maintenance Repair and Operation, MRO) 및 원부자재에 대한 구매대행 업무를 위탁하고 정상가격보다 높은 구매대행 수수료를 지급하였다는 이유로 현저히 유리한 조건에 의한 부당지원행위로 제재한 공정거래위원회의 처분을 취소함. • 법원은 (a) 구매대행 업무의 총 대가가 정상가격보다 높다고 인정할

---

98) 대법원 2007. 1. 11. 선고 2004두350 판결의 파기환송심

사 건	사실관계 및 판결이유
	증거가 없고, (b) 오히려 웅진홀딩스의 계열사들에 대한 구매대행 업무에 따른 매출총이익률이 다른 고객사들에 대한 매출총이익률보다 낮은 점, (c) 웅진홀딩스가 다른 고객사들에는 단순한 구매대행 서비스만을 제공하였으나 계열회사에는 상품기획, 발주요청, 전표작성 등 특화된 서비스를 제공한 점 등을 고려하면 수수료가 전체적으로 과다하였다고 볼 수 없으며, (d) 수수료 산정에는 다양한 방법이 있을 수 있으므로 그 일부로 대행 업무를 담당하는 직원의 인건비를 포함하였다는 것만으로 수수료 산정방식이 부당하다고 보기는 어렵다고 판단함. ② 웅진폴리실리콘이 우리은행으로부터 621억 원을 차입하는 과정에서 웅진홀딩스가 대가를 수수하지 않고 예금 600억 원과 주식 100만주를 담보로 제공함으로써 웅진폴리실리콘이 무담보 대출금리보다 낮은 대출금리인 5.50~5.87%로 대출받을 수 있도록 한 행위를 자금지원으로 판단한 공정거래위원회의 원처분을 취소함. • 공정거래위원회가 지원금액을 산정하면서 개별정상금리를 산정하기 어려웠다거나 개별정상금리가 일반정상금리를 하회하지 않는다고 인정되는 특별한 사정이 있었다고 보기 어려움에도, 단지 우리은행이 웅진폴리실리콘 또는 그와 신용등급이 비슷한 회사와 무담보 대출 거래를 한 사례가 없었다는 이유로 실제적용금리와 일반정상금리인 6.83~7.07%를 비교하여 지원금액을 산정하고 이를 기초로 과징금을 산정한 것은 위법하다고 판단함.

---

99) 대법원은 2014. 6. 12. 선고 2013두4255 판결에서 도레이케미칼(변경 전 상호: 웅진케미칼), 케이지패스원(변경 전 상호: 웅진패스원), 극동건설 등 '원고 5개 사'가 자사의 각종 소모성 자재(Maintenance, Repair and Operation, 이하 'MRO'라고 한다)와 원부자재 구매 업무 외에 출판물 제작 및 기타 여러 가지 업무(이하 '이 사건 대행 업무'라고 한다)를 웅진홀딩스에게 대행하도록 하고 그 대가로 MRO 구매 관련 상품별 마진(중간이윤) 외에 이 사건 대행 업무를 위해 자사에서 웅진홀딩스로 전출시킨 인력에 대한 인건비 등 제반 경비에 상당하는 대행 수수료를 지급한 이 사건 각 거래에서, 상품별 마진까지 포함한 이 사건 대행 업무에 대한 총 대가가 정상가격보다 높다는 점을 인정할 만한 증거가 없고, 오히려 웅진홀딩스의 원고 5개 사에 대한 이 사건 대행 관련 매출총이익률이 다른 고객사들에 대한 매출총이익률보다 낮은 점, 웅진홀딩스가 다른 고객사들에는 단순한 구매 대행 서비스만을 제공하였으나 원고 5개 사에는 상품기획, 발주요청, 전표작성 등 특화된 서비스를 제공한 점 등을 고려하면 이 사건 대행 업무의 총 대가가 과다하였다고 볼 수 없으며, 이 사건 같은 대행 업무의 수수료를 산정하는 데에는 다양한 방법이 있을 수 있으므로 그 일부로 대행 업무를 담당하는 직원의 인건비 상당을 포함하였다고 하여 그것만으로 위 수수료 산정방식이 부당하다고 보기는 어렵다는 점 등의 이유를 들어, 피고가 이와 달리 원고 5개 사와 웅진홀딩스 사이 이 사건 대행 업무에 관한 거래가 '현저히 유리한 조건으로 거래하여 과다한 경제상 이익을 제공한 행위'에 해당한다고 보고 원고 5개 사에 대하여 한 이 사건 시정명령과 과징금납부명령은 위법하다'고 판시하였다.

사 건	사실관계 및 판결이유
신세계 그룹 계열회사들의 부당지원행위 사건 (서울고법 2013누45067 판결, 대법원 2014두36112 판결[100])	신세계, 이마트가 데이앤데이 매장, 에브리데이데이앤데이 매장, 이마트 내 피자 매장 등의 판매수수료율을 통상적인 거래가격에 비해 낮게 책정하는 방법으로 계열회사를 지원하였다고 판단하여 부당지원행위로 제재한 공정거래위원회 원처분을 일부 취소함. • 신세계가 에브리데이데이앤데이, 피자, 베키아에누보매장에 적용한 판매수수료율, 이마트와 에브리데이리테일이 에브리데이데이앤데이 매장에 적용한 판매수수료율이 정상판매수수료율에 현저히 미치지 못한다는 점에 관한 공정거래위원회의 입증이 부족함.

[100) | 신세계 부당지원사건 정리 |

사업자	비 고
신세계(이하 "원고 1")	2011. 4. 30.까지 대형할인점인 이마트 매장과 기업형 슈퍼마켓인 이마트에브리데이 매장을 운영하고, 2012. 4. 1. 현재 7개의 신세계백화점을 운영함.
이마트(이하 "원고 2")	2011. 5. 1. 원고 1로부터 분할되어 ① 이마트 매장, ② 이마트에브리데이 매장을 운영함(후자의 경우 2022. 2. 29.까지만 운영하고 에브리데이리테일에게 양도함).
에브리데이리테일 (이하 "원고 3")	2012. 3. 1. 원고 2로부터 이마트에브리데이 매장 사업부문을 양수한 후 2012. 4. 1. 현재 72개 매장을 운영함.
신세계에스브이엔 (이하 "SVN")	원고 1, 2의 이마트 매장에 입점하여 2005년부터 2012. 9. 25.까지 데이앤데이(이하 'D&D') 매장을 운영하여 D&D 브랜드로 베이커리 빵을 판매함.
	원고 1의 이마트 매장에 입점하여 2010. 7.부터 2014년 현재까지 이마트 고객 유인용 초저가 슈퍼프라임 피자(이하 '이마트 피자')를 판매함.
	원고 1의 신세계백화점 본점, 강남점. 부산센텀점에 입점하여 2005년부터 2011. 7.까지 베키아에누보(Becchia & Nouevo)라는 이탈리안 레스토랑을 운영하며 베키아에누보 브랜드로 고급 식음료를 판매함.

(주진열, "공정거래법상 부당지원행위 관련 정상가격 산정기준", 경제법판례연구(2016), p.224)

| 공정거래위원회 처분 |

	시정명령	과징금
원고 1	D&D, 이마트 피자 Everyday D&D, 베키아에누보의 수수료율을 통상적인 거래가격에 비추어 낮은 가격으로 책정하는 방법으로 과다한 경제상의 이익을 제공함으로써 SVN을 지원하는 행위를 하여서는 아니 됨.	23억 4천 3백만 원
원고 2	D&D, Everyday D&D의 수수료율을 통상적인 거래가격에 비추어 낮은 가격으로 책정하는 방법으로 과다한 경제상의 이익을 제공함으로써 SVN을 지원하는 행위를 하여서는 아니 됨.	16억 9천 2백만 원
원고 3	Everyday D&D의 수수료율을 통상적인 거래가격에 비추어 낮은 가격으로 책정하는 방법으로 과다한 경제상의 이익을 제공함으로써 SVN을 지원하는 행위를 하여서는 아니 됨.	2억 7천만 원

(주진열, "공정거래법상 부당지원행위 관련 정상가격 산정기준", 경제법판례연구(2016), p.225)

사 건	사실관계 및 판결이유
SK그룹 계열회사들의 SK C&C에 대한 부당지원행위 사건(서울고법 2012누30440 판결)	SK그룹 소속 계열사들이 계열 SI업체인 SK C&C에 ① IT 아웃소싱 서비스를 위탁하면서 2008년경부터는 소프트웨어 기술자의 인건비 단가를 고시 단가 대비 할인하여 적용하는 것이 업계의 관행이었음에도 할인하지 않고 그대로 적용함으로써 비계열사 거래에 비해 높은 수준의 인건비를 지급하고, ② 특정 계열사가 전산장비에 대한 유지보수 서비스 대가를 지급하면서 다른 계열회사들에 비해 높은 유지보수요율을 적용하여 SK C&C를 지원하였다고 판단한 공정거래위원회 처분을 취소함. (a) IT 아웃소싱 서비스에서 적용된 인건비 대가의 적정성 여부와 관련하여(인건비 단가를 기준으로 가격적정성을 판단하는 것은 타당하나), 공정거래위원회가 제시한 증거만으로는 2008년 이후 SI업계에서 고시 단가보다 낮은 금액이 인건비 단가의 정상가격이 되었다거나 SK계열사들이 정상가격보다 현저히 높은 인건비 단가를 적용하여 서비스 대가를 지급하였다고 보기 어렵다고 판단함. (b) 유지보수요율의 적정성 여부와 관련하여, SK C&C가 제공한 유지보수 서비스의 수준이나 범위가 다른 계열회사들과 동일하거나 유사하다고 보기 어렵고, 상대적으로 높은 수준의 유지보수 서비스가 요청·제공되었다고 볼 수 있으므로 다른 계열회사들에게 적용된 상대적으로 낮은 요율과 평면적으로 비교할 수 없고, 그 외 정상가격보다 현저히 높은 가격이 적용되었다고 단정할 근거가 없음.

동 사건에서 대법원은 "2010. 7.부터 2012. 9. 25.까지 사이 원고 주식회사 신세계(이하 회사 명칭에서 '주식회사'는 모두 생략한다), 이마트, 에브리데이리테일과 이들이 운영한 기업형 슈퍼마켓인 '이마트에브리데이' 매장에 입점하여 '에브리데이데이앤데이'라는 브랜드로 베이커리 빵을 판매한 신세계에스브이엔(이하 '에스브이엔'이라 한다) 사이의 특정매입거래(이하 가.항 내에서 '이 사건 거래'라 한다)에 적용되었어야 할 정상판매수수료율이 23%라는 피고의 주장에 관하여, 피고가 정상판매수수료율의 추단 근거로 제시한 비교대상거래, 즉 원고 신세계, 이마트와 이들이 운영한 대형할인점인 이마트 매장에 입점하여 '데이앤데이'라는 브랜드로 베이커리 빵을 판매한 에스브이엔 사이의 특정매입거래는 이 사건 거래와 거래 당사자의 인지도, 매출액 등에서 차이가 있어 비교대상거래의 정상판매수수료율을 이 사건 거래의 정상판매수수료율로 인정할 수 없고, 달리 이 사건 거래의 정상판매수수료율을 산정할 만한 증거가 없다는 이유로 피고의 위 주장을 배척한 뒤, 피고의 증명 부족으로 이 사건 거래에 실제 적용된 판매수수료율 10%를 현저히 유리한 조건의 거래로 볼 수 없다."고 판단하였다.

또, 대법원은 동 사건에서 "2010. 7.부터 2011. 2.까지의 기간 동안 원고 신세계와 그가 운영한 이마트 매장에 입점하여 이마트의 고객유인용 저가의 대형 피자를 판매한 에스브이엔 사이의 특정매입거래(이하 나.항 내에서 '이 사건 거래'라 한다)에 적용되었어야 할 정상판매수수료율이 5%라는 피고의 주장에 관하여, 피고가 정상판매수수료율의 추단 근거로 제시한 비교대상거래, 즉 다른 대형할인점인 홈플러스, 롯데마트와 이들과 특수관계가 없는 독립회사로서 이들 매장에 입점하여 피자를 판매한 업체들 사이의 거래는 이 사건 거래와 거래 시기, 거래 조건 등에서 차이가 있어 비교대상거래에 적용된 판매수수료율 5%를 이 사건 거래의 정상판매수수료율로 인정할 수 없고, 달리 이 사건 거래의 정상판매수수료율을 산정할 만한 증거가 없다는 이유로 피고의 위 주장을 배척한 뒤, 피고의 증명 부족으로 이 사건 거래에 실제 적용된 판매수수료율 1%를 현저히 유리한 조건의 거래로 볼 수 없다"고 판단하였다.

사 건	사실관계 및 판결이유
현대자동차 등의 현대하이스코에 대한 부당지원행위 사건(대법원 2012. 10. 25. 선고 2009두15494, 2012누30440 판결)	현대자동차 등이 통합구매방식으로 2004. 2. 1.부터 2006. 1. 31.까지 위 계열회사인 현대하이스코로부터 자동차용 강판을 구매하면서 냉연강판의 경우 비계열회사(포스코, 동부제강)로부터 사는 가격보다 높은 톤당 가격을 지급했음. 공정거래위원회는 현대자동차 등이 비계열회사로부터 구매하는 가격이 정상가격이라고 주장하면서 부당지원행위로 의율하였음. 이에 대하여 서울고등법원은 포스코, 동부제강, 현대하이스코 간의 자동차용 강판 원가에 큰 차이가 나는 상황에서, 수요 초과로 포스코가 현대자동차에게 강판 공급을 대폭 늘려 줄 수 없고 동부제강의 공급능력이 부족했기 때문에, 현대자동차 등이 계열회사인 현대하이스코로부터 비싼 가격에 자동차용 강판을 구매할 수밖에 없었다고 본 다음, 원가에 큰 차이가 있는 포스코나 동부제강이 현대자동차에게 공급하는 가격을, 하이스코 관계에서 정상가격으로 볼 수 없다고 판시하였음.
삼양식품의 내츄럴삼양 부당지원행위 사건(대법원 2016. 3. 10. 선고 2015두5657 판결, 서울고등법원 2015. 10. 16. 선고 2014누5615 판결)	삼양식품은 다른 유통경로에 대하여는 직접 라면 등을 공급하면서 이마트에 대하여는 공급 개시시점부터 내츄럴삼양을 통해서 공급하였음. 내츄럴삼양은 라면수프 등을 제조하는 회사로서 판매나 영업에 대한 인력이나 조직도 없었고 실제 삼양식품의 판매, 영업 인력과 조직이 이마트에 대한 내츄럴삼양의 공급을 담당하였음. 실제 내츄럴삼양은 오너 일가들이 대부분의 지분을 보유하여 사실상 삼양식품 그룹에 대한 지주회사의 역할을 하고 있었고 이마트에 대한 공급 마진으로 상당한 이익을 내고 있었음. 공정거래위원회 심사관은 이에 대하여 통행세 거래에 해당하며 통행세에 해당하지 않더라도 상당한 규모에 의한 물량몰아주기에 해당한다고 보았음. 이에 대하여 삼양식품 측은 판매 및 영업에서 가장 중요한 것이 고객과 거래 '개시'를 하는 것인데 이마트에 대해서는 내츄럴삼양이 거래 개시를 하였으므로, 판매에 대한 인력이나 조직이 없다고 해서 통행세로 단정할 수 없다고 주장하였음. 아울러 이마트 마진이 합리적인 수준일 뿐 아니라 이마트와 내츄럴삼양 간의 가격은 비특수관계자 간의 가격이므로 시가로 추정되는 것이므로 공정거래위원회로서는 삼양식품이 내츄럴삼양에게 공급한 가격이 '시가'보다 낮다는 점을 입증해야 하는데 그 입증이 없다고 주장하였음. 공정거래위원회 전원회의는 통행세가 아니라는 주장을 받아 들이고 대신 상당한 규모에 의한 지원 또는 유리한 가격에 의한 지원이라고 보아 과징금부과처분 등을 하였음. 이에 대하여 서울고등법원은 정상가격을 특정함에 있어 삼양식품과 내츄럴삼양 사이의 거래와 유사한 사례를 선정하여 그로부터 정상가격을 합리적으로 산출하는 과정을 거쳤다고 보기 어렵고, 삼양의 지원행위로 내츄럴삼양이 속한 시장에서 경제적 효율에 기초한 기업의 퇴출, 진입이 저해되고 이로 인해 지원객체의 관련시장에서 경쟁이 저해되거나 경제력집중이 야기되는 등으로 공정한 거래를 저해할 우려가 있었음을 인정하기 어렵다고 판단하고, 모든 처분을 취소하였음.

특히 신세계 부당지원 관련 소송에서는 정상가격 산정방법론과 입증책임의 정도에 대하여 심도깊은 논의가 이루어졌다. 신세계백화점이 본점 등에 신세계 SVN 까페 '베키아에누보'를 입점시킨 후 2005년부터 22%였던 판매수수료율을 2009년부터 15%로 인하하여 다른 매장보다 낮은 판매수수료율을 적용해 부당지원했다는 공정위 판단에 대하여 정상가격인 판매수수료율의 시가 계산에 공정거래위원회가 실패하였다며 처분을 취소하였다. 동 사건에서 법원은 델리존, 스위트존 등 같은 백화점 매장 내 파트 구분은 관리의 편의를 위한 것으로 반드시 그 매장의 성격이 동일하다거나 동일 수준의 판매수수료율 적용대상이라 볼 수 없으며 아울러 베키아에누보는 레스토랑, 카페, 베이커리, 델리 매장의 복합적 성격인데 이런 매장들은 판매수수료율 편차가 커 그대로 적용할 수 없다고 본 것이다. 또 법원은 신세계가 신세계 SVN을 기업형 슈퍼마켓 SSM인 아마트에브리데이 내 베이커리, 이마트 내 피자 매장에 각각 입점시켜 부당지원했다는 의혹에 대하여도 정상가격을 산정할 수 없다며 처분을 취소하였다(서울고등법원 2014. 3. 14. 선고 2013누45067 판결). 이 사건의 상고심에서 대법원은 "정상가격에 대하여 피고가 당해 거래와 동일한 실제 사례를 찾을 수 없어 부득이 유사한 사례에 의해 정상가격을 추단할 수밖에 없는 경우에 단순히 제반 상황을 사후적·회고적인 시각에서 판단하여 거래 당시에 기대할 수 있었던 최선의 가격이나 당해 거래가격보다 더 나은 가격으로 거래할 수 있었으리라 하여 가벼이 이를 기준으로 정상가격으로 산정하면 안되고, 먼저 당해 거래와 비교하기에 적합한 유사한 사례를 선정하고 나아가 그 사례와 당해 거래 사이의 가격에 영향을 미칠 수 있는 거래조건 등의 차이가 존재하는지 살펴 그 차이가 있다면 이를 합리적으로 조정하는 과정을 거쳐 정상가격을 추단해야 한다. 이렇게 합리적으로 추단되었다는 점에 대한 입증책임은 공정거래위원회에 있다"고 판시하였다(대법원 2015. 1. 29. 선고 2014두36112 판결). 해당 판결에 대하여 정상가격 입증을 너무 엄격히 보고 있으며 비교가 될 계열회사 아닌 제3자와의 거래가 있어야만 인정되는 계열회사를 위한 차별행위를 보완하기 위한 측면이 있는 부당행위계산부인제도의 취지를 몰각시킨다는 비판이 있다.[101]

한편, 법원은 한국도로공사의 부당지원행위 사건에 관한 판결에서는 다소 다른 관점에서 판단한 바 있다. 공정거래위원회는 한국도로공사가 고속도로관리공단과 체결한 수의계약의 낙찰률이 평균 95~99% 수준이었고 이는 동일 또는 유사한 계약의 낙찰률보다 9~11% 높다는 점을 들어(정상가격에 관한 엄격한 입증 없이) 현저히 유리한 거래라고 판단하고,

---

101) 송태원, 「부당지원행위 규제의 판례 동향에 대한 소고」, 연구논단 III, p.68

지원성 거래규모의 10%를 지원금액으로 하여 과징금을 산정하였다. 서울고등법원은 공정거래위원회의 원처분이 타당하다고 판단하였다(서울고등법원 2005. 3. 30. 선고 2004누3269 판결). 대법원도 지원행위 성립여부에 관한 원심의 판단은 문제삼지 않으면서, 다만 민영화 추진 계획에 따라 고속도로관리공단의 매각가치를 높이기 위하여 수의계약을 체결하였다는 등의 이유로 부당성이 인정되지 않는다며 처분을 취소하는 판결을 하였다(대법원 2007. 3. 29. 선고 2005두3561 판결).

그러나 위 사건은 결과적으로 부당지원행위가 아니라고 판단된 사례일 뿐 아니라, 지원성 거래와 동일·유사한 계약에서의 낙찰률과 큰 차이가 있었기 때문에 굳이 정상가격을 엄격히 입증하지 않더라도 상당히 유리한 조건임을 알 수 있는 사안이었다. 또한, 동일·유사한 계약에서의 낙찰률 수준을 정상낙찰률 또는 정상가격이라고 볼 여지도 있어, 정상가격 입증이 필요하지 않다고 판단된 사례라고 보기는 어렵다.

결국 공정거래위원회는 정상가격을 산정 내지 입증하기 어려운 경우라도 부당지원행위 규제가 가능하다는 입장이지만, 일련의 판결에서 제시된 정상가격에 관한 엄격한 입증책임의 요구가 법집행 실무에 영향을 미치지 않을 수 없을 것이다.

저자가 조사단계부터 삼양식품을 대리하여 서울고등법원, 대법원까지 대리한 사건으로 서울고등법원 판결에서 부당지원행위에 대한 핵심적 항변과 판단이 있어 소개한다.

삼양식품 부당지원행위 관련 처분 취소 판결

******

서울고등법원
제2행정부
판결

사건 2014누5615 시정조치및과징금부과처분취소
원고 삼양식품 주식회사
피고 공정거래위원회
변론종결   2015. 8. 21.

판결선고   2015. 10. 16.

주문

피고가 2014. 3. 3. 의결 제2014-37호로 원고에 대하여 한 별지 1 기재 시정명령 및 과징금 납부명령을 모두 취소한다.

소송비용은 피고가 부담한다.

청구취지

주문과 같다.

이유

1. 처분의 경위

[인정 근거] 갑1의 1, 2, 갑2의 1, 2, 변론 전체의 취지

가. 원고와 내츄럴삼양의 지위

원고는 라면류, 스낵류 등 식품 제조·판매업을 주요 사업목적으로 하여 1961. 9. 5. 설립되어 동 사업을 영위하는 자로서 구 독점규제 및 공정거래에 관한 법률(2012. 3. 21. 법률 11406호로 개정되기 전의 것, 이하 '공정거래법'이라 한다) 제2조 제1호에 따른 사업자에 해당한다. 내츄럴삼양은 건조 야채 및 분말류(천연 및 혼합조 제조미료) 제조·판매를 주요 사업목적으로 하여 1975. 2. 7. 설립된 회사로 2012. 9. 10. 상호를 '삼양농수산'에서 '내츄럴삼양'으로 변경하였다. 원고가 속한 삼양식품 기업집단은 2012. 12. 31. 기준 11개 계열회사를 둔 중견 식품그룹이고, 내츄럴삼양은 기업집단 내 최상위에 있는 기업으로서 2012. 12. 31. 기준 원고의 최대 주주(33.3%)이다.

나. 피고의 처분

(1) 피고는 2014. 3. 3. ① 원고가 2008. 1. 무렵부터 2013. 12. 24.(심의종결일)까지 원고가 생산하는 면 스낵류 제품 중 NB제품〈각주1〉을 이마트에 공급하는 과정에서 실질적 역할이 없는 내츄럴삼양을 중간 유통단계로 하여 판매함으로써 내츄럴삼양으로 하여금 8,397,000,000원의 매출이익을 얻을 수 있도록 하였고(이하 'NB제품 공급행위'라 한다), ② 2008. 1. 무렵부터 2012. 2. 무렵까지 원고가 생산한 면 스낵류 제품 중 PB제품〈각주2〉을 내츄럴삼양을 통해 이마트에 판매하는 과정에서 내츄럴삼양에게 상품 매입액의 11%에 해당하는 판매장려금을 공급단가 할인의 방법으로 지급하여 내츄럴삼양으로 하여금 2,311,000,000원의 경제상 이익을 얻을 수 있도록 하였으며(이하 'PB제품 판매장려금 지급행위'라

한다), 이러한 각 행위가 공정거래법 제23조 제1항 제7호, 제2항, 독점규제 및 공정거래에 관한 법률 시행령(이하 '공정거래법 시행령'이라 한다) 제36조 제1항, [별표 1의2] 10호 나목에서 금지하는 부당한 지원행위에 해당한다는 이유로, 원고에 대하여 별지 1 기재와 같이 시정명령과 과징금납부명령을 내렸다. 〈각주3〉

(2) 과징금 산정근거

피고가 원고에 대하여 부과한 과징금의 산정근거는 아래와 같다.

가) 기본과징금

부당한 지원행위의 과징금 산정기준은 구 과징금부과 세부기준 등에 관한 고시(2012. 3. 28. 피고 고시 2012-6호로 개정되기 전의 것, 이하 '2010년 과징금고시'라 한다) Ⅳ. 1. 마.에 따라 지원금액에 위반행위 중대성의 정도별 부과기준율을 곱하여 정한다. 면·스낵류 지원행위의 지원금액은 내츄럴삼양이 2008. 1.부터 2013. 12. 24.까지 이마트에 NB제품을 공급한 금액 164,435,000,000원에서 내츄럴삼양이 원고로부터 해당 제품을 매입한 금액 156,038,000,000원과 내츄럴삼양이 지출한 인건비 등 직접비 3,368,000,000원을 차감한 5,029,000,000원으로 산정하고, 판매장려금 지원행위의 지원금액은 원고가 2008. 1. 무렵부터 2012. 2. 무렵까지 PB제품과 관련하여 내츄럴삼양에 지급한 판매장려금 2,311,000,000원으로 산정한다. 결국, 원고의 내츄럴삼양에 대한 면·스낵류 공급행위와 판매장려금 지원행위로 인한 지원금액은 위 각 지원금액의 합계인 7,340,000,000원이다.

부과기준율은, 원고의 부당한 지원행위가 내츄럴삼양이 속한 시장에서의 경제력집중 또는 공정한 경쟁을 저해할 우려가 비교적 약하여 그 지원효과가 매우 큰 경우에는 해당되지 않는 점을 고려할 때 위반행위의 중대성의 정도가 '중대한 위반행위'에 해당하고, ① PB제품을 제외한 라면스낵류와 관련한 지원행위는 2013. 12. 24.까지도 계속 되었으므로 구 과징금부과 세부기준 등에 관한 고시(2014. 2. 20. 피고 고시 제2014-2호로 개정되기 전의 것, 이하 '2013년 과징금고시'라 한다) 부과기준율인 50%를, ② PB제품과 관련한 지원행위는 2012. 2. 무렵에 종료되었으므로 종료 당시의 2010년 과징금고시 부과기준율인 40%를 각각 적용한다. 따라서 기본 산정기준은 아래 표와 같이 3,438,900,000원으로 산정한다.

나) 1차 및 2차 조정 과징금 산정기준

원고에 대한 1차 및 2차 조정사유는 없다.

다) 부과과징금 결정

원고의 현실적 부담능력 등을 고려하여 2012. 2. 현재 2010년 과징금고시 IV. 4. 가. (1) (가)에 따라 2차 조정 후 산정기준의 100분의 20을 감액하고, 백만 원 미만의 금액은 절사하여 아래 표와 같이 2,751,000,000원을 부과과 징금으로 결정한다.

2. 처분의 적법성

가. 관계법령

별지 2 기재와 같다.

나. NB제품 공급행위 부분

1) 원고의 주장

① 원고와 내츄럴삼양 사이의 NB제품 거래는 공정거래법상 부당지원행위에 관한 규정이 시행되기 이전인 1993년부터 성립한 것으로서 부당한 지원행위 규정의 적용대상에 해당하지 않는다. ② 원고는 내츄럴삼양과 NB제품을 현저히 낮은 대가로 거래하거나 현저한 규모로 거래하지 않았으므로 원고의 NB제품 공급행위는 '현저히 유리한 조건의 거래'에 해당하지 않는다. ③ 내츄럴삼양은 원고와 이마트 사이의 중간유통과정에서 실질적인 역할을 수행하였으므로 원고에게는 내츄럴삼양에 대한 지원 의도나 목적이 없었다. 또한, 원고의 NB제품 공급행위는 거래관행에 반하지 않으며, 원고의 행위와 관련된 시장은 천연 및 혼합조 제 조미료 시장이 아니라 라면스프원료 시장인데 원고의 행위는 라면스프원료 시장의 경쟁에 영향을 미치지 않으므로 공정거래저해성이 없다.

2) 부당한 지원행위 규정의 적용 범위(원고의 ① 주장 부분)

부당한 지원행위에 관한 규정인 공정거래법 제23조 제1항 제7호가 시행된 1997. 4. 1. 이전에 지원행위가 있었던 경우에는 그로 인한 경제상 이익의 제공이 1997. 4. 1. 이후에까지 계속되었다고 하여도 그러한 경제상 이익의 제공이 새로운 지원행위에 해당한다고 볼만한 특별한 사정이 없는 한 이를 공정거래법 제23조 제1항 제7호의 적용을 받는 지원 행위라고 볼 수는 없다(대법원 2004. 4. 9. 선고 2001두6197 판결, 대법원 2006. 12. 22. 선고 20041483 판결 등 참조).

이 사건에 있어, 원고와 내츄럴삼양 사이의 NB제품 거래행위가 최초로 시작된 시점이 원고의 주장과 같이 1993년이라고 하더라도, 2008. 1. 무렵부터 2013. 12. 24. 무렵에 이르기까지 이루어진 원고의 NB제품 공급행위는 1993년에 있었던 거래행위로 인한 경제상 이익의 제공행위라기보다는 원고와 내츄럴삼양 사이의 새로운 거래행위로 볼 수 있다. 따라서 원고의 NB제품 공급행위는 공정거래법 제23조 제1항 제7호가 시행된 1997. 4. 1. 이후에 이루어진 새로운 행위에 해당하므로 이와 전제를 달리하는 원고의 이 부분 주장은 이유 없다.

3) 현저히 낮은 대가로 거래하였는지 여부(원고의 ② 주장 부분)

    (1) 공정거래법 제23조 제1항 제7호에 정해진 '현저히 유리한 조건의 거래'의 한 유형인 공정거래법 시행령 제36조 제1항 [별표 1의2] 10호 나목의 '부당한 자산·상품 등 지원' 행위에서 '현저히 낮거나 높은 대가'의 거래라고 함은, 당해 거래에서의 급부와 반대급부 사이의 차이가 '정상가격에 의한 거래에 비하여 현저히 낮거나 높은 거래를 말하고, 여기서 정상가격이라 함은 당해 거래 당사자들 간에 이루어진 경제적 급부와 동일한 경제적 급부가 시기, 종류, 규모, 기간 등이 동일 또는 유사한 상황에서 특수관계가 없는 독립된 자 간에 이루어졌을 경우에 형성되었을 거래가격 등을 의미한다(대법원 2006. 12. 7. 선고 2004두11268 판결, 대법원 2014. 6. 12. 선고 2013두4255 판결 등 참조). 한편 정상가격이 이와 같이 부당한 지원행위에 해당하는지 여부의 판단요소가 되어 부당한 지원행위에 따른 시정명령이나 과징금부과 등 제재적 행정처분과 형사처벌의 근거가 된다는 점이나 공정거래법이 부당한 지원행위를 금지하는 취지 등을 고려할 때, 피고가 당해 거래와 동일한 실제 사례를 찾을 수 없어 부득이 유사한 사례에 의해 정상가격을 추단할 수밖에 없는 경우에는, 단순히 제반 상황을 사후적·회고적인 시각에서 판단하여 거래 당시에 기대할 수 있던 최선의 가격이나 당해 거래가격보다 더 나은 가격으로 거래할 수도 있었을 것이라 하여 가벼이 이를 기준으로 정상가격을 추단하여서는 아니 되고, 먼저 당해 거래와 비교하기에 적합한 유사한 사례를 선정하고 나아가 그 사례와 당해 거래 사이에 가격에 영향을 미칠 수 있는 거래조건 등의 차이가 존재하는지를 살펴 그 차이가 있다면 이를 합리적으로 조정하는 과정을 거쳐 정상가격을 추단하여야 한다. 그리고 정상가격이 이와 같은 과정을 거쳐 합리적으로 산출되었음을 전제로 '현저히 유리한 조건으로 거래하여 과다한 경제상 이익을 제공한 행위'라는 점에 대한 증명책임은 어디까지나 시정명령 등 처분의 적법성을 주장하는 피고에게 있다(대법원 2015. 1. 29. 선고 2014두36112 판결 참조).

    (2) 이 사건에서, 원고는 1993년 무렵부터 내츄럴삼양을 중간유통단계로 하여 이마트에 NB제품을 공급하기 시작하였고, 이러한 공급형태는 2013. 12. 24.까지 유지되었다. 원고가 2008. 1. 무렵부터 2013. 12. 24. 무렵까지 내츄럴삼양에 공급한 NB제품의 공급가격은 합계 156,038,000,000원이고, 내츄럴삼양은 2008. 1. 무렵부터 2013. 12. 24. 무렵까지 원고로부터 공급받은 NB제품을 이마트에 공급하였으며, 그 공급가격은 합계 164,435,000,000원이다(갑1의 2, 을1, 2, 3).

피고는 원고의 NB제품 공급행위에 관한 정상가격을 '내츄럴삼양이 2008. 1. 무렵부터 2013. 12. 24. 무렵까지 이마트에 공급한 NB제품의 공급가격'으로 특정한 것으로 보인다(이러한 전제에서 피고 의결서에는 지원금액이 '내츄럴삼양이 위 기간 동안 이마트에 공급한 NB제품의 금액 합계 164,435,000,000원'에서 '원고가 위 기간 동안 내츄럴삼양에 공급한 금액 합계 156,038,000,000원'과 '내츄럴삼양이 지출한 인건비 등 직접비 3,368,000,000원'을 차감한 5,029,000,000원으로 특정하고 있다).

피고가 위와 같이 정상가격을 특정함에 있어서 원고와 내츄럴삼양 사이의 NB제품 거래사례와 유사한 사례를 선정하여 그 사례로부터 원고의 NB제품 공급행위의 정상가격을 합리적으로 산출하는 과정을 거쳤다고 보기 어렵다. 설령 내츄럴삼양의 이마트에 대한 NB제품 공급가격이 원고가 이마트와 직접 거래하였을 경우 기대할 수 있었던 범위라고 하더라도, 이러한 사정만으로 이를 당연히 정상가격이라고 단정할 수 없다.

(3) 오히려 이 사건에서 원고가 같은 기간에 같은 상품을 롯데마트, 홈플러스 등 대형할인점에 공급한 사례가 존재하며, 이는 공급주체, 공급기간 및 목적물이 동일한 독립적 거래사례인 점에서 그 가격이 객관적인 정상가격에 가까울 가능성이 충분히 있다. 그런데 2008. 1.부터 2013. 2.까지 원고의 내츄럴삼양에 대한 공급가격과 원고가 같은 기간 같은 상품을 롯데마트, 홈플러스 등 대형할인점에 공급한 가격을 비교한 결과, 원고의 내츄럴삼양에 대한 공급가격이 원고의 롯데마트에 대한 공급가격에 비하여 1.7~6% 높고, 원고의 홈플러스에 대한 공급가격과는 1% 이하의 차이가 있음을 알 수 있다(을28). 이와 같이 원고의 내츄럴삼양에 대한 공급가격이 원고의 다른 대형할인점에 대한 공급가격과 현저한 차이가 없거나 유사하고, 그 차이도 거래규모에 따른 할인율이 적용되어 발생하였을 가능성을 배제하기 어렵다(원고의 내츄럴삼양에 대한 거래 규모가 원고의 롯데마트, 홈플러스에 대한 거래규모보다 커서 높은 할인율이 적용될 수 있다). 이러한 제3의 거래사례와 비교하더라도 피고가 객관적인 거래사례를 충분히 비교 분석하거나 합리적으로 조정하는 과정을 거친 후 정상가격을 도출한 것인지 의심이 든다.

(4) 결국, 피고가 '내츄럴삼양이 2008. 1. 무렵부터 2013. 12. 24. 무렵까지 이마트에 공급한 NB제품의 공급가격'이 정상가격임을 전제로 원고의 NB제품 공급행위가 현저히 낮은 대가로 거래한 행위에 해당한다고 판단한 것은 '현저히 유리한 조건으로 거래하여 과다한 경제상 이익을 제공한 행위'라는 점

에 대한 증명책임을 다하지 못한 것으로 위법하므로 원고의 이 부분 주장은 이유 있다(설령 원고가 내츄럴삼양을 통하지 않고 이마트와 직접 거래할 필요가 있더라도 '현저히 유리한 조건으로 거래하여 과다한 경제상 이익을 제공하였음'이 증명되지 않았다면 부당한 지원행위가 성립한다고 볼 수 없다).

4) 거래규모가 현저한지 여부(원고의 ② 주장 부분)

　　가) 공정거래법 제23조 제1항 제7호는 '현저히 유리한 조건으로 거래'하여 특수관계인 또는 다른 회사를 지원하는 행위를 지원행위로 규정하고 있고, 같은 조 제2항의 위임에 기한 법 시행령 제36조 제1항 [별표] 10호는 현저히 낮거나 높은 대가로 제공 또는 거래하거나 현저한 규모로 제공 또는 거래하여 과다한 경제상 이익을 제공함으로써 특수관계인 또는 다른 회사를 지원하는 행위를 지원행위로 규정하고 있다. 거래의 조건에는 거래되는 상품 또는 역무의 품질, 내용, 규격, 거래수량, 거래횟수, 거래시기, 운송조건, 인도조건, 결제조건, 지불조건, 보증조건 등이 포함되고 그것이 자금, 자산, 인력거래라고 하여 달리 볼 것은 아니며, 거래규모는 거래수량에 관한 사항으로서 거래조건에 포함된다고 할 수 있고 현실적인 관점에서 경우에 따라서는 유동성의 확보, 자체가 긴요한 경우가 적지 않음에 비추어 현저한 규모로 유동성을 확보할 수 있다는 것 자체가 현저히 유리한 조건의 거래가 될 수 있으므로, '현저한 규모로 제공 또는 거래하여 과다한 경제상 이익을 제공'하는 것도 공정거래법 제23조 제1항 제7호 소정의 '현저히 유리한 조건의 거래'의 하나라고 볼 수 있을 것이지만, 현저한 규모의 거래라 하여 바로 과다한 경제상 이익을 준 것이라고 할 수 없고 현저한 규모의 거래로 인하여 과다한 경제상 이익을 제공한 것인지 여부는 지원성 거래규모 및 급부와 반대급부의 차이, 지원행위로 인한 경제상 이익, 지원기간, 지원횟수, 지원시기, 지원행위 당시 지원객체가 처한 경제적 상황 등을 종합적으로 고려하여 구체적·개별적으로 판단하여야 할 것이다(대법원 2007. 1. 25. 선고 2004두7610 판결 참조).

　　나) 이 사건에 있어, 내츄럴삼양이 원고로부터 공급받아 이마트에 공급한 PB제품 및 NB제품의 매출액은 2008년부터 2012년 사이의 내츄럴삼양의 전체 매출액의 약 60%에 이르는 사실을 인정할 수 있으나(갑1의 2, 을6), 이러한 사정만으로 원고의 NB제품 공급행위의 규모가 현저하여 내츄럴삼양에게 과다한 경제상 이익을 제공하였음을 인정하기 어렵다. 오히려 앞서 본 바와 같이 원고의 NB제품 공급행위에 관한 정상가격이 증명되지 않아 원

고의 공급행위로 인하여 내츄럴삼양이 과다한 경제상 이익을 얻었다고 단정하기 어렵다. 따라서 피고가 원고의 NB제품 공급 행위의 거래규모가 현저하다는 이유로 원고의 위 공급행위를 현저하게 유리한 조건의 거래로서 지원 행위에 해당한다고 판단한 것은 위법하고, 이를 지적하는 원고의 이 부분 주장도 이유 있다.

5) 공정거래저해성의 존부(원고의 ③ 주장 부분)

  (1) 지원행위가 부당성을 갖는지 여부를 판단함에 있어서는 지원주체와 지원객체의 관계, 지원행위의 목적과 의도, 지원객체가 속한 시장의 구조와 특성, 지원성 거래규모와 지원행위로 인한 경제상 이익 및 지원기간, 지원객체가 속한 시장에서의 경쟁제한이나 경제력집중의 효과 등을 종합적으로 고려하여 당해 지원행위로 인하여 지원객체의 관련 시장에서 경쟁이 저해되거나 경제력집중이 야기되는 등으로 공정한 거래가 저해될 우려가 있는지 여부에 따라 판단하여야 한다(대법원 2011. 9. 8. 선고 2009두11911 판결 참조).

  (2) 이 사건에 있어, 피고 주장과 같이 관련 시장을 천연 및 혼합조 제 조미료 시장으로 획정하더라도 피고가 주장하는 사유, 즉 내츄럴삼양의 이마트에 대한 매출액이 내츄럴삼양 전체 매출액 중 비중이 높고, 원고의 행위로 인하여 내츄럴삼양의 재무상황이 호전되었을 것이라는 사정만으로 원고의 지원행위로 인하여 내츄럴삼양의 경쟁 여건을 경쟁사업자보다 유리하게 하고 내츄럴삼양이 속한 시장에서 경제적 효율에 기초한 기업의 퇴출ㆍ진입이 저해되며, 이를 통하여 지원객체의 관련 시장에서 경쟁이 저해되거나 경제력집중이 야기되는 등으로 공정한 거래가 저해될 우려가 있었음을 인정하기 어렵다. 따라서 원고의 이 부분 주장도 이유 있다.

6) 소결

  결국, 원고의 NB제품 공급행위는 현저히 유리한 조건의 거래라고 볼 수 없을 뿐 아니라 공정거래저해성도 인정되지 않으므로 공정거래법 제23조 제1항 제7호가 금지하는 부당한 지원행위에 해당한다고 볼 수 없다.

다. PB제품에 관한 판매장려금 지급행위 부분

1) 원고의 주장

  PB제품에 관한 판매장려금은 가격정산을 위하여 지급된 것일 뿐이므로 이를 현저하게 유리한 조건의 거래행위라고 볼 수 없고, 위 행위의 공정거래저해성도 인정되지 않는다.

2) 현저하게 유리한 조건의 거래행위인지 여부

  (1) 증거(갑1의 2, 을1, 3, 5, 6, 9, 을11의 2, 을12, 13, 을27의 1, 2)에 변론 전체

의 취지를 종합하면 다음과 같은 사실을 인정할 수 있다.

원고는 2008. 1. 무렵부터 2012. 2. 무렵까지 PB제품을 내츄럴삼양을 통하여 이마트에 판매하는 과정에서 내츄럴삼양에게 상품 매입액의 11%에 해당하는 판매장려금 합계 2,311,000,000원을 공급단가 할인의 방법으로 지급하였다. 원고는 PB제품에 관하여 내츄럴삼양에게만 판매장려금을 지급하고 원고가 직접 거래를 하는 다른 대형할인점인 홈플러스나 롯데마트에게는 판매장려금을 지급하지 않았다. 원고는 2011년 세무조사에서 원고의 내츄럴삼양에 대한 PB제품 판매장려금 지급행위가 문제되자 2012. 3. 이후부터는 PB제품에 관한 판매장려금 지급행위를 중단하였다.

(2) 위 인정사실에 의하면, 원고는 내츄럴삼양을 통하여 이마트에 PB제품을 공급하면서 내츄럴삼양에게 4년여간 공급단가 할인의 방법으로 2,311,000,000원을 지급하여 내츄럴삼양으로 하여금 동액 상당의 경제상 이익을 얻도록 하는 등 현저하게 유리한 조건의 거래행위를 하였음이 인정된다.

이에 대하여 원고는 내츄럴삼양이 원고로부터 구입하는 PB제품의 단가가 내츄럴삼양이 이마트에 공급하는 제품단가보다 높게 책정되어 있었기에 그 단가 차액을 정산하기 위하여 PB제품에 관한 판매장려금을 지급한 것이라고 주장한다.

그러나 원고의 주장에 의하더라도 2008년에는 원고가 지급한 PB제품 판매장려금이 위 단가 차액보다 178,000,000원이 많고, 2008. 1. 무렵부터 2012. 2. 무렵까지 발생한 위 단가 차액과 원고가 지급한 PB제품 판매장려금 사이의 차이는 합계 366,000,000원에 이른다. 이러한 사정에 비추어 보면 원고의 PB제품 관련 판매장려금 지급행위가 단가 차액의 정산만을 위하여 지급된 것으로 보기는 어렵다. 따라서 원고의 이 부분 주장은 이유 없다.

3) 공정거래저해성의 존부

피고가 주장하는 바와 같이 원고가 약 4년간 내츄럴삼양에게 상품매입액의 11%에 이르는 판매장려금 23억 원을 지급하였고, 이로 인하여 내츄럴삼양의 재무상황이 호전되었다는 사정만으로 원고의 지원행위로 인하여 내츄럴삼양의 경쟁여건을 경쟁사업자보다 유리하게 하고 내츄럴삼양이 속한 시장에서 경제적 효율에 기초한 기업의 퇴출·진입이 저해되며, 이를 통하여 지원객체의 관련 시장에서 경쟁이 저해되거나 경제력집중이 야기되는 등으로 공정한 거래가 저해될 우려가 있었음을 인정하기 어렵다. 오히려 피고의 주장과 같이 관련 시장을 천연 및 혼합조제 조미료 시장으로 획정하더라도 원고의 판매장려금 지급이 이루어진 이후인 2011년 기준으로 상위 10개 업체 중 삼조셀텍 주식회사만이 18.5%의 시장점유율을 가지고 있을 뿐 나머지 9개 업체의 시장점유율이 10% 미만이며, 특히 내츄럴삼양의 시장점유율도 9.3%에 그치는 등 실질적인 경쟁이 이루어지고 있어 원고의 지원행위가 지원객체인 내츄럴삼양의 관련 시장에서 경쟁을 저해하거나 경제력집중의 효과를 야기하였다고 보기 어려운 사정이 있다. 따라서 원고의 이 부분 주장도 이유 있다(대법원 2005. 10. 28. 선고 2003두13441 판결, 대법원 2008. 6. 12. 선고 2006두7751 판결 등 참조).

4) 소결

결국, 원고의 내츄럴삼양에 대한 PB제품 판매장려금 지급행위도 공정거래저해성이 인정되지 않으므로, 공정거래법 제23조 제1항 제7호에서 금지하는 부당한 지원행위에 해당한다고 볼 수 없다.

3. 결론

그렇다면 피고가 2014. 3. 3. 의결 제2014-037호로 원고에 대하여 한 별지 1 기재 시정명령 및 과징금납부명령은 위법하여 모두 취소되어야 할 것이므로 원고의 청구는 이유 있어 받아들이기로 하여 주문과 같이 판결한다.

판사 이균용(재판장), 정재훈, 성충용

Q 46 2013년 공정거래법에서 부당한 지원행위의 요건이 '현저히 유리한 조건'에서 '상당히 유리한 조건'으로 개정되었다고 하는데, 그 차이는 무엇인가?

A 개정법의 취지는 부당지원행위 성립요건과 그에 대한 공정거래위원회의 입증책임을 완화하기 위한 것이지만, '현저성'과 '상당성' 요건의 판단기준에 대해서는 확립된 견해나 판결이 없지만, 실무상으로 큰 차이가 될 수는 없다.

해설

2013년 개정법에서는 지원행위의 성립요건을 종래의 '현저히 유리한 조건의 거래'에서 '상당히 유리한 조건의 거래'로 완화하였다. 과거 공정거래위원회가 지원행위의 '현저성' 요건을 입증하지 못하였다는 이유로 법원에서 패소하는 사례들이 있었는바, 부당지원행위의 실효적 규제를 위하여 공정거래위원회의 입증책임을 완화시킬 정책적 필요성이 제기됨에 따라 법 개정이 이루어진 것으로 이해된다.[102]

하지만 '상당히 유리한 조건의 거래'로 지원행위 요건이 개정된 이후에도 심사지침에서 상당성에 대한 안전지대 규정이 실제적용금리와 개별정상금리(일반정상금리)의 차이가 개별정상금리(일반정상금리)의 10% 미만 차이 나는 경우에서 '7% 미만' 차이 나는 경우로 변경되었을 뿐 다른 규정의 개정은 이루어지지 않았다. 무엇보다 '현저성'과 '상당성'을 구별할 수 있는 명확한 기준이 없고, 구법하에서도 공정거래위원회와 법원이 현저성 요건을 엄격하고 일관되게 적용하였다고 보기도 어려운 부분이 있다. 이런 점에서 집행 실무에서 '상당히 유리한 거래'가 종전의 '현저히 유리한 거래'와 큰 차이가 있을지 의문이다. 사견으로 해석상 큰 차이가 없다고 본다.

한편, 소위 글로비스 물량몰아주기 사건에서 판결문에서 '상당히 유리한 조건'이라는 표현이 사용되었는데 이에 기반하여 '상당히 유리한 조건'의 의미를 해석해야 한다는 입장이 있다. '현저히 유리한 조건'에 대하여는 공정거래위원회가 정상가격을 산정하고 그보다 유리하게 거래되었음까지 구체적으로 입증해야 하지만, '상당히 유리한 조건'에 대하여는 전반적으로 유리한 거래라는 점만 입증하면 된다는 견해이다.

당시 공정거래위원회와 법원은 운송단가의 정상가격에 대한 구체적인 입증보다는 가격

---

102) 국회 정무위원회, 일감몰아주기 규제강화 관련 법률 개정에 관한 공청회 자료(2013. 3. 11.) 중 김우찬 교수 발표 부분

인상률, 매출총이익률, 내·외부 거래 간 이익률 차이 등 간접적인 지표를 근거로 하여 상당히 유리한 조건으로 이루어진 거래라는 점을 인정하였다. 하지만 해당 규정이 해당 법원 판결문까지 의도하고 입법되었는지 명확하지 않을 뿐 아니라 국어학적으로 큰 차이가 없는 '현저성'에서 '상당성'으로의 개정 때문에 정상가격에 대한 입증책임 자체가 달라진다고 보기는 어려울 것이다.[103)]

심지어 2013년 개정법에서 물량몰아주기 지원행위에서도 '현저한 규모'에서 '상당한 규모'로 변경되었던 점까지 고려하면, '현저히 유리한 조건'과 '상당한 유리한 조건'은 정상가격 산정과는 무관하다. 오히려 동 판결에서 정상가격 산정 없이도 전반적으로 유리한 점으로 부당지원행위가 성립한다고 본 것은 거래조건 지원행위가 아니라 물량몰아주기 지원행위이기 때문이다. '현저히'에서 '상당히'로 변경되었다 하더라도 거래조건 지원행위에서는 정상가격 산정이 필요하다고 본다.

---

103) 이호영, 「물량몰아주기 관련 법 개정안에 대한 소고」, 경쟁과 법 제1호(2013), p.64

Q47 '물량몰아주기'란 무엇이며, 일반적인 부당지원행위와 무엇이 다른가?

A 물량몰아주기란 상당한 규모로 거래하여 지원객체에게 경제적 이익을 제공하는 행위를 말한다. 거래조건지원행위(가격 지원행위)가 정상가격과 거래가격의 차이에 따른 이익 제공에 중점을 두었다면, 물량몰아주기는 거래규모에 의한 이익 제공을 문제 삼는 유형이다.

해설

물량 지원행위는 상당한 규모의 거래(2013년 개정 전 공정거래법에서는 현저한 규모의 거래)를 통해 지원객체에게 과다한 경제상 이익을 제공하고 그러한 지원행위의 부당성이 인정되는 경우 성립된다. 심사지침은 "지원주체가 지원객체와 상품·용역을 상당한 규모로 제공 또는 거래하는 행위를 통하여 과다한 경제상 이익을 제공하는 것은 지원행위에 해당한다"고 규정하여 상품·용역 거래를 통한 지원행위의 하나로 보고 있다. '비경쟁적인 사업양수도 또는 수의계약의 방식을 통하여 유리한 조건으로 대부분 몰아주는 경우'를 예시로 들고 있다. 이처럼 공정거래법, 시행령 및 심사지침은 상품·용역 지원행위의 일종으로 보고 있지만, 정상가격과 실제거래가격의 차이가 핵심인 거래조건 지원행위(가격 지원행위), 즉 상품·용역 지원행위뿐 아니라 자금·자산 지원행위나 인력지원 행위와는 구분되는 별개의 행위유형으로 보는 것이 합당하다.

공정거래법 제23조 제1항 제7호 가목의 "특수관계인 또는 다른 회사에 대하여 가지급금·대여금·인력·부동산·유가증권·상품·용역·무체재산권 등을 제공하거나 상당히 유리한 조건으로 거래하는 행위"의 하나이므로 물량 지원행위가 성립하기 위하여는 '상당히 유리한 조건'이어야 하는데, 상당한 규모로 거래해 주어서 경제상 이익을 제공하는 것을 '상당히 유리한 조건'으로 보는 것이다. 이를 명확히 하기 위하여 공정거래법 시행령 제36조 제1항 별표 1의2. 제10호 나. 후문에서 "특수관계인 또는 다른 회사에 대하여 부동산·유가증권·무체재산권 등 자산 또는 상품·용역을 상당한 규모로 제공 또는 거래하는 행위"를 규정하였다.

한편, 2013년 개정 전 공정거래법에서는 '현저한 규모의 거래에 의한 지원행위'가 성립되기 위하여, '현저한 규모의 거래' 이외에도 규모 이외의 거래조건도 유리해야 한다는 것이 공정거래위원회와 법원의 입장이었다(공정거래위원회 2007. 10. 24. 의결 제2007-504호 및 서울고등법원 2009. 8. 19. 선고 2007누30903 판결 참조, 이하 "글로비스 사건"). 그런데 개정 공정거래법 시행령에서는 '현저한 규모'의 거래를 '상당한 규모'의 거래로 개정함으로써 성립요건을 완화하였으므로, 성립요건을 완화한 개정법 취지상 '상당히 유리한 조건'을 추가로 요구하는 것이 부적절하다는 견해가 있을 수 있다. 하지만 물량 지원행위에서 법규정에 명시되지 아니한 규모 이외의 거래조건에서도 상당히 유리해야 한다고 본 것은 단지 지원행위의 성립을 어렵게 하려는 것이라기보다는 합리적인 규제 영역을 설정하기 위한 것이라고 볼 수 있다. 거래상대방 선택의 자유는 계약체결의 자유의 본질적 영역일 뿐 아니라 내부거래가 합리적인 이유로 이루어지는 경우도 많기 때문에 단지 거래규모가 크다는 점만을 가지고 위법하다고 평가하기는 어려울 수 있다. 그래서 거래조건 역시 부당하게 설정되어 거래상대방에게 과다한 경제상 이익을 제공해야만 규제의 합리성이 인정되기 때문이다. 또한, 개정법에서는 '현저성' 요건을 '상당성' 요건으로 완화하였으나, 근본적인 위법성 요건 자체를 변경한 것은 아니라는 점에서 개정법하에서도 물량 지원행위가 성립되기 위해서는 '상당히 유리한 조건'이 필요하다고 판단할 가능성이 높아 보인다.

한편, 규모 이외의 거래조건의 유리성 입증과 관련하여 정상가격 산정이 필요한지 논란이 있다. 글로비스 사건에서 공정거래위원회가 정상가격을 산정하지 않고 전반적으로 유리한 거래임만 보였는데, 법원이 이를 인정하였던 점에서 '정상가격 산정'까지는 필요하지 않다고 보는 것이 대체적 입장이다. 물량 지원행위에서 정상가격 산정까지 필요하다고 한다면, 거래조건 지원행위 외에 물량몰아주기를 인정할 아무런 이유가 없으며, 불리하지 않은 조건으로 거래하게 해 주는 것 자체가 특혜라는 점에서 이에 동의한다.

한편, 심사지침에서는 '상당한 규모'에 해당하는지 여부는 지원객체가 속한 시장의 구조와 특성, 지원행위 당시의 지원객체의 경제적 상황, 여타 경쟁사업자의 경쟁능력 등을 종합적으로 고려하여 판단해야 하고, 그러한 거래에 따른 지원행위 성립여부는 다음과 같은 사항을 고려하여 판단할 수 있다고 규정하고 있다[심사지침 III. 4. 나. 2), 3)].

① 거래대상의 특성상 지원객체에게 거래물량으로 인한 규모의 경제 등 비용절감 효과가 있음에도 불구하고, 동 비용절감 효과가 지원객체에게 과도하게 귀속되는지 여부
② 지원주체와 지원객체 간의 거래물량만으로 지원객체의 사업개시 또는 사업유지를 위한 최소한의 물량을 초과할 정도의 거래규모가 확보되는 등 지원객체의 사업위험이 제거되는지 여부

③ 위 ①, ②에 의하여 지원행위 여부를 판단할 때에는 당해 지원객체와의 거래에 고유한 특성에 의하여 지원주체에게 비용절감, 품질개선 등 효율성 증대효과가 발생하였는지 여부 등 당해 행위에 정당한 이유가 있는지 여부를 고려

위와 같은 심사지침의 기준에도 불구하고 여전히 상당한 규모에 대한 판단기준이 없다는 비판이 있다. 가격 지원행위에서 상당히 유리한 조건은 정상가격(조건)을 기준으로 하여 판단할 수 있지만, 물량 지원행위에서는 '정상거래량'을 찾을 방도가 없어 위법성 판단이 어렵다는 것이다.[104]

한편, 상당한 규모에 의한 지원행위라는 점에 대한 입증책임은 공정거래위원회에 있다. 대법원은 "거래규모는 거래수량에 관한 사항으로서 거래조건에 포함된다고 할 수 있고 현실적인 관점에서 경우에 따라서는 유동성의 확보 자체가 긴요한 경우가 적지 않음에 비추어 현저한 규모로 유동성을 확보할 수 있다는 것 자체가 현저히 유리한 조건의 거래가 될 수 있으므로, '현저한 규모로 제공 또는 거래하여 과다한 경제상 이익을 제공'하는 것도 법 제23조 제1항 제7호 소정의 '현저히 유리한 조건의 거래'의 하나라고 볼 수 있을 것이지만, 현저한 규모의 거래라 하여 바로 과다한 경제상 이익을 준 것이라고 할 수 없고 현저한 규모의 거래로 인하여 과다한 경제상 이익을 제공한 것인지 여부는 지원성 거래규모 및 급부와 반대급부의 차이, 지원행위로 인한 경제상 이익, 지원기간, 지원횟수, 지원시기, 지원행위 당시 지원객체가 처한 경제적 상황 등을 종합적으로 고려하여 구체적·개별적으로 판단하여야 할 것이다"라고 판시하였다(대법원 2007. 1. 25. 선고 2004두7610 판결 참조).

공정거래위원회가 물량몰아주기로 규제한 대표적인 건으로는 앞서 언급한 현대자동차 등의 글로비스가 사업능력이 검증되지 않은 설립 초기부터 물량을 몰아주어 시장에 안착되도록 한 행위와 현대자동차 등이 협력사들에 대한 대금결제 방식을 현대카드로 해 줌으로써 현대카드를 지원해 준 행위, 그리고 엘에스동제련이 오너 일가가 설립한 엘에스글로벌에게 현저한 규모의 물량을 거래하여 지원한 행위이다.[105]

---

104) 홍명수, 「현저한 규모에 의한 지원행위(물량몰아주기)의 규제 법리 고찰」, 법과 사회 제42호(2012), p.233
105) 공정거래위원회 2018. 8. 22. 의결 2018-262. 엘에스동제련이 엘에스 그룹의 시너지 향상을 위하여 자신의 자회사로 동 구매/판매업체를 설립하는 방안을 제안했는데, 그룹이 이와 달리 총수일가들의 지분이 높은 엘에스글로벌을 설립하여 엘에스동제련 등 엘에스 4개 사의 동에 대한 통합 구매·판매를 전담하게 하였다. 뿐만 아니라 엘에스글로벌은 그 과정에서 실질적 역할을 수행하지도 않았다.

48 물량몰아주기에 대한 시행령 규정이 위임입법원칙에 반하는가?

A 시행령이 새로운 지원행위 유형을 신설한 것이 아니라, 전반적으로 유리한 조건으로 상당한 규모의 거래 자체를 '상당히 유리한 조건의 거래'의 하나로 본 것에 불과하므로 시행령의 몰량몰아주기 조항은 위임입법원칙에 위반되지 않는다.

해설

공정거래법 제23조 제1항 제7호 가목에서는 "특수관계인 또는 다른 회사에 대하여 가지급금·대여금·인력·부동산·유가증권·상품·용역·무체재산권 등을 제공하거나 상당히 유리한 조건으로 거래하는 행위"라고 규정하여 물량몰아주기 자체를 지원행위로 규정하면서 이를 하위법령에 위임하고 있지는 않은데, 공정거래법 시행령 제36조 제1항 별표 1의2. 제10호 나목 후문 및 일반지원행위 심사지침에서 '상당한 규모에 의한 지원행위'를 규정하고 있으므로, 위임입법원칙에 반한다는 주장이 있을 수 있다.

하지만 시행령 및 심사지침에서 '상당한 규모의 지원행위'를 규정하고 있지만 새로운 지원행위 유형을 규정한 것이 아니다(사실 심사지침은 법규가 아니라 행정청 내부의 재량준칙 또는 해석지침인 행정규칙에 불과하므로 위임입법원칙의 위반을 따질 필요도 없다). '상당한 규모의 지원행위'는 '상품·용역을 상당히 유리한 조건으로 거래하는 행위'의 일종으로 이를 규정한 것이기 때문이다. 더욱이 공정거래위원회와 법원은 글로비스 사건에서 '상당한 규모의 지원행위'가 성립하기 위하여는 규모 이외에도 거래조건이 전반적으로 유리할 것을 요구하고 있다(공정거래위원회 2007. 10. 24. 의결 제2007-504호 및 서울고등법원 2009. 8. 19. 선고 2007누30903 판결). 다만, 거래조건 지원행위에서는 정상가격 산정까지 필요하지만 물량 지원행위에서는 정상가격을 산정하지 않더라도 전반적으로 유리한 거래임을 보이면 족하다고 본 것일 뿐이다.

대법원은 "거래의 조건에는 거래되는 상품 또는 역무의 품질, 내용, 규격, 거래수량, 거래횟수, 거래시기, 운송조건, 인도조건, 결제조건, 지불조건, 보증조건 등이 포함되고 그것이 자금, 자산, 인력 거래라고 하여 달리 볼 것은 아니며, 거래규모는 거래수량에 관한 사항으로서 거래조건에 포함된다고 할 수 있고 현실적인 관점에서 경우에 따라서는 유동성의 확보 자체가 긴요한 경우가 적지 않음에 비추어 현저한 규모로 유동성을 확보할 수 있다는 것 자체가 현저히 유리한 조건의 거래가 될 수 있으므로, '현저한 규모로 제공 또는 거래하여 과다한 경제상 이익을 제공'하는 것도 법 제23조 제1항 제7호 소정의 '현저히 유리한 조건의 거래'의 하나라고 볼 수 있을 것이다"라고 판시하여, 공정거래법 시행령에서 현저한 조건의 거래(2013년 개정법 이후에는 상당한 조건의 거래) 이외의 별도의 지원행위 유형을 만든 것이 아님을 밝히고 있다(대법원 2007. 1. 25. 선고 2004두7610 판결 참조). 즉, 위임입법원칙에 반하는 것으로 보지 않았다.

이처럼 새로운 유형의 지원행위를 공정거래법 시행령이나 부당지원행위 심사지침이 만들어 낸 것이 아니기 때문에, 위임되지 않은 사항을 하위법령으로 규정한 것이라 볼 수 없다. 위임입법원칙에 반하지 않는다.

Q49 물량몰아주기에서 거래규모가 상당하다고 인정될 경우 가격 조건과 무관하게 부당지원행위가 성립되는가? 물량몰아주기에서 공정거래위원회는 정상가격 산정을 하지 않아도 되는가?

A 상당한 규모로 거래하였다는 점만으로 부당지원행위에 해당하기는 어려울 것이다. 물량몰아주기에서도 상당한 규모 및 상당히 유리한 조건의 거래를 통해 지원객체에게 과다한 경제상 이익을 제공하였다는 점이 인정되어야 할 것이나, 상당히 유리한 조건에 대한 입증수준 및 입증방법은 가격 지원행위와는 차이가 있을 것으로 보인다.

해설

계열회사들이 상당한 규모로 거래하였을 경우, 그 거래조건이 정상가격에 비해 상당히 유리한지 여부와 무관하게 단지 거래규모가 크다는 이유만으로 물량 지원행위가 성립되는지 문제될 수 있다.

이에 대하여 가격 차이가 커도 거래량이 미미하면 지원행위는 인정되지 않을 것이고 가격 차이가 크지 않아도 거래량이 상당하면 지원행위가 인정될 수 있으므로, 가격 측면에서 상당히 유리한 조건의 의미가 거의 없다는 견해도 있다.[106] 하지만 공정거래위원회는 글로비스 사건에서 '현저한 규모의 거래'뿐 아니라 대가 측면에서 '상당히 유리한 조건의 거래'도 인정되어야 함을 전제로 글로비스 지원의 부당지원행위 성립을 인정하였고, 고등법원에서도 '현저한 규모'와 '상당히 유리한 조건'의 거래인지 여부를 물량몰아주기를 통한 지원행위 성립요건으로 설시하였다(서울고등법원 2009. 8. 19. 선고 2007누30903 판결). 따라서, 2013년 개정법이 시행된 이후에도 계열회사 간 거래가 상당한 규모로 이루어졌다는 점만으로 부당지원행위가 성립된다고 판단하기는 어려울 것이며, 아울러 상당히 유리한 조건의 거래임이 요구될 가능성이 높아 보인다. 다만, 그 입증방법이 정상가격의 구체적 수준에 대한 입증뿐 아니라 가격인상률, 매출이익률 등 제반 재무지표와 정황사실로도 가능하다고 보는 것이다.

사견으로 물량몰아주기 구성요건으로 대가 측면에서의 '상당히 유리한 조건'이라는 것을 요구하는 것에 동의하지 않는다. 거래 규모 역시도 거래 조건에 해당하며 대가 측면에서의 거래 조건과 무관하게 상당한 규모의 거래만으로도 '상당히 유리한 조건'의 거래에 해당하기 때문이다. 또한 능력이나 자격이 입증되지 않은 업체와 특수관계가 없다면 상당한 규모의 거래를 할 가능성도 없기 때문이다. 단지, 그러한 규모의 거래가 대가의 비등가성 유무

---

106) 권오승·서정, 「독점규제법 이론과 해설」, 박영사(2018), p.516

와 별개로 무관하게 여러 가지 종합적인 사정을 고려하여 과도한 경제적 이익이었는지 여부만 판단하면 될 것이다.

관련하여 현대투자신탁운용의 현대투자신탁에 대한 대규모 대출에 의한 지원행위가 문제가 된 사건에서 서울고등법원은 대가 측면에서 현저히 유리한 조건인지를 따지지 않고 현저한 규모의 거래이기는 하지만 투신사의 부실을 보전하기 위하여 정부 당국에 의하여 허용된 연계대출의 일환이고, 다른 투신사 예에 비추어 정상적으로 제공받을 수 없는 정도의 규모라고 보기도 어려운 점 등을 들어 과도한 이익을 제공한 것은 아니라고 보아 부당지원행위에 해당되지 않는다고 보았다(서울고등법원 2004. 6. 16. 선고 2000누4943 판결). 대법원도 "현저한 규모의 거래로 인하여 과다한 경제적 이익을 제공한 것인지 여부는 지원성 거래규모 및 급부와 반대급부의 차이, 지원행위로 인한 경제상 이익, 지원기간, 지원횟수, 지원시기, 지원행위 당시 지원객체가 처한 경제적 상황 등을 종합적으로 고려하여 구체적·개별적으로 판단하여야 한다"며 원심판단을 지지하였다(대법원 2007. 1. 25. 선고 2004두7610 판결).

다만, 물량몰아주기에서 상당히 유리한 거래조건임이 입증되어야 한다고 하더라도, 그 의미가 가격 지원행위에서의 '정상가격에 비하여 상당히 유리한 조건'과 같은 의미인지, 구체적으로 가격 지원행위에서 입증방법과 수준이 동일한 것인지 여부가 문제된다. 공정거래위원회와 법원은 글로비스 사건에서 물류운송 거래의 정상가격을 특정하여 입증한 뒤 그보다 상당히 유리한 조건으로 거래하였는지 여부를 판단하지 아니하고, 글로비스에 대한 운송단가의 인상률, 매출총이익률, 내·외부 거래 간 이익률 차이 등 지원성 거래와 관련된 간접적인 지표를 근거로 정상가격에 비해 상당히 유리한 조건의 거래에 해당한다고 판단하였다(서울고등법원 2009. 8. 19. 선고 2007누30903 판결).

생각건대, 가격 지원행위에 대하여는 비특수관계자 간에 정해졌을 가격 등 거래조건보다 '상당히 유리한 조건'으로 거래하는 것을 의미하므로 '정상가격'에 대한 산정 및 엄격한 입증이 필요하지만, 물량몰아주기 지원행위에 대하여는 동일한 상황에서 비특수관계자 간에는 상당한 규모로 거래될 가능성이 낮은데 특수관계자 간에 상당한 규모로 거래된 것이라면 그 자체로 지원행위라고 특혜성 지원행위로 보는 것이므로, 물량몰아주기에서는 굳이 정상가격 산정이 필요하지 않을 수 있다. 물량몰아주기에서 정상가격 산정을 하고 이를 기준으로 지원행위성을 판단한다면 일반 가격 지원행위와 아무 차이가 없어 별도 유형의 지원행위로 언급할 필요조차 없다. 물량 지원행위에서 '상당히 유리한 조건'은 '상당한 규모'

에 의한 지원행위 여부를 판단하기 위한 부차적 사항이어서 '상당히 유리한 조건'과 상당성 여부를 판단하기 위한 '정상가격'에 대해 엄격한 입증을 요구할 경우 '상당한 규모' 요건이 형해화되고 개정 규정이 유명무실해지기 때문이다.

이러한 점에서 물량 지원행위에서 요구되는 상당히 유리한 조건 및 그 전제로서의 정상가격에 대한 입증은 가격 지원행위와 동일하게 엄격한 수준으로 요구된다고 보기는 어렵고, 간접적·정황적인 지표를 통해 입증될 수 있다고 봄이 상당하다. 따라서 가격 지원행위와 물량몰아주기 유형에서는 정상가격에 비해 상당히 유리한지 여부에 대한 입증방법 및 입증정도에서 차이가 있고, 특히 물량몰아주기에서는 정상가격의 구체적인 수준에 대하여 입증이 되지 못하더라도 기타 재무지표와 정황에서 상당히 유리한 거래조건임이 인정되면 족하다고 해석할 수 있다.

50 물량몰아주기에서 재무적·계량적 측면에서 지원주체가 입은 손해, 지원객체가 입은 이익은 무엇인가? 손해배상소송에서 '손해'는 어떻게 산정할 것인가?

A 법리적으로는 물량몰아주기가 없었을 경우 지원주체가 가졌을 가상적 재무상황에서 실제 재무상황을 뺀 금액으로 산정해야 하며, 소송과정에서 증거조사방법으로는 감정인에 의한 계량경제학적 감정에 의할 수밖에 없을 것이다.

> **해설**

지원주체가 지원객체에 대하여 정상가격보다 현저히 높거나 혹은 낮은 가격을 책정하는 경우와 달리 급부와 반대급부 간의 불균형을 반드시 전제하지 않는 물량몰아주기의 경우 지원주체에 언제나 손해가 발생한다고 단정할 수 없다. 공정거래위원회는 거래상대방 선정이나 계열체결과정에 있어 사업능력, 재무상태, 신용도, 기술력, 품질 등에 대한 합리적인 고려나 다른 사업자와의 비교가 없었음을 보임으로써 상당한 규모의 거래가 "상당히 유리한 조건"으로 이루어진 것인지를 입증하면 된다. 하지만 공정거래법상 물량몰아주기로 위법하다고 해서 그로 인하여 지원주체인 회사에 손해가 발생했다고 단정할 수는 없다. 손해배상의 대상이 되는 손해는 입증되는 재산상 손해이므로 물량몰아주기로 회사가 이사 등의 책임을 묻기 위하여는 재무적·계량적 손해를 보았음을 회사(대표소송을 제기한 경우 주주)가 구체적·개별적으로 입증해야 한다.

지원객체 측면에서는 일감몰아주기로 얻은 재무적 이익(수익 – 비용)에서 투자자본에 대한 무위험수익률을 제외한 금액이 되겠지만, 그 전체가 지원주체의 손해가 된다고 단정할 수는 없다. 왜냐하면 지원주체로서는 지원객체와 거래하지 않았다 하더라도 다른 상대방과 거래하여 상품과 용역을 제공받아야 했을 것이고, 그 거래상대방과의 가격이 물량몰아주기의 거래가격보다 유리했다 단정하기 어렵기 때문이다. 법이론적으로만 본다면, 일감몰아주기가 없었을 경우 지원주체의 경제적·재무적 상태에서 물량몰아주기가 발생한 실제의 경제적·재무적 상태의 차이가 손해가 될 것이다. 하지만 이를 산정하기는 매우 어렵다. 가상적 상황의 가격과 물량, 물량몰아주기로 공급받은 것으로 지원주체가 생산·판매하였을 2차 시장의 상황 등을 산정해야 하므로 계량경제학적 감정으로 추정할 수밖에 없다.

심사지침에서 정상가격 산정을 요하는 다른 지원행위에서는 지원성 거래규모를 기준으로 지원금액을 산정한다는 조항을 두고 있지만, 상당한 규모에 의한 거래에서는 이 조항마

저도 없다. 지원금액을 지원주체가 지원객체에게 제공하는 경제적 급부의 정상가격에서 그에 대한 대가로 지원객체로부터 받는 경제적 반대급부의 정상가격을 차감한 금액으로 정의하고 있기 때문에(심사지침 II. 6.), 정상가격 산정을 반드시 요하지 않는 물량몰아주기에서는 규정하지 않은 것으로 보인다.

참고로 서울중앙지방법원의 글로비스 지원행위에 대한 손해배상청구소송 판결(2010. 10. 21. 선고 2008가합47881 판결)을 살펴보더라도 원고가 부당지원금으로 주장한 23,275,000,000원과 4,655,000,000원의 과징금을 손해액으로 인정하고 있을 뿐, 원고가 부당지원금을 계산한 방식이나 손해액 산정방법론에 대하여는 아무런 언급이 없다.

Q51 공정거래법상 물량몰아주기 규제와 세법상 일감몰아주기 과세(증여의제)는 어떻게 다른가?

A 일감몰아주기에 대한 증여의제 과세는 거래상대방의 범위가 좁은 반면 거래 규모의 비율에 따라 일률적으로 과세하는 것이어서 공정거래법상 물량몰아주기 규제보다 요건이 단순·명확하다.

해설

2011. 12. 31. 신설된 상증세법 제45조의3에서는 부의 변칙적 증여와 세습을 막고 경제민주화를 확립하기 위하여 '특수관계법인과의 거래를 통한 이익의 증여의제'(이른바 '일감몰아주기 과세')를 규정하였다.[107]

증여의제 규정은 법인의 매출액 중에서 그 법인의 지배주주와 특수관계에 있는 법인에 대한 매출액이 차지하는 비율이 정상거래비율(일반적으로 30%, 중소기업 또는 중견기업의 경우 50%)을 초과하는 경우, 그 법인의 지배주주와 그 지배주주의 친족[다만, 수혜법인에 대한 직접·간접 주식보유비율이 한계보유비율(3%, 중소기업 또는 중견기업의 경우 10%)을 초과하는 주주에 한함]이 '수혜법인의 세후 영업이익 × 정상거래비율의 1/2(중소기업 또는 중견기업의 경우 정상거래비율)을 초과하는 특수관계법인거래비율 × 한계보유비율을 초과하는 주식보유비율'에 해당하는 이익을 증여받은 것으로 의제하여 증여세를 과세하는 제도이다(다만, 중소기업 사이의 거래에 대해서는 과세를 배제한다). 다만, 최근의 국세청 예규는 '다른 법률에 따라 의무적으로 특수관계법인과 거래한 경우'는 위 규정에 따른 과세대상에서 제외하는 것으로 유권 해석한 바 있다.

상증세법 규정은 거래규모가 일정 비율을 초과할 경우 곧바로 증여로 의제하여 과세하는 것이지만, 공정거래법상 물량몰아주기의 경우 거래규모가 상당하다는 점만으로 곧 위법하다고 보기는 어렵고 거래조건이 상당히 유리하다는 점과 부당성도 입증되어야 하므로 양 규정의 성립요건이 일치하지는 않는다. 상당한 규모의 거래를 통한 특수관계인에 대한 부당한 이익제공 행위(공정거래법 제23조의2 제1항 제4호)의 경우에도, 거래규모의 상당성 외에 당해 거래와 관련한 거래상대방 선정 등 의사결정이 정당한 절차를 통해 이루어졌는지 여부를 판단한다는 점에서 추가적인 성립요건을 필요로 한다. 또한 상증세법상 증여의제 규정이 적용되는 거래상대방은 일정 요건을 갖춘 수혜법인이어야 하나, 일반 부당지원행위의

---

107) 백운찬, 「일감몰아주기 과세방안 도입배경 및 주요쟁점 검토」, BFL 제57호(2013), pp.80~90

거래상대방에는 이러한 제한이 없으며 특수관계인에 대한 이익제공 금지규정이 적용되는 거래당사자 요건도 상증세법 규정과는 상이하다.

　보다 근본적으로, 상증세법상 일감몰아주기 과세는 통상적인 범위를 초과하는 거래 내지 사업기회 부여를 통해 증여와 사실상 동일한 경제적 이익을 제공하는 행위를 통한 우회적 탈세를 막기 위한 제도이고, 부당지원행위 규제는 부당한 지원행위를 통한 경제력집중과 지원객체가 속한 관련시장에서의 공정한 경쟁질서의 침해를 막기 위한 것이므로 그 규제 취지와 입법목적 또한 상이하다.

　따라서, 특수관계인 사이의 상당한 규모의 거래에 부당지원행위 규제와 상증세법상 증여 의제 규정이 모두 적용된다고 하더라도 이를 이중제재라고 보기는 어려운 측면이 있다. 다만, 상증세법상 일감몰아주기 과세에 대하여는 미실현이익에 대한 과세, 이중과세, 계약자유 원칙에 대한 침해라는 이유로 위헌 논란이 제기되고 있으므로 향후 과세관청의 실무적 운용방향 내지 관련 법 개정 동향에 관심을 기울일 필요가 있다.

Q52 부당지원행위의 유형인 '통행세 거래'란 무엇이며, 어떤 경우에 규제되는가?

A 거래당사자를 중개하는 매개체가 있는 경우 모두 '통행세 거래'로서 문제되는 것은 아니며, 그 매개역할을 하는 자의 실질적 역할이 없거나 그 역할에 비해 과도한 이익을 취하는 경우에만 규제 대상이 된다.

해설

통행세 거래는 2013년 개정법에서 신설된 것이기는 하지만 개정 전 공정거래법에서도 '현저히 유리한 조건'에 의한 일반 부당지원행위에 해당한다고 판단되었다[롯데피에스넷의 부당지원행위 건(2012. 9. 13. 의결 제2012-228호), 삼양식품의 부당지원행위 건(2014. 3. 3. 의결 제2014-037호)]. 해당 조항의 신설로 명확하게 된 것일 뿐이다.

해당 조항이 신설되기 전에도 공정거래위원회는 편의점 등에 ATM기기를 설치하는 롯데피에스넷이 ATM 제조사인 네오아이씨피로부터 직접 기기를 구매하지 않고 계열사인 롯데알미늄(당시 롯데기공)을 거쳐 구매함으로써 롯데알미늄으로 하여금 매출 이익을 얻게 한 것에 대하여 롯데알미늄에 거래조건 지원행위로 보고 과징금부과 등 제재처분을 하였다. 대법원은 "기업집단 롯데가 보유한 편의점 등 점포에 비치하기 위하여 현금자동입출금기를 구매하는 과정에서 제조사인 네오아이씨피로부터 직접 구매하지 않고 같은 계열사인 롯데알미늄을 거쳐 구매함으로써 롯데알미늄으로 하여금 판시 매출이익을 실현하게 한 것은 공정거래법 제23조 제1항 제7호의 부당지원행위에 해당한다"고 판시하였다(대법원 2014. 2. 13. 선고 2013두17466 판결).

한편, 공정거래위원회는 삼양식품이 라면을 이마트에 납품하면서 내츄럴삼양을 끼워 넣은 것이므로 이 역시 통행세 지원행위로 의율한 바 있었지만, 법원은 이러한 공정거래위원회의 판단이 위법하다고 판단했다(대법원 2016. 3. 10. 선고 2015두5657 판결, 서울고등법원 2015. 10. 16. 선고 2014누5615 판결). 한편, 공정거래위원회는 엘에스 기업집단 계열회사의 부당한 지원행위 사건에서 엘에스동제련과 엘에스 4개 사 사이의 전기동 거래과정에서 엘에스글로벌의 역할이 없거나 매우 미미하다는 점을 인정하였다.[108]

그 이후 2013년 개정법 및 2014년 개정 시행령에서 별도의 지원행위 유형으로 신설되었다.

---

108) 공정거래위원회 2018. 8. 22. 의결 2018-262

> **공정거래법(2013. 8. 13. 일부개정 법률 제12095호)**
>
> **제23조 제1항**
>
> 7. 부당하게 다음 각 목의 어느 하나에 해당하는 행위를 통하여 특수관계인 또는 다른 회사를 지원하는 행위
>
> 나. 다른 사업자와 직접 상품·용역을 거래하면 상당히 유리함에도 불구하고 거래상 실질적인 역할이 없는 특수관계인이나 다른 회사를 매개로 거래하는 행위
>
> **공정거래법 시행령(2014., 2. 14. 일부개정 대통령령 제25173호) 제36조 제1항 별표 1의 2. 10호**
>
> 라. 부당한 거래단계 추가 등
>
> 1) 다른 사업자와 직접 상품·용역을 거래하면 상당히 유리함에도 불구하고 거래상 역할이 없거나 미미한 특수관계인이나 다른 회사를 거래단계에 추가하거나 거쳐서 거래하는 행위
>
> 2) 다른 사업자와 직접 상품·용역을 거래하면 상당히 유리함에도 불구하고 특수관계인이나 다른 회사를 거래단계를 추가하거나 거쳐서 거래하면서 그 특수관계인이나 다른 회사에 거래상 역할에 비하여 과도한 대가를 지급하는 행위

통행세 거래는 "다른 사업자와 직접 상품·용역을 거래하면 상당히 유리함에도 거래상 실질적 역할이 없는 특수관계인이나 다른 회사를 매개로 거래하는 행위"로 정의된다(공정거래법 제23조 제1항 제7호 나목). 통행세 거래의 성립요건은, (i) 최종 거래상대방과의 직접적인 거래가 지원주체에게 상당히 유리할 것, (ii) 거래단계에 지원객체를 추가하거나 경유할 것, (iii) 거래의 매개가 된 지원객체의 역할이 없거나, 역할에 비해 과도한 대가가 지급될 것, (iv) 공정거래저해성 등 부당성이 인정될 것이다.

하지만 중간 거래단계를 거침으로써 당사자들의 거래 탐색비용이 크게 절감되거나 규모의 경제가 달성되는 등 효율성 증대효과가 달성되는 경우도 있을 수 있다. 이때에는 중간 거래단계를 추가하는 것이 당사자에게도 유리하고 사회·경제적으로 바람직할 수 있다. 통행세 거래 금지규정이 이러한 정당한 거래까지 규제대상으로 삼는 취지는 아니라는 점과 침익적 행정법규는 엄격하게 해석해야 한다는 원칙을 고려할 때 효율성 증대효과가 명백한 중간단계를 경유하는 거래까지 규제 대상으로 삼기는 어려울 것이다. 따라서 계열회사를 중간매개로 거래하는 구조를 검토할 경우에는, 위와 같은 경제적 논리에 비추어 그러한 거

래구조를 통해 달성하는 이익이 중간매개 회사에 지급되는 대가와 비교할 때 합리적인지 여부를 점검해 두는 것이 필요하다.

관련하여 공정거래법에서 '거래상 실질적 역할이 없는' 경우가 현실적으로 거의 존재하기 어려워 규제가 어려우므로, '거래상 실질적 역할이 없거나 미미한'으로 완화시켜야 한다는 주장이 있다. 더하여 '다른 사업자와 직접 상품·용역을 거래하면 상당히 유리함에도 불구하고'라는 규정은 삭제하는 것이 바람직하다는 주장이 있다.[109]

한편, 특수관계인에 대한 부당한 이익제공 금지 규정에서는 사업기회 제공행위를 규제하고 있는데, 사업기회의 제공행위에 통행세 거래가 포함되는지 여부가 문제된다. 회사와 다른 사업자 간 직접적인 거래에 계열회사를 위한 불필요한 거래단계를 추가·경유하거나 그 계열회사에게 과도한 대가를 지급하는 경우라면 이 역시 '회사가 직접 또는 지배하는 회사를 통해 수행할 경우 회사에 상당한 이익이 될 사업기회를 제공'하는 것으로 볼 여지도 있다. 다만, 회사가 사업기회를 포기하고 계열사에게 전적으로 수행하도록 하는 경우에는 사업기회의 '포기'로서 공정거래법 제23조의2 제1항 제2호 위반이 문제될 수는 있지만, 공정거래법 제23조 제1항 제7호 나목의 거래단계의 추가나 경유에는 해당하지 아니므로 통행세 거래로 볼 수는 없다.

---

109) 신동권, 「독점규제법」, 박영사(2020), p.867

Q 53 사업기회 제공이 특수관계자이익제공행위 이외에 일반부당지원행위에도 해당되는가?

A 사업기회 제공은 자금·자산·부동산·상품·용역 거래나 인력제공행위, 그리고 통행세에도 해당하지 않으므로 제23조 제1항 제7호의 일반부당지원에는 해당하지 않는다. 특수관계자이익제공행위에 해당할 뿐이다.

해설

'사업기회의 제공'이란 회사가 직접 또는 자신이 지배하는 회사를 통하여 수행할 경우 회사에 상당히 이익이 될 사업기회로서 회사가 수행하고 있거나 수행할 사업과 밀접한 관련이 있는 사업기회를 제공하는 행위이다. 다만, 회사가 해당 사업기회를 수행할 능력이 없는 경우, 회사가 사업기회제공에 대한 정당한 대가를 지급받은 경우, 그 밖에 회사가 합리적인 사유로 사업기회를 거부한 경우 중 어느 하나에 해당하는 경우는 제외된다(공정거래법 제23조의2 제1항 제3호, 시행령 제38조 제3항 관련 별표 1의3. 제2호).

하지만 '사업기회의 제공'은 상법 제397조의2(회사의 기회 및 자산의 유용 금지)를 특수관계인에 대한 부당한 이익제공 금지의 유형으로 추가한 것이다. 공정거래법 제23조 제1항 제7호에서 금지한 자금·자산·부동산·상품·용역 거래나 인력제공행위, 그리고 통행세에도 해당하지 않으므로, 제23조 제1항 제7호의 일반부당지원에 해당한다고 볼 수 없다.

Q 54 지원행위의 '상당성'은 무엇인가? 통행세 지원행위에도 요구되는가?

A 가격 지원행위에서는 정상가격과 실제가격의 상당한 차이, 물량 지원행위에서는 거래 규모의 상당성을 의미한다. 통행세 지원행위에는 상당성이 요구되지 않는다.

해설

공정거래법 제23조 제1항 제7호 가목은 '상당히 유리한 조건'으로 거래하는 행위를 금지하고 있다. 2013년 법 개정 전에는 '현저히 유리한 조건'으로 규정하고 있었던 것을 '상당히 유리한 조건'으로 개정한 것이다. 공정거래법 시행령 제36조 제1항 별표 1의2. 제10호의 가목. 부당한 자금지원에서는 '상당히 높거나 낮은 대가'로 거래하거나 '상당한 규모'로 제공·거래하는 행위라고 규정하고 있고, 나목 부당한 자산·상품 등 지원, 다목 부당한 인력지원에서도 동일한 규정을 두고 있다. 참고로 부당한 거래단계 추가 등 통행세 규정에서는 '상당성'에 대한 조항을 두고 있지 않다.

정상가격 산정이 필요한 가격 지원행위에서는 정상가격과 실제 가격 차이의 '상당성'이 요구되며, 물량몰아주기 지원거래에서는 그 규모의 '상당성'이 요구된다. 반면, 통행세 지원행위에서는 상당성이 요구되지 않는다.

한편, 일반지원행위 심사지침 II. 1. 타. 단서는 "지원주체와 지원객체 간의 자금거래에 의한 실제적용금리와 개별정상금리 또는 일반정상금리와의 차이가 개별정상금리 또는 일반정상금리의 7% 미만으로서 개별 지원행위 또는 일련의 지원행위로 인한 지원금액이 1억 원 미만인 경우에는 지원행위가 성립하지 아니하는 것으로 판단할 수 있다"고 규정하고 있다. 금리 차이가 7% 미만이면서 지원금액이 1억 원 이하이면 자금지원행위가 '상당'하지 않다고 판단할 수 있다는 취지이다. 다만, 이 규정이 나머지 유형의 지원행위에는 적용된다고 볼 수 없다.

공정거래위원회는 정상가격과 실제가격 차이가 상당하면 전체적인 지원금액이나 지원규모가 크지 않더라도 '상당성'이 인정된다고 보고 있다. 지원금액이나 규모는 '상당성'과 무관하다는 입장이다. 지원금액이나 규모가 공정거래저해성 및 부당성 여부와는 관련 있지만, 공정거래위원회가 지원금액이나 규모가 미미하다는 이유로 공정거래저해성 또는 부당성을 부정한 사례는 거의 없다. 하지만 법원은 종종 지원객체의 규모나 시장여건상 상대적으로 미미한 지원금액으로는 경쟁에 거의 영향이 없으므로 부당성이 없다는 입장을 취하기도 하였다.

예를 들어, 하나로통신의 무선인터넷 사업을 영위하는 계열사인 엠커머스에 대한 인력지원사건에서 대법원은 지원금액이 지원객체 매출액의 3%에 불과하고 관련시장에 점유율이 0.62%에 불과한 점을 들어 경쟁이 저해되거나 경제력 집중이 될 가능성이 없다고 판단하였다(대법원 2005. 5. 27. 선고 2004두6099 판결).[110] 또, 중앙일보사의 중앙방송에 대한 부당지원행위 사건에서 대법원은 중앙일보가 임대한 건물의 일부를 저가로 전대해 준 것과 관련하여 지원객체의 재무구조가 건설하고 방송서비스시장에서의 점유율이 미미하며 지원금액이 자산총액이나 매출액의 1% 정도에 불과한 점을 들어 부당성을 부정했다(대법원 2005. 5. 13. 선고 2004두2233 판결). 조선일보가 자신의 지하철광고를 하면서 무료로 디지털조선일보의 광고를 삽입하여 광고료 900만 원을 지원한 것에 대하여는 계열사 지원의도가 인정되지만 지원객체의 자산총액, 매출액 등에 비하여 미미한 수준이므로 부당성이 없다고 판시하였다(대법원 2005. 9. 15. 선고 2003두12059 판결).

---

110) 해당 사건에서 지원금액의 상대적 미미성 이외에도 인력지원이 자회사의 관리 · 감독하는 차원에서 이루어진 측면이 있었다.

Q 55 자금 지원행위에 적용되는 '상당히 유리한 조건'에 대한 안전지대(7% 또는 1억 원 미만) 규정이 다른 유형의 지원행위에도 원용될 수 있는가?

A 자금 지원행위에 적용되는 거래가격 차이 7% 및 지원금액 1억 원 미만의 심사 면제 기준은 다른 유형의 부당지원행위에 직접 적용되기는 어렵다.

해설

자금 지원행위의 경우, 실제적용금리와 개별정상금리(또는 일반정상금리) 간의 차이가 개별정상금리(또는 일반정상금리)의 7% 미만이면서 지원행위로 인한 지원금액이 1억 원 미만인 경우에는 지원행위가 성립하지 않는 것으로 판단할 수 있다는 기준이 존재한다(심사지침 III. 1. 바). 정상금리와의 차이 7% 미만 및 지원금액 1억 원 미만과 같은 안전지대 규정이 자산이나 인력거래, 상품·용역 거래 등 다른 유형의 지원행위에도 준용될 수 있는지 문제된다.

심사지침 III. 1. 바.에서는 상당히 유리한 조건인지 여부를 판단하는 다양한 고려요소들은 다른 유형의 지원행위 판단에도 적용한다는 점을 본문의 괄호 안 문장으로 명백히 규정하고 있지만, 안전지대 조항은 단서로 기재하면서 그러한 준용취지를 명시하지 않았다. 금융거래와 자산 또는 상품·용역 거래는 그 거래태양과 가격산정 기준에 상당한 차이가 있어서 금융거래에서 적용되는 7% 기준을 다른 유형의 지원행위에 그대로 적용하기는 어렵다. 이런 점을 종합해 볼 때 부정설이 타당하다고 판단된다. 즉, 다른 유형의 지원행위에서는 자금 지원행위의 안전지대 규정은 적용되지 않는다.

Q 56 부당지원행위에 주관적 지원의도가 필요한가? 지원객체에게 피지원 인식이 필요한가?

A 지원의도를 요한다고 설시하고 있는 판례가 다수 있지만, 지원의도가 부당지원행위의 구성요건이 아니라 본다. 다만, 부당성 인정의 중요한 정황증거가 될 뿐이다. 같은 논리로 지원객체에게도 지원받는다는 인식은 요구되지 않는다 보아야 한다.

해설

대법원은 "공정거래법상 '부당한 자금지원행위'의 요건으로서의 지원의도는 지원행위를 하게 된 동기와 목적, 거래의 관행, 당시 지원객체의 상황, 지원행위의 경제상 효과와 귀속 등을 종합적으로 고려하여 지원주체의 주된 의도가 지원객체가 속한 관련 시장에서의 공정한 거래를 저해할 우려가 있는 것이라고 판단되는 경우 인정되는 것이고, 이러한 지원의도는 앞서 본 바와 같은 여러 상황을 종합하여 객관적으로 추단할 수 있다"고 판시한 바 있다(대법원 2004. 4. 9. 선고 2001두6197 판결, 대법원 2005. 5. 27. 선고 2004두6099 판결 등 다수).

하지만 이러한 판결은 공정거래법 법문에서 지원의도라는 주관적 구성요건이 규정되어 있지 않음에 비추어 문언적 해석에도 부합하지 않는다. 뿐만 아니라 경쟁법인 공정거래법의 본질상 사업자의 주관적 의도가 아니라 객관적 행위와 그것이 시장이나 국민경제에 미치는 영향을 포착해야 하는데, 그 점에서도 주관적 요건은 불필요하다.[111] 더하여 공정거래법은 사회 질서를 유지하기 위한 행정법이자 경찰법인데, 이러한 행정법이나 경찰법 해석에서 특별한 사정이 없는 한 고의나 과실과 같은 주관적 구성요건은 요구하지 않는다. 이런 점에서 부당지원행위에서 지원의사와 같은 주관적 구성요건이 필요하다고 볼 수는 없다.

지원의도는 지원행위에 정당한 이유가 존재하는지 여부를 판단하여 최종적으로 지원행위의 현저성이나 부당성을 정함에 있어 정황증거나 고려요소로 취급하면 충분하다. 지원행위의 현저성이나 경쟁 저해성 등 부당성이 명확하지 않은 경우에 지원의사가 증거로 인정된다면 현저성이나 부당성 입증에 큰 도움이 될 것이다. 반면, 정상가격과 실제 가격차이가 크지 않거나 정상가격 산정이나 입증에 논란이 있는 경우에도 지원의도가 명백히 드러난다면 위법성을 인정하지 않기 어려울 것이다.

한편, 2013년 개정 공정거래법에서 지원객체나 특수관계인에게도 부당지원을 받는 것을

---

111) 이봉의, 「독점규제법상 부당지원행위」, 경쟁법연구 제27권(2013), p.234

금지하는 명시적 조항을 신설하고(공정거래법 제23조 제2항, 제23조의2 제4항), 과징금 부과 조항도 신설했다(공정거래법 제24조의2). 관련하여 지원객체에게 지원행위가 성립하였음을 인식하였거나 인식할 수 있었는지 등 피지원에 대한 인식과 같은 주관적 구성요건이 요구되는지 문제된다. 이에 대하여 공정거래위원회는 해당 거래행위가 부당행위에 해당할 수 있음을 지원객체가 인식하고 있거나 인식할 수 있었는지 여부에 대한 판단은 공정거래법 전문가가 아닌 일반인의 입장에서 사회통념에 비추어 과다한 경제상 이익을 제공받았다는 것을 인식할 수 있을 정도면 족하다고 판단하였다.[112] 공정거래위원회의 2016. 12. 제정 '총수일가 사익편취 가이드라인'에서도 "총수일가 사익편취행위의 거래상대방인 지원객체가 법 제23조의2 제3항 위반에 해당하는지 여부는 당해 거래가 총수일가 사익편취행위에 해당할 수 있음을 지원객체가 인식하거나 인식할 수 있었는지 여부에 따라 판단한다"고 설명하고 있다.

하지만 지원객체가 지원받지 않아야 하는 의무는 지원주체의 지원하지 않아야 하는 의무에 대한 대향적 의무(對向的 義務)이다. 그래서 지원객체의 죄와 지원객체의 죄는 필요적 공범 관계이다. 그런 점에서 지원객체의 경우에도 지원주체와 마찬가지로 지원받는 인식이나 의사 등 주관적 요건은 필요하지 않다고 해석함이 타당하다.

사실, 지원주체와 특수관계에 있는 지원객체가 지원 사실을 몰랐다거나 모름에 과실이 없다고 할 수 있는 경우가 도대체 존재할지 의문이다. 지원객체가 지원사실을 몰랐거나 과실없이 알지 못했다는 것은 소송법상 예외적이고 특별한 사정이므로, 지원객체에게 입증하게 함이 입증책임 분배의 원칙상 합당하다.

112) 공정거래위원회 2016. 7. 7. 의결 2016-189, 공정거래위원회 2017. 1. 10. 의결 2017-009, 공정거래위원회 2018. 5. 21. 의결 2018-148 등 다수

Q 57 부당한 지원행위 성립요건 중 '부당성' 또는 '공정거래저해성'이란 무엇을 의미하는가?

A '부당성' 또는 '공정거래저해성'이란 원칙적으로 지원객체가 속한 시장에서의 공정한 거래질서 저해 또는 경제력집중 및 그 우려를 의미한다.

해설

판례에 의하면 지원행위의 부당성이란 "지원객체의 관련 시장에서 경쟁이 저해되거나 경제력집중이 야기되는 등으로 공정한 거래가 저해될 우려"를 의미한다고 본다(대법원 2004. 10. 14. 선고 2001두2881 판결 등 참고).[113] 구체적으로 "지원주체와 지원객체와의 관계, 지원객체 및 지원객체가 속한 관련 시장의 현황과 특성, 지원금액의 규모와 지원된 자금 자산 등의 성격, 지원금액의 용도, 거래행위의 동기와 목적, 정당한 사유의 존부 등을 종합적으로 고려하여 판단하여야 하고, 위와 같은 요소들을 종합적으로 고려할 때 당해 지원행위가 공정한 거래를 저해할 우려가 있는 행위라는 점은 공정거래위원회가 이를 입증"하여야 한다는 입장이다(대법원 2004. 9. 24. 선고 2001두6364 판결 등 참고).

심사지침은 다음과 같이 규정하고 있다.

1. 부당성 판단의 기본원칙

가. 지원행위에 대한 부당성은 원칙적으로 지원주체와 지원객체의 관계, 지원행위의 목적과 의도, 지원객체가 속한 시장의 구조와 특성, 지원성 거래규모와 지원행위로 인한 경제상 이익, 지원기간, 지원횟수, 지원시기, 지원행위 당시 지원객체의 경제적 상황, 중소기업 및 여타 경쟁사업자의 경쟁능력과 경쟁여건의 변화정도, 지원행위 전후의 지원객체의 시장점유율 추이 및 신용등급의 변화정도, 시장개방의 정도 등을 종합적으로 고려하여 해당 지원행위로 인하여 지원객체가 직접 또는 간접적으로 속한 시장(따라서 지원객체가 일정한 거래분야에서 시장에 직접 참여하고 있는 사업자일 필요는 없다)에서 **경쟁이 저해되거나 경제력집중이 야기되는 등으로 공정한 거래를 저해할 우려가 있는지 여부**에 따라 판단한다. 이러한 지원행위의 부당성은 공정한 거래질서라는 관점에서 판단되어야 하며, 지원행위에 단순한 사업경영상의

---

113) 대법원은 부당지원행위 규제가 공정한 거래질서의 확립 및 경제력집중의 방지를 위한 것이라고 보고 있지만, 헌법재판소는 이에 더하여 기업집단의 동반부실의 위험이나 소액주주 및 채권자의 이익 침해에 대한 우려까지도 규제 목적으로 추가하고 있다(헌법재판소 2003. 7. 24. 선고 2001헌가25 결정). 헌법재판소 결정의 취지에 따를 경우 공정거래법에서 예정한 보호법익을 넘어 부당성 인정 범위가 확대될 가능성이 있으므로 이러한 시각은 타당하다고 보기 어렵다.

필요 또는 거래상의 합리성 내지 필요성이 있다는 사유만으로는 부당성이 부정되지 아니한다.

나. 사업자가 아닌 특수관계인에 대한 지원행위의 부당성은 특수관계인이 해당 지원행위로 얻은 경제상 급부를 계열회사 등에 투자하는 등으로 인하여 지원객체가 직접 또는 간접적으로 속한 시장에서 경쟁이 저해되거나 경제력집중이 야기되는 등으로 공정한 거래를 저해할 우려가 있는지 여부에 따라 판단한다.

다. 공정한 거래를 저해할 우려는 공정한 거래를 저해하는 효과가 실제로 구체적인 형태로 나타나는 경우 뿐만 아니라 나타날 가능성이 큰 경우를 의미하며, 현재는 그 효과가 없거나 미미하더라도 미래에 발생할 가능성이 큰 경우를 포함한다.

2. 부당한 지원행위에 해당하는 경우

가. 지원객체가 해당 지원행위로 인하여 일정한 거래분야에 있어서 유력한 사업자의 지위를 형성·유지 또는 강화할 우려가 있는 경우

(예시) 중소기업들이 합하여 1/2 이상의 시장점유율을 갖는 시장에 참여하는 계열회사에 대하여 동일한 기업집단에 속하는 회사들이 정당한 이유없이 자금·자산·상품·용역·인력 지원행위를 하여 해당 계열회사가 시장점유율 5% 이상이 되거나 시장점유율 기준 3위 이내의 사업자에 들어가게 되는 경우[114]나. 지원객체가 속하는 일정한 거래분야에 있어서 해당 지원행위로 인하여 경쟁사업자가 배제될 우려가 있는 경우

나. 지원객체가 속하는 일정한 거래분야에 있어서 해당 지원행위로 인하여 경쟁사업자가 배제될 우려가 있는 경우

(예시) 지원객체가 지원받은 경제상 이익으로 해당 상품 또는 용역의 가격을 경쟁사업자보다 상당기간 낮게 설정하여 경쟁사업자가 해당 시장에서 탈락할 우려가 있는 경우, 기업집단 내 계열사 간 거래가 이루어지는 분야에서 기업집단 외부의 경쟁사업자(잠재적 경쟁사업자 포함)가 진입하기 힘들어 지원주체의 지원행위로 지원객체가 자신의 경쟁력과 무관하게 별다른 위험부담 없이 안정적인 사업활동을 영위함으로써 사업기반이 공고하게 되는 반면, 해당 기업집단 외부의 다른 경쟁사업자들은 지원주체와 같은 대형 거래처와 거래할 기회가 봉쇄되는 경우

다. 지원객체가 해당 지원행위로 인하여 경쟁사업자에 비하여 경쟁조건이 상당히 유리하게 되는 경우

(예시) 지원객체가 해당 지원행위로 인하여 자금력, 기술력, 판매력, 제품이미지 개

---

[114] 대표적 사례로 LG 전자 등 그룹 계열사들이 그룹 내 시스템통합(SI) 및 정보통신 업무를 신규업체인 LG 정보통신에게 몰아주어 계열사가 독과점적 시장에 신규로 진입하는 초기단계에서 지원하는 행위가 있었다 (서울고등법원 2001. 1. 9. 선고 99누3870 판결).

선 등 사업능력이 증대되어 사업활동을 영위함에 있어서 경쟁사업자에 비하여 유리하게 되는 경우, 지원주체의 지원행위를 통해 지원객체가 사업기반을 강화시킴과 동시에 재무상태를 안정적으로 유지·강화하게 되는 경우

라. 지원객체가 속하는 일정한 거래분야에 있어서 해당 지원행위로 인하여 지원객체의 퇴출이나 타사업자의 신규진입이 저해되는 경우

(예시) 대규모기업집단 소속회사가 자기의 계열회사에 대하여 지원행위를 함으로써 해당 계열회사가 속하는 일정한 거래분야에 있어서 신규진입이나 퇴출이 어려워지게 되는 경우

마. 관련법령을 면탈 또는 회피하는 등 불공정한 방법, 경쟁수단 또는 절차를 통해 지원행위가 이루어지고, 해당 지원행위로 인하여 지원객체가 속하는 일정한 거래분야에서 경쟁이 저해되거나 경제력집중이 야기되는 등으로 공정한 거래가 저해될 우려가 있는 경우

(예시) 증권회사가 「유가증권인수업무규정」상 계열증권사의 회사채인수 금지규정을 면탈하기 위해 다른 증권사를 주간사회사로 내세우고 자신은 하인수회사가 되어 수수료를 받는 방법으로 경제상 이익을 얻고 이로 인하여 다른 증권회사와의 공정하고 자유로운 경쟁을 저해한 경우

결국 부당지원행위에서의 부당성은 ① 관련시장에서 경쟁이 저해되거나 그 우려와 ② 경제력집중이 야기되거나 그 우려로 볼 수 있다. ①의 경쟁저해성은 (i) 지원행위로 유력 사업자로 형성·유지·강화되는 경우, (ii) 경쟁사업자가 배제되는 경우, (iii) 경쟁조건이 상당히 유리해지는 경우, (iv) 지원객체의 퇴출이나 타사업자의 신규진입이 저해되는 경우를 심사지침이 들고 있다. 사실 (i), (ii), (iv)는 시장에서의 상당히 인상깊은 사건이나 상황이어서 시장변화를 통해서 경쟁저해효과가 드러나며 그것이 지원행위로 인한 결과로 볼 수 있지만, (iii)은 이와 다르다. 지원행위가 있으면 당연히 지원객체의 재무상황이 개선되고 재무상황이 개선되면 경쟁조건이 유리해지므로, (iii)은 너무도 당연한 것으로 특별한 변화라 볼 수 없다. (iii)은 지원행위가 상당한 경우로 바꾸어 쓰더라도 의미에 큰 차이가 없을 것이므로 부당성 판단 기준으로 볼 수는 없다. 사견으로 지원행위가 인정된다면 공정거래 저해성이 추정되는 것으로 하고 지원행위에도 불구하고 공정거래저해성이 없다고 주장하는 측이 반증하도록 법을 정비하는 것이 바람직하다고 본다.

관련하여 CJ CGV가 총수일가의 개인회사인 재산커뮤니케이션이 설립되자 기존 거래처인 대행사와의 스크린 광고 영업 대행계약을 종료하고 기존보다 현저히 유리한 조건으

로[115] 해당 업무를 전속위탁한 것에 대하여 공정거래위원회가 부당지원행위로 보고 시정명령, 과징금 부과처분을 한 것에 대하여 서울고등법원은 공정거래저해성을 인정한 바 있다(서울고등법원 2017. 10. 25. 선고 2017누37675 판결). 당시 CJ CGV가 사업경험이 전무한 재산커뮤니케이션에 대하여 거래 개시를 결정한 뒤 수의로 전속계약으로 하였고 이로 인하여 동 회사가 스크린 광고 대행업에서 1위 사업자로 성장하였고 안정적 수익을 바탕으로 다른 광고매체 시장에도 영향력을 확대하였으며, 그 결과 중소사업자들의 시장참여가 제한되고 기존업체들이 퇴출된 것을 '공정거래저해성'이 있다고 판단한 것이다.

한편, 심사지침 II. 1. 나.는 삼성 SDS 판결의 취지를 반영하여 지원이 사업자가 아니라 특수관계인인 개인, 주로 총수 또는 그 일가에게 이루어진 경우에 그 자체로 공정거래저해성이 있는 것으로 볼 수는 없고 '특수관계인 개인이 지원받은 것을 사업자에게 투자 등으로 투입하여 그 사업자에 의하여 시장에서 경쟁이 제한하거나 경제력이 집중되었는지 여부로 판단해야 한다'고 규정하고 있다.

관련하여 부당지원행위나 특수관계인 부당이익 제공행위에는 여러 불확정 개념이 위법상 판단기준으로 되어 있어 경제력집중이라는 프레임만으로는 일반집중의 추상적 위험을 규제하려 한다면 명확성의 원칙에 반하여 수범자의 예측가능성과 법적 안정성을 해칠 우려가 있으므로 규제기준을 명확히 하는 것이 규제당국의 자의적 재량권을 통제할 수 있다는 주장이다.[116] 일리 있는 견해이지만 경제적집중이 우리 경제 특유의 문제이므로, 여전히 경제력집중을 부당성의 한 표지로 삼을 수밖에 없다고 본다.

---

115) | 특수관계 없는 구 대행사와 특수관계인인 재산커뮤니케이션에 대한 거래조건 비교 |

구분	구 대행사("정상가격")	재산
위탁극장 수	CGV 강변 등 총 12개 극장	2006년 42개에서 2011년 78개로 증가 (신규극장도 편입하는 전속거래)
수수료율	16%	20%
최소지급액	연간 지급금액이 일정액 미만인 경우 매년 말 추가정산	없음.
보증금	계약이행 담보를 위해 13억 4,000만 원을 현금 제공, 이자 지급은 없음.	없음.

116) 신현윤, 「기업집단 내부거래의 규제법리와 입법쟁점」, 선진상사법률연구 통권 제81호(2018. 1.), pp.16~17

Q 58 부당성 중 경쟁저해성은 카르텔 등 다른 반경쟁 행위에서의 경쟁제한 성과 다른 개념인가? 공정거래위원회는 부당지원행위에서도 관련시장 에서의 경쟁제한성을 구체적으로 입증해야 하는가?

A 그렇지 않다. 지원객체의 경제적 능력이 조금이라도 강화되면 경쟁에 유리해지는 것이 므로 지원행위가 있으면 통상 공정거래저해성이 인정된다. 부당지원이 없었다고 주장 하는 측에서 경쟁제한성 또는 경제력집중 가능성이 없었던 점을 입증해야 한다.

해설

부당지원행위에서 요구되는 경쟁저해성이 경쟁법에서 요구되는 경쟁제한성과 같은 개념 인지 다른 개념인지 여부는 규정상으로는 분명하지 않다. 부당지원행위에서 요구되는 경쟁 저해성은 장기적 경쟁기반 유지에 부정적인 영향까지도 포함하지만 결국 경제력집중을 억 제하려는 이유와 연결되므로, 독점규제법상 경쟁제한성과 구별되는 부당지원행위에서의 경쟁저해성을 인정할 실익이 없다는 견해가 있다.[117] 하지만 공정거래법상 경쟁제한성과 경제력집중을 동일선상에서 볼수는 없다. 경쟁은 우리뿐 아니라 미국 등 다른 선진국 경쟁 법에서도 보호하려는 일반적인 시장에서의 경쟁을 의미하는 것이고, 경쟁력집중은 우리 공 정거래법이 기업집단 또는 소위 '재벌' 구조의 우리 경제에서 지키려는 별도의 법익이기 때 문이다. 그런 점에서 경쟁법에서의 경쟁제한성과 부당지원행위에서의 경쟁저해성을 다른 개 념으로 볼 것은 아니다. 오히려 다른 반경쟁 행위에서 요구하는 것보다는 좀 더 낮은 정도 또는 입증책임의 정도가 낮은 수준의 경쟁제한성으로, 경제학에서의 시장경합성(market contestability) 개념과 유사하다 생각한다.

관련하여, 공정거래위원회가 관련시장에서 경쟁제한이 문제되는 관련시장을 획정하고 그 경쟁관계를 파악하며 구체적인 경쟁제한경로 등에 대하여 검토하는 등 구체적으로 입증 해야 하는지, 아니면 지원객체의 재무능력 등이 전반적으로 높아져 다른 사업자에 비하여 경쟁력이 높아졌다는 정도로 추상적 입증만으로 충분한지 논란이 있다. 명확한 판결은 없 지만 공정거래위원회는 지원행위로 지원객체의 재무적 상황이 좋아지면 경쟁력이 높아지 는 것이므로 특별한 사정이 없는 경쟁을 저해한다는 입장으로 보인다.

관련하여 법원은 종종 지원객체의 규모나 시장여건상 상대적으로 미미한 지원금액으로 는 경쟁에 거의 영향이 없으므로 부당성이 없다는 입장을 취하기도 하였다. 예를 들어, 하

---

117) 권오승·서정, 「독점규제법」, 법문사(2015), p.519

나로통신이 무선인터넷 사업을 영위하는 계열사인 엠커머스에 대하여 인력지원을 한 것과 관련하여 지원금액이 지원객체 매출액의 3%에 불과하고 관련시장에 점유율이 0.62%에 불과한 점을 들어 경쟁이 저해되거나 경제력집중이 될 가능성이 없다고 판단하였다(대법원 2005. 5. 27. 선고 2004두6099 판결). 해당 사건에서 지원금액의 상대적 미미성 이외에도 인력지원이 자회사의 관리 · 감독하는 차원에서 이루어진 측면이 있었다. 또, 중앙일보사의 중앙방송에 대한 부당지원행위 사건에서 대법원은 중앙일보가 임대한 건물의 일부를 저가로 전대해 준 것과 관련하여 지원객체의 재무구조가 건설하고 방송서비스시장에서의 점유율이 미미하며 지원금액이 자산총액이나 매출액의 1% 정도에 불과한 점을 들어 부당성을 부정했다(대법원 2005. 5. 13. 선고 2004두2233 판결). 조선일보가 자신의 지하철광고를 하면서 무료로 디지털조선일보의 광고를 삽입하여 광고료 900만 원을 지원한 것에 대하여는 계열사 지원의도가 인정되지만 지원객체의 자산총액, 매출액 등에 비하여 미미한 수준이므로 부당성이 없다고 판시하였다(대법원 2005. 9. 15. 선고 2003두12059 판결).

그런데 최근 삼양식품의 삼양목장(에코그린캠퍼스)에 대한 지원사건에서 법원은 관련시장에 대한 분석까지는 필요없다는 입장을 명확히 하였다. 해당 사건에서 원고는 삼양식품이 에코그린캠퍼스의 경영을 도와주기 위하여 13명의 인력을 제공하고 셔틀버스를 무료로 제공하였지만 그 지원금액만으로는 관련시장인 대관령 주변 목장 시장에서 큰 영향을 못주고 경쟁구도상 실질적으로 경쟁이 제한되지 않는다며 구체적인 시장분석을 제시했다. 하지만 법원은 그 정도 지원행위만으로도 경쟁사업자에 비하여 유리한 여건을 유지해 준 것이 인정되고 에코그린에게 경제상 이익을 주었다면 다른 경쟁사업자들에 비해 유리해지도록 한 것이므로 경쟁수단이 불공정할 뿐만 아니라 신규 사업자들이 추가로 진출하거나 사업범위를 확장하기 어렵게 하는 등 목장시장의 공정경쟁이 간접적으로 저해될 우려가 있다고 판시하였다(서울고등법원 2016. 10. 14. 선고 2015누70074 판결).[118] 즉, 지원객체에게 도움을 주어 지원객체가 유리해진 것이라면 경쟁저해성이 인정되므로 굳이 시장분석을 하거나 실제 경쟁이 제한되었는지 또는 그 가능성이 있는지 입증할 필요까지는 없다고 본 것이다.

공정거래위원회 실무는 지원행위가 인정되고 아울러 지원금액이 현저하게 적은 수준이 아닌 이상 부당성 요건이 상대적으로 용이하게 충족된다고 판단하는 경향이 있다. 경쟁제한성 판단을 위한 관련시장 분석을 도외시한 채 지원객체의 자금력을 제고시키거나 경영여건을 개선시켜 경쟁조건을 추상적으로 유리하게 만들거나 유력한 사업자의 지위를 유지 ·

---

118) 동 판결은 상고를 하지 않음으로써 확정되었다.

강화하면 부당성을 인정하는 것이다.[119] 법원도 부당성 요건에 대한 별도의 입증을 요구하기는 하지만 그 인정과 관련하여 그리 엄격한 입장은 아닌 것으로 이해된다.[120] 지원금액이 절대적으로 미미하거나 지원객체의 자산이나 매출 규모에 비하여 미미한 경우, 공익적 목적에서 거래가 이루어졌음이 인정된 경우에는 부당성이 부정된 사례들도 있다(서울고등법원 2003. 9. 23. 선고 2002누1047 판결, 대법원 2005. 9. 15. 선고 2003두12059 판결, 대법원 2007. 3. 29. 선고 2005두3561 판결 등). 하지만 대부분의 판결에서 공정거래위원회에게 지원객체가 속한 관련시장에 대한 면밀한 분석을 통해 부당성을 분석 및 입증을 요구하기보다는, 공정거래위원회가 지원행위로 지원객체의 자금력이 제고되거나, 경영여건을 개선시켜서 경쟁사업자에 비해 경쟁조건을 유리하게 하거나 유력한 사업자로서의 지위를 유지·강화되었음을 입증하면 부당성이 충족된다고 보았다.[121]

생각건대, 부당지원행위에서 요구하는 경쟁저해성은 공동행위나 시장지배적지위남용 또는 다른 불공정거래행위에서 요구하는 것과는 조금 다르다고 본다. 하지만 지원행위로 도움을 받은 지원객체가 다른 경쟁자들에 비해 유리해지는 것은 부인할 수 없다. 정도의 차이가 있을 뿐이다. 그래서 지원행위가 인정되면 일단 경쟁저해성이 사실상 추정되고 지원행위에도 불구하고 부당성이 없다는 점은 반증하게 함이 타당하다. 부당성이 없다는 반증은 지원행위에도 불구하고 지원객체의 경쟁력에 도움이 안되었다거나 관련 시장의 상황상 경쟁에 전혀 영향이 없었다 등의 특별한 사정이 될 것이다. 이런 입장에 설 때 상반되어 보이는 하나로통신의 엠커머스 지원행위와 삼양식품의 삼양목장 지원행위 판결이 서로 모순되지 않게 해석될 수 있다.

---

119) 송태원, 「부당지원행위 규제의 제 문제점에 대한 검토」, p.16
120) 서정, 「부당지원행위 규제, 만능 치유책인가? 목적과 수단의 정합성에 대한 검토」, 연세글로벌 비즈니스 법학연구 제3권 제2호(2011), 각주 45, p.42
121) 서정, 박사학위 논문, 「부당한 지원행위 규제에 관한 연구」(2008. 4.), p.94

Q 59 부당성 중 경제력집중의 의미는 무엇인가? 사업자 아닌 개인, 특히 총수일가에 대한 지원이 부당성 또는 공정거래저해성을 충족시킬 수 있는 경우는 무엇인가?

A 삼성 SDS 사건에서 사업자가 아닌 개인에 대한 지원행위의 공정거래저해성은 특별한 사정, 예를 들어 개인이 받은 지원급부가 계열회사에 투자되는 등의 경로로 경쟁이 저해되거나 경제력이 집중됨이 인정되어야 한다고 보았다. 사실상 개인에 대한 직접적 지원거래를 공정거래법에 의해 규제하기 어려워졌고, 이에 개인에 대한 지원을 규제하기 위하여 제24조의2 특수관계인에 대한 부당한 이익제공 금지 조항이 신설된 것이다.

> **해설**

경쟁법 차원에서의 경제력집중은 일반적으로 시장집중, 일반집중, 소유집중으로 구분된다.[122] 시장집중이란 관련시장에서 특정 사업자의 영향력이나 비중(점유율)이 높아지는 현상을 의미하고, 일반집중이란 전체 국민경제에서 특정 기업집단의 영향력이나 비중이 높아지는 것을 의미하며, 소유집중이란 국민경제 또는 기업집단에서 특정인의 영향력이나 비중이 높아지는 것은 의미한다. 시장집중은 전통적 경쟁법에서의 경쟁제한과 유사한 개념이고, 일반집중은 우리 공정거래법이 다른 나라의 경쟁법과 달리 특별히 규제하려 하는 경제력집중의 개념과 유사하다. 소유집중은 개인인 동일인, 즉 '오너'라 불리는 특정인 및 그 친족집단의 지배력 강화의 개념으로 볼 수 있다. 사실 '오너'와 그 일가의 인적 지배가 특징인 우리 산업구조에서 소유집중에 대한 규제의 필요성이 있다는 점은 부정하기 힘들며, 오히려 가장 집중적으로 규제되어야 한다는 견해도 강하다. 우리나라에서 일반집중이 시장집중으로 이어진다는 점에 대한 단순한 가설 이상의 연구성과를 찾아볼 수 없으므로, 일반집중에 대한 규제는 불필요하다는 견해가 있다.[123]

우리 법원은 삼성 SDS의 특수관계인에 대한 부당지원행위 건 등에서 공정거래법 제23조 제1항 제7호 해석과 관련하여 "변칙적인 부의 세대 간 이전 등을 통한 소유집중의 직접적 규제는 법의 목적이 아니"라고 보고 있다. 법원은 "특수관계인을 중심으로 경제력이 집중될 기반이나 여건이 조성될 여지가 있다는 것만으로는 공정한 거래를 저해할 우려가 있다고 단정하기 어렵고, 위 특수관계인이 지원받은 자산을 계열회사에 투자하는 등으로 관련시장에서의 공정한 거래를 저해할 우려가 있다는 점에 대한 입증이 필요"하다고 판시한 바 있다(대

---

122) 서정, 박사학위논문, 「부당한 지원행위 규제에 관한 연구」(2008. 4.), p.223
123) 송태원, 「부당지원행위 규제의 제 문제점에 대한 검토」, p.7

법원 2004. 9. 24. 선고 2001두6364 판결 등 참고).

지원행위를 통해 지원객체인 개인 또는 그 특수관계자들이 국민 경제에서 차지하는 부의 비중이 커지거나 그로 인해 취득한 이익으로 계열회사들에 대한 지분을 추가로 확보하였다고 하더라도, 부당지원행위의 부당성 요건을 충족하였다고 보기 어렵다는 취지이다.[124] 소유집중만으로는 부당성 요건이 충족되지 않으며, 일반집중이나 소유집중에 이르렀음이 인정되어야 한다는 입장을 보인 것이다. 이후 심사지침에서 이를 반영하여 IV. 1. 나.의 "사업자가 아닌 특수관계인에 대한 지원행위의 부당성은 특수관계인이 해당 지원행위로 얻은 경제상 급부를 계열회사 등에 투자하는 등으로 인하여 지원객체가 직접 또는 간접적으로 속한 시장에서 경쟁이 저해되거나 경제력집중이 야기되는 등으로 공정한 거래를 저해할 우려가 있는지 여부에 따라 판단한다"가 추가되었다.

이에 의하면 개인에 대한 지원거래는 특별한 사정이 없는 한 부당지원행위로 규율하지 못하게 되었고 이로 인하여 많은 비판이 이어졌다. 총수일가에 대한 이익제공 행위 및 이로 인한 소유집중에 대하여도 규제하기 위하여 공정거래법 제23조의2 특수관계인에 대한 부당이익 제공 금지 규정이 도입되었다.

한편, 경제력집중 내지 일반집중이라는 추상적 개념이 과연 개별 행위의 부당성 판단기준으로 적합한지에 대한 의문을 제기하는 견해가 있다.[125] 하지만 기업집단의 경제력집중에 대한 규제가 우리 경제현실상 필요할 뿐 아니라 부당지원행위는 우리 법제의 독특한 제도로 일반적인 경쟁법상의 경쟁제한이 아니라 경제력집중을 막기 위한 것이므로, 경제력집중 또는 일반집중이 부당지원행위 부당성 판단의 개념요소로 필요하다고 본다.

---

124) 김경연, 「동일인에 대한 부당지원행위 평가의 접근 방향」, 경제법 판례연구(2007), p.169
125) 신영수, 「독점규제법상 부당지원행위 규제에 대한 비판적 고찰」, 서울대학교 법학, 제53권 제1호(2012), p.649 이하

60 지원행위의 부당성이 부정되는 경우는 어떤 것들이 있는가? 사업상 필요성으로 부당성이 부인될 수는 없는가?

A 사업상의 필요성만으로는 부당성이 부정될 수 없다. 공정한 거래질서라는 관점에 평가되어야 하는 것으로 개별 기업의 입장을 우선 고려하지만, 지원객체에 대한 지원이 결과적으로 개별 기업의 생존에 직결되는 등 개별 기업의 이익에 부합한다는 특별한 사정이 있으면 부당성이 부정될 수 있다.

해설

일반지원행위 심사지침 IV. 1. 가의 후문은 "이러한 지원행위의 부당성은 공정한 거래질서라는 관점에서 판단되어야 하며, 지원행위에 단순한 사업경영상의 필요 또는 거래상의 합리성 내지 필요성이 있다는 사유만으로는 부당성이 부정되지 아니한다"고 규정하고 있다. 판례 역시 "(자금)지원행위가 부당성을 갖는지 유무는 오로지 공정한 거래질서라는 관점에서 평가되어야 하는 것이고, 공익적 목적, 소비자 이익, 사업경영상 또는 거래상의 필요성 내지 합리성 등도 공정한 거래질서와는 관계없는 것이 아닌 이상 부당성을 갖는지 유무를 판단함에 있어 고려되어야 하는 요인의 하나라고 할 것이나, 지원행위에 단순한 사업경영상의 필요 또는 거래상의 합리성 내지 필요성이 있다는 사유만으로는 부당지원행위의 성립요건으로서의 부당성 및 공정거래저해성이 부정된다고 할 수는 없다"고 판시하였다(대법원 2004. 10. 14. 선고 2001두2035 판결). 사실 내부거래에 대한 세법상 규제인 부당지원행위 계산부인에서도 부당성을 '경제적 합리성 결여'로 판단하면서 단순한 사업경영상 필요성이나 거래의 합리성 내지 필요성만으로는 정당화되지 않는다고 보는 판결들과 궤를 같이 한다. 아래 심사지침에서 부당하지 않는 경우에 대한 판단기준을 보면 사실 사업상 필요가 있다는 이유로 부당성이 부인되는 경우가 거의 없음을 잘 알 수 있다.

심사지침 IV. 3. 부당한 지원행위에 해당하지 않는 경우

가. 대규모기업집단 계열회사가 기업구조조정을 하는 과정에서 구조조정 대상회사나 사업부문에 대하여 손실분담을 위해 불가피한 범위 내에서 지원하는 경우

　(예시) 지원객체에 대하여 기존에 채무보증을 하고 있는 계열회사가 그 채무보증금액의 범위 내에서 지원객체의 채무를 인수하는 경우, 지원객체에 대하여 기존에 지분을 보유하고 있는 계열회사가 지분비율에 따라 지원객체가 실시하는 유상증자에 참여하는 경우

나. 대·중소기업 상생협력 촉진에 관한 법률에 의하여 위탁기업체가 사전에 공개되고 합리적이고 비차별적인 기준에 따라 수탁기업체(계열회사 제외)를 지원하는 경우

다. 기업구조조정과정에서 일부사업부문을 임직원 출자형태로 분사화하여 설립한 중소기업기본법상의 중소기업에 대하여 해당회사 설립일로부터 3년 이내의 기간동안 자생력 배양을 위하여 지원하는 것으로서 다른 중소기업의 기존거래관계에 영향이 적은 경우
(예시) 소요부품을 자체 생산하던 사업부문을 분사화한 회사에 대한 지원으로서, 분사화된 회사와 경쟁관계에 있는 다른 중소기업의 기존거래선을 잠식하지 않는 경우, 제품을 생산하여 다른 회사에 공급하던 사업부문을 분사화한 회사에 대한 지원으로서, 분사화된 회사가 기존거래선과의 공급관계만을 계속하여 유지하는 경우, 생산한 제품의 대부분(예: 70% 이상)을 수출하던 사업부문을 분사화한 회사에 대한 지원으로서, 분사화된 회사가 제품의 대부분을 계속하여 수출하는 경우

라. 정부투자기관·정부출자기관이 공기업 민영화 및 경영개선계획에 따라 일부 사업부문을 분사화하여 설립한 회사에 대하여 분사 이전의 시설투자자금 상환·연구기술인력 활용 및 분사 후 분할된 자산의 활용 등과 관련하여 1년 이내의 기간동안 자생력 배양을 위하여 불가피하게 지원하는 경우로서 기존 기업의 거래관계에 영향이 적은 경우

마. 금융지주회사법에 의한 완전지주회사가 완전자회사에게 자신의 조달금리 이상으로 자금지원을 하는 경우

바. 개별 지원행위 또는 일련의 지원행위로 인한 지원금액이 5천만 원 이하로서 공정거래 저해성이 크지 않다고 판단되는 경우

사. 「장애인고용촉진 및 직업재활법」 제28조 제1항에 따른 장애인 고용의무가 있는 사업주가 같은 법 제2조 제8호에 해당되는 장애인 표준사업장의 발행주식 총수 또는 출자총액의 50%를 초과 소유하여 실질적으로 지배하고 있는 장애인 표준사업장에 대하여 자생력 배양을 위하여 합리적인 범위 내에서 지원하는 경우

아. 「사회적 기업 육성법」 제7조에 따라 고용노동부장관의 인증을 받은 사회적 기업의 제품을 우선 구매하거나, 사회적 기업에게 각종 용역을 위탁하거나, 사회적 기업에게 시설·설비를 무상 또는 상당히 유리한 조건으로 임대하는 등의 방법으로 지원하는 경우

이처럼 부당성 여부에 관한 판단은 경쟁법적 관점에서 이루어져야 하는 것이 원칙이고 단순한 사업상의 필요 또는 거래의 합리성 내지 필요성만으로 부당성이 부정되지는 않는다.[126] 하지만, 부당지원행위 제도의 입법취지를 종합적으로 고려할 때 합리적인 경영상의 필요에 더하여 공익적 목적이 추가될 경우 부당성이 부정될 가능성도 있다(대법원 2003. 9.

---

126) 이호영, 「상품, 용역 거래를 통한 계열회사 지원의 규제」, 경제법 판례연구(2004), p.248

5. 선고 2001두7411 판결 등).[127]

지원주체 입장에서는, 단기적 또는 재무적 측면에서 손해가 되더라도 장기적인 사업상 관점에서, 또는 다른 측면에서 회사에 이익이 되거나 불가피한 거래라면 그러한 거래가 부당하다고 단정하기는 어렵다. 사업상 합리성 내지 불가피성이 인정되는 거래배경까지 고려될 경우, 거래조건이 합리적이어서 정상가격에 부합한다거나 최소한 상당히 유리한 조건의 지원행위라고 평가할 수 없는 경우도 있다. 다만, 이와 같이 부당성을 부인할만한 사정에 관한 입증책임은 사업자가 부담하게 될 것이다. 이와 같은 사업상의 합리성에 대한 고려는 가격 지원행위보다는 물량 지원행위에서보다 보다 적극적으로 고려될 필요가 있는데,[128] 상당한 규모의 거래가 이루어지는 경우 그 거래규모만으로 위법성이 표상된다고 보기는 어렵고 수직계열화 등으로 인한 효율성 증대효과나 거래비용 감소, 기타 안정성이나 보안성으로 인한 내부거래의 필요성이 인정되는 경우가 상대적으로 많기 때문이다. 특히 재무적 효율성 외에 보안성의 문제로 다국적 기업들의 경우 통합전산업무(SI)에 있어 계열회사를 통하여 용역을 제공받는 경우가 많다. Toyota와 Toyota Systems, NEC와 NEC Systems Technology, Deutsche Telecom과 그 계열사인 T-Systems, GE와 Genmpack, Siemses와 Atos Origin의 거래가 그것이다.[129]

법원은 한국전력이 사옥 관리용역업무를 자회사인 한국통신산업개발에게 위탁하면서 지급한 건물관리 용역수수료가 정상가격보다 높았다면 건물유지관리를 위한 별도의 자회사를 설립하여 원고 회사에 근무하던 건물유지관리 직원들에 대한 전출을 유도하는 과정에서 원고 회사에서의 임금수준을 보장받게 하기 위한 목적이 인정된다 하더라도 부당성이 인정된다고 판단하기도 하였다(대법원 2007. 4. 26. 선고 2005두2766 판결). 심지어 금융감독원의 경영정상화 취지의 행정지도가 있었다 하더라도 부당성이 조각되지 않으며(대법원 2008. 6. 26. 선고 2005두8972 판결), 법인세법상 불이익을 피하기 위한 목적으로 주식의 매매가격을 정해 매매를 했더라도 부당성이 조각되지 않고 공정거래법 제58조의 정당한 행위에 해당하지 않는다는 판시도 있었다(대법원 29007. 12. 13. 선고 2005두5963 판결).

127) "원고의 위와 같은 선급금 지급행위는 부실기업인 한▽ 등의 경영정상화를 촉진시키기 위하여 원고에게 부여한 수의계약집행권한과 전대·지급보증 등 금융지원 권한의 범위 내에 속하는 행위로서, 한▽ 등이 다시 도산하는 경우 야기될 사회적·경제적 불안을 해소하기 위한 공익적 목적이 있을 뿐만 아니라 총 1조 원이 넘는 전대 및 지급보증을 한 원고로서의 자신의 동반 도산을 막기 위한 불가피한 필요도 있었다고 할 것이므로, 이를 들어 법 제23조 제1항 제7호 소정의 부당한 지원행위에 해당한다고 볼 수는 없다."
128) 홍대식, 「부당지원행위의 부당성 판단에서의 사업경영상의 필요성의 지위와 역할」(경쟁법 연구), p.59
129) 황인학, 「물량몰아주기 규제와 공정거래법의 역할」, 경쟁과 법(2013. 10.), p.71

하지만 판결들 중에는 이러한 원칙적 입장과 부합되지 않는 것들이 존재한다. 예컨대, 대한주택공사가 정부 방침에 따라 인수한 부실회사들에 대하여 대한 선급금 지급행위가 문제된 사안에서 동 행위가 부실기업인 지원객체의 경영정상화를 위하여 부여된 금융지원권한의 범위 내에서 이루어진 것으로 도산 시 야기될 사회적·경제적 불안을 해소하기 위한 공익적 목적이 인정되고 자산의 동반도산을 막기 위한 측면이 있으므로 부당성이 인정되지 않는다고 판단하였다(대법원 2003. 9. 5. 선고 2001두7411 판결). 해당 판결에 대하여 공익적 측면에서 부당성을 부정한 것으로 해석하는 견해도 있지만,[130] 오히려 지원객체의 도산이 지원주체의 도산으로 이어지는 것을 막으려는 지원주체 개별기업의 이익에 부합하기 때문에 부당성을 부정한 것으로 생각된다.

참고로, 세법에서는 부당행위계산부인에 관한 판단에 있어서는 매우 중요한 경영상 목적이나 필요성이 인정되는 경우에는 시가와 거래가격 사이에 차이가 있더라도 경제적 합리성이 있는 행위로 보는 판례가 확립되어 있다(대법원 2003. 9. 23. 선고 2002두1922 판결 등). 앞서 본 사업상 필요성과 공익적 목적 등을 고려하여 부당한 지원행위의 부당성을 부정한 대법원 판결도 이러한 세법상 법리와 궤를 같이 하는 것으로 생각된다. 세법상 부당성(경제적 합리성) 요건 판단과 관련된 예규, 심결, 판례 등을 부당지원행위 판단에도 참고할 여지가 있다.

---

130) 이호영, 「독점규제법」, 홍문사(2010), p.340

Q 61 기업집단 전체의 이익을 위한 거래라는 이유로 지원행위가 합리화될 수 있는가?

A 엄격한 법인격 제도를 취하고 있는 우리 법제상 기업집단 이익이 지원객체의 개별적 이익에도 부합한다는 특별한 사정이 없는 한 기업집단 전체의 이익을 위한 행위라는 이유로 부당성이 부정되기는 어렵다.

해설

공정거래법에서 기업집단이라는 개념은 규제의 대상이 되는 일군(群)의 회사들 또는 특수관계인의 범위를 정하는데 사용되나, 기업집단 자체를 하나의 법적 인격체로 다루고 있지는 않다. 그런데 현실적으로 동일인이 지배하는 기업집단은 인적 자원과 물적 자원의 집합체로서 마치 하나의 경제적 단위인 것처럼 단일한 의사결정을 하고 공동 투자를 실행하는 등 사업활동을 수행하기도 하고, 반대로 거래상대방, 채권자나 일반 대중도 기업집단을 하나의 경제적 단위 내지는 의사결정 단위로 인식하는 경향이 있다.

기업집단은 공동의 지배 혹은 목적하에 운영되므로 소속된 계열회사들 사이에 생산·유통의 각 단계별로 전문적 분업이 이루어지거나 상품·용역 등의 내부거래가 발생할 수 있고, 기업집단 공통 업무의 효율적 처리를 위해 하나의 독립된 계열회사로 설립하고 기업집단 소속 회사들이 해당 계열회사와 집중적인 거래를 하는 방식의 내부거래가 이루어질 수도 있다. 소위 '기업집단 도그마(Dogma)'이다.

내부거래에 있어 기업집단의 실체를 인정하지 않는 제도적 모순 때문에 사회적으로 비효율적인 내부거래에 대하여는 제대로 억제하지 못하면서(under-regulation), 한편으로 효율적인 내부거래에 대해서도 지나치게 억제하는(over-regulation) 문제가 발생한다고 보는 견해도 있다.[131]

뿐만 아니라 민법, 상법, 형법 등 우리 법제 전반에서는 엄격한 법인격 제도를 취하고 있다. 법인과 주주가 독립된 법적 주체로서 동일한 이해관계에 있지 않듯이, 기업집단에 속하는 개별회사들은 각자의 사업상 이익을 추구해야 하는 독립된 주체이다. 그래서 기업집단 전체의 이익을 위하여 거래하였다는 점은 지원행위의 부당성을 부인하는 사유가 될 수 없

---

131) 송옥렬, 「기업집단 내부거래 및 일감몰아주기 규제 근거의 검토」, 상사법연구 제33권 제3호(2014), p.301

다. 다만, 기업집단 전체의 이익을 도모하는 행위가 궁극적으로 개별 지원주체의 이익에도 부합하는 경우에는 부당성이 없다고 주장할 여지가 있다.

예컨대, 대법원은 한국도로공사의 고속도로관리공단에 대한 부당지원행위 건에서 관계회사에 대하여 동일 또는 유사한 계약에 비하여 훨씬 높은 낙찰률로 수의계약을 체결하여 발주했다 하더라도 민영화 추진에 따라 한국도로공사가 관계회사의 매각가치를 높이기 위한 경영상 목적 등이 인정된다면 부당성이 인정되지 않는다고 판단하였다(대법원 2007. 3. 29. 선고 2005두3561 판결).

그 외에도 지원객체가 도산할 경우 야기될 수 있는 사회적·경제적 불안을 해소하고 자신의 동반 도산을 막기 위한 목적이 인정되는 경우(대법원 2006. 6. 2. 선고 2004두558 판결), 투자신탁회사들의 부실을 해소하기 위하여 정부 당국에서 허용한 지원책의 하나로 투신사들에게 저리의 연계대출을 해 준 경우(대법원 2007. 1. 25. 선고 2004두7610 판결)에도 부당성 요건이 부정된 바 있다.

한편, 우리 법원은 배임죄에 대한 것이기는 하지만 개별기업과 기업집단의 이익의 관계에 대하여 다음과 같이 판단하였다. 즉 '회사의 이사가 회사의 경영상의 부담에도 불구하고 관계회사의 부도 등을 방지하는 것이 회사의 신인도를 유지하고 회사의 영업에 이익이 될 것이라는 일반적·추상적인 기대하에 일방적으로 관계회사에 자금을 지원하게 하여 회사에 손해를 입게 한 경우 등에는, 그와 같은 이사의 행위는 허용되는 경영판단의 재량범위 내에 있는 것이라고 할 수 없다'(대법원 2013. 1. 24. 선고 2012도10629 판결)고 하여, 기업집단의 이익과 상반되는 개별 기업 고유의 이익에 반하는 경우에는 배임죄가 성립됨을 원칙론으로 밝혔다.

예외적으로 해당 계열사의 이해관계와 다른 계열사 또는 기업집단 전체와 밀접하게 연관되어 있어 장기적으로 해당 기업의 이해관계에도 큰 영향을 미치는 경우이어서 기업집단의 이익이 개별 기업 고유의 이익에도 부합하는 측면이 있다면 단기적·편면적으로는 해당 개별기업 입장에서 손해가 되는 행위로 볼 여지가 있다 하더라도 합리적인 경영판단의 재량범위 안으로 볼 수 있다는 예외론을 제시하였다.

이런 법리를 기초로 조선업 관련 계열사로 구성된 SPP 그룹 사주의 재무책임자들에 대하여 그룹 차원에서 전략적으로 육성하던 계열회사가 자금난에 빠지자 그에 대한 여러 방법의 지원행위를 한 것에 대하여 배임죄 성립을 부정했다(대법원 2017. 11. 9. 선고 2015도12633 판결).[132] 이런 법리는 부당지원행위의 부당성 판단에서도 그대로 적용될 것이다.

---

132) 〈대법원 2017. 11. 9. 선고 2015도12633 판결〉
　　기업집단의 공동목표에 따른 공동이익의 추구가 사실적 · 경제적으로 중요한 의미를 갖는 경우라도 기업 집단을 구성하는 개별 계열회사는 별도의 독립된 법인격을 가지고 있는 주체로서 각자의 채권자나 주주 등 다수의 이해관계인이 관여되어 있고, 사안에 따라서는 기업집단의 공동이익과 상반되는 계열회사의 고 유이익이 있을 수 있다. 이와 같이 동일한 기업집단에 속한 계열회사 사이의 지원행위가 기업집단의 차원 에서 계열회사들의 공동이익을 위한 것이라 하더라도 지원 계열회사의 재산상 손해의 위험을 수반하는 경우가 있으므로, 기업집단 내 계열회사 사이의 지원행위가 합리적인 경영판단의 재량 범위 내에서 행하여 졌는지는 신중하게 판단하여야 한다. 따라서 동일한 기업집단에 속한 계열회사 사이의 지원행위가 합리적 인 경영판단의 재량 범위 내에서 행하여진 것인지를 판단하기 위해서는 앞서 본 여러 사정들과 아울러, 지원을 주고받는 계열회사들이 자본과 영업 등 실체적인 측면에서 결합되어 공동이익과 시너지 효과를 추구하는 관계에 있는지, 이러한 계열회사들 사이의 지원행위가 지원하는 계열회사를 포함하여 기업집단 에 속한 계열회사들의 공동이익을 도모하기 위한 것으로서 특정인 또는 특정회사만의 이익을 위한 것은 아닌지, 지원 계열회사의 선정 및 지원 규모 등이 당해 계열회사의 의사나 지원 능력 등을 충분히 고려하여 객관적이고 합리적으로 결정된 것인지, 구체적인 지원행위가 정상적이고 합법적인 방법으로 시행된 것인 지, 지원을 하는 계열회사에 지원행위로 인한 부담이나 위험에 상응하는 적절한 보상을 객관적으로 기대할 수 있는 상황이었는지 등까지 충분히 고려하여야 한다. 위와 같은 사정들을 종합하여 볼 때 문제된 계열회 사 사이의 지원행위가 합리적인 경영판단의 재량 범위 내에서 행하여진 것이라고 인정된다면 이러한 행위 는 본인에게 손해를 가한다는 인식하의 의도적 행위라고 인정하기 어렵다.

Q 62 원고 현대자동차, 기아자동차, 현대모비스, 현대제철의 글로비스 물량 몰아주기 사건의 경과와 판결의 의미는 무엇인가?

A 계열사로 하여금 신규시장에 진입하도록 하여 그룹 거래물량을 몰아주는 방식으로 신규회사가 사업능력이 검증되기 이전에 상당한 거래를 통해 시장에서 안착하도록 도와주는 것을 물량몰아주기 지원행위로 제재한 사건이다. 이후 주주대표소송을 통해 오너 일가와 경영진에게 부당지원금과 과징금 상당액의 손해배상이 인정되어, 물량몰아주기의 위법성을 각인시킨 기념비적인 사건이다. 다만, 배임죄에 대하여는 검찰에서 불기소처분을 하였다.[133]

> 해설

서울고등법원 2009. 8. 19. 선고 2007누30903 시정명령등 취소(동 판결은 대법원 2012. 10. 25. 선고 2009두15494 판결로 확정됨)

사실관계

현대자동차 그룹은 그룹 내의 물류업무를 일원화·통합화하기 위하여 물류 전문업체를 설립하기로 하고, A가 40%(10억 원), 그의 장남 B가 60%(15억 원)를 출자하여 2001. 2. 글로비스를 설립하였다.

이후 위 현대자동차, 기아자동차, 현대모비스, 현대제철은 자사 제품의 생산·판매에 부수하는 완성차 배달탁송, 철강운송 등 각종 물류업무를 새롭게 설립된 계열회사인 글로비스에게 사업양수도나 수의계약의 방식을 통하여 대부분 몰아줌으로써, 2001. 3.부터 2004. 6.까지 글로비스와 합계 5,687억 4,100만 원 상당을 거래하였다. 그 중 지원성 거래규모는

---

133) 서울중앙지방검찰청은 2008. 1. 17. 글로비스 사건과 관련하여 배임죄에 대하여 불기소처분을 하였다. 물류업무가 자동차 사업과 연관성 내지 수반성이 있다는 이유만으로 자동차 회사에서 물류업무를 직접 수행하거나 자회사를 만들어 수행해야 한다고 볼 수 없는 점, 어떠한 업무를 아웃소싱의 대상으로 삼을 것인지는 회사의 사업과 연관성 내지 수반성 여부에 따라 자동적으로 결정되는 것이 아니라 경영상 판단에 따라 결정된다고 봄이 상당한 점 등에 비추어 임무위배행위에 해당하지 않으며, 나아가 글로비스의 매출총이익률이 동종 업계 평균보다 높기는 하나 반드시 이를 개별 물류위탁 단가가 타 운송업체 단가보다 높다고 단정하기 어려운 점, 각 회사가 물류업무를 내부사업부문화하거나 자회사를 설립하여 운영하였다면 얻을 수 있었던 이익을 모두 재산상 손해로 인정하기 어려운 점, 물류업무에 대한 직접 수행을 통하여 얻을 수도 있었던 불확실한 이익을 포기하는 대신 회사의 핵심 부문에 역량을 투입함으로써 효율성을 높였다면 회사에게 손해가 있었다고 보기 어려운 점 등을 불기소처분의 근거로 들었다. 물론 형법상 배임죄의 인정에 있어 입증책임이 좀 더 엄격하였던 탓으로 이해할 수도 있지만 같은 사안에게 공정거래법 위반이 인정되고 심지어 민사상 손해배상책임까지 인정되었는데, 검찰이 독자적인 판단으로 무혐의 결정을 하여 법원에 의한 판단조차 받지 않은 것에 대하여는 이해하기 어렵다. 사견으로 검찰 판단에 동의하지 않는다.

단가를 인상하여 유리한 조건으로 거래한 4,274억 5,600만 원이다.

공정거래위원회의 처분

원고 현대자동차, 기아자동차, 현대모비스, 현대제철이 운송물량을 발주하면서 새로 설립한 계열회사인 글로비스에게 사업능력이 검증되기 이전인 설립 초기부터 자신들의 운송 물량을 대부분 몰아주고 유리한 조건으로 거래하는 방법으로 과다한 경제상 이익을 제공한 행위가 부당지원행위에 해당한다고 보았다. 공정거래위원회는 8,548,600,000원의 과징금을 부과하고 관련한 시정조치를 명령하였다.

공정거래위원회는 과징금과 관련하여 글로비스의 용역제공에 대한 정상적인 반대급부의 크기를 판단하기 어려우므로 지원금액은 지원성거래규모의 10%인 427억 4,300만 원으로 보고, 이에 기본과징금률 40%를 곱하여 기본과징금을 정하고 물량몰아주기에 대한 최초 사례로서 법위반 인식이 낮았을 것이라는 점을 고려해 50%를 감경하였다.

이후 현대자동차 등은 서울고등법원에 시정조치 및 과징금납부명령의 취소를 구하는 소송을 제기했고, 서울고등법원은 다음과 같은 이유로 원고 청구를 기각했다.

지원행위의 존재: 현대자동차 등이 원고 글로비스가 설립(2001. 2.)된 후 얼마 지나지 아니한 2001. 3.부터 원고 글로비스가 통합물류체계를 완성한 2004. 6.까지 원고 글로비스에게 자사제품의 생산·판매에 부수하는 완성차 배달탁송, 철강운송 등 각종 물류업무를 비경쟁적인 사업양수도 또는 수의계약의 방식을 통하여 대부분 몰아주어 총 5,687억 4,100만 원 상당의 거래를 하였는데, 이는 국내 화물운송주선업 시장의 1위 사업자인 범한 판토스 매출액의 34.6%, 국내 화물운송주선업 시장 전체 매출액의 6.8%에 해당한다. 또 운송단가를 시장가격의 인상률에 비해 상대적으로 높게 인상시켜 주었고, 이로 인하여 원고 글로비스는 비계열회사와의 거래보다 위 원고와의 거래를 통하여 훨씬 높은 매출총이익률을 시현하게 되었고, 그 결과 자본금 25억 원의 원고 글로비스는 설립된 당해 연도부터 매출액 1,984억 원, 당기순이익 65억 원을 기록하게 되었다. 따라서 공정거래법 소정의 '지원행위'에서 말하는 '현저한 규모'의 거래이고 '상당히 유리한 조건'으로 거래하였음이 인정된다.

부당성: 현대자동차 등이 글로비스와 운송계약을 체결한 행위는 국내 화물운송주선업체들과 경쟁관계에 있는 원고 글로비스의 경쟁상 지위를 부당하게 제고하여 화물운송주선업 시장의 공정한 거래질서를 저해할 우려가 있다고 볼 수 있다.

한편, 현대자동차와 기아자동차는 자신들이 발주하는 광고와 마케팅 행사업무의 물량 대부분을 이노션에게 몰아줌으로써 2005. 5.부터 2016. 12.까지 총 109,525백만 원의 거래를 하였지만 공정위는 물량몰아주기를 통한 글로비스 지원행위와는 달리 지원객체가 얻은 경제적 이익을 다른 계열사에게 재투자한 사실이 없다는 이유로 무혐의결정을 하였다.[134)]

---

134) 박상인 · 이봉의 · 권일웅 · 최연태 · 백미연 · 박아련, 「부당내부거래의 경제적 효과에 관한 연구」, 서울대학교 산학협력단, p.40

63 계열사 신용카드로 결제방식을 바꾸어 주는 행위가 부당지원행위에 해당하는가? 신용카드 수수료가 정상가격보다 유리하다는 입증이 없어도 위법한가?

A 그렇다. 신용카드 수수료가 정상가격보다 유리하다면 가격 지원행위에 해당하지만, 그렇지 않더라도 그러한 거래를 상당한 규모로 하게 해 준 것만으로도 상당한 규모에 의한 지원행위에 해당한다.

해설

현대자동차, 현대모비스, 글로비스 등이 계열 신용카드 회사인 현대카드를 위하여 자신들의 협력사들과의 거래에 대하여 현대카드로 결제하여 준 행위와 관련하여 서울고등법원 2009. 8. 19. 선고 2007누30903 판결(동 판결은 대법원 2012. 10. 25. 선고 2009두15494 판결로 확정됨)이 있다. 이 사건의 의미는 두 가지이다. 우선, 현자동차 등이 현대카드를 위하여 협력사들에 대한 결제방식을 현대카드로 한 것으로 직접적인 거래는 현대자동차와 협력사 간에 이루어진 것이고 대가는 협력사들이 현대카드에게 지급하는 신용카드 수수료이다. 이처럼 직접적인 거래관계가 아니더라도 결과적으로 경제적 이익을 준 경우 지원행위로 보는 것이다. 다음으로 수수료가 제3자 간에 이루어졌을 수수료보다 유리하지 않더라도 상당한 규모의 거래로 현대카드가 이익을 본 것을 부당지원으로 본 것으로, 물량몰아주기에 의한 지원행위에 대한 사례이다. 사실 현대자동차 그룹 내부거래 조사에서 글로비스 물량몰아주기와 함께 의율된 것인데, 해당 사건에서 물량몰아주기로 판단된 것은 현대자동차 등의 글로비스 물량몰아주기뿐 아니라 현대자동차 등의 현대카드 물량몰아주기도 있는 셈이다.

공정거래위원회 처분

현대자동차 등은 납품업체로부터 상품·용역을 구매함에 있어, 대금결제방식을 종전의 현금, 어음, 기업구매전용카드, 외상매출채권담보대출에서 위 원고들의 계열회사인 현대카드가 발급한 법인카드로 변경한 다음 납품업체에 대한 구매대금 합계 9,183억 7,300만 원을 현대카드로 지급하였다. 납품업체는 같은 기간 동안 현대카드에게 각 거래금액의 1.5~2.0%에 해당되는 총 171억 6,800만 원의 가맹점 수수료를 지급하였다. 공정거래위원회는 현대법인카드로 구매대금 지급방식을 변경하는 방법으로 계열회사인 현대카드에게 과다한 경제상의 이익을 제공한 행위라고 보고 시정명령 및 과징금 납부명령을 하였다. 과징금 산정과 관련하여 현대카드의 가맹점 수수료 수익에서 현대카드의 법인카드 가맹점 수수료 직접비용(조달금리 및 포인트비용)을 차감한 97억 1,100만 원을 지원금액으로 보았다.

서울고등법원의 판단

현대자동차 등은 그동안 납품업체로부터 상품·용역을 구매함에 있어 법인카드로 대금을 결제한 적이 없음에도 불구하고 현대카드를 지원하기 대금결제방식을 종전의 현금, 어음, 기업구매전용카드, 외상매출채권담보대출에서 현대카드가 발급한 법인카드로 변경하고 대금을 현대카드로 지급하였다. 현대카드는 종래 얻지 못한 가맹점 수수료라는 경제적 이익을 얻었다. 현대카드가 수수한 신용카드 수수료를 납품업체들이 부담하는 방식이라 하더라도 공정거래법 제23조 제1항이 '사업자는 다음 각 호의 1에 해당하는 행위로서 공정한 거래를 저해할 우려가 있는 행위를 하거나, 계열회사 또는 다른 사업자로 하여금 이를 행하도록 하여서는 아니된다'라고 규정하고 있으므로, 공정거래법 소정의 '지원행위'가 성립하기 위하여 반드시 '지원주체'가 지원객체에게 경제상 이익을 제공할 필요는 없다.

서울고등법원
제6행정부
판결

사건 2007누30903 시정명령등취소
원고 1. 현대자동차 주식회사
　　　2. 기아자동차 주식회사
　　　3. 현대모비스 주식회사
　　　4. 글로비스 주식회사
　　　5. 현대제철 주식회사
피고 공정거래위원회
　　　변론종결　　　　　　　　　　　　　　　　　　　　　　2009. 7. 15.
　　　판결선고　　　　　　　　　　　　　　　　　　　　　　2009. 8. 19.

주문
1. 피고가 2007. 10. 24. 원고 현대자동차 주식회사, 기아자동차 주식회사에 대하여 한 별지
　제1목록 제4항 기재 시정명령과 원고 현대자동차 주식회사에 대하여 한 같은 목록 제7
　항 기재 과징금 납부명령 중 454억 4,200만 원을 초과하는 부분 및 원고 기아자동차 주
　식회사에 대하여 한 같은 목록 제7항 기재 과징금 납부명령 중 31억 200만 원을 초과하

는 부분을 모두 취소한다.

2. 원고 현대모비스 주식회사, 글로비스 주식회사, 현대제철 주식회사의 각 청구 및 원고 현대자동차 주식회사, 기아자동차 주식회사의 각 나머지 청구를 모두 기각한다.

3. 소송비용 중 원고 현대모비스 주식회사, 글로비스 주식회사, 현대제철 주식회사와 피고 사이에 생긴 부분은 위 원고들이 부담하고, 원고 현대자동차 주식회사와 피고 사이에 생긴 부분은 이를 10분하여 그 9는 원고 현대자동차 주식회사가, 나머지는 피고가 각 부담하며, 원고 기아자동차 주식회사와 피고 사이에 생긴 부분은 이를 5분하여 그 3은 원고 기아자동차 주식회사가, 나머지는 피고가 각 부담한다.

청구취지

피고가 2007. 10. 24. 원고들에 대하여 한 별지 제1목록 기재 시정명령 및 과징금 납부명령을 모두 취소한다.

이유

1. 처분의 경위

가. 원고들의 지위 및 일반현황

원고 현대자동차 주식회사(이하 '현대자동차'라 한다), 기아자동차 주식회사(이하 '기아자동차'라 한다)는 각 자동차를 제조·판매하는 자들, 원고 현대모비스 주식회사(이하 '현대모비스'라 한다)는 자동차 부품을 제조·판매하는 자, 원고 현대제철 주식회사(이하 '현대제철'이라 한다)는 제철 및 제강업을 영위하는 자, 원고 글로비스 주식회사(이하 '글로비스'라 한다)는 운송주선업을 영위하는 자로서 독점규제 및 공정거래에 관한 법률(이하 '공정거래법'이라 한다) 제2조 제1호의 규정에 의한 사업자에 해당하는데, 원고들의 일반현황은 다음 〈표 1〉과 같다.

나. 지원객체의 일반현황 및 시장현황

(1) 원고 현대모비스

원고 현대모비스는 1977. 7. 1. 설립되었고, 2001. 4. 2. 「현대자동차」 그룹에 계열편입되었으며, 자동차 부속품 제조·판매업을 영위하고 있다. 그 주요주주 지분현황 및 재무현황은 각각 아래의 〈표 2〉, 〈표 3〉과 같다.

자동차부품산업은 IMF 이후 국내 자동차산업의 구조조정이 완료되고 완성차업체의 글로벌화 및 자동차 생산의 모듈화가 본격화되는 2000년을 기점으로 본격적인 발전을 시작하여 2001년 이후부터 연평균 15% 이상 성장을 지속하고 있다. 2005년 현재 자동차부품의 국내총생산 규모는 약 42조 원 규모이고, 이는 2005년 국내총생산(GDP) 규모인 810조 5,159억 원 대비 약 5. 2%를 차지하고 있다.

자동차부품산업은 2000년대 이후 신규 업체의 시장진입은 정체된 가운데 자동차 모듈화로 인한 부품 매출규모의 확대, 외국계 자본의 국내 유입 등에 따라 기존업체의 점진적인 대형화가 진행 중이며, 2005년 현재 대략 920여 개 업체(대기업 86개 업체, 중소기업 836개 업체)가 자동차부품 업종에 종사하고 있다. 자동차부품산업의 경우 그 특성상 품목의 다양성과 수많은 종사업체 등으로 인해 정확한 시장규모의 산정 등 관련 통계자료의 확보가 어려우나, 한국자동차공업협동조합(KAICA)에서 집계한 자동차부품업계의 시장규모를 기준으로 할 때, 매출 상위 5개 사의 내수시장 점유율이 약 15% 정도일 것으로 추정되고 있다. 상위 3개 사의 매출액 및 시장 점유율은 다음의 〈표 4〉와 같다.

(2) 원고 기아자동차

원고 기아자동차는 1944. 12. 21. 설립되었고, 2001. 4. 2. 「현대자동차」 그룹에 계열편입되었으며, 자동차 제조 및 판매업을 영위하고 있다. 그 주요주주 지분현황 및 재무현황은 각각 아래의 〈표 5〉, 〈표 6〉과 같다.

주요 자동차 생산업체는 원고 현대자동차, 기아자동차 및 지엠대우자동차, 쌍용자동차, 르노삼성자동차 등이 있으며, 그 업체별 생산능력 및 생산현황은 아래의 〈표 7〉과 같다.

국내자동차 판매시장규모는 2005년 기준 약 118만 대로 집계되며, 시장점유율은 원고 현대자동차가 48.0%, 원고 기아자동차가 22.4%, 르노삼성자동차가 9.7%, 지엠대우자동차가 9.0%, 쌍용자동차가 6.4%이다.

(3) 현대카드 주식회사

현대카드 주식회사(이하 '현대카드'라 한다)는 2001. 10. 9. 설립되었고, 2001. 11. 1. 「현대자동차」 그룹에 계열편입되었으며, 신용카드업을 영위하고 있다. 그 주요주주 지분현황 및 재무현황은 각각 아래의 〈표 9〉, 〈표 10〉과 같다.

신용카드업이란 신용카드를 발행·관리하고 신용카드 이용과 관련된 대금을 결제하며 신용카드 가맹점을 모집 및 관리하는 사업으로, 회원 및 가맹점, 전산시스템 등의 인프라 구축 등 자본집약도가 높은 산업이고, 자금운용이 신용에 의존하므로 위험관리능력이 기업의 수익성에 절대적인 영향을 미치는 고위험산업이다. 또한 신용카드업은 정보처리 및 통신기술의 발전 속도와 밀접한 관계가 있는 시스템위주의 장치산업으로서 전자금융의 도래 및 전자상거래의 활성화 등으로 정보통신기술과 밀접한 관련이 있는 산업이다.

국내 신용카드사업은 2000년부터 2002년까지의 기간 동안 급성장하여 신용카드 사용액이 1998년 63조 5천 억에서 2002년 677조 원으로 증가하였고, BC카드, 삼성카드, LG카드, 국민카드가 시장을 주도하며 경쟁하였다. 이러한 신용카드시장의 활황 속에서 롯데, 현대 등 대기업 계열 신용카드사들이 기존 신용카드사 인수를 통해 신용카드시장에 진출하면서 경쟁이 더욱 치열해졌다.

그러나, 2003년 신용카드사의 유동성 위기와 카드 연체율 및 부실자산의 증가가 맞물리면서 신용카드시장이 급격히 위축되고 신용카드사들은 강도 높은 구조조정을 겪었다. 당시 신용카드업계는 카드전업사의 경우 당시 9개사에서 향후 3~4개 대형카드사로 재편될 것으로 예상하고 있었다. 이러한 상황 속에서 국민카드, 우리카드, 외환카드는 모은행으로 흡수되었고, LG카드는 LG그룹에서 분리되어 채권은행단에 매각되었다.

국내 신용카드시장은 2006. 12.경 BC카드, 삼성카드, 엘지카드, 현대카드 등 전업카드사 7개 사, 국민은행 등 겸영카드사 15개 사로 총 22개 사업자가 신용카드업을 영위하고 있었고, 은행계 카드사와 전업계 카드사 간의 경쟁이 치열하게 벌어지고 있다.

(4) 현대하이스코 주식회사

현대하이스코 주식회사(이하 '현대하이스코'라 한다)는 1975. 3. 18.에 설립되었고, 2001. 4. 2. 「현대자동차」 그룹에 계열편입되었으며, 1차 금속산업(강관 및 냉연강판 제조·판매)을 영위하고 있다. 그 주요주주 지분현황 및 재무현황은 각각 아래의 〈표 12〉, 〈표 13〉과 같다.

냉연강판 시장의 규모는 2005년에 판매량을 기준으로 할 때 18,185천 톤에 달하고, 국내에서 유일하게 냉연강판의 원재료인 열연강판을 공급하는 포스코가 냉연강판 공급시장의 50% 이상을 점유하고 있다.

자동차용 강판가격은 통상적으로 국내 강판 공급시장의 선도적인 위치에 있는 포스코가 결정하여 판매하는 가격이 중요한 기준이 되어, 현대하이스코나 동부제강 주식회사(이하 '동부제강'이라 한다) 등의 판매가격도 포스코의 판매가격과 동일 또는 유사한 가격으로 결정된다.

(5) 원고 글로비스

원고 글로비스는 2001. 2. 22. 설립되었고, 2001. 2. 22. 「현대자동차」 그룹에 계열편입되었으며, 화물운송주선업을 영위하고 있다. 그 주요주주 지분현황 및 재무현황은 각각 아래의 〈표 15〉, 〈표 16〉과 같다.

물류는 경제 전반을 구성하는 물적 요소들의 흐름에 관련된 사업으로 수송, 보관, 하역, 포장, 유통가공 등으로 구성되어 있다. 정보화사회의 진전과 경제의 글로벌화에 따라 정확하고 신속한 물류서비스에 대한 고객의 요구가 높아지고, 기업들이 물류 효율성 확보를 통해 핵심경쟁력을 강화하고 있어 물류가 경제에서 차지하는 중요도는 계속 높아지고 있다.

한편, 국내총생산에서 물류비가 차지하는 비율은 2003년 기준으로 12.5%인 90
조 원이고, 그중 수송비가 69조 원(76.9%), 재고유지비가 15조 원(17%), 포장
비가 2조 원(2.2%), 하역비가 1.2조 원(1.4%), 물류정보비 및 일반관리비가 각
1.1조 원(1.3%)을 차지하고 있으며, 물류활동으로 창출된 부가가치는 55조 원
에 이른다.

물류산업은 대규모 시설투자 및 운영기술이 필요한 택배업, 종합물류업 등의
일부 업종을 제외하면 운송주선업 등과 같이 시장진입과 퇴출비용이 크지 않기
때문에 본질적으로 경쟁적 산업이다. 화물운송주선업 시장에서 상위 5개 사의
매출액은 다음 〈표 17〉과 같다.

(6) 주식회사 로템

주식회사 로템(이하 '로템'이라 한다)은 1999. 7. 1. 설립되었고, 2001. 11. 1. 「현
대자동차」 그룹에 계열편입되었으며, 철도차량제조 및 플랜트업을 영위하고 있
다. 그 주요주주 지분현황 및 재무현황은 각각 아래의 〈표 18〉, 〈표 19〉와 같다.
철도차량산업은 도로, 항공, 해운 등의 급속한 발전으로 한때 사양산업으로 인
식되었으나, 최근 환경문제 및 고속화·고급화를 위한 기술개발로 고속전철,
자기부상열차 등 새로운 개념의 차세대 대체교통수단으로 발전하였다. 국내시
장의 규모는 연간 약 5천억 원 수준이나 산업의 특성상 일정하지는 않다. 철도
차량에 대한 주요 수요처는 철도공사이며, 전체시장의 90% 이상을 로템이 점
유하고 있다.

플랜트 산업은 하나의 프로젝트를 완성하기 위하여 설계, 공사관리, 엔지니어
링, 기계장치의 제조 및 설치, 시설의 시공 등이 필요한 기술집약적 산업으로서,
10여 개의 대형기업이 시장을 지배하고 있다. 플랜트 산업은 고도의 설계, 제작
기술뿐 아니라 다양한 지식 서비스를 필요로 하므로 높은 부가가치를 창출하는
산업이다. 2005년 현재 3천여 개의 업체가 경쟁하고 있고, 그중 상위 3사의 매
출액은 아래 〈표 20〉과 같다.

다. 원고들의 행위사실

(1) 원고 현대자동차의 원고 현대모비스 지원행위

원고 현대자동차는 계열회사인 원고 현대모비스로부터 자동차 새시모듈 부품
〈각주1〉을 납품받으면서, 새시모듈 부품의 원자재인 철판, 특수강, 파이프, 주
철, 알루미늄, 고무 등의 국내외 시세가 인상되었다는 이유로, 2003. 6. 25. 원고
현대모비스로부터 구매하는 새시모듈 부품(총 492개)의 재료비를 종전 대비 8.
5% 인상 조정하기로 결정하였다.

그 후 원고 현대자동차는 새시모듈 부품의 재료비 인상 조정 시기를 2003. 1.

1.로 소급 적용하기로 한 다음, 원고 현대모비스에게 2003. 1. 1.부터 2003. 6. 30.까지의 기간 동안 이미 납품받은 새시모듈 부품에 대한 재료비 인상명목으로 320억 1,900만 원, 2003. 7. 1.부터 2006. 12. 31.까지의 기간 동안 납품받은 새시모듈 부품에 대한 재료비 인상명목으로 747억 6,600만 원 합계 1,067억 8,500만 원을 지급하였다.

(2) 원고 현대자동차의 원고 기아자동차 지원행위

원고 현대모비스는 모듈 부품을 최초 공급하는 시점에 정해진 임율, 가동률에 따른 손실보전, 투자상각비 등이 지나치게 낮게 책정되었다는 이유로, 2002. 4. 1. 원고 현대자동차, 기아자동차에게 납품하고 있는 모듈 부품(새시모듈, 의장모듈〈각주2〉)의 납품가격 현실화를 요청하면서, 원고 현대자동차에게는 4.2%의 단가인상(2002년 납품액 기준 인상금액: 223.7억 원)을, 원고 기아자동차에게는 3.4%의 단가인상(2002년 납품액 기준 인상금액: 281.4억 원)을 각 요구하였다.

이에 대하여, 원고 현대자동차, 기아자동차는 원고 현대모비스가 요청한 임율의 현실화, 가동률 손실보전, 투자상각비 반영 등을 내역별로 검토하고 상호 간 협의를 거친 후, 원고 현대자동차는 2.9%(2002년 매입액 기준 인상금액: 154억 원), 원고 기아자동차는 2.4%(2002년 매입액 기준 인상금액: 196억 원)의 단가인상을 실행하기로 결정하였다.

그런데, 원고 현대자동차는 2002. 10. 31. 원고 현대모비스에게 원고 기아자동차를 대신하여 원고 기아자동차가 원고 현대모비스에게 지급하여야 할 모듈부품 단가인상 금액 196억 원을 지급하였다.

(3) 원고 현대자동차, 현대모비스, 글로비스의 현대카드 지원행위

위 원고들은 66개 납품업체로부터 상품·용역을 구매함에 있어, 대금결제방식을 종전의 현금, 어음, 기업구매전용카드, 외상매출채권담보대출에서 위 원고들의 계열회사인 현대카드가 발급한 법인카드로 변경한 다음, 원고 현대자동차는 2004. 2.부터 2004. 9.까지, 원고 현대모비스, 글로비스는 2003. 8.부터 2007. 2.까지 66개 납품업체에 대한 구매대금 합계 9,183억 7,300만 원을 현대카드로 지급하였다.

한편, 위 66개 납품업체는 같은 기간 동안 현대카드에게 각 거래금액의 1.5~2.0%에 해당되는 총 171억 6,800만 원의 가맹점 수수료를 지급하였다.

(4) 원고 현대자동차, 기아자동차의 현대하이스코 지원행위

위 원고들은 통합구매방식으로 2004. 2. 1.부터 2006. 1. 31.까지 위 원고들의 계열회사인 현대하이스코로부터 자동차용 강판을 구매하면서, 냉연강판의 경우

비계열회사보다 평균 톤당 46,111원(포스코와 대비) 또는 35,724원(동부제강과 대비), 도금강판의 경우 비계열회사보다 평균 톤당 53,259원(포스코와 대비)과 38,143원(동부제강과 대비) 높은 가격으로 구입하였고, 이로 인하여 위 원고들은 위 기간 동안 현대하이스코로부터 냉연강판과 도금강판을 구매하면서, 현대하이스코에게 포스코에 비해서는 합계 980억 1,600만 원, 동부제강에 비해서는 합계 735억 8,400만 원을 과다 지급하였다.

(5) 원고 기아자동차의 로템 지원행위

위 원고는 프레스 및 자동차 운반설비 제작을 최저가 경쟁 입찰방식에 의하여 가장 낮은 견적서를 제출한 업체에게 발주할 목적으로, 프레스와 자동차 운반설비 제작에 대한 시공능력이 있는 위아 주식회사(이하 '위아'라 한다), 주식회사 동희(이하 '동희'라 한다) 등으로부터 견적서를 제출받았다.

그러나, 위 원고는 계열회사인 로템보다 더 낮은 견적금액을 제출한 비계열회사가 있었음에도 불구하고, 특별한 사유 없이 2004. 12.과 2005. 1. 및 2005. 5. 로템과 계약을 체결하였다.

그 후, 로템은 아래 〈표 21〉과 같이 위 프레스와 자동차 운반설비 제작을 위아 등에게 일괄 하도급 주었다.

(6) 원고 현대자동차, 기아자동차, 현대모비스, 현대제철의 글로비스 지원행위

「현대자동차」 그룹은 그룹 내의 물류업무를 일원화·통합화하기 위하여 물류전문업체를 설립하기로 하고, A가 40%(10억 원), 그의 장남 B이 60%(15억 원)를 출자하여 2001. 2. 글로비스를 설립하였다.

이후 위 원고들은 자사 제품의 생산·판매에 부수하는 완성차 배달탁송, 철강 운송 등 각종 물류업무를 새롭게 설립된 계열회사인 글로비스에게 사업양수도나 수의계약의 방식을 통하여 대부분 몰아줌으로써, 2001. 3.부터 2004. 6.까지 글로비스와 합계 5,687억 4,100만 원 상당을 거래하였다.

라. 피고의 처분

(1) 피고는 2007. 10. 24. 의결 제2007-504호, ① 원고 현대자동차가 계열회사인 원고 현대모비스에 대하여 인상요인이 없는 모듈 부품의 가격을 인상해 주는 방법으로 과다한 경제상의 이익을 제공한 행위, ② 원고 현대자동차가 계열회사인 원고 기아자동차가 부담하여야 할 자동차 부품의 단가 인상 금액을 대신 납부하는 방법으로 과다한 경제상의 이익을 제공한 행위, ③ 원고 현대자동차, 현대모비스, 글로비스가 현대법인카드로 구매대금 지급방식을 변경하는 방법으로 계열회사인 현대카드에게 과다한 경제상의 이익을 제공한 행위, ④ 원고 현대자동차, 기아자동차가 계열회사인 현대 하이스코의 자동차용 강판을 고가로

매입하는 방법으로 과다한 경제상의 이익을 제공한 행위, ⑤ 원고 기아자동차가 프레스 및 자동차 운반설비를 제작함에 있어 계열회사인 로템과 현저히 유리한 조건으로 거래하여 과다한 경제상의 이익을 제공한 행위, ⑥ 원고 현대자동차, 기아자동차, 현대모비스, 현대제철이 운송물량을 발주하면서 새로 설립한 계열회사인 글로비스에게 사업능력이 검증되기 이전인 설립 초기부터 자신들의 운송 물량을 대부분 몰아주고 유리한 조건으로 거래하는 방법으로 과다한 경제상 이익을 제공한 행위는 모두 공정거래법 제23조 제1항 제7호에서 규정하고 있는 '부당하게 특수관계인 또는 다른 회사에 대하여 가지급금·대여금·인력·부동산·유가증권·무체재산권 등을 제공하거나 현저히 유리한 조건으로 거래하여 특수관계인 또는 다른 회사를 지원하는 행위'에 해당한다는 이유로, 원고들에 대하여 별지 제1목록 기재 시정명령 및 과징금 납부명령을 하였다(이하 '이 사건 처분'이라 한다).

(2) 피고는 과징금을 산정함에 있어 다음과 같은 과정을 거쳐 공정거래법, 공정거래법 시행령, 과징금부과 세부기준 등에 관한 고시의 각 규정에 따라, 원고 현대자동차에 대하여 507억 9,300만 원, 원고 기아자동차에 대하여 51억 900만 원, 원고 현대모비스에 대하여 53억 8,000만 원, 원고 글로비스에 대하여 9억 6,200만 원, 원고 현대제철에 대하여 1억 3,900만 원의 과징금을 각 부과하였다.

(가) 원고 현대자동차의 원고 현대모비스 지원행위로 인한 과징금

① 기본과징금의 산정

㉮ 지원금액

원고 현대자동차가 원고 현대모비스에게 새시모듈 부품에 대한 재료비 인상명목으로 1,067억 8,500만 원을 지급하였으므로, 지원금액은 1,067억 8,500만 원이다.

㉯ 위반행위의 중대성 판단 및 부과기준율

이 사건 부당지원행위는 원고 현대자동차가 계열회사인 원고 현대모비스에 대한 적극적인 지원의지를 갖고 지원하였으나 그 지원효과가 크지 않으므로, '중대한 위반행위'에 해당된다. 따라서 이 사건 부당지원행위의 부과기준율을 40%로 한다.

㉰ 기본과징금의 결정

부과기준율 40%를 적용해 산정한 기본과징금은 427억 1,400만 원(지원금액 1,067억 8,500만 원 × 부과기준율 40%)이다.

② 의무적·임의적 조정과징금의 산정

의무적·임의적 조정사유가 없어, 의무적·임의적 조정과징금은 기본

과징금과 동일한 금액으로 결정한다.

③ 부과과징금의 결정

새시모듈만의 특이성을 인정하기는 곤란하나, 모듈화의 성공여부가 완성차의 품질에 직접 연결되는 만큼 대규모 투자비용이 소요되는 점 등을 고려하여, 임의적 조정과징금의 20%를 감경한다.

한편, 원고 현대자동차에 대한 부과과징금은 법 위반행위의 종료일을 기준으로 직전 3개 사업연도의 평균매출액에 100분의 5를 곱한 금액을 초과하지 못하므로, 그 법정한도를 넘지 않는 범위에서 아래 〈표 22〉와 같이 부과과징금을 결정한다.

(나) 원고 현대자동차의 원고 기아자동차 지원행위로 인한 과징금

① 기본과징금의 산정

㉮ 지원금액

원고 현대자동차가 2002. 10. 31. 원고 현대모비스에게 원고 기아자동차가 원고 현대모비스에게 지급하여야 할 모듈부품 단가인상 금액 196억 원을 지급하였으므로, 지원금액은 위 196억 원이다.

㉯ 위반행위의 중대성 판단 및 부과기준율

이 사건 부당지원행위는 원고 현대자동차가 계열회사인 원고 기아자동차에 대한 적극적인 지원의지를 갖고 지원하였으나 그 지원효과가 크지 않으므로, '중대한 위반행위'에 해당된다. 따라서 이 사건 부당지원행위의 부과기준율을 40%로 한다.

㉰ 기본과징금의 결정

부과기준율 40%를 적용해 산정한 기본과징금은 78억 4,000만 원(지원금액 196억 원 × 부과기준율 40%)이다.

② 의무적·임의적 조정과징금의 산정

의무적·임의적 조정사유가 없어, 의무적·임의적 조정과징금은 기본과징금과 동일한 금액으로 결정한다.

③ 부과과징금의 결정

원고 기아자동차는 모듈화를 2001년도 4/4분기 이후에나 시작하였고, 과거손실분이 주로 원고 현대자동차와 관련된 점 등을 고려하여, 임의적 조정과징금의 20%를 감경한 62억 7,200만 원으로 결정한다.

(다) 원고 현대자동차, 현대모비스, 글로비스의 현대카드 지원행위로 인한 과징금

① 기본과징금의 산정

㉮ 지원금액

위 원고들과 현대카드 사이의 지원성 거래규모는 현대카드의 법인카드 매출액인 9,183억 7,300만 원이고, 현대카드에 대한 지원금액은 아래 〈표 23〉에서 보는 바와 같이 현대카드의 가맹점 수수료 수익에서 현대카드의 법인카드 가맹점 수수료 직접비용(조달금리 및 포인트비용)을 차감한 97억 1,100만 원이다.

㉯ 위반행위의 중대성 판단 및 부과기준율

이 사건 부당지원행위는 위 원고들이 계열회사인 현대카드에 대한 적극적인 지원의지를 갖고 능동적으로 지원한 경우로서 그 지원효과가 크므로, '매우 중대한 위반행위'에 해당된다. 따라서 이 사건 부당지원행위의 부과기준율을 70%로 한다.

㉰ 기본과징금의 결정

부과기준율 70%를 적용해 산정한 위 원고들에 대한 기본과징금은 아래 〈표 24〉와 같다.

② 의무적 조정과징금의 산정

위 원고들에 대한 의무적 조정사유가 없어, 의무적 조정과징금은 기본과징금과 동일한 금액으로 결정한다.

③ 임의적 조정과징금의 산정

원고 현대모비스, 글로비스가 사건심사 착수보고(2007. 3. 14.) 전에 자진시정한 점을 고려하여, 의무적 조정과징금의 100분의 20을 감경한다. 이에 따른 위 원고들에 대한 임의적 조정과징금은 아래 〈표 25〉와 같다.

④ 부과과징금의 결정

위 원고들에 대한 부과과징금은 법 위반행위의 종료일을 기준으로 직전 3개 사업연도의 평균매출액에 100분의 5를 곱한 금액을 초과하지 못하므로, 그 법정한도를 넘지 않는 범위에서 아래 〈표 26〉과 같이 부과과징금을 결정한다.

(라) 원고 현대자동차, 기아자동차의 현대하이스코 지원행위로 인한 과징금

① 기본과징금의 산정

㉮ 지원금액

위 원고들이 2004. 2. 1.부터 2006. 1. 31.까지 현대하이스코로부터 냉연강판과 도금강판을 구매하면서, 현대하이스코에게 포스코에 비해서는 합계 980억 1,600만 원, 동부제강에 비해서는 합계 735억

8,400만 원을 과다 지급하였는데, 포스코는 자동차용 강판의 원재료인 열연강판을 자체 생산하는 제철소로서 현대하이스코나 동부제강에 비해 자동차용 강판의 생산원가가 낮은 특성이 있으므로, 동부제강으로부터의 구매가격을 정상가격으로 하여 이 사건 지원금액을 산정한다. 위 원고들의 지원금액은 아래 〈표 27〉과 같다.

④ 위반행위의 중대성 판단 및 부과기준율

이 사건 부당지원행위는 위 원고들이 계열회사인 현대하이스코를 지원한 경우이나 적극적인 지원의도가 있었다고 보기 어려우므로, '중대성이 약한 위반행위'에 해당된다. 따라서 이 사건 부당지원행위의 부과기준율을 20%로 한다.

⑤ 기본과징금의 결정

부과기준율 20%를 적용해 산정한 위 원고들에 대한 기본과징금은 아래 〈표 28〉과 같다.

② 의무적 · 임의적 조정과징금의 산정

위 원고들에 대한 의무적 · 임의적 조정사유가 없어, 의무적 · 임의적 조정과징금은 기본과징금과 동일한 금액으로 결정한다.

③ 부과과징금의 결정

위 원고들이 원재료의 공급이 부족한 상황에서 원재료(열연강판) 수입의존도가 높은 현대하이스코의 강판을 고가로 구입한 점 등을 고려하여, 위 원고들 모두에 대한 임의적 조정과징금의 100분의 50을 감경한다.

한편, 위 원고들에 대한 부과과징금은 법 위반행위의 종료일을 기준으로 직전 3개 사업연도의 평균매출액에 100분의 5를 곱한 금액을 초과하지 못하므로, 그 법정한도를 넘지 않는 범위에서 아래 〈표 29〉와 같이 부과과징금을 결정한다.

(마) 원고 기아자동차의 로템 지원행위로 인한 과징금

① 기본과징금의 산정

㉮ 지원금액

원고 기아자동차와 로템 사이의 지원성거래규모 및 로템에 대한 지원금액은 아래 〈표 30〉에서 보는 바와 같이 각각 481억 원, 13억 2,000만 원으로 산정된다.

㉯ 위반행위의 중대성 판단 및 부과기준율

이 사건 부당지원행위는 원고 기아자동차가 계열회사인 로템에 대한 적극적인 지원의지를 갖고 지원하였으나 그 지원효과가 크지 않으므로, '중대한 위반행위'에 해당된다. 따라서 이 사건 부당지원행위의 부과기준율을 40%로 한다.

  ㈐ 기본과징금의 결정

부과기준율 40%를 적용해 산정한 기본과징금은 5억 2,800만 원(지원금액 13억 2,000만 원 × 부과기준율 40%)이다.

② 의무적 · 임의적 조정과징금의 산정

의무적 · 임의적 조정사유가 없어, 의무적 · 임의적 조정과징금은 기본과징금과 동일한 금액으로 결정한다.

③ 부과과징금의 결정

위 원고에 대한 부과과징금도 기본과징금과 동일한 금액으로 결정한다.

(바) 원고 현대자동차, 기아자동차, 현대모비스, 현대제철의 글로비스 지원행위로 인한 과징금

① 기본과징금의 산정

  ㈎ 지원금액

위 원고들이 글로비스에게 제공한 지원성 거래규모는 단가를 인상하여 유리한 조건으로 거래한 4,274억 5,600만 원이나, 글로비스의 용역제공에 대한 정상적인 반대급부의 크기를 판단하기 어려우므로, 지원금액은 지원성거래규모의 10%인 427억 4,300만 원으로 한다. 위 원고들의 지원금액은 아래 〈표 31〉과 같다.

  ㈏ 위반행위의 중대성 판단 및 부과기준율

이 사건 부당지원행위는 위 원고들이 계열회사인 글로비스에 대한 적극적인 지원의지를 갖고 지원한 경우로서 그 지원효과는 크나 간접적인 지원행위에 해당하므로, '중대한 위반행위'에 해당된다. 따라서 이 사건 부당지원행위의 부과기준율을 40%로 한다.

  ㈐ 기본과징금의 결정

부과기준 40%를 적용해 산정한 위 원고들에 대한 기본과징금은 아래 〈표 32〉와 같다.

② 의무적 · 임의적 조정과징금의 산정

위 원고들에 대한 의무적 · 임의적 조정사유가 없어, 의무적 · 임의적 조정과징금은 기본과징금과 동일한 금액으로 결정한다.

③ 부과과징금의 결정

본건은 물량몰아주기에 대한 최초사례로서 법위반 인식이 낮았을 것

이라는 점을 고려하여, 위 원고들 모두에 대하여 임의적 조정과징금의 100분의 50을 감경한다. 위 원고들에 대한 부과과징금은 아래〈표 32〉와 같다.

[인정근거] 다툼 없는 사실, 갑 제1호증, 갑 제6호증의 2의 각 기재, 변론 전체의 취지

2. 원고들의 주장

가. 원고 현대자동차의 새시모듈 부품 가격 인상 행위

(1) 지원행위의 부존재

원고 현대자동차는 다음과 같은 이유로 이 사건 새시모듈 부품 가격 인상 행위는 공정거래법 소정의 '지원행위'가 아니라고 주장한다.

(가) 현대자동차 그룹은 외국 자동차 업체들과의 치열한 글로벌 경쟁에서 살아 남기 위하여 자동차 생산방식의 효율화를 중요한 경영목표로 하게 되었고, 그러한 경영목표 아래 소위 제2자동차 혁명으로 일컬어지는 모듈화 생산방식을 도입하게 되었다.

(나) 현대자동차 그룹이 도입한 위 모듈화 생산방식은 기존의 단순조립형 모듈화와는 다른 기능통합형 모듈화로서, 이는 ㉠ 자동차개발의 선행단계에 참여하여 주요 부품들에 대한 연구개발 활동을 수행하고, ㉡ 수만 개의 개별부품을 기능적으로 통합된 하나의 모듈 단위로 조립하며, ㉢ 그에 대한 엄격한 품질검사를 완료하고, ㉣ 완성차 생산라인에 적시에 직서열로 투입(Just-In-Time System)하는 새로운 개념의 획기적인 모듈화이다.

(다) 현대자동차 그룹의 계열사인 원고 현대모비스는 위 기능통합형 모듈화 생산방식을 적극적으로 수행하기 위하여 원고 현대자동차의 생산 공장 인근에 대규모 모듈 공장 부지를 확보하여 모듈 생산라인을 구축하고, 위 기능통합형 모듈화를 위한 제품 및 연구개발에 투자를 확대하였는데, 이로 인하여 수천억 원에 이르는 대규모 투자비용을 지출하게 되었다.

(라) 그런데 원고 현대자동차, 현대모비스는 위 기능통합형 모듈화를 통하여 생산되는 모듈 부품의 가격에 대하여, 잠정적으로 단순조립형 모듈화를 통하여 생산되는 모듈 부품의 가격 책정 방식을 적용하되, 향후 사업전개 상황이나 필요에 따라 가격체계를 적절히 조절하기로 하였다.

(마) 이로 인하여 원고 현대모비스의 모듈 사업은 타 부품업체 및 다른 모듈 업체들과 비교하여 볼 때 적정 수준보다 훨씬 낮은 수준의 영업이익률을 내고 있었다.

(바) 이에 원고 현대모비스는 2001년부터 원고 현대자동차에게 위 기능통합형

모듈화의 지속적인 수행을 위하여 가격현실화 차원의 모듈 가격의 인상을 요청하였고, 이러한 요청에 따라 원고 현대자동차는 위 기능통합형 모듈화 생산방식의 안정적인 지속을 위해 가격현실화 차원에서 원고 현대모비스로부터 납품받는 모듈 제품의 가격 체계를 변경하고 새시모듈 제품 등의 가격을 인상하여 주었다.

(사) 원고 현대자동차는 위와 같은 새시모듈 제품 등의 가격 인상 이후 내부 자료에 이를 기재함에 있어 방침에 의한 조정코드인 PU1 코드를 부여하였고, 실제 새시모듈의 원자재인 철판, 특수강, 파이프 등의 시세가 인상되지 아니하였음에도 이를 재료비 항목에 반영하였다.

(아) 원고 현대자동차의 이 사건 새시모듈 부품의 가격 인상은 계속적·전속적·거래관계에 있는 완성차업체와 부품업체 사이에 통상적으로 이루어지는 가격현실화를 위한 가격 조정 중의 하나에 해당하고, 원고 현대자동차는 이 사건 새시모듈 부품의 가격인상 이외에도 덕양산업, 한라공조 등에게 가격현실화를 위한 가격 조정을 하여 준 적이 있다.

(자) 앞서 본 원고 현대자동차가 이 사건 새시모듈 제품의 가격을 인상하여 준 과정에 비추어 보면, 원고 현대자동차가 이 사건 새시모듈 제품의 가격을 인상하기 이전의 새시모듈 제품의 가격은 정상가격이라고 할 수 없으므로, 이를 정상가격으로 보아 공정거래법 소정의 '지원행위' 여부를 판단할 수 없다.

(차) 한편, 원고 기아자동차의 경우 원고 현대모비스에 대하여 새시모듈 부품의 가격을 인상하여 주지 아니한 사실은 인정되지만, 이는 원고 현대자동차와 원고 기아자동차를 위한 모듈 공장이 따로 있고 그 모듈 사업의 내용도 상이한 점 등에 기인한 것이므로, 그러한 사실에 의하여 원고 현대자동차가 이 사건 새시모듈 제품의 가격을 인상하여 준 행위가 공정거래법 소정의 '지원행위'에 해당한다고 판단할 수는 없다.

(2) 부당성의 부존재

원고 현대자동차는, 가사 이 사건 새시모듈 부품 가격 인상 행위가 공정거래법 소정의 '지원행위'에 해당한다고 하더라도, 다음과 같은 이유로 '부당성'이 인정되지 아니한다고 주장한다.

(가) 원고 현대자동차가 원고 현대모비스로부터 납품받는 새시모듈 제품 등의 가격을 인상하여 준 이후에도, 원고 현대모비스의 모듈 사업은 타 부품업체 및 다른 모듈 업체들과 비교하여 볼 때 적정 수준보다 낮은 수준의 영업이익률을 내고 있었다.

(나) 현대자동차 그룹의 기능통합형 모듈화 사업은 원고 현대모비스를 중심으로 하는 것이 불가피하고, 원고 현대자동차와 원고 현대모비스의 전속적 관계 등을 고려할 때 다른 사업자가 원고 현대모비스를 대체할 수 없는 이상, 원고 현대자동차의 이 사건 새시모듈 제품의 가격 인상은 자동차 모듈 부품시장에서의 공정경쟁저해성이 인정되지 아니한다.

(다) 원고 현대자동차가 이 사건 새시모듈 제품의 가격을 인상함에 따라, 원고 현대모비스는 양질의 새시모듈 제품을 공급할 수 있게 되었고, 이로 인하여 자동차의 품질 향상, 소비자의 이익 증대가 이루어지게 되었다.

(3) 과징금 산정과정의 위법 여부

원고 현대자동차는, 가사 이 사건 새시모듈 부품 가격 인상 행위가 공정거래법 소정의 '부당한 지원행위'에 해당한다고 하더라도, 다음과 같은 이유로 과징금 산정이 잘못 되었다고 주장한다.

(가) 앞서 본 원고 현대자동차가 이 사건 새시모듈 제품의 가격을 인상하여 준 과정에 비추어 보면, 원고 현대자동차가 이 사건 새시모듈 제품의 가격을 인상하기 이전의 새시모듈 제품의 가격은 정상가격이라고 할 수 없다.

(나) 따라서, 원고 현대자동차의 이 사건 새시모듈 부품 가격 인상 행위는 공정거래법 시행령 제61조 제1항 관련 [별표 2]에 규정된 '지원금액의 산출이 어렵거나 불가능한 경우 등'에 해당하므로, 그 지원금액은 지원성 거래규모의 100분의 10에 해당하는 금액으로 보아야 한다.

(다) 결국 원고 현대자동차의 새시모듈 부품 가격 인상 행위로 인한 지원금액은 지원성 거래규모인 1,067억 8,500만 원의 10%인 106억 7,850만 원에 불과하고, 이를 기초로 과징금을 산정하여야 한다.

나. 원고 현대자동차의 모듈 부품 가격 인상 금액 대신 지급 행위

(1) 지원행위의 부존재

원고 현대자동차는 다음과 같은 이유로 원고 현대모비스에게 모듈 부품 가격 인상 금액 196억 원을 지급한 행위는 공정거래법 소정의 '지원행위'가 아니라고 주장한다.

(가) 원고 현대자동차는 1999. 10.부터 모듈 사업을 시작하였으나, 원고 기아자동차는 2001년 4/4분기부터 모듈 사업을 시작하였다.

(나) 원고 현대모비스는 원고 현대자동차, 기아자동차에게 모듈 부품을 공급함에 따라 이미 발생한 손실을 보전하기 위하여, 2002년 납품액을 기준으로, 2002. 4. 1. 원고 현대자동차에게 154억 원, 원고 기아자동차에게 196억 원을 각 지급하여 달라는 요구를 하였다.

(다) 이에 원고 현대자동차, 기아자동차는 원고 현대모비스의 요청 내용에 대하여 협의를 하였으나, 원고 기아자동차의 거부로 최종적인 합의를 이루지 못하였다.

(라) 그 후 원고 현대자동차는 원고 현대모비스의 모듈 부품 공급에 따른 손실의 발생은 대부분 원고 현대자동차에 대한 납품과 관련된 것이므로, 원고 현대모비스에게 원고 현대모비스가 원고 기아자동차에게 요구한 위 196억 원도 지급하여 주었다.

(마) 따라서 원고 현대자동차가 원고 현대모비스에게 위 196억 원을 지급한 것은 원고 기아자동차가 원고 현대모비스에게 지급하여야 할 모듈 부품 가격 인상 금액을 대신 지급한 것이라고 볼 수 없다.

(2) 부당성의 부존재

원고 현대자동차는, 가사 모듈 부품 가격 인상 금액 196억 원의 지급 행위가 공정거래법 소정의 '지원행위'에 해당한다고 하더라도, 다음과 같은 이유로 '부당성'이 인정되지 아니한다고 주장한다.

(가) 원고 현대자동차가 원고 현대모비스에게 원고 현대모비스가 원고 기아자동차에게 요구한 위 196억 원을 지급하여 주었고, 이러한 행위가 공정거래법 소정의 '부당한 지원행위'에 해당한다고 하더라도, 위 196억 원의 지원행위는 국내 완성차 시장의 규모에 비추어 볼 때, 그 지원효과가 거의 없다고 보이며, 피고도 이 부분 과징금을 산정함에 있어 이를 인정하고 있다.

(나) 위 196억 원의 지원행위는 국내 완성차 시장에 외국의 글로벌 자동차 회사들이 진출하여 치열한 경쟁이 벌어지고 있는 상황 등을 고려하여 보면, 오히려 원고 기아자동차로 하여금 외국의 자동차 회사들과 유효한 경쟁을 할 수 있도록 만들어 주는 친경쟁적 효과가 있다.

(3) 과징금 산정과정의 위법 여부

원고 현대자동차는, 가사 모듈 부품 가격 인상 금액 196억 원의 지급 행위가 공정거래법 소정의 '부당한 지원행위'에 해당한다고 하더라도, 다음과 같은 이유로 과징금 산정이 잘못 되었다고 주장한다.

(가) 앞서 본 원고 현대자동차가 원고 현대모비스에게 위 196억 원을 지급한 과정에 비추어 보면, 위 196억 원 중의 상당 부분은 실제 원고 현대자동차가 부담하여야 할 부분임을 알 수 있다.

(나) 다만, 원고 현대자동차가 실제 부담하여야 할 부분이 위 196억 원 중 얼마인지에 관하여는 이를 알 수 없으므로, 공정거래법 시행령 제61조 제1항 관련 [별표 2] 규정을 적용하여, 그 지원금액을 지원성 거래규모의 100분

의 10에 해당하는 금액으로 보아야 한다.

(다) 결국 원고 현대자동차의 모듈 부품 가격 인상 금액 대신 지급 행위로 인한 지원금액은 지원성 거래규모인 196억 원의 10%인 19억 6,000만 원에 불과하고, 이를 기초로 과징금을 산정하여야 한다.

다. 원고 현대자동차, 현대모비스, 글로비스의 구매대금 지급방식 변경 행위

(1) 지원행위의 부존재

위 원고들은 다음과 같은 이유로 위 원고들의 구매대금 지급방식 변경 행위는 공정거래법 소정의 '지원행위'가 아니라고 주장한다.

(가) 위 원고들은 자동차를 제조·판매·운송하는 과정에서 수많은 부품업체, 물류업체 등과 거래를 하게 되었고, 그 거래 과정에서 대금결제 수단의 통일 및 대금결제 업무의 외부화가 필요하게 되었으며, 그러한 필요성에 따라 법인카드 결제시스템을 도입하게 되었다.

(나) 위 법인카드 결제시스템 도입은 위 원고들의 경영상 합리적인 의사결정의 결과로서, 위 원고들에게 어음관리 비용 및 전자어음 결제 수수료의 절감, 법인카드 사용에 따른 리워드포인트의 제공 등의 이익을 주었고, 위 부품업체, 물류업체 등에게도 대금을 조기에 회수하는 등의 이익을 주었다.

(다) 공정거래법 소정의 '지원행위'는 '지원주체'가 지원객체에게 경제상 이익을 제공하는 행위를 의미하는데, 위 원고들의 구매대금 지급방식 변경 행위로 인하여 지원객체인 현대카드가 지급받은 가맹점 수수료는 지원주체인 위 원고들이 아니라 66개의 납품업체가 지급한 것이고, 또한 지원주체인 위 원고들이 위 66개의 납품업체에 대하여 그 전부 또는 일부를 보전하여 주지도 아니하였다.

(라) 또한 공정거래법 소정의 '지원행위'는 지원주체가 지원객체에게 '경제상 이익'을 제공하는 행위를 의미하는데, 현대카드가 실제로 신용카드 서비스를 제공하고 정상가격 수준의 가맹점 수수료를 수취하였으므로, 위와 같은 '경제상 이익'을 제공받은 것이라고 볼 수도 없다.

(2) 부당성의 부존재

위 원고들은, 가사 위 원고들의 구매대금 지급방식 변경 행위가 공정거래법 소정의 '지원행위'에 해당한다고 하더라도, 다음과 같은 이유로 '부당성'이 인정되지 아니한다고 주장한다.

(가) 위 원고들의 구매대금 지급방식 변경 행위로 인한 지원성 거래규모는 위 원고들이 2003. 8.부터 2007. 2.까지 현대카드로 결제한 합계 9,183억 7,300만 원인데, 이는 현대카드 전체 신용판매금액의 1.24%, 국내 신용카드 전

체 이용실적의 0.09%에 불과하다.

(나) 또한 위 원고들의 구매대금 지급방식 변경 행위로 인하여 현대카드에게 지급된 가맹점 수수료 총액은 171억 6,800만 원인데, 이는 현대카드 전체 가맹점 수수료의 1.18%에 불과하다.

(다) 따라서 위 원고들의 구매대금 지급방식 변경 행위는 현대카드에 대한 지원효과가 거의 없다고 보아야 한다.

(3) 과징금 산정과정의 위법 여부

위 원고들은, 가사 위 원고들의 구매대금 지급방식 변경 행위가 공정거래법 소정의 '부당한 지원행위'에 해당한다고 하더라도, 다음과 같은 이유로 과징금 산정이 잘못 되었다고 주장한다.

(가) 공정거래법 소정의 '부당한 지원행위'로 인한 지원금액은 지원객체에게 제공된 경제상 이익을 기초로 산정하여야 한다. 그러므로, 본건의 경우 현대카드가 수취한 가맹점 수수료에서 신용카드 서비스를 제공하기 위하여 소요된 비용 전액을 공제한 금액을 지원금액으로 보아야 한다.

(나) 그럼에도 불구하고, 피고는 현대카드가 수취한 가맹점 수수료에서 가맹점 수수료 직접비용(조달금리 및 포인트비용)만을 공제한 금액을 지원금액으로 인정하는 잘못을 범하였다.

라. 원고 현대자동차, 기아자동차의 자동차용 강판 고가 매입 행위

(1) 지원행위의 부존재

위 원고들은 다음과 같은 이유로 위 원고들의 자동차용 강판 고가 매입 행위는 공정거래법 소정의 '지원행위'가 아니라고 주장한다.

(가) 자동차용 강판의 원자재인 열연코일 등의 국제가격과 국내가격은 통상 큰 차이가 발생하지 아니한다. 그런데, 2004년과 2005년에는 열연코일 등의 국제가격이 중국의 철강 수요 폭증으로 인하여 폭등한 반면, 열연코일 등의 국내가격은 포스코의 가격 정책에 따라 국제가격보다 낮게 유지되었고, 이로 인하여 열연코일 등의 국제가격과 국내가격 사이에 차이가 발생하게 되었다.

(나) 그 결과 열연코일 등을 내부에서 조달하는 포스코가 생산한 자동차용 강판 가격과 열연코일 등을 포스코로부터 50% 이상 조달하는 동부제강이 생산한 자동차용 강판 가격 및 열연코일 등의 대부분을 외국 업체로부터 수입하여 조달하는 현대하이스코가 생산한 자동차용 강판 가격 사이에도 차이가 발생하게 되었다(포스코가 생산한 자동차용 강판 가격 < 동부제강이 생산한 자동차용 강판 가격 < 현대하이스코가 생산한 자동차용 강

판 가격).

(다) 따라서 현대하이스코가 생산한 자동차용 강판 가격이 비록 포스코나 동부제강이 생산한 자동차용 강판의 가격보다 높다고 할지라도 정상가격의 범주에 있다고 보아야 한다.

(라) 한편 자동차용 강판을 낮은 가격에 공급하던 포스코는 수요처로부터의 구매요청 폭주로 인하여 위 원고들에게 자동차용 강판의 공급을 대폭 늘려줄 수 없었고, 동부제강은 원료조달 및 생산기술 개발 등의 한계로 인하여 위 원고들에게 자동차용 강판의 공급을 대폭 늘려줄 수 없었으므로, 위 원고들은 현대하이스코로부터 높은 가격에 자동차용 강판을 구매할 수밖에 없었다. 따라서, 위 원고들이 현대하이스코로부터 자동차용 강판을 구매하면서 포스코나 동부제강이 생산한 자동차용 강판의 가격보다 높은 가격으로 구매하였다 하더라도, 이를 현대하이스코에 대한 지원행위로 볼 수 없다.

(마) 동부제강은 원료조달 및 생산기술 개발 등의 한계로 인하여 자동차용 강판의 시장점유율이 낮은 업체로서 당시 품질이 낮은 자동차용 강판만을 공급할 수 있는 상태였으므로, 본건의 경우 동부제강이 생산한 자동차용 강판의 가격을 공정거래법상의 '지원행위' 여부를 판단하는 정상가격으로 볼 수 없다.

(바) 피고는, 포스코가 생산한 자동차용 강판의 가격을 정상가격으로 보지 아니하고, 동부제강이 생산한 자동차용 강판의 가격을 정상가격으로 본 후 공정거래법 소정의 '지원행위' 여부를 판단하였으나, 일관제철소로서 자동차용 강판의 생산원가를 낮게 유지할 수 있는 포스코가 생산한 자동차용 강판의 가격을 정상가격으로 볼 수 없다면, 그러한 포스코로부터 자동차용 강판의 원자재인 열연코일 등을 50% 이상 조달하여 현대하이스코보다 저렴한 가격으로 생산·판매한 동부제강의 자동차용 강판 가격도 정상가격으로 볼 수 없다.

(2) 부당성의 부존재

위 원고들은, 가사 위 원고들의 자동차용 강판 고가 매입 행위가 공정거래법 소정의 '지원행위'에 해당한다고 하더라도, 위 원고들의 자동차용 강판 고가 매입 행위로 인하여 현대하이스코의 경쟁사인 포스코의 경쟁력이 전혀 훼손되지 아니한 점에 비추어 볼 때, 그 '부당성'이 인정되지 아니한다고 주장한다.

마. 원고 기아자동차가 로템과 도급계약을 체결한 행위

(1) 지원행위의 부존재

원고 기아자동차는 다음과 같은 이유로 원고 기아자동차가 로템과 도급계약을 체결한 행위는 공정거래법 소정의 '지원행위'가 아니라고 주장한다.

(가) 원고 기아자동차가 화성 및 광주 공장의 프레스 공사를 최저가 견적업체인 위아 대신 로템에게 발주한 것은 사실이지만, 이는 국내 유일의 중대형 프레스 전문업체인 로템으로 하여금 총공사에 대한 책임을 부담하게 하고 중대형 프레스에 대하여 전문성이 떨어지는 위아의 엔지니어링 능력을 보완하기 위한 것이었다.

(나) 또한 원고 기아자동차가 광주 공장의 자동차 운반설비 공사를 최저가 견적업체인 동희 대신 로템에게 발주한 것은 사실이지만, 이는 자동차 설비 기술에 대한 해외업체 의존도를 줄이고 관련 기술을 내재화하기 위한 것이었다.

(다) 한편 원고 기아자동차는 로템과 위아, 동희 등의 경쟁을 유도하여 최초 견적가격보다 상당히 낮은 수준에서 로템과 도급계약을 체결하였고, 이로 인하여 발주비용을 절감할 수 있었다.

(2) 부당성의 부존재

원고 기아자동차는, 가사 원고 기아자동차의 도급계약 체결 행위가 공정거래법 소정의 '지원행위'에 해당한다고 하더라도, 관련 시장의 규모, 로템의 매출액 또는 순이익 규모 등에 비추어 볼 때, 그러한 지원행위가 공정경쟁을 저해할 우려가 있다고 보기 어려우므로, 그 '부당성'이 인정되지 아니한다고 주장한다.

바. 원고 현대자동차, 기아자동차, 현대모비스, 현대제철이 원고 글로비스와 운송계약을 체결한 행위

(1) 지원행위의 부존재

위 원고들은 다음과 같은 이유로 위 원고들이 원고 글로비스와 운송계약을 체결하고 거래한 행위는 공정거래법 소정의 '지원행위'가 아니라고 주장한다.

(가) 현대자동차 그룹은 외국 자동차업체들과의 치열한 글로벌 경쟁에서 살아남기 위하여 선진화된 물류시스템의 구축을 중요한 경영목표로 하게 되었고, 그러한 경영목표 아래 글로벌 생산전략에 부합하는 통합물류관리시스템 구축 작업에 돌입하게 되었다. 그 후 현대자동차 그룹은 대한통운 등 기존의 국내 물류업체들을 중심으로 하는 통합물류관리시스템 구축 방안을 검토하였으나, 모두 적합하지 아니한 것으로 판단되었고, 이에 A와 그의 장남 B이 각 출자를 하여 원고 글로비스를 설립하게 되었다.

(나) 원고 글로비스는 현대자동차 그룹의 각 계열사에 근무하던 자동차 물류 전문 인력을 영입하고 국내외 자동차 물류 전문 인력을 지속적으로 채용

하여 인적 기반을 구축하였고, 현대자동차 그룹의 자동차 물류 통합 관리를 지원하기 위하여 막대한 자금을 투자해 물적 기반을 구축하였으며, 현대자동차 그룹 내의 계열사들과 유기적인 협력체계를 구축하였다. 이로 인하여 현대자동차 그룹은 물류비의 절감, 자동차의 생산성 향상, 물류의 가시성 확보, 조업의 안정성 확보 등의 경제적 효과를 얻게 되었다.

(다) 이러한 원고 글로비스의 설립 경위, 위 원고들이 원고 글로비스와 운송계약을 체결한 경위와 그 목적, 이로 인하여 위 원고들이 얻은 경제적 이익 및 ㉠ 국내 다른 대기업 그룹의 계열사 간 물류 거래의 규모, ㉡ 위 원고들이 원고 글로비스와 운송계약을 체결한 물량이 전체 화물운송주선업 시장 물량의 6.8%에 불과한 점 등을 고려하여 보면, 위 원고들이 원고 글로비스와 운송계약을 체결한 행위는 공정거래법 소정의 '지원행위'에서 말하는 '현저한 규모'의 거래로 볼 수 없다.

(라) 피고는 원고 글로비스의 사업능력을 고려하여 위 원고들과 원고 글로비스와의 거래행위를 2004. 6. 전후로 구별한 다음 그 이전은 '지원행위'이고 그 이후는 '지원행위'가 아니라고 판단하였으나, 이러한 판단은 ㉠ 원고 글로비스를 중심으로 한 자동차 물류 조직 및 관리의 통합·일원화 작업이 장기적인 계획 하에 진행되는 지속적인 물류혁신 과정인 점, ㉡ 원고 글로비스가 대규모의 투자를 통하여 2004. 6.경 통합물류체계를 완성한 것은 사실이지만, 2004. 6.경 통합물류체계를 완성하기 이전에도 앞서 본 바와 같은 인적 기반과 물적 기반을 구축하고 있었기 때문에 충분한 사업상 능력을 보유하고 있었던 점 등을 고려하여 보면, 부당하다.

(마) 피고는 각 물류업무에서의 거래내용, 매출총이익률의 수준, 화물운임지수 등에 비추어 볼 때, 위 원고들이 2004. 6.까지 원고 글로비스와 '상당히 유리한 조건'으로 거래를 하였다고 판단하였으나, 이러한 판단은 ㉠ 공정거래법상 지원행위가 성립하기 위한 요건인 '현저히 유리한 조건'을 법률적인 근거도 없이 마음대로 완화한 것인 점, ㉡ 위 '현저히 유리한 조건'에 해당하는지 여부는 동일 또는 유사한 시장에서 정상적인 시장가격과의 비교를 통해 판단하여야 하는데, 피고가 이를 정상적인 시장가격과의 비교를 통한 유리한 조건에 대하여 전혀 입증하지 못한 점 등을 고려하여 보면, 부당하다.

(바) 원고 글로비스가 위 원고들과의 운송계약 체결로 인하여 '과다한 경제상 이익'을 제공받았다고 볼 수 없다.

(2) 부당성의 부존재

위 원고들은, 가사 위 원고들이 원고 글로비스와 운송계약을 체결하고 운송물량을 몰아준 행위가 공정거래법 소정의 '지원행위'에 해당한다고 하더라도, 앞서 본 원고 글로비스의 설립 경위, 위 원고들이 원고 글로비스와 운송계약을 체결한 경위와 그 목적, 이로 인하여 위 원고들이 얻은 경제적 이익 및 위 원고들이 원고 글로비스와 운송계약을 체결한 물량이 전체 화물운송주선업 시장 물량의 6.8%에 불과한 점 등에 비추어 보면, '부당성'이 인정되지 아니한다고 주장한다.

(3) 과징금 산정과정의 위법 여부

위 원고들은, 가사 위 원고들이 원고 글로비스와 운송계약을 체결하고 운송물량을 몰아준 행위가 공정거래법 소정의 '부당한 지원행위'에 해당한다고 하더라도, 다음과 같은 이유로 과징금 산정이 잘못 되었다고 주장한다.

(가) 피고는 원고 글로비스를 단순한 화물운송주선업체로 보면서도, 위 원고들이 원고 글로비스와 운송계약을 체결하고, 운송물량을 몰아준 행위로 인한 지원성 거래규모에 대하여 단가를 인상하여 유리한 조건으로 거래한 4,274억 5,600만 원이라고 판단하였다.

(나) 그러나, 원고 글로비스가 단순한 화물운송주선업체에 불과하다면, 위 원고들이 원고 글로비스와 운송계약을 체결하고 운송물량을 몰아준 행위로 인한 지원성 거래규모는 운송주선업체의 수수료 수입에 해당하는 매출총이익이라고 보아야 하고, 이를 기초로 과징금을 산정하여야 한다.

(4) 기타 주장

(가) 위 원고들이 원고 글로비스와 운송계약을 체결한 행위에 대한 이 사건 시정명령은 지원객체 및 지원행위의 종류, 유형, 내용 등이 불명확하여 위법하다.

(나) 본건과 같은 현저한 규모의 용역 거래행위는 공정거래법에서 예상하고 있던 규제대상이 아니므로, 공정거래법상의 '부당한 지원행위'로 규제할 수 없다.

(다) 위 원고들과 원고 글로비스와의 이 사건 거래는 2001년에 이미 대부분 완성되어 종료되었으므로, 그로부터 5년이 지났음이 역수상 명백한 2007. 10. 24. 이 사건 거래에 대하여 시정명령 및 과징금 부과명령을 할 수 없다.

3. 관계법령

별지 제2목록 관계법령 기재와 같다.

4. 이 사건 처분의 적법 여부

가. 원고 현대자동차의 새시모듈 부품 가격 인상 행위에 대하여

(1) 지원행위의 부존재 주장에 대한 판단

  (가) 갑 제2호증의 1 내지 5, 을 제2, 3, 4, 7, 14, 15, 16호증의 각 기재에 변론 전체의 취지를 종합하면 다음의 사정들이 인정된다.

    ① 원고 현대자동차가 2003. 6. 25. 원고 현대모비스로부터 구매하는 자동 차 새시모듈 부품의 가격을 인상하여 주었는데, 당시 실제 새시모듈 부품의 원자재인 철판, 특수강 등의 국내외 시세가 인상되지 아니하였 음에도 불구하고, 위 원자재들의 시세인상을 그 이유로 위 새시모듈 부품의 가격을 인상하여 주었다.

    ② 원고 현대자동차는 그 후 새시모듈 부품의 가격을 인상하여 주면서 그 조정시기를 2003. 1. 1.로 소급 적용하기로 한 다음, 원고 현대모비스에 게 2003. 1. 1.부터 2003. 6. 30.까지의 기간 동안 이미 납품받은 새시모 듈 부품에 대하여도 그 가격 인상 명목으로 무려 320억 1,900만 원을 지급하였다.

    ③ 원고 현대자동차는 동일한 시기에 덕양산업, 한라공조 등으로부터 모 듈 부품을 납품받고 있었는데, 위 업체들에 대하여는 모듈 부품의 가 격을 인상하여 주지 아니하였다.

    ④ 원고 현대자동차는 원고 현대자동차, 현대모비스가 위 기능통합형 모 듈화를 통하여 생산되는 모듈 부품의 가격에 대하여, 잠정적으로 단순 조립형 모듈화를 통하여 생산되는 모듈 부품의 가격 책정 방식을 적용 하되, 향후 사업전개 상황이나 필요에 따라 가격체계를 적절히 조절하 기로 하였다고 주장하나, 그 근거가 없다.

    ⑤ 원고 현대자동차의 주장과 같이, 원고 현대자동차가 기능통합형 모듈 화 생산방식의 안정적인 지속을 위해 가격현실화 차원에서 원고 현대 모비스로부터 납품받는 모듈 제품의 가격 체계를 변경하고 새시모듈 제품의 가격을 인상하여 주었다면, 그 가격을 인상하여 주는 과정에서 실제 적절한 가격이 얼마인지에 관한 검토가 이루어졌어야 할 것인데, 그러한 검토를 거쳤다는 흔적을 발견하기 어렵다.

    ⑥ 원고 현대모비스에서 근무하던 D과 현대 · 기아차 구매총괄본부에서 근무하던 E, F이 2007. 3.경 작성한 각 확인서(을 제7호증)에는 원고 현대자동차가 원고 현대모비스로부터 납품받는 새시모듈 제품의 가격 을 인상하여 준 실제 이유에 대하여 '원고 현대모비스의 영업이익율 제고'라고 기재되어 있다.

    ⑦ 원고 현대자동차가 위와 같은 새시모듈 제품 등의 가격 인상 이후 내

부 자료에 이를 기재함에 있어 방침에 의한 조정코드인 PU1 코드를 부여하였다고 하더라도, 그러한 사실만으로 원고 현대자동차가 위 기능통합형 모듈화 생산방식의 안정적인 지속을 위해 가격현실화 차원에서 원고 현대모비스로부터 납품받는 모듈 제품의 가격 체계를 변경하고 새시모듈 제품 등의 가격을 인상하여 주었다고 단정할 수는 없다.

⑧ 원고 현대자동차가 덕양산업, 한라공조 등에 대하여 가격현실화를 위한 가격조정을 하여 준 적이 있는 것은 사실이지만, 그 액수나 규모면에서 본건과 비교하기는 어렵다.

⑨ 원고 현대자동차가 새시모듈 부품의 가격을 인상하여 주기 이전의 새시모듈 부품의 가격은 새시모듈 부품 가격 인상 이전에 원고 현대자동차, 현대모비스 사이에 부품 가격 책정 기준에 따라 형성된 실제 거래가격이므로, 이를 이 사건 지원행위의 정상가격으로 보는 것이 부당하다고 보이지 아니한다.

⑩ 원고 현대자동차와 동일한 시기에 원고 현대모비스로부터 자동차 새시모듈 부품을 납품받은 원고 기아자동차는 원고 현대모비스에 대하여 새시모듈 부품의 가격을 인상하여 주지 아니하였는데, 이러한 사실은 원고 현대자동차와 원고 기아자동차를 위한 모듈 공장이 따로 있고 그 모듈 사업의 내용이 상이한 점 등을 고려하더라도 납득하기 어렵다.

⑪ 만약 현대모비스가 현대자동차 그룹의 계열사가 아니라면, 현대자동차가 존재하지도 아니하는 재료비의 인상 요인을 들어 이 사건 새시모듈 부품의 가격을 인상해 주었을 것으로 보이지 아니한다.

(나) 이러한 사정들에 비추어 보면, 이 사건 새시모듈 부품 가격 인상 행위가 공정거래법 소정의 '지원행위'가 아니라는 원고 현대자동차의 이 부분 주장은 받아들이기 어렵다.

(2) 부당성의 부존재 주장에 대한 판단

(가) 을 제10호증의 기재에 변론 전체의 취지를 종합하면 다음의 사정들이 인정된다.

① 원고 현대모비스의 모듈 부분 영업이익률이 원고 현대자동차가 새시모듈 부품의 가격을 인상하여 주기 전인 2002년에는 2.9%에 불과하였으나, 그 이후인 2003~2006년에는 5.5~6.9%로 크게 증가하였다.

② 원고 현대모비스가 이 사건 지원행위를 통하여 지원받은 1,067억 8,500만 원은 원고 현대모비스의 2003~2006년 동안의 영업이익 1조 950억 원의 9.7%에 해당하는 상당한 규모의 금액이다.

③ 지원행위가 부당성을 갖는지 유무는 오로지 공정한 거래질서라는 관점에서 평가되어야 하는 것이고, 공익적 목적, 소비자 이익, 사업경영상 또는 거래상의 필요성 내지 합리성 등도 공정한 거래질서와는 관계 없는 것이 아닌 이상 부당성을 갖는지 유무를 판단함에 있어 고려되어야 하는 요인의 하나라고 할 것이나, 지원행위에 단순한 사업경영상의 필요 또는 거래상의 합리성 내지 필요성이 있다는 사유만으로는 부당 지원행위의 성립요건으로서의 부당성 및 공정거래저해성이 부정된다고 할 수는 없다(대법원 2004. 10. 14. 선고 2001두2935 판결 등 참조).

(나) 이러한 사정들에 비추어 보면, 비록 원고 현대모비스의 모듈 사업이 원고 현대자동차의 새시모듈 제품 가격 인상 이후에도 타 부품업체 및 다른 모듈 업체들과 비교하여 볼 때 적정 수준보다 낮은 수준의 영업이익률을 내고 있었다고 하더라도, 원고 현대자동차의 이 사건 새시모듈 부품 가격 인상 행위는 덕양산업, 한라공조 등의 사업자들과 경쟁관계에 있는 원고 현대모비스의 경쟁상 지위를 부당하게 제고하여 자동차모듈 부품 시장의 공정한 거래질서를 저해할 우려가 있다고 봄이 상당하므로, 이 사건 새시모듈 부품 가격 인상 행위가 공정거래법 소정의 '부당한' 지원행위가 아니라는 원고 현대자동차의 이 부분 주장도 받아들이기 어렵다.

(3) 과징금 산정과정의 위법 여부 주장에 대한 판단

① 원고 현대자동차가 새시모듈 부품 가격을 인상하여 주기 이전의 새시모듈 부품의 가격은 새시모듈 부품 가격 인상 이전에 원고 현대자동차, 현대모비스 사이에 부품 가격 책정 기준에 따라 형성된 실제 거래가격이므로, 이를 이 사건 지원행위의 정상가격으로 보는 것이 부당하다고 보이지 아니하는 점, ② 본건의 경우 원고 현대자동차의 새시모듈 부품 가격 인상 행위로 인한 지원성 거래 규모는 1,067억 8,500만 원이 아니라 새시모듈 부품 가격 인상 이후 그 가격으로 이루어진 새시모듈 부품 거래의 총액을 의미하는 것인 점 등에 비추어 볼 때, 이와 다른 전제에서 이 부분 과징금 산정에 잘못이 있다는 원고 현대자동차의 이 부분 주장도 받아들이기 어렵다.

(4) 소결론

따라서, 원고 현대자동차의 이 사건 새시모듈 부품 가격 인상 행위는 공정거래법 소정의 '부당한 지원행위'에 해당하고, 그 과징금 산정과정에도 어떠한 위법이 없다고 판단된다.

나. 원고 현대자동차의 모듈 부품 가격 인상 금액 대신 지급 행위에 대하여

(1) 지원행위의 부존재 주장에 대한 판단

(가) 을 제20, 21, 22호증의 각 기재에 변론 전체의 취지를 종합하면 다음의 사정들이 인정된다.

① 원고 현대모비스는 모듈 부품을 최초 공급하는 시점에 정해진 임율, 가동률에 따른 손실보전, 투자상각비 등이 지나치게 낮게 책정되었다는 이유로, 2002. 4. 1. 원고 현대자동차, 기아자동차에게 납품하고 있는 모듈 부품의 가격현실화를 요청하면서, 원고 현대자동차에게는 4.2%의 단가인상(2002년 납품액 기준 인상금액: 223.7억 원)을, 원고 기아자동차에게는 3.4%의 단가인상(2002년 납품액 기준 인상금액: 281.4억 원)을 각 요구하였다.

② 이에 원고 현대자동차, 기아자동차는 원고 현대모비스가 요청한 임율의 현실화, 가동율 손실보전, 투자상각비 반영 등을 내역별로 검토하고 상호 간 협의를 거친 후, 원고 현대자동차는 2.9%(2002년 매입액 기준 인상금액: 154억 원), 원고 기아자동차는 2.4%(2002년 매입액 기준 인상금액: 196억 원)의 단가인상을 실행하기로 결정하였다.

③ 그럼에도 불구하고, 원고 현대자동차가 2002. 10. 31. 원고 현대모비스에게 원고 기아자동차를 대신하여 원고 기아자동차가 원고 현대모비스에게 지급하여야 할 모듈부품 단가인상 금액 196억 원을 지급하였다.

④ 원고 현대자동차는 원고 기아자동차와 사이에 원고 현대모비스의 모듈 부품가격 인상 요청에 대하여 협의를 하였으나, 원고 기아자동차의 거부로 최종적인 합의를 이루지 못한 상태에서, 원고 현대모비스의 모듈 부품 공급에 따른 손실의 발생은 대부분 원고 현대자동차에 대한 납품과 관련된 것이라는 생각하에, 원고 현대모비스에게 원고 현대모비스가 원고 기아자동차에게 요구한 위 196억 원도 지급하여 주었다는 주장을 하나, 현대 · 기아차 구매총괄본부에서 근무하던 E이 2007. 3. 9. 작성한 확인서(을 제22호증)에는 원고 현대자동차의 위 주장과 달리 '현대자동차(주)가 154억 원, 기아자동차(주)가 196억 원으로 지급하여야 함에도 현대자동차(주)가 그 전액을 부담한 사실이 있다'라고 기재되어 있다.

(나) 이러한 사정들에 비추어 보면, 이 사건 모듈 부품 가격 인상 금액을 대신 지급한 행위가 공정거래법 소정의 '지원행위'가 아니라는 원고 현대자동차의 이 부분 주장은 받아들이기 어렵다.

(2) 부당성의 부존재 주장에 대한 판단

(가) 앞서 든 증거들에 변론 전체의 취지를 종합하면 다음의 사정들이 인정된다.

① 이 사건 지원금액 196억 원은 그 자체로 상당한 규모이고, 이는 원고 기아자동차의 2002년 당기순이익의 3%에 해당한다.

② 원고 기아자동차는 2002년경 그 매출액이 감소세로 돌아서는 등 실질적으로 상당히 어려운 국면에 처해 있었다.

(나) 이러한 사정들에 비추어 보면, 원고 현대자동차의 위 196억 원 지원행위는 다른 자동차 제조·판매 사업자들과 경쟁관계에 있는 원고 기아자동차의 경쟁상 지위를 부당하게 제고하여 자동차 제조·판매 시장의 공정한 거래질서를 저해할 우려가 있다고 봄이 상당하므로, 이 사건 모듈 부품 가격 인상 금액 대신 지급 행위가 공정거래법 소정의 '부당한' 지원행위가 아니라는 원고 현대자동차의 이 부분 주장도 받아들이기 어렵다.

(3) 과징금 산정과정의 위법 여부 주장에 대한 판단

앞서 본 바와 같이 원고 현대자동차가 원고 현대모비스에게 원고 기아자동차를 대신하여 원고 기아자동차가 원고 현대모비스에게 지급하여야 할 모듈부품 단가인상 금액 196억 원을 지급한 사실이 인정되는 이상, 이 사건 부당지원행위의 지원금액은 196억 원임이 명백하므로, 이 부분 과징금 산정에 잘못이 있다는 원고 현대자동차의 이 부분 주장도 받아들이기 어렵다.

(4) 소결론

따라서, 원고 현대자동차의 이 사건 모듈 부품 가격 인상 금액 대신 지급 행위는 공정거래법 소정의 '부당한 지원행위'에 해당하고, 그 과징금 산정과정에도 어떠한 위법이 없다고 판단된다.

다. 원고 현대자동차, 현대모비스, 글로비스의 구매대금 지급방식 변경 행위에 대하여

(1) 지원행위 부존재 주장에 대한 판단

(가) 갑 제3호증의 1 내지 6, 을 제24, 25, 27, 28, 30호증의 각 기재에 변론 전체의 취지를 종합하면 다음의 사정들이 인정된다.

① 위 원고들이 2003. 4. 23. 서울 서초구 양재동 소재 현대차 사옥 18층 회의실에서 개최된 'CL 지원회의'에 참석하여 새로 출시되는 현대카드의 'M'카드 출시관련상품 및 마케팅 전략에 관하여 논의를 하였고, 그 자리에서 현대자동차 그룹의 전 계열사가 'M'카드를 사용하고 현대카드의 정상화에 적극 협조하기로 하였다.

② 위 원고들은 그 동안 납품업체로부터 상품·용역을 구매함에 있어 법인카드로 대금을 결제한 적이 없다.

③ 그럼에도 불구하고, 위 원고들은 위 2003. 4. 23.자 협의 이후 66개 납품업체로부터 상품·용역을 구매함에 있어, 대금결제방식을 종전의 현

금, 어음, 기업구매전용카드, 외상매출채권담보대출에서 현대카드가
발급한 법인카드로 변경한 다음, 납품업체에 대한 구매대금 합계
9,183억 7,300만 원을 현대카드로 지급하였다.

④ 위 원고들은, 위 법인카드 결제시스템 도입이 위 원고들에게는 어음관
리 비용 및 전자어음 결제 수수료의 절감, 법인카드 사용에 따른 리워
드포인트의 제공 등의 이익을, 납품업체들에게는 대금을 조기에 회수
하는 등의 이익을 주었다고 주장하지만, 신용카드 대금 결제의 구조상
위 법인카드 결제시스템의 도입으로 인하여 현대카드가 경제상 이익
을 얻는 만큼 위 원고들 또는 위 납품업체 중 누군가가 손실을 볼 수밖
에 없다.

⑤ 공정거래법 제23조 제1항이 '사업자는 다음 각 호의 1에 해당하는 행
위로서 공정한 거래를 저해할 우려가 있는 행위를 하거나, 계열회사
또는 다른 사업자로 하여금 이를 행하도록 하여서는 아니된다' 라고
규정하고 있으므로, 공정거래법 소정의 '지원행위'가 성립하기 위하여
반드시 '지원주체'가 지원객체에게 경제상 이익을 제공할 필요는 없다.

⑥ 위 원고들이 종래에 납품업체로부터 상품·용역을 구매함에 있어 법
인카드로 대금을 결제한 적이 없음에도 불구하고, 일괄적으로 대금결
제방식을 현대카드가 발급한 법인카드로 변경함으로써, 현대카드는
종래에 얻지 못한 가맹점 수수료라는 경제상 이익을 얻게 되었다.

⑦ 현대카드는 2003년 당시 신용카드사의 유동성 위기와 카드 연체율 및
부실자산의 증가가 맞물리면서 상당한 어려움을 겪고 있었다.

(나) 이러한 사정들에 비추어 보면, 위 원고들의 구매대금 지급방식 변경 행위
가 공정거래법 소정의 '지원행위'가 아니라는 위 원고들의 이 부분 주장은
받아들이기 어렵다.

(2) 부당성의 부존재 주장에 대한 판단

(가) 앞서 든 증거들에 변론 전체의 취지를 종합하면, 다음의 사정들이 인정된다.

① 현대카드는 2002년부터 2004년까지의 기간 동안 계속적인 대규모 적
자를 기록한 자본잠식업체였다.

② 이 사건 지원행위가 개시된 2003년에는 신용카드사가 전반적으로 유
동성 위기와 카드 연체율 부실자산의 증가 등으로 인하여 상당한 어려
움을 겪고 있었고, 다른 신용카드사와의 경쟁이 치열하게 이루어지던
때였다.

③ 이 사건 지원행위 이후 현대카드의 시장점유율이 2003년 3.6%에서

2006년 6.8%로 증가하였다.

(나) 이러한 사정들에 비추어 보면, 위 원고들의 구매대금 지급방식 변경 행위
는 다른 신용카드사들과 경쟁관계에 있는 현대카드의 경쟁상 지위를 부당
하게 제고하여 신용카드 시장의 공정한 거래질서를 저해할 우려가 있다고
봄이 상당하므로, 이 사건 구매대금 지급방식 변경 행위가 공정거래법 소
정의 '부당한' 지원행위가 아니라는 위 원고들의 이 부분 주장도 받아들이
기 어렵다.

(3) 과징금 산정과정의 위법 여부 주장에 대한 판단

이 사건 지원행위의 지원금액을 정함에 있어, 현대카드가 수취한 가맹점 수수
료에서 이 사건 지원행위와 직접적인 인과관계가 있는 조달금리 및 포인트 비
용을 제외하는 것은 타당하지만, 이 사건 지원행위와 직접적인 인과관계가 없
는 간접비용을 제외하는 것은 타당하지 아니하므로, 이 부분 과징금 산정에 잘
못이 있다는 위 원고들의 이 부분 주장도 받아들이기 어렵다.

(4) 소결론

따라서, 위 원고들의 구매대금 지급방식 변경 행위는 공정거래법 소정의 '부당
한 지원행위'에 해당하고, 그 과징금 산정과정에도 어떠한 위법이 없다고 판단
된다.

라. 원고 현대자동차, 기아자동차의 자동차용 강판 고가 매입 행위에 대하여

(1) 지원행위의 부존재 주장에 대한 판단

(가) 갑 제4호증의 1 내지 4, 을 제32 내지 36호증의 각 기재에 변론 전체의
취지를 종합하면 다음의 사정들이 인정된다.

① 2004년과 2005년에는 열연코일 등의 국제가격이 중국의 철강 수요 폭
증으로 인하여 폭등한 반면, 열연코일 등의 국내가격은 포스코의 정책
에 따라 국제가격보다 낮게 유지되었고, 그에 따라 열연코일 등의 국
제가격과 국내가격 사이에 차이가 발생하게 되었다.

② 이로 인하여 열연코일 등을 내부에서 조달하는 포스코가 생산한 자동
차용 강판 가격과 열연코일 등을 포스코로부터 50% 이상 조달하는 동
부제강이 생산한 자동차용 강판 가격 및 열연코일 등의 대부분을 외국
업체로부터 수입하여 조달하는 현대하이스코가 생산한 자동차용 강판
가격 사이에도 차이가 발생하게 되었다.

③ 자동차용 강판을 저렴한 가격에 공급하던 포스코는 수요처로부터의
구매 요청 폭주로 인하여 위 원고들에게 자동차용 강판의 공급을 대폭
늘려줄 수 없는 상황이었고, 동부제강은 시장점유율이 낮은 업체로서

위 원고들에게 자동차용 강판의 공급을 대폭 늘려줄 수 없는 상황이었으므로, 위 원고들은 현대하이스코로부터 비싼 가격에 자동차용 강판을 구매할 수밖에 없었던 것으로 보인다.

④ 피고는, 포스코가 생산한 자동차용 강판의 가격을 정상가격으로 보지 아니하고, 동부제강이 생산한 자동차용 강판의 가격을 정상가격으로 본 후 지원행위 여부를 판단하였으나, 일관제철소로서 자동차용 강판의 생산원가를 낮게 유지할 수 있는 포스코가 생산한 자동차용 강판의 가격을 정상가격으로 볼 수 없다면, 그러한 포스코로부터 자동차용 강판의 원자재인 열연코일 등을 50% 이상 조달하여 생산한 동부제강의 자동차용 강판 가격도 정상가격으로 볼 수 없다.

⑤ 따라서 현대하이스코가 생산한 자동차용 강판 가격이 비록 포스코나 동부제강이 생산한 자동차용 강판의 가격보다 비싸다 할지라도 정상가격의 범주를 벗어난 것인지 여부를 판단할 수 없다.

(나) 이러한 사정들에 비추어 보면, 위 원고들이 현대하이스코로부터 자동차용 강판을 구매하면서 포스코나 동부제강이 생산한 자동차용 강판의 가격보다 비싼 가격으로 구매하였다고 하더라도, 이를 현대하이스코에 대한 지원행위로 단정할 수 없다.

(2) 소결론

따라서, 위 원고들의 자동차용 강판 고가 매입 행위는 공정거래법 소정의 '지원행위'에 해당한다고 보기 어려우므로, 그 '부당성'이 인정되는지 여부에 관하여 살피지 아니한 채, 위 원고들의 자동차용 강판 고가 매입 행위가 공정거래법 소정의 '지원행위'가 아니라는 위 원고들의 이 부분 주장은 그 이유가 있다 할 것이다.

마. 원고 기아자동차가 로템과 도급계약을 체결한 행위에 대하여

(1) 지원행위 부존재 주장에 대한 판단

(가) 갑 제5호증, 을 제37 내지 40호증의 각 기재에 변론 전체의 취지를 종합하면 다음의 사정들이 인정된다.

① 원고는 프레스 및 자동차 운반설비 제작을 최저가 경쟁 입찰방식에 의하여 가장 낮은 견적서를 제출한 업체에게 발주할 목적으로, 프레스와 자동차 운반설비 제작에 대한 시공능력이 있는 위아, 동회 등으로부터 견적서를 제출받았다.

② 그러나, 위 원고는 계열회사인 로템보다 더 낮은 견적금액을 제출한 회사가 있었음에도 불구하고, 2004. 12.과 2005. 1. 및 2005. 5. 로템과

계약을 체결하였다.

③ 그 후 로템은 위 프레스와 자동차 운반설비 제작을 위아 등에게 일괄 하도급 주었고, 특별한 노력 없이 13억 2,000만 원이라는 경제적 이익을 취득하였다.

(나) 이러한 사정들에 비추어 보면, 로템과 도급계약을 체결한 행위가 공정거래법 소정의 '지원행위'가 아니라는 원고 기아자동차의 이 부분 주장은 받아들이기 어렵다.

(2) 부당성의 부존재 주장에 대한 판단

앞서 든 증거들에 변론 전체의 취지를 종합하여 인정되는 다음의 사정들, 즉 ① 국내 플랜트 시장은 수주 경쟁이 매우 치열한 시장인 점, ② 로템은 이 사건 지원행위 직전인 2004년경 530억 원의 적자를 시현하고 있었던 점 등에 비추어 보면, 이 사건 지원행위는 다른 플랜트업을 영위하는 회사들과 경쟁관계에 있는 로템의 경쟁상 지위를 부당하게 제고하여 플랜트 시장의 공정한 거래질서를 저해할 우려가 있다고 봄이 상당하므로, 원고 기아자동차가 로템과 도급계약을 체결한 행위가 공정거래법 소정의 '부당한' 지원행위가 아니라는 원고 기아자동차의 이 부분 주장도 받아들이기 어렵다.

(3) 소결론

따라서, 원고 기아자동차가 로템과 도급계약을 체결한 행위는 공정거래법 소정의 '부당한 지원행위'에 해당한다고 판단된다.

바. 원고 현대자동차, 기아자동차, 현대모비스, 현대제철이 원고 글로비스와 운송계약을 체결한 행위에 대하여

(1) 지원행위의 부존재 주장에 대한 판단

(가) 을 제41 내지 44, 46 내지 54, 56 내지 72, 74, 76, 77호증의 각 기재에 변론 전체의 취지를 종합하면 다음의 사정들이 인정된다.

① 위 원고들은 원고 글로비스가 설립(2001. 2.)된 후 얼마 지나지 아니한 2001. 3.부터 원고 글로비스가 통합물류체계를 완성한 2004. 6.까지 원고 글로비스에게 자사제품의 생산·판매에 부수하는 완성차 배달탁송, 철강운송 등 각종 물류업무를 비경쟁적인 사업양수도 또는 수의계약의 방식을 통하여 대부분 몰아주고(원고 현대자동차, 현대제철은 각 100%, 원고 기아자동차는 82%, 원고 현대모비스는 80%), 원고 글로비스와 합계 5,687억 4,100만 원 상당의 거래를 하였는데, 이는 국내 화물운송주선업 시장의 1위 사업자인 범한 판토스 매출액의 34.6%, 국내 화물운송주선업 시장 전체 매출액의 6.8%에 해당한다.

② 위 원고들은 MIP 운송 부분〈각주3〉, 물류장비 임대 부분, A/S 부품 운송 부분, 내수 PDI〈각주4〉 부분, T/P 부분〈각주5〉, 배달탁송 부분, 철강운송 부분의 운송단가를 시장가격의 인상율에 비해 상대적으로 높게 인상시켜 주었고, 이로 인하여 원고 글로비스는 비계열회사와의 거래보다 위 원고와의 거래를 통하여 훨씬 높은 매출총이익률을 시현하게 되었다.

③ 이로 인하여 A가 10억 원, B이 15억 원을 출자하여 설립된 자본금 25억 원의 원고 글로비스는 설립된 당해 연도부터 매출액 1,984억 원, 당기순이익 65억 원을 기록하게 되었다.

④ 위 원고들은 자신들이 원고 글로비스와 운송계약을 체결한 행위는 공정거래법 소정의 '지원행위'에서 말하는 '현저한 규모'의 거래가 아니라는 주장을 하나, 앞서 본 원고 글로비스의 설립 시기 및 통합물류체계의 완성 시기, 운송계약 체결 방식, 거래금액, 물류업무 단가 책정 방식 등을 고려하면, 위 원고들이 원고 글로비스와 운송계약을 체결한 행위는 공정거래법 소정의 '지원행위'에서 말하는 '현저한 규모'의 거래라고 봄이 상당하다.

⑤ 위 원고들은, 위 원고들과 원고 글로비스와의 거래행위를 2004. 6. 전후로 구별한 다음 그 이전은 '지원행위'이고 그 이후는 '지원행위'가 아니라고 판단하는 것은 부당하다는 주장을 하나, 위 원고들 스스로 원고 글로비스가 2004. 6.에야 통합물류체계를 완성하였음을 인정하고 있다.

⑥ 원고 글로비스가 위 원고들과 '상당히 유리한 조건'으로 거래하였음은 위 ②항에서 본 바와 같고, 한편 공정거래법 제23조 제1항 제7호, 제2항, 같은 법 시행령 제36조 제1항 [별표 1] 제10호 가목의 각 규정에 의하면, '부당하게 특수관계인 또는 다른 회사에 대하여 가지급금·대여금 등 자금을 현저히 낮거나 높은 대가로 제공 또는 거래하여 과다한 경제상 이익을 제공함으로써 특수관계인 또는 다른 회사를 지원하는 행위'뿐만 아니라 '부당하게 특수관계인 또는 다른 회사에 대하여 가지급금·대여금 등 자금을 현저한 규모로 제공 또는 거래하여 과다한 경제상 이익을 제공함으로써 특수관계인 또는 다른 회사를 지원하는 행위'도 부당지원행위에 해당함을 알 수 있으므로, 피고가 공정거래법상 지원행위가 성립하기 위한 요건인 '현저히 유리한 조건'을 마음대로 완화하여 적용하였다는 취지의 위 원고들 주장은 부당하다.

(나) 이러한 사정들에 비추어 보면, 위 원고들이 원고 글로비스와 운송계약을 체결한 행위가 공정거래법 소정의 '지원행위'가 아니라는 위 원고들의 이 부분 주장도 받아들이기 어렵다.

(2) 부당성의 부존재 주장에 대한 판단

(가) 앞서 든 증거들에 변론 전체의 취지를 종합하면 다음의 사정들이 인정된다.

① 원고 글로비스는 이 사건 지원행위로 인하여 설립된 당해 연도부터 매출액 1,984억 원, 당기순이익 65억 원을 기록하게 되었고, 그 이후에도 매년 수천억 원의 매출액과 수백억 원의 당기순이익을 올리게 되었다.

② 이로 인하여 원고 글로비스는 설립 후 2년만에 국내 화물운송주선업 시장의 2위 사업자로, 4년만에 1위 사업자로 급부상하게 되었다.

③ 지원행위가 부당성을 갖는지 유무는 오로지 공정한 거래질서라는 관점에서 평가되어야 하는 것이고, 공익적 목적, 소비자 이익, 사업경영상 또는 거래상의 필요성 내지 합리성 등도 공정한 거래질서와는 관계 없는 것이 아닌 이상 부당성을 갖는지 유무를 판단함에 있어 고려되어야 하는 요인의 하나라고 할 것이나, 지원행위에 단순한 사업경영상의 필요 또는 거래상의 합리성 내지 필요성이 있다는 사유만으로는 부당지원행위의 성립요건으로서의 부당성 및 공정거래저해성이 부정된다고 할 수는 없다(대법원 2004. 10. 14. 선고 2001두2935 판결 등 참조).

(나) 이러한 사정들에 비추어 보면, 위 원고들이 원고 글로비스와 운송계약을 체결한 행위는 국내 화물운송주선업체들과 경쟁관계에 있는 원고 글로비스의 경쟁상 지위를 부당하게 제고하여 화물운송주선업 시장의 공정한 거래질서를 저해할 우려가 있다고 봄이 상당하므로, 위 원고들이 원고 글로비스와 운송계약을 체결한 행위가 공정거래법 소정의 '부당한' 지원행위가 아니라는 위 원고들의 이 부분 주장도 받아들이기 어렵다.

(3) 과징금 산정과정의 위법 여부 주장에 대한 판단

위 원고들이 원고 글로비스에게 제공한 지원성 거래규모는 운송주선업체의 수수료 수입에 해당하는 매출총이익이 아니라 위 원고들이 원고 글로비스와 운송계약을 체결하고 유리한 조건으로 거래한 거래금액 전부라고 보아야 하므로, 이와 다른 전제에서 이 부분 과징금 산정에 잘못이 있다는 위 원고들의 이 부분 주장도 받아들이기 어렵다.

(4) 기타 주장에 대한 판단

(가) 피고의 의결서(갑 제1호증)의 기재내용을 종합·고찰하여 보면, 이 사건 시정명령이 지원객체 및 지원행위의 종류, 유형, 내용 등이 불명확하여 위

법하다는 위 원고들의 주장을 받아들이기 어렵다.

(나) 상품 용역의 제공 또는 거래라도 그것이 공정거래법 제23조 제1항 제7호 의 부당지원행위의 요건을 충족하는 경우에는 부당지원행위의 규제대상 이 될 수 있다 할 것이므로(대법원 2007. 1. 11. 선고 2004두350 판결 등 참조), 위 원고들의 이 부분 주장도 받아들이지 아니한다.

(다) 앞서 든 증거들에 의하면, 이 사건 지원행위는 2004. 6.경 종료되었음을 알 수 있으므로, 이와 다른 전제에서 한 위 원고들의 이 부분 주장도 받아들 이지 아니한다.

(5) 소결론

따라서, 위 원고들이 원고 글로비스와 운송계약을 체결한 행위는 공정거래법 소정의 '부당한 지원행위'에 해당하고, 그 과징금 산정과정에도 어떠한 위법이 없다고 판단된다.

5. 결론

그렇다면, 원고 현대자동차, 기아자동차의 이 사건 각 청구는 일부 이유 있으므로 이를 일부씩 인용하고, 각 나머지 청구를 기각하며, 원고 현대모비스 주식회사, 글로비스 주 식회사, 현대제철 주식회사의 이 사건 각 청구는 모두 이유 없으므로 이를 전부 기각하 기로 하여, 주문과 같이 판결한다.

판사 김용헌(재판장), 이현우, 이화용

Q 64 부당한 지원행위를 규제하는 규정(공정거래법 제23조 제1항 제7호)이 있고 제재 수준이 강화되었음에도 불구하고 공정거래법 제23조의2를 신설한 취지는 무엇인가?

A 개인에 대한 지원거래를 규제하기 힘든 일반 부당지원행위 제도만으로는 지배주주가 내부거래를 통해 경제력집중을 심화시키는 문제를 효과적으로 규제하기 어렵기 때문에 공정거래법 제23조의2가 신설되었다.

해설

경제력집중은 일반적으로 시장집중, 일반집중, 소유집중으로 구분된다.[135] 시장집중이란 관련시장에서 특정 사업자의 영향력이나 비중(점유율)이 높아지는 현상으로, 공동행위 등에서 요구되는 '경쟁'에 가깝다. 일반집중이란 전체 국민경제에서 특정 기업집단의 영향력이나 비중이 높아지는 것을 의미하는데, 범위의 경제 강화에 따른 협의의 경제력집중 개념으로 '기업집단의 영향력 강화'이다. 한편, 소유집중이란 국민경제 또는 기업집단에서 특정인의 영향력이나 비중이 높아지는 현상으로, 광의의 경제력집중 개념으로 '총수의 영향력 강화'를 의미한다.

소유집중과 관련하여, 법원은 삼성 SDS의 특수관계인에 대한 부당지원행위 건 등에서 "특수관계인을 중심으로 경제력이 집중될 기반이나 여건이 조성될 여지가 있다는 것만으로는 공정한 거래를 저해할 우려가 있다고 단정하기 어렵고, 위 특수관계인이 지원받은 자산을 계열회사에 투자하는 등으로 관련시장에서의 공정한 거래를 저해할 우려가 있다는 점에 대한 입증이 필요하다"고 판시한 바 있다(대법원 2004. 9. 24. 선고 2001두6364 판결 등 참고). 즉, 지원행위를 통해 지원객체인 개인 또는 그 특수관계자들이 국민 경제에서 차지하는 부의 비중이 커지거나 그로 인해 취득한 이익으로 계열회사들에 대한 지분을 추가로 확보하였다고 하더라도, 지원객체가 속한 시장에서의 공정한 거래를 저해할 우려가 있다는 점이 입증되지 않는다면, 부당지원행위의 부당성 요건을 충족하였다고 보기 어렵다는 취지이다.[136]

이로 인하여 총수 또는 그 일가에 대한 지원행위는 사실상 규제가 어렵게 되었다. 더하여 총수일가가 계열사 간 자신들의 지분율 차이를 이용하여 지분율 등 현금청구권이 낮은 계

---

135) 서정, 박사학위논문, 「부당한 지원행위 규제에 관한 연구」(2008. 4.), p.223
136) 김경연, 「동일인에 대한 부당지원행위 평가의 접근 방향」, 경제법 판례연구(2007), p.169

열사의 이익을 지분율이 높은 계열사로 이전하는 터널링(tunneling)[137]에 대해서 보다 엄격한 규제를 해야 할 필요성이 있었다.[138] 이러한 상황에서 동일인 또는 그 일가의 이해관계가 높은 거래에 대하여는 부당성의 요건을 완화시켜 소유집중에 대한 규제를 강화하기 위해 신설된 것이 특수관계인에 대한 부당한 이익제공 금지 규정이라고 볼 수 있다.

하지만 서울고등법원이 제23조의2의 해석에 대하여 경제력집중이라는 부당성을 사실상 요구하였다(서울고등법원 2017. 9. 1. 선고 2017누36153 판결).[139] 아직 대법원의 판단이 남은 상황이고 법리적으로 납득이 어려운 판결이지만, 동 판결의 취지에 의한다면 공정거래법 제23조의2는 독자적인 의미가 없는 조항이 된다.

이런 이유와 연혁으로 2013. 8. 13. 기존의 부당지원행위에 대한 규제처럼 공정한 거래를 저해하는지 여부가 아닌 특수관계인에 대한 부당한 이익을 제공하였는지 여부를 기준으로 위법성을 판단하는 제23조의2가 신설되었다.

---

137) 박상인, 「터널링을 위한 내부거래 방지의 입법화」, 경쟁과 법(2013. 10.), p.60
138) 서정, 「부당지원행위 규제, 만능 치유책인가? 목적과 수단의 정합성에 대한 검토」, 연세 글로벌 비즈니스 법학 연구 제3권 제2호(2011), p.36
139) 동 판결은 상고되어 대법원 2017두63993 사건으로 계속 중이다.

Q65 일반 부당지원행위와 특수관계인에 대한 이익제공 금지 규제는 어떻게 다른가, 후자는 전자의 특별조항인가?

A 특수관계인에 대한 부당한 이익제공 금지 규정에서는 거래상대방을 동일인을 중심으로 제한적으로 규정한 반면, '부당성' 요건을 요하지 아니하고 사업기회 유용행위 등 금지행위 유형을 추가하였다. 두 규정은 일반법과 특별법 관계라기보다는 병렬적 관계 또는 실체적 경합관계에 있다고 보는 것이 타당하다.

해설

특수관계인에 대한 부당한 이익제공 금지 규정과 일반 부당지원행위 금지 규정은 규제목적, 규제대상 및 규제내용에서 아래와 같은 차이가 있다. 따라서 전자가 후자의 특별법적 지위에 있다고 보기는 어렵고, 규제의 취지와 차원이 다른 '병렬적 관계'라고 봄이 타당하다.[140] 상호출자제한 기업집단 소속 회사들 간 내부거래가 공정거래법 제23조의2 위반에 해당하지 않더라도 일반 부당지원행위로 규제될 수 있다.

구 분	일반 지원행위	특수관계인을 위한 부당한 이익제공
지원주체	제한 없음.	자산총액 5조 원 이상인 총수 있는 공시대상 기업집단 소속 회사. 다만, 이익제공행위 시점을 기준으로 판단
지원객체	'특수관계인 또는 다른 회사'로 특별한 제한 없음(지원주체와의 특수관계 불요).	거래상대방은 동일인 또는 동일인의 친족(배우자, 6촌 이내 혈족 및 4촌 이내 인척)이 30%(비상장사 20%) 이상의 지분을 소유한 계열회사
가격 지원행위	정상가격에 비해 상당히 유리한 조건의 거래	정상가격에 비해 상당히 유리한 조건의 거래여야 함은 동일하나, 안전지대 규정 존재[거래조건 차이가 7% 미만이고 연간 50억(상품·용역은 200억 원) 원 미만 거래인 경우]
통행세 거래/ 사업기회의 제공	• 불필요한 거래단계의 추가 및 경유만 규제 • 지원주체가 거래에 참여하지 않는 사업 포기를 통한 사업기회 제공은 통행세로 규제 어려움.	여하한 방법으로 사업기회를 제공하는 경우를 규제하고, 통행세 거래도 해당될 수 있음.

---

140) 김윤정, 「대기업집단의 부당지원행위 규제제도 개선방안 연구」, 한국법제연구원(2013. 4.), p.59 참고

구 분	일반 지원행위	특수관계인을 위한 부당한 이익제공
물량 지원행위	상당한 규모 + 상당히 유리한 조건 * 상당한 규모의 거래에 관한 안전지대 규정 없음. * 효율성, 보완성, 긴급성의 예외관련 명시적 규정은 없지만 제23조의2 적용 예외사유 참고 가능	상당한 규모 + 정당한 거래절차를 거치지 않았을 것 * 안전지대 규정 존재: 연간 거래금액 합계가 200억 원 미만이고, 평균매출액의 12% 미만인 경우 * 상당히 유리한 조건이 성립요건으로서 요구되는지 논란이 있음. * 효율성, 보안성, 긴급성의 예외 규정

형법의 개념을 빌리자면 공정거래법 제23조 제1항 제7호와 제23조의2는 상상적 경합이 아니라 실체적 경합 관계이다. 따라서 특수관계인의 지분이 높은 지원객체(특수관계인 회사)가 지원받는 거래를 하여 그 이익이 특수관계인에게 귀속된 경우에는, 공정거래위원회는 지원주체와 지원객체에 대하여는 제23조 제1항 제7호 위반으로 의율하고, 다시 그 제공주체와 제공객체(특수관계인 회사)에게는 제23조의2 위반으로 의율해야 한다. 물론 특수관계인(동일인 및 친인척)이 직접 지원받는 거래를 하였다면 제공주체와 제공객체(그 특수관계인)에 대해서는 제23조의2 위반으로만 의율할 수 있다.

한편, 제23조 제1항 제7호의 지원행위를 지시하거나 관여한 특수관계인 개인(동일인 또는 친인척)은 공정거래법 위반으로 제재받지 않지만 제23조의2 제공행위를 지시하거나 관여한 특수관계인 개인(동일인 또는 친인척)은 공정거래법 위반으로 제재받는다(공정거래법 제23조의2 제4항). 이 경우 그 특수관계인은 제공객체인 지원거래의 상대방인 특수관계인이나 또는 그 이익이 귀속된 특수관계인일 필요는 없다.

다만, 사실적·경제적 사실관계가 동일한 것이므로 과징금고시 IV. 3. 라의 "하나의 행위가 여러 개의 법령규정에 위반될 경우 이 고시에서 정한 방식에 의하여 각 위반행위별로 산정된 임의적 조정과징금 중 가장 큰 금액을 기준으로 부과과징금을 결정한다"는 조항에 따라 처리할 필요가 있다. 일반 부당지원행위와 특수관계자이익제공행위 둘 다 해당되는 경우라면 그중 더 많은 과징금이 부과되는 유형의 과징금만 부과하면 될 것이다(다만, 두 행위의 과징금 율이 동일하다).

Q66 특수관계인에 대한 부당한 이익제공 금지 규정 위반 시, 규제대상이 되는 제공객체는 직접적 거래상대방인 계열회사인가, 아니면 그 계열회사의 지분을 보유한 특수관계인 개인인가? 지원객체와의 거래를 통해 특수관계인에게 이익이 귀속된 경우 과징금 부과대상은 누구인가?

A 제공행위의 거래상대방이 특수관계인 회사인 경우, 규제대상(제공객체)은 특수관계인 회사이고 그 이익이 귀속된 특수관계인은 이익귀속자이므로, 특수관계인 회사에게 과징금이 부과된다. 반면, 제공행위의 거래상대방이 특수관계인인 경우 규제대상(제공객체) 및 이익귀속자는 그 특수관계인이 되므로, 그 특수관계인에게 과징금이 부과된다. 두 경우 모두 제공행위를 지시하거나 관여한 특수관계인(이익귀속자인 특수관계인에 국한되지 않는다) 역시 별도의 위반행위자로 과징금이 부과될 수 있다.

해설

공정거래법 제23조의2 제1항은 "공시대상 기업집단(동일인이 자연인인 기업집단으로 한정)에 속하는 특수관계인(동일인 및 그 친족에 한정)이나 특수관계인이 일정 비율 이상의 주식을 보유한 계열회사와 일정한 행위를 통하여 특수관계인에게 부당한 이익을 귀속시키는 행위를 하여서는 아니 된다."라고 규정하고 있다. 이에 따르면, 특수관계인에 대한 부당한 이익제공 행위는 (i) 특수관계인과 직접 거래하여 그 특수관계인에게 부당한 이익을 귀속시키는 경우와 (ii) 특수관계인이 일정 비율 이상의 주식을 보유한 계열회사, 즉 특수관계인 회사와 거래하여 특수관계자에게 부당한 이익을 귀속시키는 경우로 구분될 수 있다. 「특수관계인에 대한 부당한 이익제공행위 심사지침」(공정거래위원회 예규 제341호, 2020. 2. 25. 제정, 이하 '특수관계인이익제공 심사지침') 역시 이익제공행위를 'i) 상당히 유리한 조건의 거래, ii) 사업기회의 제공, iii) 현금, 그 밖의 금융상품의 상당히 유리한 조건의 거래, iv) 합리적 고려나 비교 없는 상당한 규모의 거래를 통하여 직접 또는 간접으로 특수관계인에게 이익을 귀속시키는 행위'로 정의하고 있다(심사지침 II. 6.).

특수관계인이익제공 심사지침은 제공주체, 제공객체, 특수관계인, 특수관계인 회사라는 용어를 사용한다. '제공주체'라 함은 법 제23조의2(특수관계인에 대한 부당한 이익제공 등 금지) 제1항 각 호의 행위를 통하여 특수관계인에게 부당한 이익을 귀속시키는 행위를 한 자로서 동일인이 자연인인 공시대상기업집단에 속하는 회사를 말한다. '제공객체'라 함은 특수관계인 또는 특수관계인 회사로서 이익제공행위의 상대방을 말한다. '공시대상기업집단'이라 함은 자산총액이 5조 원 이상인 기업집단으로서 공정거래위원회가 지정한 기업집단을 말한다. '특수관계인'이라 함은 공시대상기업집단에 속하는 회사를 지배하는 동일인 및 친족(배우자, 6촌 이내의 혈족 및 4촌 이내의 인척)을 말한다. 다만, 시행령 제3조의2(기업집단으로부터의 제외) 제1항에 따라 동일인관련자로부터 분리된 자는 동일인의 친족에서 제외한다. '특수관계인 회사'라 함은 제공주체의 계열회사 중에서 동일인이 단독으로 또는 동일인의 친족과 합하여 발행주식 총수의 30%(주권상장법인이 아닌 회사의 경우에는 20%) 이상을 소유하고 있는 계열회사를 말한다(심사지침 II.).

이처럼 특수관계인이익제공 심사지침은 제공주체와 제공객체로 나누고 있다. 제공객체의 의미와 범위에 대하여 모호한 점은 있지만, 위 (ⅰ)의 유형인 특수관계인 회사와 거래행위가 있는 경우에는 그 특수관계인 회사가 제공객체이고 이익이 귀속된 특수관계인인 이익귀속자이다. 위 (ⅱ)의 유형인 특수관계인과 직접 거래행위가 있는 경우 거래상대방인 특수관계인이 제공객체이자 이익귀속자이다. 한편 특수관계인(동일인 및 친인척) 중 제공행위를 지시하거나 관여한 자도 위반행위자로 제재대상이 되는데(공정거래법 제23조의2 제4항, 제24조, 제24조의2), 심사지침에는 명칭이 없지만 '제공행위 지시관여자'라 명칭한다.

관련하여 이익귀속자인 특수관계인에 대하여는 시정조치 및 과징금을 부과할 수 없는지 의문이 있을 수 있다. 공정거래법 제24조의2 제2항에서는 "해당 특수관계인 또는 회사"에 대하여 5%를 초과하지 아니하는 범위에서 과징금을 부과할 수 있다고만 규정하여 명확하지 않지만, 제23조의2 제3항에서 "제1항에 따른 거래 또는 사업기회 제공의 상대방은 제1항 각 호의 어느 하나에 해당할 우려가 있음에도 불구하고 해당 거래를 하거나 사업기회를 제공받는 행위를 하여서는 아니된다"고 규정하여 금지의무자로 거래상대방으로 명시하였고, 특수관계인이익제공 심사지침에서도 거래상대방이 된 특수관계인 회사 또는 특수관계인을 '제공객체'로 정의하고 있다. 이런 법문에 비추어 동조의 수범자는 거래상대방으로 해석되므로, 거래상대방의 주주 등으로서 간접적으로 이익이 귀속되는 소위 이익귀속자인 특수관계인에 대하여는 시정명령이나 과징금부과 등 제재를 할 수 없다고 본다. 또 제23조의2 제4항의 사익편취 행위를 지시하거나 이에 관여한 자인 특수관계인은 반드시 이익의 귀속된 특수관계인에 한정되지 않고 실제 지시·관여한 자에 국한된다. 일반지원행위의 제23조 제1항 제7호의 교사자는 반드시 사업자에 한정되는 것과 달리 제23조의2 제1항에서 본 조에서의 특수관계자인을 동일인 및 친족으로 정의하고 동조 제4항에서도 동일하게 적용되기 때문에 사업자는 애초부터 해당되지 않는다. '총수일가 사익편취 가이드라인'에서도 "총수일가가 법 제23조의2 제4항 위반에 해당하는지 여부는 특수관계인이 지원주체 또는 지원객체에게 총수일가 사익편취행위를 하도록 지시하거나 해당 행위에 관여하였는지 여부에 따라 판단한다"고 설명함으로써 특수관계 회사 등 사업자가 아니라 총수일가에 대하여만 적용되는 조항임을 전제로 하고 있다(제27면). 또한 과징금부과 및 형벌 등 처벌조항도 없다. 동조 제4항을 범위를 넓히고 과징금 및 형벌 조항도 추가하는 등 입법론적 개선이 필요하다.

실제 '기업집단 현대 계열회사의 부당지원행위 및 특수관계인에 대한 부당한 이익제공행위에 대한 건'에서 현대증권이 특수관계인 회사인 에이치에스티와의 거래를 통해 특수관계인에게 부당한 이익을 귀속시킨 것을 법위반으로 보면서 거래상대방인 에이치에스티에게만 시정조치 및 과징금납부명령을 하였고 이익귀속자인 특수관계인에 대하여는 피심인으로도 보지 않았다(공정거래위원회 2016. 7. 7. 의결 2016-189호). '기업집단 효성 소속 계열회사들의 특수관계인에 대한 부당이익제공행위 및 부당지원행위 사건'에서 거래상대방인 갤럭시아일렉트로닉스뿐 아니라 특수관계인도 피심인으로 삼았지만 특수관계인을 이익귀속자이기 때문에 피심인으로 한 것이 아니라 제공행위 지시 및 관여자로 심사한 것이다. 동 사건에서 공정거래위원회는 갤럭시아일렉트로닉스 및 특수관계인에게 시정명령을 부과하면서 과징금은 갤럭시아일렉트로닉스에게만 부과했다. 이익귀속자인 특수관계인은 피심인 자체가 아니었다(공정거래위원회 2018. 5. 21. 의결 2018-148호). 또, '기업집단 금호아시아나 소속 계열회사들의 특수관계인에 대한 부당이익제공행위 및 부당지원행위 사건'에서도 자금대여 및 제3자를 통한 BW 인수의 제공행위를 받은 특수관계인 회사인 금호홀딩스와 그 제공행위를 지시·관여한 특수관계인을 모두 심사대상으로 삼아, 시정명령과 과징금을 부과했다. 물론 이익귀속자인 특수관계인을 피심인으로 삼지 않았다(공정거래위원회 2020. 11. 6. 선고 의결 2020-294호).[141]

---

141) 금호아시아나 그룹 사건에서는 공정거래위원회는 금호산업 등 계열회사들이 특수관계인 회사인 금호홀딩스에게 정상금리보다 낮은 금리로 자금을 대여해 주고(1차 사건), 아시아나 항공이 제3자인 중국 회사를 매개로 중국회사에게 기내식 공급계약을 체결해 주고 중국회사로 하여금 금호홀딩스에게 1,600억 원 상당의 신주인수권부사채 인수를 낮은 금리에 인수하도록 하여 금호홀딩스를 간접적으로 지원해 주었다고 보았다(2차 사건). 공정거래위원회는 이를 통하여 동일인 등 특수관계인에게 금호그룹 계열사에 대한 지배권 및 경영권 유지, 그리고 금호홀딩스가 보유한 계열회사 주식을 매각하지 않고 유지하도록 함으로써 금호홀딩스의 지분가치가 유지되는 이익이 귀속되었고, 해당 사건에서 금호산업이 이를 교사하였다고 판단하면서, 제공주체인 회사들, 제공객체인 거래상대방이었던 금호홀딩스, 제공행위의 교사자인 금호산업에게 각 과징금을 부과하면서도 이익귀속자인 동일인 등 특수관계인에게는 과징금을 부과하지 않았다. 특히 공정거래위원회는 금호산업 등의 금호홀딩스에 대한 자금대여 제공행위(1차 사건)에서 금호산업에 대하여 제공주체로서 316,708,605원, 제공행위 교사에 대하여는 225,133,396원의 부과과징금이 정해졌다(공정거래위원회 2020. 11. 6. 선고 의결 2020-294호).

물론 공정거래법 제23조의2 제4항에 따라 제공행위를 지시하거나 관여한 특수관계인에 대한 제재가 가능하지만, 만약 이익귀속자인 특수관계인이 지시나 관여하지 않았거나 이에 대한 입증이 없다면 제재가 불가능하다.

사견으로 이는 동 조의 실효성을 떨어뜨리고 규제기관의 입증책임을 가중하는 것으로 바람직하지 않다고 본다. 특히 기업집단의 총수나 그 핵심 일가의 의사결정 과정에서 지시나 관여를 밝혀낼 수 없는 경우도 많고, 실제로는 지시를 받아 행한 임직원들이 총수나 그 핵심일가의 지시나 관여를 밝히지 않은 경우도 있을 수 있기 때문이다. 그래서 지시 · 관여한 특수관계인이 아니라 이익귀속자인 특수관계인을 직접 제재하는 조항의 신설이 필요하다고 본다.

Q 67 제공주체와 제공주체의 판단기준?

A 제공주체는 자산총액이 5조 원 이상인 공시대상 기업집단의 소속 계열회사이어야 하고, 제공객체는 공시대상 기업집단의 동일인 및 친인척(특수관계인) 또는 특수관계인이 30%(상장회사 20%) 이상의 지분을 보유한 특수관계인 회사이다. 제공행위시점에 공시대상 기업집단이어야 하고, 판단시점에 공시대상 기업집단일 필요는 없다.

해설

특수관계인 이익제공 심사기준은 다음과 같이 규정하고 있다.

III. 법령상 요건의 충족여부 판단

2. 제공주체
　가. 특수관계인에 대한 부당한 이익제공행위의 제공주체는 공시대상기업집단(동일인이 자연인인 기업집단으로 한정한다)에 속하는 회사이어야 한다.
　나. 제공주체가 공시대상기업집단에 속하는 회사에 해당하는지 여부의 판단 시점은 해당 이익제공행위 당시를 기준으로 한다.

3. 제공객체
　가. 제공객체에는 특수관계인 및 특수관계인 회사가 포함된다.
　나. 특수관계인 회사는 동일인이 단독으로 또는 동일인의 친족(친족이 수인인 경우 수인의 친족의 지분을 모두 합산한다. 이하 같다)과 합하여 지분을 보유한 경우로서 상장 회사의 경우 30% 이상, 비상장 회사의 경우 20% 이상이 되어야 한다. 특수관계인의 지분보유비율을 계산함에 있어서는 보통주, 우선주, 자사주, 상환주식, 전환주식, 무의결권주식 등 주식의 종류 및 의결권 제한 여부를 불문하고 계열회사가 발행한 모든 주식을 기준으로 계산한다.
　다. 여기서의 지분이란 직접 보유한 지분만을 의미하고, 2단계 이상의 소유관계를 통해 간접적으로 영향력을 행사하는 지분은 포함하지 아니한다.
　　(예시)
　　－계열회사인 A회사에 대한 특수관계인의 지분 보유비율이 30%이고, B회사가 A 회사의 100% 자회사인 경우, B회사는 특수관계인이 지분을 보유한 계열회사에 해당하지 아니한다.
　라. 지분의 보유 여부는 법 제7조의2(주식의 취득 또는 소유의 기준)에 따라 소유 명의와 관계없이 실질적인 소유관계를 기준으로 한다. 따라서 차명주식, 우회보유 등의 형태를 취하더라도 특수관계인이 그 지분에 대한 실질적인 소유자인 경우에는 특수

> 관계인이 보유한 지분에 해당한다.
>
> 마. 동일인의 친족과 합하여 지분을 보유한 경우라 함은 동일인과 동일인의 친족이 함께 지분을 보유하고 있는 경우와 동일인만 지분을 보유하고 있는 경우, 동일인의 친족만 지분을 보유하고 있는 경우를 모두 포함한다.
>
> 바. 시행령 제3조의2(기업집단으로부터의 제외) 제1항에 따라 동일인관련자로부터 분리된 자는 동일인의 친족의 범위에서 제외된다. 이에 따라, 동일인의 6촌 이내의 혈족 또는 4촌 이내의 인척이라 하더라도 공정거래위원회로부터 기업집단에서 분리된 것으로 인정받은 경우에는 지분율 산정에서 제외된 것으로 본다.
>
> 사. 제공객체에 해당하는지 여부의 판단 시점은 해당 이익제공행위 당시를 기준으로 한다.

심사지침에서 규정한 바와 같이 자산총액 5조 원 이상인 공시대상 기업집단(동일인이 자연인인 경우로 한정) 소속인지 여부는 해당 이익제공행위 시점을 기준으로 판단한다. 공정거래위원회는 매년 5월 1일(부득이한 경우 15일)까지 공시대상 기업집단을 지정·통지한다(공정거래법 시행령 제21조 제3항, 제4항).

만약 이익제공행위 시점에는 공시대상 기업집단으로 지정되어 있었지만 공정거래위원회가 심의하여 처분을 하는 시점에 기업집단 자체가 공시대상 기업집단(또는 자산액 10조 원 이상인 상호출자제한 기업집단)으로 지정되어 있지 않거나 또는 그 소속회사가 그 기업집단에서 제외된 경우에도 행위 성립에는 지장이 없다. 공시대상 기업집단에서 제외되었다고 해서 이미 성립한 이익제공행위의 위법성은 치유되는 것이 아니다.[142] 행위를 한 제공객체, 제공주체, 그리고 당시 이익제공행위를 지시·관여한 특수관계인은 법 위반으로 제재대상이 된다고 본다.

---

142) 공정거래위원회, 「총수일가 사익편취 금지규정 가이드라인」(2016. 12.), p.3

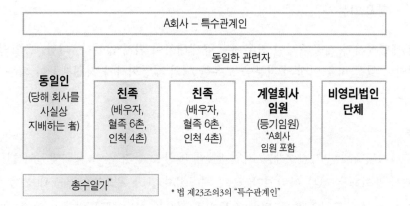

| 지원객체로서 특수관계인의 범위(제23조의2 제1항) |

A회사 – 특수관계인				
동일인 (당해 회사를 사실상 지배하는 者)	동일한 관련자			
	친족 (배우자, 혈족 6촌, 인척 4촌)	**친족** (배우자, 혈족 6촌, 인척 4촌)	**계열회사 임원** (등기임원) *A회사 임원 포함	**비영리법인 단체**

총수일가*

* 법 제23조의3의 "특수관계인"

이때 '동일인의 친족과 합하여 지분을 보유한 경우'에는, 동일인과 동일인의 친족이 함께 지분을 보유하고 있는 경우와 동일인 없이 동일인의 친족만 지분을 보유하고 있는 경우를 모두 포함한다. 특수관계인의 지분보유비율을 계산함에 있어서는 일반주, 우선주, 자사주 등을 모두 포함한 발행주식 총수를 기준으로 한다. 공정거래법 시행령 제3조의2(기업집단 으로부터의 제외) 제1항에 따라 동일인관련자로부터 분리된 자는 동일인의 친족의 범위에 서 제외된다. 지원객체가 특수관계인이 20%(상장사는 30%) 이상의 주식을 보유한 계열회 사로서 규율대상에 해당하는지 여부의 판단은 당해 거래 당시를 기준으로 한다.[143]

---

143) 공정거래위원회, 「총수일가 사익편취 금지규정 가이드라인」(2016. 12.), pp.6~7

Q68 해외 계열회사와의 거래에도 특수관계인에 대한 이익제공 금지 규정이 적용되는가?

A 해외 계열회사가 제공주체인 경우에는 규제대상이 되지 않는다. 다만, 동일인 및 특수관계인이 일정 비율 이상의 지분을 보유한 해외 계열회사가 지원제공이 되는 경우에는 규제될 수 있다.

해설

일반 부당지원행위는 지원주체나 지원객체에 제한을 두지 않아 해외법인이 법규정상 규제 대상에서 제외되는 것은 아니지만, 해외 계열회사 간의 거래행위는 국내 경쟁질서에 영향을 미칠 가능성이 극히 낮다는 점에서 특별한 경우가 아닌 한 부당성이 인정되기 어렵다. 그러나, 국내회사와 해외법인 간 거래에서 지원주체가 해외법인이고 지원객체는 국내회사가 되어 지원객체가 속한 국내시장에서의 경쟁질서에 영향을 미칠 수 있다면 부당지원행위 규제 대상이 될 수 있다.

다음으로 공정거래법 제23조의2의 경우 제공행위를 하는 회사는 공시대상 기업집단 소속회사이어야 하는데, 해외 계열사들은 공시대상 기업집단에 포함되지 아니하므로 동 규정에 따른 제공주체가 될 여지가 없다. 그러나, 법 제23조의2의 제공객체는 '특수관계인 회사', 즉 "특수관계인이나 특수관계인이 대통령령으로 정하는 비율 이상의 주식을 보유한 계열회사"이고 이때 계열회사에는 해외 계열회사도 포함된다(국내 계열회사로 한정하는 규정이 없기 때문이다). 그래서 해외계열회사 역시 특수관계인이 일정 지분율 이상을 보유하고 있다면 동조의 적용대상이 될 것이다. 이는 특수관계인에 대한 부당한 이익제공 금지규정의 취지가 제공객체가 속한 시장에서의 공정한 경쟁질서를 보호하기 위한 것이라기보다는, 총수일가에 대한 부당한 부의 공여와 이로 인한 경제력집중을 막기 위한 것이라는 점에 비추어 보더라도 그러하다.

한편, 세법에서도 국내법인과 해외 계열사 간의 거래에서 법인세법상 부당행위계산부인 규정이 아니라 「국제조세조정법」에서 정한 이전가격세제규정이 적용된다(다만, 무상 증여의 경우 부당행위계산부인 규정이 적용된다). 해외 계열사 간 거래에 대하여는 국내 세법이 적용되지 않는다.

69 이익제공행위의 의미와 금지유형은 무엇인가?

A ① 상당히 유리한 조건의 자금·자산·상품·용역 거래, ② 현금, 그 밖의 금융상품의 상당히 유리한 조건의 거래, ③ 합리적 고려나 비교 없는 상당한 규모의 거래, ④ 사업기회의 제공이 있다. 다만, ①과 ②의 판단기준은 동일하다고 본다. 다만, 각 유형별로 안전지대[가격차이 7%, 50억 원(상품·용역 200억 원) 기준]가 별도로 합산되어 적용될 것이므로 구분하는 필요성이 있다. 구분하여 판단기준을 설정할 실익은 없으므로 가격 이익제공행위의 유형으로 보면 될 것이다. ②에는 통행세 거래가 포함된다. ③은 일반 부당지원행위의 물량몰아주기에 대응하는 것이고, ④는 일반 부당지원행위에는 없는 새로운 별도 유형이다.

해설

이익제공행위의 금지유형 및 판단기준에 대한 특수관계인이익제공 심사지침의 내용은 다음과 같다. 이익제공행위는 제공주체와 제공객체 사이에 이루어지는 것으로, 제23조 제1항 제7호의 일반 부당지원행위에서와 마찬가지로 간접적인 방법으로 이루어지는 것도 포함된다.

기업집단 효성 소속 계열회사의 특수관계인에 대한 부당이익 제공행위 사건에서도 공정거래위원회는 효성투자개발이 경영난에 빠진 총수 2세의 개인회사인 갤럭시아일렉트로닉스에게 총수익스와프(Total Returen Swap)[144]를 통해 이익을 제공한 것에 대하여 제23조의2 위반으로 판단하였다.

---

144) TRS란 파생금융상품 중 신용파생상품의 한 종류이다. 유가증권 등 기초자산의 신용위험만을 따로 분리하여 시장에서 거래하는 신용부도스와프(CDS, Credit Default Swap) 같은 신용파생상품과 달리 기초자산에서 발생하는 모든 현금흐름, 즉 시장위험과 신용위험을 모두 이전시키는 상품이다. TRS 거래의 기능이 사실상 무상 담보제공 내지 무상 신용보증과 동일하기 때문에 정당한 대가를 받지 않고 TRS를 제공하는 행위는 그 자체로 부당지원행위에 해당한다.

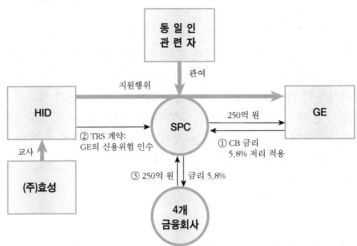

| 효성투자개발(HID)과 갤럭시아일렉트로닉스(GE)의 TRS 거래 |

한편, 공정거래법 제23조 제1항 제1호는 상당히 유리한 조건의 자금·자산·상품·용역 거래를 규정하고 제3호는 상당히 유리한 조건의 현금 및 그 밖의 금융상품 거래를 규정하고 있다. 제23조 제1항 제7호의 일반 부당지원행위에서는 물량몰아주기 방식이 '상당히 유리한 조건의 거래'의 일종으로 규정되어 있었지만, 제23조의2 특수관계인이익제공행위에서는 제4호로 별도 규정되어 있으므로 제23조의2의 '상당히 유리한 조건'에 대하여는 '정상가격보다 유리한 거래'로 해석하면 될 것이다. 그런데 제23조 제1항 제7호의 일반부당지원행위에서 자금·자산·상품·용역 거래와 현금 및 금융상품 거래를 같은 유형으로 분류하였는데 제23조의2에서 별도로 분류한 것에 대하여, 후자는 전자에 포함되는 유형이지만 대법원의 삼성 SDS 판결에서 보인 자연인에 대한 지원행위의 부당성 판단기준을 염두에 두고 입법적으로 극복하기 위한 조치로 보인다는 견해가 있다.[145] 사견으로 동일한 유형으로 봄이 타당하고 성립요건 등에 차이가 없다.

사익편취행위(특수관계인에 대한 부당이익제공 행위)의 성립요건은 ① 제공주체와 제공객체 간 거래(제3자를 통한 간접적·우회적 거래 포함), ② (i) 정상가격보다 유리한 조건의 자금·자산·상품·용역 거래 및 현금·금융상품 거래, (ii) 사업기회의 제공 또는 (iii) 합리적 고려·검토 없는 상당한 규모의 거래, ③ 특수관계인에게 이익의 귀속, ④ 이익의 부당성이다. (i) 유형의 거래에서는 일반 부당지원행위와 동일하게 정상가격과 실제거래의

145) 권오승·서정, 「독점규제법 이론과 해설」, 박영사(2018), p.524

상당한 차이가 인정되어야 한다. 한편, 특수관계인에게 귀속되는 이익은 특수관계인이 직접 거래상대방인 경우에는 거래에 따른 경제적 이익, 특수관계인 회사가 거래상대방인 경우 특수관계인의 지분적 이익으로도 충분하다고 본다. 제공행위로 인해 특수관계인에 대한 경제력집중이 발생하거나 그런 우려가 있는 상황이 되는 것이 '이익'이라고 보는 것은 근거가 없다.

한편, 이익의 부당성과 관련하여는 서울고등법원은 사익편취를 통한 경제력집중이 발생할 우려가 있는지를 구체적·개별적으로 판단하여야 한다는 입장이고(서울고등법원 2017. 9. 1. 선고 2017누36153 판결),[146] 아직 대법원 판단은 나오지 않은 상태이다. 하지만, 동일인 등이 자신의 지배력을 이용하여 내부거래를 통하여 자신의 이익(직접적이든 간접적이든)을 꾀하는 것 자체가 부당하므로, 다른 요건이 충족되면 이익의 부당성은 사실상 추정되는 것으로 봄이 합당하다.

해당 특수관계인이익제공 심사지침은 다음과 같다.

III. 법률상 요건의 충족여부 판단

4. 이익제공행위
  가. 이익제공행위는 제공주체와 제공객체 사이의 행위를 통하여 이루어진다.
  나. 이익제공행위는 제공주체와 제공객체 사이에서 직접 또는 간접적인 방법으로 이루어질 수 있다. 따라서 제공주체와 제공객체 사이의 직접적이고 현실적인 상품거래나 자금 거래행위라는 형식을 회피하기 위한 방편으로 제3자를 매개하여 상품거래나 자금 거래행위가 이루어지고 그로 인하여 특수관계인에게 실질적으로 경제상 이익이 직접 또는 간접적으로 귀속되는 경우 제3자를 매개로 한 간접거래도 이익제공행위의 범위에 포함된다.
  (예시) 생략
  - 제공객체가 발행한 전환사채에 관하여 제공주체가 제3자인 대주단에 제공주체 소유의 부동산을 담보로 제공하고 위 전환사채에 관하여 대주단과 TRS(Total Return Swap) 계약을 체결하여 대주단으로 하여금 위 전환사채를 인수하도록 함으로써 우회적으로 경제상 이익을 제공하는 행위

---

146) 동 판결은 상고되어 대법원 2017두63993 사건으로 계속 중이다.

특수관계인에 대한 이익제공 금지 규정에는 안전지대(safe harbor)가 규정되어 있다고 하는데 어떤 내용인가? 이 규정이 일반 부당지원행위에도 적용될 수 있는가?

A 공정거래법 제23조의2 제1항 각 호의 유형별로 별도로 안전지대 한도액이 적용되고, 하나의 제공주체가 둘 이상의 제공객체와 거래하는 경우 또는 하나의 제공객체가 둘 이상의 제공주체와 거래하는 경우 각 거래상대방별로 별도로 한도액을 계산해야 한다. 다만, 일반 부당지원행위에는 적용되지 않는다.

해설

공정거래법 시행령 [별표 1의3]에서는 일정한 조건을 충족하는 거래의 경우 법 제23조의2 제1항에서 규정한 상당히 유리한 조건 또는 상당한 규모의 거래에 해당하지 않는 것으로 간주하는 안전지대를 규정하고 있는바, 자세한 내용은 아래와 같다.

구 분	거래규모	거래조건
상당히 유리한 조건의 자금·자산·상품·용역·인력 거래 (제1호)	거래당사자 간 해당 연도 거래총액 -50억 원 미만 -상품·용역 거래: 200억 원 미만	정상가격과의 차이 7% 미만
상당한 규모의 거래(제4호)	거래당사자 간 해당 연도 상품·용역 거래총액(2 이상의 회사가 동일한 거래상대방과 거래하는 경우 각 회사의 거래금액을 합산) -200억 원 미만 -거래상대방의 직전 3개년도 평균 매출액의 12% 미만	없음
상당히 유리한 조건의 현금 및 금융상품 거래(제3호)	거래당사자 간 해당 연도 거래총액 50억 원	정상가격과 차이 7% 미만

안전지대의 거래규모 판단의 기준이 무엇인지 해석상 문제된다. 거래총액은 정상가격과 실제가격의 차이의 합산액이 아니라 거래액 자체의 합산액이다. 기본적으로 특수관계인 간의 거래 자체를 금지하기가 현실적이지 않고 또 수많은 개별 거래에 대한 위법성 여부를 평가하는 것에 상당한 행정·경영·규제비용이 소요되는 점을 고려하여 '안전지대'를 설정한 것이므로 가급적 보수적이고 단순하게 해석해야 한다.

법문에서도 개별 거래별로 판단한다거나 자금 거래, 자산 거래별로 합산하여 판단한다는 별도의 규정이 없음에 비추어 볼 때, 제23조의2 제1항 각 호의 유형 전체로 각 합산하여 판단함이 타당하다. 거래규모에 대한 안전지대는 계열사 간의 일정한 규모의 자금·자산 거래에 대하여는 따지지 않고 허용해 주는 것이고 같은 유형 또는 해당 유형 등의 문언이 없으므로 해당 당사자 간의 모든 자금·자산·상품·용역·인력 거래 합계액을 의미하는 것으로 보아야 한다.

구체적으로 자금·자산·상품·용역·인력 거래에서 연간 50억 원 미만, 다만 상품·용역 거래의 경우 연간 100억 원 미만이면 법 위반이 아닌 것으로 규정하고 있다. 연간 해당 당사자와 자금·자산·상품·용역·인력 거래 자금 전부의 합계액을 의미하는지, 아니면 해당 유형의 자금·자산·상품·용역·인력 거래를 의미하는지이다. 나아가 해당 거래상 대방과 자금·자산·인력 거래만 있는 경우와 상품·용역 거래도 있는 경우에는 기준을 어떻게 판단해야 하는가가 문제된다.

이에 대해서는 자금·자산·인력 거래만 있는 경우에는 거래총액이 50억 원 미만, 상품·용역 거래도 있는 경우에는 자금·자산·상품·용역·인력 거래 합계액이 200억 원 미만을 기준으로 한다고 해석해야 한다. 자금·자산·인력 거래에 별도로 50억 원, 상품·용역 거래에 별도로 200억 원의 기준이 적용된다고 보는 것은 자금·자산·상품·용역·인력 거래를 같은 호에서 하나의 유형으로 규정한 법문의 취지에 부합하지 않기 때문이다.

한편, 하나의 제공주체가 둘 이상의 제공객체와 자금·자산·상품·용역·인력 거래를 하는 경우 또는 하나의 제공객체가 둘 이상의 제공주체와 자금·자산·상품·용역·인력 거래를 하는 경우 안전지대 한도액을 어떻게 계산해야 하는가? 각 거래상대방별로 별도로 계산해야 한다. 예를 들어, A와 C 간 거래, B와 C 간 거래, A와 D 간 거래, B와 D 간 거래가 있는 경우, 제공주체 A 입장에서는 C와의 거래가 50억 원 미만이고 D와의 거래가 50억 원 미만이면 C 및 D와의 거래합계액이 50억 원을 넘더라도 안전지대 안에 있다고 보아야 하고, 제공객체인 C 입장에서 A와의 거래가 50억 원 미만이고 B와의 거래가 50억 원 미만이면 A와 B와의 거래 합계액이 50억 원을 넘더라도 안전지대 안에 있다고 보아야 한다.

공정거래법 제23조의2 제1항 제3호의 현금 및 금융상품 거래의 거래총액 안전지대 역시 위와 같이 해석된다. 기간 만료로 연장을 하든 신규 자금거래를 하든 관계없이 현금과 금융상품 전체를 합하여 연간 거래잔고를 기준으로 판단하면 될 것이다. 해당 연고 거래총액

50억 원 미만 자금·자산·상품·용역·인력 거래에 대한 한도와 관계없이 현금 및 금융상품에 대해서는 50억 원의 별도 한도가 인정된다. 다만, 사견으로 자금·자산·상품·용역·인력 거래와 현금·금융상품 거래를 별도로 구별할 필요가 없으므로 안전지대의 거래합산액 기준도 별도로 인정해 줄 필요가 없다고 본다. 입법론적 개선이 필요하다. 마찬가지로 하나의 제공주체가 둘 이상의 제공객체와 현금 및 금융자산 거래를 하는 경우 또는 하나의 제공객체가 둘 이상의 제공주체와 현금 및 금융자산 거래를 하는 경우 각 거래상대방별로 안전지대 한도액을 별도로 계산해야 한다.

한편, 제23조의2 제1항 제2호의 상당한 규모의 거래에 있어서는 모든 상품과 용역 거래합산액이 200억 원 미만인 경우이다. 그런데 제1호의 상품·용역 거래액과는 별도인지 논란이 있을 수 있겠지만 안전지대라는 입법취지상 당연히 합산하여 200억 원 미만이라 해석해야 한다. 한편, '2 이상의 회사가 동일한 거래상대방과 거래하는 경우 각 회사의 거래금액 합계액'이라 규정하였으므로 거래당사자 간 거래액을 별도로 판단하여야 한다. 예를 들어 A, B라는 제공객체가 C, D라는 제공객체와 상품·용역 거래를 하는 경우, 제공주체 A 입장에서 C와의 거래합산액이 200억 원 미만이고 D와의 거래합산액이 200억 원 미만이며, A와 C 거래액이 C의 평균매출액의 12% 미만이면, A와 C, D 거래액 합계액이 200억 원을 넘더라도 안전지대 내이다. 또, 지원객체 C 입장에서 A와의 거래합산액이 200억 원 미만이고 B와의 거래합산액이 200억 원 미만이며, A와의 거래액이 D의 평균매출액의 12% 미만이고 B와의 거래액이 D 평균매출액의 12% 미만이면, C와 A, B 거래합계액이 200억 원을 넘거나 그 둘과의 거래합계액이 D 평균매출액의 12%를 넘더라도 안전지대 내이다.

한편, 거래의 직전 3개년 평균매출액이므로, 예를 들어 위반행위가 2017년에 시작되어 2018년에 종료된 경우 2017년의 거래에 대하여는 직전 3개년인 2014~2016년의 평균매출액을 기준으로 판단하고, 2018년 거래는 2015~2017년 동안의 평균매출액을 기준으로 평가한다. 당연한 것이지만 안전지대(적용제외)의 범위를 벗어나는 거래라 해서 법 위반이 되는 것은 아니다.

이와 관련하여, 위와 같은 안전지대 규정에서 제시된 기준이 일반 부당지원행위의 '상당성' 판단에도 원용(援用)될 수 있는지 의문이 있을 수 있다. 특수관계인에 대한 부당한 이익제공 금지 규정에서는 경쟁제한성을 중심으로 한 부당성 요건이 요구되지 않기 때문에 일반 부당지원행위에 비해 법 집행이 용이하다고 평가된다.

안전지대 규정은 이로 인해 초래될 수 있는 과잉집행의 문제를 방지하고 수범자에게 예측가능성을 부여하기 위해 도입된 것으로 보이므로 일반 부당지원행위의 상당성 판단에 적용되는 직접적인 기준이 되기는 어렵다고 보인다. 다만, 일반지원행위에서 지원행위 성립여부를 판단함에 있어서 하나의 참고 기준이 될 수는 있다.

Q 71 자금 · 자산 · 상품 · 용역 · 인력 거래 이익제공행위, 현금 및 금융상품 거래 이익제공행위는 무엇인가?

A 제공주체가 제공객체와 자금 · 자산 · 상품 · 용역 · 인력을 거래하는 것은 전자, 현금 및 금융상품을 거래하는 것은 후자에 해당하지만, 현금 및 금융상품 역시 자금 · 자산 · 상품 등에 해당할 수 있기 때문에 양자를 별도 유형으로 입법할 필요가 있었는지 의문이다. 별도 유형으로 입법하였기 때문에 별도의 안전지대 한도액이 인정된다. 한편, 일반 부당지원행위에서와 마찬가지로 합리적 고려나 검토를 거친 경우라도 물량몰아주기가 상당히 유리한 조건임이 인정된다면 자금 · 자산 · 상품 · 용역 · 인력 거래 이익제공행위에 해당된다고 본다.

해설

본 조의 적용대상이 되는 행위는 정상적인 거래에서 적용되거나 적용될 것으로 판단되는 조건보다 상당히 유리한 조건으로 거래하여야 하고(공정거래법 제23조의2 제1항 제1호), 자금 · 자산 · 상품 · 용역 · 인력 거래이어야 한다. 현금 및 그 밖의 금융상품의 거래도 동일하게 정상가격에 비하여 상당히 유리한 조건으로 거래하는 경우에 성립하므로, 기준이 동일하다고 본다. 특별히 구분하여 다른 유형으로 규율할 필요는 크지 않다고 본다.

판례는 법원은 제23조의2의 자금 · 자산 · 상품 · 용역 · 인력 거래, 현금 · 금융상품 거래에 의한 이익제공행위에서도 정상가격 입증이 필요하며 공정거래위원회에 입증책임이 있다고 보고 있다. 서울고등법원은 '기업집단 한진 소속 계열회사들의 부당지원행위 및 특수관계자 부당이익 제공행위 건'에서 사익편취행위에 있어서도 정상가격이 입증이 필요하고 공정거래법 제23조 제1항 제7호의 해석론을 참작할 것이지만 공정거래저해성이 아니라 경제력집중의 맥락에서 조명해야 하며 정상가격에 대한 입증책임은 공정거래위원회에 있다고 판시하였다(서울고등법원 2017. 9. 1. 선고 2017누36153 판결).

동 법원은 사이버 스카이의 기내면세점 온라인 광고수입 전액 귀속행위, 사이버 스카이에 대한 통신수수료 면제행위, 사이버 스카이의 판촉물 고가매입행위, 유니컨버스에 대한 콜센터 시설이용료 · 지급행위에 대하여 상당한 규모로 거래하여 경제력집중을 도모한 것으로 보기 어렵다거나 정상가격에 비교하여 상당히 유리하다는 점이 입증되지 않았다는 이유로 사익편취에 해당하지 않는다고 본 것이다.

한편, 자금 · 자산 · 상품 · 용역 · 인력 거래의 경우 정상가격과 실제가격 간의 차이가 7%

미만이고, 거래당사자 간 해당 연도 거래총액이 50억 원(상품·용역의 경우 200억 원) 미만인 경우에는 상당성이 없어 규제대상에서 제외된다. 소위 상당성과 관련한 '안전지대'이다. 법문의 규정 및 안전지대의 취지상 자금·자산·인력 거래만 있는 경우에는 50억 원의 기준이 적용될 것이고, 상품·용역도 있는 경우에는 자금·자산·상품·용역·인력 거래의 합산액을 200억 원을 기준으로 판단함이 타당하다.

한편, 현금 및 그 밖의 금융상품 거래의 경우 별도의 호로 규정되어 있는 유형이므로 안전지대 역시 별도로 합산하여 판단하여야 한다. 연간 현금 및 금융상품 거래의 경우 정상가격과 실제가격의 차이가 7% 미만이고 거래합산액이 50억 원 미만이면 '안전지대'에 해당하므로 상당성이 없다고 본다.

한편, 종전 일반 부당지원행위에서 물량몰아주기 유형이 명시적으로 규정되지 있지 않았던 때에도 공정거래위원회와 법원은 거래규모 자체도 거래조건 중 하나이므로 '현저한 규모로 거래한 것' 역시 '현저히 유리한 조건'에 해당한다고 보았다.[147] 공정거래법 제23조의2의 법문은 그때의 제23조 제1항 제7호와 사실상 동일하므로 제23조의2 해석을 달리할 이유는 없다.

이러한 법리에 비추어 볼 때, 합리적 고려나 검토를 하더라도 상당한 규모로 거래한 경우에는 특수관계자 이익제공행위에 해당된다고 보는 것이 합당하다.

---

[147] 대법원은 "거래의 조건에는 거래되는 상품 또는 역무의 품질, 내용, 규격, 거래수량, 거래횟수, 거래시기, 운송조건, 인도조건, 결제조건, 지불조건, 보증조건 등이 포함되고 그것이 자금, 자산, 인력 거래라고 하여 달리 볼 것은 아니며, 거래규모는 거래수량에 관한 사항으로서 거래조건에 포함된다고 할 수 있고 현실적인 관점에서 경우에 따라서는 유동성의 확보 자체가 긴요한 경우가 적지 않음에 비추어 현저한 규모로 유동성을 확보할 수 있다는 것 자체가 현저히 유리한 조건의 거래가 될 수 있으므로, '현저한 규모로 제공 또는 거래하여 과다한 경제상 이익을 제공'하는 것도 법 제23조 제1항 제7호 소정의 '현저히 유리한 조건의 거래'의 하나라고 볼 수 있을 것이다"고 판시하여, 공정거래법 시행령에서 현저한 조건의 거래(2013년 개정법 이후에는 상당한 조건의 거래) 이외의 별도의 지원행위 유형을 만든 것이 아님을 밝히고 있다(대법원 2007. 1. 25. 선고 2004두7610 판결 참조).

특수관계인이익제공 심사지침

Ⅳ. 이익제공행위에 관한 구체적 검토

1. 상당히 유리한 조건의 거래

　가. 판단기준

　　1) 상당히 유리한 조건이라 함은 정상적인 거래에서 적용되는 대가보다 사회통념이나 거래관념상 일반인의 인식의 범위를 넘어서는 유리한 조건의 거래를 말하고, 현저히 유리한 정도에 미치지 못하여도 상당히 유리한 조건에는 해당할 수 있다.

　　2) 제공주체가 직접 제공객체와 상당히 유리한 조건의 거래를 하는 경우는 물론이고, 제공주체가 제3자를 매개하여 제공객체와 상당히 유리한 조건의 거래를 하고 그로 인하여 특수관계인에게 부당한 이익이 귀속되는 경우에도 부당한 이익제공행위에 해당한다.

　　3) 상당히 유리한 조건인지 여부는 급부와 반대급부 사이의 차이는 물론 거래규모와 이익제공행위로 인한 경제상 이익, 제공기간, 제공횟수, 제공시기, 제공행위 당시 제공객체가 처한 경제적 상황 등을 종합적으로 고려하여 구체적·개별적으로 판단한다.

　나. 상당히 유리한 조건의 자금 거래

　　1) 상당히 유리한 조건의 자금 거래는 제공주체가 제공객체와 가지급금 또는 대여금 등 자금을 정상적인 거래에서 적용되는 대가보다 상당히 낮거나 높은 대가로 제공하거나 거래하는 행위를 말한다. 상당히 유리한 조건의 자금 거래는 회계처리상 계정과목을 가지급금 또는 대여금으로 분류하고 있는 경우에 국한하지 아니하고, 제공주체가 제공객체의 금융상 편의를 위하여 직접 또는 간접으로 자금을 이용할 수 있도록 경제상 이익을 제공하는 일체의 행위를 말한다.

　　　(예시) 생략

　　2) 상당히 유리한 조건의 자금 거래는 실제 적용된 금리(이하 "실제적용금리"라 한다)가 해당 자금 거래와 시기, 종류, 규모, 기간, 신용상태 등의 면에서 유사한 상황에서 해당 제공객체와 그와 특수관계가 없는 독립된 금융기관간에 제공주체의 이익제공 없이 자금 거래가 이루어졌다면 적용될 금리(이하 "개별정상금리"라 한다)보다 낮거나 높은 경우에 성립한다.

　　3) 개별정상금리는 원칙적으로 아래의 방법으로 산출한 금리 중 순차적으로 우선 산출가능한 금리를 말한다.

　　　가) 제공객체가 제공받은 방법과 동일한 수단을 통해 동일한 시점에 독립적인 방법으로 차입한 금리

　　　나) 제공객체가 제공을 받은 방법과 동일한 수단을 통해 유사한 시점에 독립적

인 방법으로 차입한 금리. 여기서 유사한 시점이란 사안별로 이익제공 규모, 제공시점의 금리변동의 속도 등을 종합적으로 고려하여 결정하되, 해당일 직전·직후 또는 전후의 3개월 이내의 기간을 말한다. 다만, 유사한 시점에 독립적인 방법으로 차입한 금리는 없으나 그 이전에 변동금리 조건으로 차입한 자금이 있는 경우에는 제공받은 시점에 제공객체에게 적용되고 있는 그 변동금리를 유사한 시점에 차입한 금리로 본다.

다) 신용평가기관에 의한 신용등급 등에 비추어 신용상태가 제공객체와 유사하다고 인정할 수 있는 회사가 해당방법과 동일한 수단을 이용하여 동일한 시점에 독립적인 방법으로 차입한 금리

라) 제공객체가 제공받은 방법과 유사한 수단을 통해 동일 또는 유사한 시점에 독립적인 방법으로 차입한 금리. 여기서 유사한 수단이란 사안별로 차입기간, 금액, 장단기 금리수준 등을 종합적으로 고려하여 유사하다고 인정할 수 있는 수단을 말한다.

마) 제공객체가 동일 또는 유사한 시점에 다른 수단으로 차입한 경우에는 그 금리

4) 공사대금 미회수, 기간이 특정되어 지지 않은 단순대여금 등 이익제공 시점에 만기를 정하지 않은 경우에는 제공객체의 월별평균차입금리를 개별정상금리로 본다. 여기서 월별평균차입금리는 제공객체가 해당 월에 독립적으로 차입한 자금의 규모를 가중하여 산정한 금리를 말한다.

5) 다만, 상기 원칙에 따라 정해진 금리를 개별정상금리로 볼 수 없거나, 적용순서를 달리할 특별한 사유가 있다고 인정될 경우, 또는 제공주체의 차입금리가 제공객체의 차입금리보다 높은 경우 등 다른 금리를 개별정상금리로 보아야 할 특별한 사유가 있는 경우에는 그 금리를 개별정상금리로 본다.

6) 개별정상금리를 위에서 규정된 방법에 의해 산정하기 어렵고, 또한 제공객체의 재무구조, 신용상태, 차입방법 등을 감안할 때 개별정상금리가 한국은행이 발표하는 예금은행의 가중평균 당좌대출금리(이하 "일반정상금리"라 한다)를 하회하지 않을 것으로 보는 것이 합리적인 경우에는 해당 자금 거래의 실제적용금리와 일반정상금리를 비교하여 상당히 유리한 조건의 자금 거래 여부를 판단한다.

7) 전항의 규정에도 불구하고, 제공객체의 재무구조, 신용상태, 차입방법 등을 감안할 때 제공객체의 개별정상금리가 일반정상금리보다 높은 수준인 것으로 보는 것이 합리적인 상황에서 일반정상금리 수준으로 상당한 규모의 자금 거래를 하는 것은 상당히 유리한 조건의 자금 거래에 해당한다.

다. 상당히 유리한 조건의 자산·상품·용역 거래

1) 상당히 유리한 조건의 자산·상품·용역 거래는 제공주체가 제공객체와 부동

산·유가증권·무체재산권 등 자산 또는 상품·용역을 정상적인 거래에서 적용되는 대가보다 상당히 낮거나 높은 대가로 제공하거나 거래하는 행위를 말한다. (예시) 생략

 - 통상적인 직거래관행이나 기존의 거래형태와 달리 제공객체를 통해 상품을 간접적으로 구매하면서 실제 거래에 있어 제공객체의 역할을 제공주체가 수행하거나 제공주체와 역할이 중복되는 등 제공객체가 거래에 있어 실질적인 역할을 하지 않는 경우〔통행세 거래〕

2) 상당히 유리한 조건의 자산·상품·용역 거래는 실제 거래가격이 해당 자산·상품·용역 거래와 시기, 종류, 규모, 기간 등이 동일 또는 유사한 상황에서 특수관계가 없는 독립된 자 간에 이루어졌다면 형성되었을 거래가격(이하 "정상가격"이라 한다)에 비하여 낮거나 높은 경우에 성립한다.

3) 정상가격은 다음의 방법에 따라 순차적으로 산출한다.

  가) 해당 거래와 시기, 종류, 규모, 기간 등이 동일한 상황에서 특수관계가 없는 독립된 자 간에 실제 거래한 사례가 있는 경우 그 거래가격을 정상가격으로 한다.

  나) 해당 거래와 동일한 실제사례를 찾을 수 없는 경우에는 ① 먼저 해당 거래와 비교하기에 적합한 유사한 사례를 선정하고, ② 그 사례와 해당 이익제공행위 사이에 가격에 영향을 미칠 수 있는 거래조건 등의 차이가 존재하는지를 살펴, ③ 그 차이가 있다면 이를 합리적으로 조정하는 과정을 거쳐 정상가격을 추단한다.

  다) 해당 거래와 비교하기에 적합한 유사한 사례도 찾을 수 없다면 부득이 통상의 거래당사자가 거래 당시의 일반적인 경제 및 경영상황 등을 고려하여 보편적으로 선택하였으리라고 보이는 현실적인 가격을 규명함으로써 정상가격을 추단한다. 이 경우 자산·상품·용역의 종류, 규모, 거래상황 등을 참작하여 국제조세조정에 관한 법률 제5조(정상가격의 산출방법) 및 동법 시행령 제2장(국외특수관계인과의 거래에 대한 과세조정) 또는 상속세 및 증여세법 제4장(재산의 평가) 및 동법 시행령 제4장(재산의 평가)에서 정하는 방법을 준용할 수 있다. 다만, 사업자가 자산·상품·용역거래 과정에서 국제조세조정에 관한 법률 등에 따라 가격을 산정하였다고 하여 그러한 사정만으로 특수관계인에 대한 부당한 이익제공행위에 해당하지 않는 것으로 판단되는 것은 아니다.

라. 상당히 유리한 조건의 인력 거래

  1) 상당히 유리한 조건의 인력 거래는 제공주체가 제공객체와 인력을 정상적인 거

래에서 적용되는 대가보다 상당히 낮거나 높은 대가로 제공하거나 거래하는 행위를 말한다.

2) 상당히 유리한 조건의 인력 거래는 제공객체가 제공주체 또는 해당 인력에 대하여 지급하는 일체의 급여·수당등(이하 "실제지급급여"라 한다)이 해당 인력이 근로제공의 대가로서 제공주체와 제공객체로부터 지급받는 일체의 급여·수당등(이하 "정상급여"라 한다)보다 적은 때에 성립한다.

(예시) 생략

3) 해당 인력이 제공객체와 제공주체 양자에게 근로제공을 하고 있는 경우에는 그 양자에 대한 근로제공 및 대가지급의 구분관계가 합리적이고 명확한 때에는 해당 인력이 제공객체와 제공주체로부터 지급받는 일체의 급여·수당 등의 금액에서 해당 인력의 제공주체에 대한 근로제공의 대가를 차감한 금액을 위의 정상급여로 간주한다. 그 구분관계가 합리적이지 아니하거나 명확하지 아니한 때에는 해당 인력이 제공객체와 제공주체로부터 지급받는 일체의 급여·수당등에서 제공객체와 제공주체의 해당 사업연도 매출액 총액 중 제공객체의 매출액이 차지하는 비율에 의한 분담금액을 위의 정상급여로 간주한다. 다만, 인력제공과 관련된 사업의 구분이 가능한 경우에는 그 사업과 관련된 매출액을 제공객체와 제공주체의 매출액으로 할 수 있다.

마. 적용제외

1) 시기, 종류, 규모, 기간, 신용상태 등이 유사한 상황에서 법 제7조 제1항에 따른 특수관계인이 아닌 자와의 정상적인 거래에서 적용되거나 적용될 것으로 판단되는 조건과의 차이가 100분의 7 미만이고, 거래당사자 간 해당 연도 거래총액이 50억 원(상품·용역의 경우에는 200억 원) 미만인 경우에는 상당히 유리한 조건에 해당하지 않는 것으로 본다.

2) 적용제외 범위에 해당하려면 거래조건 차이와 거래총액 요건을 모두 충족하여야 한다. 즉, ① 거래총액은 적으나 정상적인 거래조건과의 차이가 많은 경우 또는 ② 정상적인 거래조건과의 차이는 작으나 거래총액이 많은 경우에는 적용제외 범위에 해당하지 않는다.

3) 해당 연도 거래총액을 계산함에 있어서는 제공주체와 제공객체 간에 이루어진 모든 거래규모를 포함하여 계산하며, 여기서 거래총액이란 제공객체의 매출액 및 매입액을 합산한 금액을 의미한다.

3. 현금, 그 밖의 금융상품의 상당히 유리한 조건의 거래

가. 현금, 그 밖의 금융상품의 상당히 유리한 조건의 거래는 제공주체가 특수관계인과 현금, 그 밖의 금융상품을 정상적인 거래에서 적용되는 대가보다 상당히 낮거나 높

은 대가로 제공하거나 거래하는 행위로 한다.

나. 현금, 그 밖의 금융상품의 상당히 유리한 조건의 거래에 관해서는 거래의 대상이 되는 금융상품의 성격에 따라 자금에 해당하면 Ⅳ. 1. 나.의 상당히 유리한 조건의 자금 거래에 관한 규정을 준용하고, 유가증권 등 자산에 해당하면 Ⅳ. 1. 다.의 상당히 유리한 조건의 자산 거래에 관한 규정을 준용한다.

다. 시기, 종류, 규모, 기간, 신용상태 등이 유사한 상황에서 법 제7조 제1항에 따른 특수관계인이 아닌 자와의 정상적인 거래에서 적용되거나 적용될 것으로 판단되는 조건과의 차이가 100분의 7 미만이고, 거래당사자 간 해당 연도 거래총액이 50억 원 미만인 경우에는 상당히 유리한 조건에 해당하지 않는 것으로 본다. 적용제외에 관해서는 Ⅳ. 1. 마. 2), 3)의 규정을 준용한다.

Q 72 상당한 규모에 의한 특수관계자부당이익제공은 무엇인가?

A 경쟁입찰 등 거래상대방 선정 및 계약체결과정에서와 같이 합리적 고려와 검토 없이 특수관계인 회사 또는 특수관계인에게 상당한 규모로 이루어진 거래를 의미한다.

해설

거래상대방 선정 및 계약체결과정에서 사업능력, 재무상태, 신용도, 품질, 가격 또는 거래조건 등 해당거래의 의사결정에 필요한 정보를 충분히 소집 · 조사하고 이를 객관적 · 합리적으로 검토하거나 다른 사업자와 비교 · 평가하는 등 해당거래의 특성상 통상적으로 이루어지거나 이루어질 것으로 기대되는 거래상대방의 적합한 선정과정 없이 상당한 규모로 거래하는 행위를 의미한다. '상당한 규모로 거래'하였는지 여부는 지원객체가 속한 시장의 구조와 특성, 거래 당시 지원객체의 경제적 상황, 지원객체가 얻은 경제상 이익, 여타 경쟁사업자의 경쟁능력 등을 종합적으로 고려하여 구체적 · 개별적으로 판단한다.

다만, 거래당사자 간 상품 · 용역의 해당 연도 거래총액(2 이상의 회사가 동일한 거래상대방과 거래하는 경우 각 회사의 거래금액 합계액으로 한다)이 200억 원 미만이고 거래상대방의 평균매출액의 12% 미만인 경우 상당한 규모에 해당하지 않는 것으로 본다(공정거래법 제23조의2 제1항 제4호, 시행령 제38조 제3항 별표 1의3 제4호). 이 경우 평균매출액은 거래행위의 직전 3개년의 평균매출액을 의미한다(사익편취 심사지침 IV. 4.). 규모의 상당성에 대한 안전지대이다.

공정거래법 제23조의2 제1항 제4호 규정상 (i) 상당한 규모로 거래하였는지 여부 외에도, (ii) 당해 거래와 관련된 의사결정이 정당한 절차를 거쳐 이루어졌는지 여부(거래상대방 및 거래 조건에 관한 조사, 검토 및 비교, 선택의 과정)를 위반행위 성립요건으로 하고 있는 것이다.

이때, 공정거래위원회는 (ii) 요건, 즉 내부거래와 관련된 사업자의 의사결정이 통상적이거나 적합한 과정을 거쳐 이루어지지 않았다는 점에 대해서도 입증책임을 부담하는데, 복잡한 거래현실과 의사결정 과정을 감안하였을 때 이에 대한 입증은 매우 어려울 수 있다. 즉, 의사결정 절차가 법망을 회피하기 위한 형식적인 것이라거나, 사전에 확정된 특수관계인을 거래상대방으로 선정하기 위하여 일방적인 기준에 따라 이루어진 것이 명백하다는 등의 특별한 사정이 밝혀지지 않는 한, 의사결정과 관련된 절차적 정당성에 하자가 있다는 점을 입증하는 것은 쉽지 않을 것으로 생각된다.

통상 경쟁입찰의 절차를 거쳐 계열회사와 거래했다면 합리적 고려나 비교를 거쳤다고 볼 수 있지만 외형일 뿐이고, 실질적으로는 계열회사가 낙찰받게 하기 위한 형식적 과정에 불과한 경우에는 일감몰아주기에 해당할 수 있다. 수의계약 자체를 금지하고 있지는 않다. 한편, 수의계약을 계열회사와 거래한 경우에는 적극적으로 회사가 예외사유에 해당하거나 합리적 고려나 검토를 거쳐 수의계약된 사정을 입증해야 하지만, 그렇다고 수의계약 자체가 금지된다고 볼 수는 없다.[148] 다만, 경쟁입찰에 따른 거래가 가능한 분야에서 합리적인 이유 없이 계열사 간 수의계약으로 거래할 경우, 수의계약하였다는 사정은 부당성 인정의 유력한 정황이 될 수 있다.

공정거래위원회는 STX 조선해양이 사원아파트 공사를 발주하면서 다른 건설사의 공사원가와 비교하지 않고 STX 건설과 수의계약한 것에 대하여 부당성을 인정하였고(공정거래위원회 의결 제2012-028호), 기아자동차가 계열사인 로템에게 고가로 프레스기 및 자동차 운반설비를 발주한 사안에서 수의계약을 통하여 다른 거래처를 배제한 것을 부당성 인정 근거로 삼았다(공정거래위원회 의결 제2007-504호). 또, 한국가스공사가 경쟁입찰이 가능한 공사를 한국가스기술공사에게 수의계약으로 거래한 것 역시 동일하게 판단하였다(공정거래위원회 의결 제2008-290호). 공정거래위원회 실무는 경쟁입찰이 가능한 영역에서 수의계약을 한 경우 피조사기업에 대하여 절차적으로 거래상대당 선정 및 거래조건 평가과정을 소명하게 하고, 아울러 수의계약을 해야만 했던 정당화 사유에 대하여 엄격하고 객관적인 소명을 요구하는 경향이 있다.

규모의 상당성에 대한 안전지대 해석과 관련하여 '2 이상의 회사가 동일한 거래상대방과 거래하는 경우 각 회사의 거래금액 합계액'이라 규정하였으므로 거래당사자 간 거래액을 별도로 판단하여야 한다. 한편, 각 연도별 상당한 규모에 의한 이익제공행위의 거래총액과 거래의 직전 3개년 평균매출액의 12%와 비교하여 판단되어야 한다.

---

148) 공정거래위원회, 「총수일가 사익편취 가이드라인」(2016. 5.), p.19

특수관계인이익제공 심사지침 규정은 다음과 같다.

Ⅳ. 이익제공행위에 관한 구체적 검토

4. 합리적 고려나 비교 없는 상당한 규모의 거래

  가. 판단기준

    1) 합리적 고려나 비교 없는 상당한 규모의 거래라 함은 거래상대방 선정 및 계약체결 과정에서 사업능력, 재무상태, 신용도, 기술력, 품질, 가격, 거래규모, 거래시기 또는 거래조건 등 해당 거래의 의사결정에 필요한 정보를 충분히 수집·조사하고, 이를 객관적·합리적으로 검토하거나 다른 사업자와 비교·평가하는 등 해당 거래의 특성상 통상적으로 이루어지거나 이루어질 것으로 기대되는 거래상대방의 적합한 선정과정 없이 상당한 규모로 거래하는 행위로 한다.

    2) 원칙적으로 ① 시장조사 등을 통해 시장참여자에 대한 정보를 수집하고, ② 주요 시장참여자로부터 제안서를 제출받는 등 거래조건을 비교하여, ③ 합리적 사유에 따라 거래상대방을 선정하는 과정을 거친 경우에는 합리적 고려나 비교가 있었던 것으로 본다.

    3) 경쟁입찰(국가를 당사자로 하는 계약에 관한 법률 제7조 제1항 본문의 경쟁입찰 또는 그에 준하는 입찰을 의미한다)을 거친 경우에는 원칙적으로 합리적 고려·비교가 있는 것으로 본다. 그러나 형식적으로는 입찰절차를 거쳤지만 애초에 특정 계열회사만 충족할 수 있는 조건을 제시한 경우, 시장참여자들에게 입찰과 관련된 정보를 제대로 알리지 않은 경우, 낙찰자 선정사유가 불합리한 경우 등 실질적으로 경쟁입찰로 볼 수 없는 경우에는 합리적 고려·비교가 없는 것으로 본다.

    4) 수의계약을 체결한 경우라도 사전에 시장참여자에 대한 조사를 거쳐 다수의 사업자로부터 실질적인 내용이 담긴 제안서를 제출받고(복수의 계열회사로부터만 제안서를 제출받은 경우는 제외한다) 그에 대한 검토보고서 등을 작성한 뒤 통상적인 결재절차를 거쳐서 합리적 사유에 따라 수의계약 당사자가 선정되었다는 점 등이 객관적으로 확인되는 경우에는 합리적 고려·비교가 있는 것으로 볼 수 있다.

    5) '상당한 규모'로 거래하였는지 여부는 제공객체가 속한 시장의 구조와 특성, 거래 당시 제공객체의 경제적 상황, 제공객체가 얻은 경제상 이익, 여타 경쟁사업자의 경쟁능력 등을 종합적으로 고려하여 구체적·개별적으로 판단한다.

  나. 거래총액 및 거래비중에 따른 적용제외

    1) 거래당사자 간 상품·용역의 해당 연도 거래총액(2 이상의 회사가 동일한 거래상대방과 거래하는 경우에는 각 회사의 거래금액의 합계액으로 한다)이 200억

원 미만이고(거래총액 요건), 거래상대방의 평균매출액의 100분의 12 미만인 경우(거래비중 요건)에는 상당한 규모에 해당하지 않는 것으로 본다.

2) 위 적용제외 범위에 해당하려면 거래총액 요건과 거래비중 요건을 모두 충족하여야 한다. 즉, ① 해당 연도 거래총액은 적으나 거래상대방의 평균매출액에서 차지하는 거래비중이 높은 경우, 또는 ② 거래상대방의 평균매출액에서 차지하는 거래비중은 적으나 해당 연도 거래총액은 많은 경우에는 적용제외 범위에 해당하지 않는다. 예컨대, 해당 연도 거래총액이 200억 원 미만이더라도 거래상대방 평균매출액의 100분의 12 이상을 차지하는 경우에는 법 적용대상이 된다.

3) 거래총액 요건과 관련하여 해당 연도 거래총액을 계산함에 있어서는 제공주체와 제공객체 간에 이루어진 전체 상품·용역의 거래 규모를 포함하여 계산하며, 여기서 거래총액이란 제공객체의 매출액 및 매입액을 합산한 금액을 의미한다.

4) 거래비중 요건과 관련하여 평균매출액은 매년 직전 3년을 기준으로 산정한다. 다만, 해당 사업연도 초일 현재 사업을 개시한 지 3년이 되지 아니하는 경우에는 그 사업개시 후 직전 사업연도 말일까지의 매출액을 연평균 매출액으로 환산한 금액을, 해당 사업연도에 사업을 개시한 경우에는 사업개시일부터 위반행위일까지의 매출액을 연매출액으로 환산한 금액을 평균매출액으로 본다.

(예시)

– 위반행위가 2017년에 시작되어 2018년에 종료된 경우 2017년에 대한 평균매출액은 2014~2016년, 2018년은 2015~2017년 동안의 각각의 평균매출액을 산정한 후, 위 각 평균매출액에서 각 해 거래총액이 차지하는 비중을 산정하여 각 해당연도의 거래비중 요건 충족 여부를 판단한다.

Q 73 합리적 고려나 비교를 하지 않고 상당한 규모로 거래하였다면 거래조건이 정상가격에 부합하더라도 특수관계인이익제공에 해당하는가? 합리적 고려와 비교를 한 경우라면 불공정한 거래라도 특수관계인이익제공에 해당하지 않는가?

A 법문에는 명확한 거래의 유리성에 대한 규정이 없지만, 내부거래 자체로 위법하다고 볼 수는 없고 내부거래 위법성의 핵심은 거래조건이므로, 거래조건이 공정함이 인정된다면 합리적 고려나 비교가 없는 상당한 규모의 거래라도 위법이라 볼 수 없다. 다만, 동 유형에서 절차 위반의 경우 거래조건의 불공정성이 추정되는 것이므로 거래조건의 공정함에 대하여는 공정거래위원회가 아니라 수범자에게 입증책임이 있다고 본다. 한편, 합리적 고려와 검토를 거친 경우라도 정상가격보다 유리하거나 불리한 거래를 한 경우 또는 상당히 유리한 조건으로 상당한 규모로 거래한 경우에는 자금 · 자산 · 상품 거래를 통한 특수관계인이익제공에 해당한다.

해설

공정거래법 제23조 제1항 제7호 가목에서는 "상당히 유리한 조건으로 거래하는 행위"라고 하면서 시행령 제36조 제1항 별표 1의3. 10. 가. 부당한 자금지원 및 나. 부당한 자산 · 상품 등 지원에서 "상당한 규모로 제공 또는 거래하는 행위"라 규정하고 있는데, 이를 우리 공정거래위원회와 법원이 상당한 규모의 거래 자체로도 상당히 유리한 조건에 해당하지만 규모 이외에도 거래조건이 전반적으로 유리할 것을 요구한다고 보았다(공정거래위원회 2007. 10. 24. 의결 제2007-504호 및 서울고등법원 2009. 8. 19. 선고 2007누30903 판결).

다만, 거래조건 지원행위에서는 정상가격 산정까지 필요하지만 물량 지원행위에서는 정상가격을 산정하지 않더라도 매출액 및 매출이익 상승률, 가격상승률 등을 종합해서 전반적으로 유리한 거래임을 보이면 족하다고 본 것이다.

그런데 공정거래법 제23조의2 제1항 제4호에서는 "사업능력, 재무상태, 신용도, 기술력, 품질, 가격 또는 거래조건 등에 대한 합리적인 고려나 다른 사업자와의 비교 없이 상당한 규모로 거래하는 행위"를 금지한다고만 하고 있고, 사익편취 심사지침에서도 "합리적 고려나 비교 없는 상당한 규모의 거래라 함은 거래상대방 선정 및 계약체결 과정에서 사업능력, 재무상태, 신용도, 기술력, 품질, 가격, 거래규모, 거래시기 또는 거래조건 등 해당 거래의 의사결정에 필요한 정보를 충분히 수집 · 조사하고, 이를 객관적 · 합리적으로 검토하거나 다른 사업자와 비교 · 평가하는 등 해당 거래의 특성상 통상적으로 이루어지거나 이루어질 것으로 기대되는 거래상대방의 적합한 선정과정 없이 상당한 규모로 거래하는 행위로 한다."고 규정하고 있다(IV. 4.). 이처럼 법령이나 지침 어디에도 일반 부당지원행위의 물량몰아주기에서와 같이 상당한 규모의 물량 이외에도 상당히 유리한 조건이어야 한다는 조항이 없다.

이런 점에서 합리적인 고려나 비교를 하지 않는 등 요구되는 선정과정이 없거나 적법한 절차를 위반하여 상당한 규모로만 거래하면, 설사 가격이 정상가격에 부합하는 등 다른 거래조건에서 상당히 유리한 것이 입증되지 않더라도 사익편취에 해당한다고 볼 여지가 없는 것은 아니다. 하지만 일정한 규모 이상의 기업집단(공시대상 기업집단)의 소속 회사라고 하여 내부거래 자체를 금지하는 취지는 아니다. 사익편취 규제 역시 일반 부당지원행위의 연장선상에서 적용 대상과 범위를 좁히되 대신 부당성의 요건을 완화시키기 위하여 입법되었다. 그래서 특수관계인과의 거래라도 절차만 미비되었을 뿐 거래조건이 적법하여 특수관계자에게 부당한 이익이 공여되지 않았다면, 오로지 절차 위반만으로 실질적 지원행위가 이루어진 경우와 동등하게 엄중한 제재를 가하는 것은 입법취지에 부합하지 않는다고 판단된다.

더하여 일반 부당지원행위에서는 거래의 공정성 여부를 정상가격이라는 실체적 개념으로만 판단하지만, 미국의 경우에는 Weinberger v. UOP, Inc. 판결[149]에서 알 수 있듯이 절차적 측면과 실체적 측면 양자를 모두 고려하여 거래의 공정성 여부를 판단하고 있다. 절차적 정당성이 인정되면 실체적 측면에서의 공정성이 추정되므로, 위법성을 주장하는 측에서 실체적 불공정성을 입증해야 하는 방식이다.[150] 법 제23조의2 제1항 제4호의 절차적 정당성에 관한 요건이 이런 미국법적 사고, 즉 '절차의 공정성이 실체적 공정성을 담보'한다는 것에서 비롯된 것이라면, 절차적 흠결이 인정되더라도 수범자는 거래조건의 정당성을 반증함으로써 위법하다는 종국적 판단을 면할 수 있다고 볼 수 있다(즉, 의사결정 과정의 절차적 하자가 인정되면 실체적 거래조건의 정당성에 대한 입증책임이 수범자에게 전환되는 것으로 볼 수 있다).

이런 점에서 공정거래법 제23조의2 제1항 제4호의 경우 규모 외에도 거래조건이 전반적으로 유리하다는 점이 요구된다 할 것이고, 다만 요구되는 합리적 비교나 검토 등 절차를

---

149) 457 A2d 701(Del. 1983)
150) 서정, 박사학위논문, 「부당한 지원행위 규제에 관한 연구」(2008. 4.), p.208

거치지 않은 경우에는 전반적으로 유리하지 않음이 사실상 추정되는 것으로 해석함이 합당하다.

한편, 종전 일반 부당지원행위에서 물량몰아주기 유형이 명시적으로 규정되어 있지 않았던 때에도 공정거래위원회와 법원은 거래규모 자체도 거래조건 중 하나이므로 '현저한 규모로 거래한 것' 역시 '현저히 유리한 조건'에 해당한다고 보았다(대법원 2007. 1. 25. 선고 2004두7610 판결). 이러한 법리에 비추어 볼 때, 합리적 고려나 검토를 하더라도 상당한 규모로 거래한 경우에는 자산·자금·상품·용역 거래를 통한 특수관계자이익제공행위에 해당된다고 보는 것이 합당하다.

Q74 상당한 규모의 거래에 따른 특수관계인에 대한 부당한 이익제공 행위 금지규정은 어떠한 경우 적용 예외가 인정되는가?

A 효율성 증대, 보안성, 긴급성을 이유로 한 거래는 공정거래법 제23조의2 제1항 제4호의 적용 대상에서 제외된다. 일반 부당지원행위 중 물량몰아주기에 대해서는 곧바로 적용되지는 않지만, 정당화 사유의 판단기준으로는 활용될 여지가 있다.

해설

| 상당한 규모의 거래에 대한 예외 |

구분	정 의	예 시
효율성	다른 자와의 거래로는 달성하기 어려운 비용 절감, 판매 증대, 품질 개선, 기술개발 등 효율성 증대효과가 명백한 거래 • 가까운 미래에 거의 확실하게 예견되는 것이어야 함.	(i) 전후방 연관관계에 따른 부품 소재 등 거래 (ii) 필수적 서비스에 대한 산업 연관성 높은 거래 (iii) 일부 사업을 전문화된 계열사에 전담시키는 거래 (iv) 축적된 인적·물적 협업관계 (v) 전문 지식과 인력보유, 대규모·연속적 사업의 일부, 계약이행의 신뢰성
보안성	다른 자와 거래 시 영업 활동에 필요한 기술 및 정보의 유출 등으로 경제적으로 회복하기 어려운 피해가 있는 거래	(i) ERP, 공장, 연구개발시설, 통신기반시설 등 필수설비 구축·운영, 핵심기술 연구·개발·보유 관련 거래 (ii) 거래 과정에서 영업기밀·개인정보·핵심 경영정보 등에 접근이 가능한 경우
긴급성	경기급변, 금융위기, 천재지변, 전산시스템 장애 등 회사 외적 요인으로 긴급한 사업상의 필요에 따른 불가피한 거래	

※ 공정위 가이드라인은 효율성, 보안성, 긴급성의 예외를 대단히 엄격하게 규정하고 있어서 실제 공정위로부터 예외 인정을 받는 것은 매우 어려움 → 사업자가 입증책임 부담

공정거래법 제23조의2 제2항에서는 "기업의 효율성 증대, 보안성, 긴급성 등 거래의 목적을 달성하기 위하여 불가피한 경우로서 대통령령으로 정하는 거래는 제1항 제4호를 적용하지 아니한다"고 규정하고 있다. 공정거래법 시행령 제38조 제4항 별표 1의4에서는 이러한 적용 예외 사유를 다음과 같이 구체화하고 있다.

가. 효율성 증대: 다른 자와의 거래로는 달성하기 어려운 비용절감, 판매증대, 품질개선, 기술개발 등 효율성 증대효과가 명백하게 인정되는 거래

(i) 상품의 규격·품질 등 기술적 특성상 전후방 연관관계에 있는 계열회사 간의 거래로서 해당 상품의 생산에 필요한 부품·소재 등을 공급 또는 구매하는 경우

(ii) 회사의 기획·생산·판매 과정에 필수적으로 요구되는 서비스를 산업연관성이 높은 계열회사로부터 공급받는 경우

(iii) 주된 사업영역에 대한 역량 집중, 구조조정 등을 위하여 회사의 일부 사업을 전문화된 계열회사가 전담하고 그 일부 사업과 관련하여 그 계열회사와 거래하는 경우

(iv) 긴밀하고 유기적인 거래관계가 오랜 기간 지속되어 노하우 축적, 업무 이해도 및 숙련도 향상 등 인적·물적으로 협업체계가 이미 구축되어 있는 경우

(v) 거래목적상 거래에 필요한 전문 지식 및 인력 보유 현황, 대규모·연속적 사업의 일부로서 밀접한 연관성 또는 계약이행에 대한 신뢰성 등을 고려하여 계열회사와 거래하는 경우

효율성 증대효과에 따른 예외사유가 인정되기 위해서는 '다른 자와의 거래로는 달성하기 어려운 효율성 증대효과'가 있음이 명백하게 인정되는 거래이어야 한다. 따라서, 효율성 증대효과는 당해 거래가 없었더라도 달성할 수 있었을 효율성 증대부분을 포함하지 아니한다. 효율성 증대효과는 가까운 시일 내에 발생할 것이 명백하여야 하며, 단순한 예상 또는 희망사항이 아니라 그 발생이 거의 확실한 정도임이 입증될 수 있는 것이어야 한다. 공정거래위원회의 '총수일가 사익편취 가이드라인'에 의하면 신제품 광고업무를 신제품 출시시기에 맞춰 신속하게 진행할 필요가 있어 이미 검증된 광고회사에게 신제품 광고제작 업무를 위탁하는 것은 효율성 증대효과에 따른 예외로 볼 수 없고, 계열 광고회사라도 특정 업종에 특화된 광고회사가 아닌 종합광고 대행사 형태라면 특정 제품에 대한 전문성은 계열 광고회사와 독립된 외부 광고대행사 사이에 큰 차이가 없을 수 있으므로, 홍보효과를 높이기 위해 제품에 대한 전문지식과 인력을 보유한 계열 광고회사에 광고제작을 의뢰한다는 것이 효율성 증대의 예외로 인정하기 어렵다고 설명하고 있다(제22면).

나. 보안성: 다른 자와 거래할 경우 영업활동에 필요한 기술 및 정보의 유출 등으로 경제적으로 회복하기 어려운 피해가 초래되거나 초래될 우려가 있는 거래

(i) 전사적 자원관리시스템, 공장, 연구개발시설 또는 통신기반시설 등 필수설비 구축·운영, 핵심기술 연구·개발·보유 등과 관련된 거래

(ii) 거래 과정에서 영업·판매·구매 등과 관련된 기밀 또는 고객의 개인정보 등 핵심적

인 경영정보에 접근 가능한 '경제적으로 회복하기 어려운 피해'란 특별한 사정이 없는 한 금전으로는 보상할 수 없는 유형 또는 무형의 손해를 의미한다. 회사의 영업비밀과 관련된 모든 거래가 법적용의 예외로 인정되는 것은 아니다. 회사의 영업비밀과 관련된 거래의 경우에도 일정한 보안장치(물리적 보안장치 구축, 보안서약서 체결 등)를 사전에 마련하면 외부 업체와 거래하더라도 정보보안을 유지할 수 있기 때문이다. '총수일가 사익편취 가이드라인'에서는 외부 IT업체에 정보시스템 운영이나 유지관리 업무를 위탁하더라도 보안협약서 체결, 계약서상 보안사고 발생 시 피해보상 규정 마련, 물리적 보안장치 구축 등의 절차를 마련함으로써 정보보안을 유지할 수 있다면 일감몰아주기 예외사유로 인정되기 어려우므로 회사의 정보시스템에는 핵심적인 영업기밀이 포함되어 있기 때문에 정보시스템 운영이나 유지관리 업무를 계열 IT업체에 위탁하는 것이 정당화되지 않는다고 설명하고 있다(제24면 참조). 또한 신제품 출시 이전에 보완유지가 중요하다 하더라도 외부 광고대행사와 비밀유지서약서 체결 등으로 보완유지를 할 수 있으므로 계열 광고대행사에 대한 계약이 정당화되는 것은 아니라고 설명하고 있다(제24면 참조).

다. 긴급성: 경기급변, 금융위기, 천재지변, 전산시스템 장애 등 회사외적 요인으로 긴급한 사업상의 필요에 따른 불가피한 거래

긴급성은 회사 외적 요인으로 인한 긴급한 사업상 필요의 경우에만 인정된다. 이때 '회사 외적 요인'이라 함은 불가항력(不可抗力)적 요인을 일컫는 것으로서, ① 천재지변 등과 같이 예견할 수 없거나(예견가능성이 없는 경우), 또는 ② 예견할 수 있어도 회피할 수 없는(회피가능성이 없는 경우) 외부의 힘에 의하여 사건이 발생한 경우를 말하는 것으로 볼 수 있다. 긴급한 사업상 필요는 회사 외적 요인에 의해 발생하여야 하므로, 회사 내적 요인에 의한 긴급한 사업상 필요가 존재하는 경우에는 긴급성 요건이 인정되기 어렵다. '총수일가 사익편취 가이드라인'에 의하면 납품기일이 촉박하여 긴급한 업무처리를 위하여 계열회사에 위탁하거나 마케팅 전략차원에서 기존 상품의 디자인을 신속하게 변경할 필요가 있어 계열회사에 위탁하는 사정은 긴급성 인정이 어렵다고 보고 있다(제25면).

이러한 공정거래법 제23조의2 제1항 제4호의 적용 예외사유가 일반지원행위 중 물량 지원행위에서도 상당한 규모의 거래에 대한 정당화 사유로 활용될 수 있는지 여부가 문제된다. 물론 제23조 제1항 제7호의 부당지원행위에 적용한다는 조항이 없으므로 바로 적용될

수는 없다. 공정거래위원회의 사익편취 가이드라인의 태도도 마찬가지이다.[151] 다만, 상기 항목들은 기업들이 내부거래를 하는 합리적인 경영상 이유이고, 특수관계인이익제공 심사지침 Ⅲ. 4. 나. 3)에서도 물량 지원행위의 위법성 판단 시 "지원주체에게 비용절감, 품질개선 등 효율성 증대효과가 발생하였는지 여부 등 당해 행위에 정당한 이유가 있는지 여부"를 고려하도록 규정하고 있으므로, 물량 지원행위의 정당화 사유에 대한 판단기준으로 고려될 수는 있다.

이를 구체화한 특수관계인이익제공 심사지침은 다음과 같다.

Ⅳ. 이익제공행위에 관한 구체적 검토

4. 합리적 고려나 비교 없는 상당한 규모의 거래

　다. 효율성·보안성·긴급성에 따른 적용제외

　　1) 합리적 고려나 비교 없는 상당한 규모의 거래에 해당하더라도 효율성 증대, 보안성, 긴급성 등 거래의 목적을 달성하기 위하여 불가피한 경우에는 법 적용이 제외된다.

　　2) 법 적용제외 사유는 거래의 목적을 달성하기 위하여 불가피한 경우에만 인정된다. 또한, 시행령 [별표 1의4]에서는 효율성 증대, 보안성 또는 긴급성에 따른 법 적용제외 사유에 해당될 수 있는 구체적인 거래의 유형을 열거하고 있는바, 법 적용제외가 인정되려면 시행령 [별표 1의4]에서 열거하고 있는 거래의 유형에 해당하여야 한다.

　　3) 효율성 증대효과가 있는 거래

　　　가) 효율성 증대효과에 따른 법 적용제외 사유가 인정되기 위해서는 시행령 [별표 1의4] 제1호 가목 내지 마목의 다음 거래유형에 해당하여야 한다.

　　　　(1) 상품의 규격·품질 등 기술적 특성상 전후방 연관관계에 있는 계열회사 간의 거래로서 해당 상품의 생산에 필요한 부품·소재 등을 공급 또는 구매하는 경우

　　　　(예시)

　　　　－제조 공정에서 상품의 특성상 계열회사의 부품·소재 등을 반드시 사용하여야 하거나, 계열회사로부터 부품·소재 등을 조달받아야 효율성을 기대할 수 있는 경우

---

151) '총수일가 사익편취 가이드라인' 제20면에는 "위 예외사유는 총수일가 사익편취 금지행위 유형 중 일감몰아주기(제4호)에 한하여 적용되며, 상당히 유리한 조건의 거래(제1호 및 제3호)와 사업기회 제공(제2호)에 대해서는 이러한 예외사유가 인정되지 않는다"고 규정하고 있다.

(2) 회사의 기획·생산·판매 과정에 필수적으로 요구되는 서비스를 산업 연관성이 높은 계열회사로부터 공급받는 경우

(예시)

- 해당 회사가 판매하는 상품 또는 서비스의 기획, 설계, 구현, 운영 등 단계에서 계열회사가 제공하는 서비스 또는 용역이 필수적으로 필요한 경우

(3) 주된 사업영역에 대한 역량 집중, 구조조정 등을 위하여 회사의 일부 사업을 전문화된 계열회사가 전담하고 그 일부 사업과 관련하여 그 계열회사와 거래하는 경우

(예시)

- 회사의 상품·서비스 생산 공정을 분할하여 일부 공정에 대해 전문화된 계열회사를 신설하고 전문화된 계열회사를 통해 부품·소재 또는 서비스를 공급받는 경우
- 계열회사별로 직접 운영하던 기능 또는 조직을 분사 및 통합하여 전문화된 계열회사를 신설하고, 관련 업무를 해당 전문화된 계열회사와 거래하는 경우

(4) 긴밀하고 유기적인 거래관계가 오랜 기간 지속되어 노하우 축적, 업무이해도 및 숙련도 향상 등 인적·물적으로 협업체계가 이미 구축되어 있는 경우

(예시)

- 회사의 상품·서비스 생산 공정과 관련하여 계열회사와의 지속적인 거래를 통해 계열회사가 일정 역할을 분담하고 있는 경우
- 업무 절차 또는 관련 전산시스템이 계열회사와 유기적으로 연계되어 있거나 표준화되고 유사한 구조로 구축되어 있어 상호 거래 시 효율성을 기대할 수 있는 경우

(5) 거래목적상 거래에 필요한 전문 지식 및 인력 보유 현황, 대규모 연속적 사업의 일부로서의 밀접한 연관성 또는 계약이행에 대한 신뢰성 등을 고려하여 계열회사와 거래하는 경우

(예시)

- 상품·서비스 생산 공정을 구축 또는 개발한 계열회사와 관련 상품·서비스 생산 공정에 관하여 지속적으로 거래하는 경우
- 기존 상품·서비스 생산 공정을 활용하여 새로운 상품·서비스 생산 공정을 구축 또는 개발함에 있어 기존 상품·서비스 생산공정의 구

축·개발에 참여한 계열회사와 거래하는 경우

- 기존 상품·서비스 생산 공정을 재개발 또는 증설을 통해 고도화함에 있어 기존 상품·서비스 생산공정의 구축·개발에 참여한 계열회사와 거래하는 경우
- 기존 상품·서비스 생산 공정에 대해 부분적으로 기능의 개선 또는 변경, 추가, 하자보수함에 있어 기존 상품·서비스 생산공정의 구축·개발에 참여한 계열회사와 거래하는 경우
- 사용자가 많거나 사용 빈도가 높아 사회적 파급력이 크거나 중요도가 높은 상품·서비스 관련 사업으로 계열회사 외에 신뢰성이 검증된 다른 사업자를 찾기 어려운 경우
- 상품·서비스 생산 과정이 표준화되지 않아 경쟁방법으로 새로운 사업자를 선정하기 위한 정보제공이 어려운 경우
- 장치산업에 있어 기존 공정에 연계되거나, 기존 공정과 동일 또는 유사한 공정을 설치하기 위해 기존 용역 수행자인 계열회사와 계속 거래하는 경우
- 회사가 판매하는 상품·서비스와 관련하여 계열회사와 이미 거래한 건으로서 해당 계열회사와 계속 거래를 하여야 신뢰성을 기대할 수 있는 경우

나) 이와 동시에 효율성 증대효과에 따른 법 적용제외 사유가 인정되기 위해서는 '다른 자와의 거래로는 달성하기 어려운 비용절감, 판매량 증가, 품질개선 또는 기술개발 등의 효율성 증대효과'가 있음이 명백하게 인정되는 거래이어야 한다. 이때 효율성 증대효과는 해당 이익제공행위가 없었더라도 달성할 수 있었을 효율성 증대부분은 포함하지 아니한다.

다) '다른 자와의 거래로는 달성하기 어려운 효율성 증대효과가 명백'하다는 것은 경쟁입찰을 하거나 여러 사업자로부터 제안서를 제출받는 등의 절차를 거치지 않더라도 해당 회사와의 거래에 따른 효율성 증대효과가 다른 자와의 거래로는 달성하기 어렵다는 것이 객관적으로 명백하여 그와 같은 절차를 거치는 것 자체가 비효율을 유발하는 경우를 의미한다.

4) 보안성이 요구되는 거래

가) 보안성에 따른 법 적용제외 사유가 인정되기 위해서는 시행령 [별표 1의4] 제1호 가목 또는 나목의 다음 거래유형에 해당하여야 한다.

(1) 전사적(全社的) 자원관리시스템, 공장, 연구개발시설 또는 통신기반시설 등 필수시설의 구축·운영, 핵심기술의 연구·개발·보유 등과 관련

된 경우

(예시)

- 새롭게 개발되어 아직 관련 보안기술이 시장에 보급되지 아니한 필수 시설·핵심기술의 관리·보관이 필요한 경우
- 핵심적 영업비밀에 접근 가능한 전사적 자원관리시스템, 기밀보호구역 등의 관리를 직접적으로 수행하는 경우
- 방산업체로서 군수지원시스템 등을 운영함에 따라 국가안보에 관한 비밀정보 취급이 필수적인 상황에서, 비계열회사인 시스템통합업체와 거래할 경우 비밀취급 인가를 받는 것이 현저히 곤란하거나 비밀정보가 외국 등 외부로 유출될 우려가 있는 경우

(2) 거래 과정에서 영업·판매·구매 등과 관련된 기밀 또는 고객의 개인정보 등 핵심적인 경영정보에 접근 가능한 경우

(예시)

- 신상품 개발 및 출시와 관련하여 비계열사를 통한 운송 시 해당 상품의 기술 또는 디자인 등 공개되기 전까지 극비에 붙여야 할 중요 정보가 외부로 유출될 우려가 있는 경우
- 인재채용을 위한 시험지의 보관·운송 등 거래 과정에서 철저한 보안 정책이 요구되는 경우

나) 이와 동시에 '다른 자와 거래할 경우 영업활동에 유용한 기술 또는 정보 등이 유출되어 경제적으로 회복하기 어려운 피해를 초래하거나 초래할 우려'가 있어야 한다.

다) '경제적으로 회복하기 어려운 피해'란 특별한 사정이 없는 한 금전으로는 보상할 수 없는 유형 또는 무형의 손해로서 금전보상이 불가능하거나 금전보상으로는 충족되기 어려운 현저한 손해를 의미한다.

라) 다른 자와 거래할 경우 피해를 초래하거나 초래할 우려가 있는지 여부는 거래의 성격과 시장 상황 등을 종합적으로 고려하여 판단한다. 회사의 영업활동에 유용한 기술 또는 정보 등과 관련된 거래라고 하여 모두 법 적용제외 사유로 인정되는 것은 아니며, 물리적 보안장치 구축, 보안서약서 체결 등 보안장치를 사전에 마련함으로써 외부 업체와 거래하더라도 정보보안을 유지할 수 있는지, 실제 시장에서 독립된 외부업체와 거래하는 사례가 있는지 등을 중심으로 판단한다.

5) 긴급성이 요구되는 거래

가) 긴급성에 따른 법 적용제외 사유가 인정되기 위해서는 경기급변, 금융위기,

천재지변, 해킹 또는 컴퓨터바이러스로 인한 전산시스템 장애 등 회사 외적 요인으로 인한 긴급한 사업상 필요에 따른 불가피한 거래이어야 한다.

나) '회사 외적 요인'이라 함은 불가항력적 요인을 일컫는 것으로서, ① 예견할 수 없거나(예견가능성이 없는 경우), 또는 ② 예견할 수 있어도 회피할 수 없는(회피가능성이 없는 경우) 외부의 힘에 의하여 사건이 발생한 경우를 말하는 것으로 볼 수 있다. 회사 스스로 긴급한 상황을 자초하거나 회사 내부적으로 긴급한 사업상 필요가 있다는 이유만으로는 긴급성 요건이 인정되지 아니한다.

다) '긴급한 사업상의 필요'라 함은 거래상대방 선정 과정에 있어 합리적 고려나 다른 사업자와의 비교를 할만한 시간적 여유가 없는 상황을 의미한다. 단기간에 장애를 복구하여야 하는 경우, 상품의 성격이나 시장상황에 비추어볼 때 거래 상대방을 선정하는데 상당한 시일이 소요되어 생산, 판매, 기술개발 등 경영상 목적을 달성하는데 차질이 발생하는 경우 등이 이에 해당한다.

(예시)

- 상품 생산을 위한 핵심 소재·부품, 설비 등을 외국 또는 외국기업으로부터 상당 부분 수입하고 있는 상황에서 그 외국에서 천재지변이 발생하거나 그 외국정부가 대한민국에 대하여 수출규제 조치를 시행함으로써 정상적인 공급에 차질이 발생한 경우
- 물류회사들의 연대적이고 전면적인 운송거부 내지 파업 상황에서 긴급하게 물량수송이 필요한 경우
- 상품의 결함으로 인해 소비자의 생명 또는 신체에 위해가 발생할 우려가 있어 상품수거 또는 리콜 명령이 내려짐에 따라 신속하게 해당 상품을 시장에서 수거할 필요가 있는 경우
- 랜섬웨어, 디도스해킹 등 긴급 전산사고가 발생하여 회사의 영업비밀이나 다수 고객들의 개인정보가 유출되거나 유출될 우려가 있는 상황에서 고객들의 피해 확산 등 방지를 위해 긴급하게 계열회사인 시스템통합업체와 거래할 필요가 있는 경우

라) 긴급한 사업상의 필요는 사회통념상 대체거래선을 찾는데 소요될 것으로 인정되는 기간 동안 지속되는 것으로 본다.

75 공정거래법 제23조의2에서 금지되는 사업기회의 제공의 의미는 무엇인가?

A 회사가 직접 또는 자신이 지배할 경우 이익이 되는 것을 수행하거나 수행할 사업과 관계있는 사업기회를 의미한다.

해설

 '사업기회의 제공'은 회사가 직접 또는 자신이 지배하는 회사를 통하여 수행할 경우 회사에 상당한 이익이 될 사업기회로(이익성) 회사가 수행하고 있거나 수행할 사업과 밀접한 관계가 있는 사업기회(밀접성)를 제공하는 것을 금지하고 있다. 사업기회 제공 당시에는 이익을 내지 못하는 영업권이라 하더라도 사후적으로 많은 영업이익을 낼 것이라는 예측이 가능한 경우에는 상당한 이익이 될 사업기회에 해당할 수 있다. '현재 수행하고 있거나 장래 수행할 사업'에는 ① 사업기회 제공 당시 실제 회사가 수행하여 수익을 일으키고 있는 사업뿐만 아니라, ② 회사가 사업 개시를 결정하고 이를 위해 설비 투자 등 준비행위를 하고 있는 사업도 포함되며, ③ 사업수행 여부에 대해 외부적 행위를 하지 않았더라도 내부적 검토단계 내지는 내부적 의사결정이 이루어진 사업까지 포함된다. 사업기회 제공은 회사가 사업양도 등을 통해 지원객체에 사업기회를 직접적으로 제공하는 방식 외에도, 유망한 사업기회를 스스로 포기함으로써 지원객체가 이를 이용할 수 있도록 하는 소극적 방법 등이 있을 수 있다.[152)

 한편 '사업기회'의 의미가 무엇인지, 실제로 특수관계인 회사 또는 특수관계인이 수행하는 사업이 제공주체의 '사업기회'였는지 판단할 기준이 명확하지 않다는 견해가 있을 수 있다. 그래서 사실상 실무상 규제가 어렵다는 입장이 있을 수 있다. 특수관계인이익제공 심사지침에서 언급한 "사업기회 제공 당시 실제 회사가 수행하여 수익을 일으키고 있는 사업, 회사가 사업 개시를 결정하고 이를 위해 설비 투자 등 준비행위를 하고 있는 사업, 사업수행 여부에 대해 외부적 행위를 하지 않았더라도 내부적 검토 내지는 내부적 의사결정이 이루어진 사업"과 같이 입증이 되는 사업기회 이외에는 실무상 공정거래위원회가 사업기회임을 입증할 수 있는 사업기회는 거의 생각하기 어렵다.

 다만, ① 회사가 해당 사업기회를 수행할 능력이 없는 경우, ② 회사가 사업기회 제공에 대한 정당한 대가를 지급받은 경우, ③ 그 밖에 회사가 합리적인 사유로 사업기회를 거부한

152) 공정거래위원회, 「총수일가 사익편취 금지규정 가이드라인」(2016. 12.), p.14

경우 중 어느 하나에 해당하는 경우는 제외한다(공정거래법 제23조의2 제1항 제2호, 시행령 제38조 제3항 별표 1의4. 2).

특수관계인이익제공 심사지침은 "회사가 해당 사업기회를 수행할 능력이 없는 경우라 함은 구체적으로 법률적 불능 또는 경제적 불능이 있는 경우를 의미한다. 해당 사업기회가 회사에게는 법적으로 진출이 금지된 사업인 경우에는 '법률적 불능'으로 법 적용에서 제외되며, 사업기회 검토 당시에 회사의 재정적 능력이 현저히 악화된 상태인 경우에는 '경제적 불능'으로 법 적용에서 제외된다"는 기준을 제시하고 있다. 한편, 회사가 사업기회를 사업화할 수 있는 능력이 없었다면 특수관계인 또는 제공주체의 임직원이 회사 기회를 회사에게 보고하지 않았다 하더라도(그래서 이사회 승인을 받지 않았다 하더라도) 공정거래법 위반으로 볼 수는 없다. 즉, 회사법에서의 사업기회 유용에서 허용되는 경영자의 '회사의 무능력 항변'이 허용된다고 본다. 공정거래법 시행령 별표 1의3. 3. 가에서 '회사가 해당 사업기회를 수행할 능력이 없는 경우'를 명시하고 있기도 하다. 다만, 법문의 단서에 규정된 것이고 특별한 사정이므로 그 입증책임은 사익편취 행위가 아니라고 주장하는 측에서 입증책임을 진다.

회사가 사업기회 제공에 대한 정당한 대가를 지급받은 경우는 당해 사업기회가 지니는 시장가치를 기준으로 한다. 당해 사업기회의 시장가치는 당시를 기준으로 사업기회의 종류, 규모, 거래상황 등을 종합적으로 고려하여 판단하며, 상증세법 제4장(재산의 평가) 및 동법 시행령 제4장(재산의 평가)에서 정하는 방법을 준용할 수 있다.

관련 특수관계인이익제공 심사지침의 내용은 다음과 같다.

Ⅳ. 이익제공행위에 관한 구체적 검토

2. 사업기회의 제공

　가. 판단기준

　　1) 사업기회의 제공은 회사가 직접 또는 자신이 지배하고 있는 회사를 통하여 수행할 경우 회사에 상당한 이익이 될 사업기회로서 회사가 수행하고 있거나 수행할 사업과 밀접한 관계가 있는 사업기회를 제공하는 행위로 한다.

　　2) 제공주체인 회사가 지배하고 있는 회사인지 여부를 판단할 때에는 시행령 제3조 (기업집단의 범위)의 규정을 준용하되, 해당 규정에서의 '동일인'은 제공주체인 회사로 본다.

　　　(예시) 해당 기준에 따를 경우 다음과 같은 회사가 제공주체인 회사가 지배하고

있는 회사의 범위에 포함될 수 있다.

- 제공주체인 회사가 그 회사 임원과 합하여 해당 회사의 의결권 있는 주식 총수의 100분의 30이상을 소유한 경우로서 최다출자자인 회사
- 제공주체인 회사가 임원임면 등을 통하여 사실상 그 사업내용을 지배하는 회사
- 제공주체인 회사(그 회사의 임원이 보유한 주식을 포함한다)가 ① 또는 ②에 해당하는 회사(그 회사의 임원이 보유한 주식을 포함한다)와 합하여 해당 회사의 의결권 있는 주식 총수의 100분의 30 이상을 소유한 경우로서 최다출자자인 회사

3) '상당한 이익이 될 사업기회'란, 구체적으로 회사에 '현재 또는 가까운 장래에 상당한 이익이 될 수 있는 사업기회'를 의미한다. 이때, 현재 또는 가까운 장래에 상당한 이익이 발생할 수 있는지 여부는 원칙적으로 사업기회 제공 당시를 기준으로 판단한다.

4) 상당한 이익이 될 사업기회인지 여부는 제공주체인 회사 자신 또는 자신이 지배하는 회사를 기준으로 판단하여야 한다. 제공객체에게 보다 더 이익이 될 수 있는지 여부, 제공객체가 해당 사업을 수행하는데 필요한 전문성과 능력을 더 잘 갖추고 있다는 등의 사정은 원칙적으로 상당한 이익의 판단과 직접 관련되는 요소가 아니다.

5) 사업기회 제공 당시에는 이익을 내지 못하는 영업권이라 하더라도 사후적으로 많은 영업이익을 낼 것이라는 합리적 예측이 가능한 경우에는 상당한 이익이 될 사업기회에 해당할 수 있다.

6) 회사가 '현재 수행하고 있는 사업기회'에는 ① 사업기회 제공 당시 실제 회사가 수행하여 수익을 일으키고 있는 사업뿐만 아니라, ② 회사가 사업 개시를 결정하고 이를 위해 설비 투자 등 준비행위를 하고 있는 사업이 포함된다.

7) '수행할 사업'이라 함은 사업수행 여부에 대해 외부적 행위를 하지 않았더라도 내부적 검토 내지는 내부적 의사결정이 이루어진 사업을 포함한다.

8) '회사가 수행하고 있거나 수행할 사업과 밀접한 관계가 있는 사업기회'인지 여부는 제공주체 자신 또는 자신이 지배하는 회사의 본래 사업과의 유사성, 본래 사업 수행과정에서 필연적으로 수반되는 업무인지 여부, 본래 사업과 전·후방으로 연관관계에 있는 사업인지 여부, 회사재산의 공동사용 여부 등을 종합적으로 고려하여 판단한다. 이때 사업기회를 제공받은 회사의 사업과의 관련성은 원칙적으로 그 기준이 되지 아니한다. 또한, 회사가 이미 수행하고 있는 사업도 "회사가 수행하고 있거나 수행할 사업과 밀접한 관계가 있는 사업기회"에 해당한다.

9) 사업기회 제공은 회사가 사업양도, 사업위탁, 사업을 수행하거나 수행하려는 자

회사의 주식을 제공객체에게 양도하는 행위 등을 통해 제공객체에 사업기회를 직접적으로 제공하는 방식 외에도, 자회사의 유상증자 시 신주인수권을 포기하는 방법으로 제공객체에게 실권주를 인수시키는 행위, 회사가 유망한 사업기회를 스스로 포기하여 제공객체가 이를 이용할 수 있도록 하거나 제공객체의 사업기회 취득을 묵인하는 소극적 방법 등이 있을 수 있다.

나. 적용제외

1) 시행령 [별표 1의3] 2. 사업기회의 제공에 따르면, ① 회사가 해당 사업기회를 수행할 능력이 없는 경우(가목), ② 회사가 사업기회 제공에 대한 정당한 대가를 지급받은 경우(나목), ③ 그 밖에 회사가 합리적인 사유로 사업기회를 거부한 경우(다목)에는 사업기회 제공행위에 해당하지 않는 것으로 본다.

2) 회사가 해당 사업기회를 수행할 능력이 없는 경우라 함은 구체적으로 법률적 불능 또는 경제적 불능이 있는 경우를 의미한다. 해당 사업기회가 회사에게는 법적으로 진출이 금지된 사업인 경우에는 '법률적 불능'으로 법 적용에서 제외되며, 사업기회 검토 당시에 회사의 재정적 능력이 현저히 악화된 상태인 경우에는 '경제적 불능'으로 법 적용에서 제외된다.

3) 회사가 사업기회 제공에 대한 정당한 대가를 지급받은 경우에 해당하는지 여부는 해당 사업기회가 지니는 시장가치를 기준으로 판단한다. 해당 사업기회의 시장가치는 사업기회 제공이 이루어지는 당시를 기준으로 사업기회의 종류, 규모, 거래상황 등을 종합적으로 고려하여 판단한다. 대가의 지급에는 현금 내지 현금대용증권 외에도, 해당 사업에 관한 부채를 인수하는 등 소극적인 방식으로 대가를 지급하는 경우를 포함한다. 정당한 대가가 지급되었는지를 판단함에 있어서는 사업기회 제공 내지 대가 지급에 앞서 해당 사업기회의 가치를 객관적이고 합리적으로 평가하는 과정을 거쳤는지 여부 등을 고려할 수 있다.

4) 그 밖에 회사가 합리적인 사유로 사업기회를 거부한 경우는 사업기회의 가치와 사업기회를 수행함에 따른 경제적 비용 등에 대하여 객관적이고 합리적인 평가를 거쳐 사업기회를 거부한 경우를 말한다. 이때 사업기회 거부가 합리적인지 여부는 사업기회를 제공한 회사의 입장에서 평가하고, 제공주체가 해당 사업기회를 거부하는 것이 전체적인 기업집단 차원에서 볼 때 경제적이고 합리적이었다는 등의 사정은 원칙적으로 적용제외 평가기준이 되지 아니한다. 제공주체가 이사회 승인을 통해 사업기회를 거부하는 의사결정을 하였다고 하더라도, 그것만으로 합리적인 사유가 인정되는 것은 아니고 이사회에서의 의사결정의 사유가 합리적인지 여부에 대한 별도의 판단이 필요하다.

Q76 상법상 사업기회유용(usurpation of corporate opportunity doctrine) 과 공정거래법상 규제는 어떻게 다른가?

A 같은 개념에서 출발한 규제로 보이나 규제 취지가 다르고, 법률상 규제방법 및 손해배상 주체도 다르기 때문에 중첩적 적용이 가능한 것으로 보아야 한다.

해설

상법에서는 이사가 이사회의 승인 없이 회사에 이익이 될 수 있는 사업기회를 자기 또는 제3자의 이익을 위하여 유용하는 행위를 금지하고 있다(상법 제397조의2).[153] 그런데 상법 제397조의 '사업기회'가 공정거래법 제23조의2의 제1항 제2호에서 금지하는 "회사가 직접 또는 자신이 지배하고 있는 회사를 통하여 수행할 경우 회사에 상당한 이익이 될 사업기회를 제공하는 행위"에서의 사업기회와 동일한 의미인지 문제될 수 있다.

이에 대하여, 상법과 공정거래법의 목적 및 보호법익이 다르므로 동일한 개념으로 볼 수 없다는 견해가 있을 수 있다. 하지만 우리 상법의 사업기회유용금지는 미국 회사법상 축적된 회사기회 유용의 법리(usurpation of corporation opportunity doctrine)에서 유래된 것으로 미국 변호사협회가 제정한 기업지배구조 준칙 5.05(b)를 번역·보완한 것이다.[154] 공정거래법에서 '사업기회'의 의미에 대하여 별도로 정의하거나 구체화한 것이 아니라 미 회사법의 개념을 도입하였던 상법상의 '회사의 사업기회' 개념을 차용한 것으로 이해된다. 뿐만 아니라 같은 법률 용어를 다른 개념으로 해석하기도 어려울 것이므로 상법과 공정거래법의 사업기회는 동일한 개념으로 이해할 수 있다.

한편, 상법의 사업기회 유용 금지조항과 공정거래법상 특수관계인에 대한 부당한 이익제공 금지규정은 모두 자사에 이익이 되는 사업기회를 포기하고 그 기회를 특수관계인에게 제공하는 행위를 규제한다는 점에서, 사실상 중복규제에 해당하는 것이 아닌지 의문이 있

---

153) 제397조의2(회사의 기회 및 자산의 유용 금지)
　① 이사는 이사회의 승인 없이 현재 또는 장래에 회사의 이익이 될 수 있는 다음 각 호의 어느 하나에 해당하는 회사의 사업기회를 자기 또는 제3자의 이익을 위하여 이용하여서는 아니 된다. 이 경우 이사회의 승인은 이사 3분의 2 이상의 수로써 하여야 한다.
　1. 직무를 수행하는 과정에서 알게 되거나 회사의 정보를 이용한 사업기회
　2. 회사가 수행하고 있거나 수행할 사업과 밀접한 관계가 있는 사업기회
　② 제1항을 위반하여 회사에 손해를 발생시킨 이사 및 승인한 이사는 연대하여 손해를 배상할 책임이 있으며 이로 인하여 이사 또는 제3자가 얻은 이익은 손해로 추정한다.
154) 송옥렬, 「기업집단 내부거래 및 일감몰아주기 규제의 법정책」, p.27 참조

을 수 있다. 하지만 두 제도의 규제 취지가 상이하고, 법령 위반이 인정될 경우 책임 주체도 다르다는 점(상법의 경우 사업기회를 제3자에게 제공한 회사의 이사 등, 공정거래법의 경우 지원주체인 사업자) 등을 고려하였을 때, 이를 중복규제라고 보기는 어려울 것이다.

사업기회 제공을 통한 특수관계인에 대한 이익제공행위가 문제된다면 경우에 따라 상법 위반의 문제도 발생할 수 있고, 반대로 상법 위반 혐의가 단초가 되어 공정거래법상 부당지원행위가 문제될 수도 있을 것이므로, 이러한 가능성을 모두 염두에 두고 사전에 법 위반 가능성을 점검해 둘 필요가 있다.

한편, 사업기회와 관련하여 적법한 이사회의 승인을 받았다 하여 공정거래법상 사익편취행위에 대한 항변사유가 될 수 있는지 문제된다. 우선 공정거래법령에서 이사회 승인이 있었던 경우를 예외로 규정하고 있고 상법상 기회유용과 입법취지와 목적이 완전히 일치하지 않기 때문에, 이사회 승인이 있었다 하여 공정거래법상 구성요건이나 위법성이 조각되지는 않는다. 다만, 이사회 승인 절차에서 사업기회에 대한 회사의 무능력이나 그 외 사업기회를 제공주체가 수행할 수 없다든지 제공객체가 수행하는 것이 유리하다든지 등의 충분한 정보 제공 아래에서 적법하게 이사들이 결의를 한 것이 인정되면 사업기회 제공의 정당한 사유 인정에 유력한 증거가 된다고 본다.

기회유용을 부당지원행위로 규제하는 것의 문제점 및 한계는 무엇인가?

A 사업기회 유용을 적발하여 제재하기는 실무상 거의 불가능한 반면, 사업기회에 대한 판단이 쉽지 않아 수범자에게 많은 규제순응비용을 부담시키며 아울러 경제학적으로 문제될 수 없는 완전자회사에 의한 사업기회 유용에 대한 예외가 없는 점 등이 문제로 지적된다.

> 해설

1. 사업기회 유용으로 인한 부당지원행위를, 사실상 적발하여 제재하기 실무상 거의 어렵다

계열사 간 일감몰아주기와 사업기회 배분이 사회적 문제로 부각됨에 따라 부당지원행위를 규제하기 위하여 사업기회유용 의무가 부각되고 있다. 피지원기업은 특별히 유리한 가격이 아닌 정상적인 시장가격으로 거래하더라도 별다른 어려움 없이 안정적인 매출을 유지할 수 있게 되고 또 급속도로 성장할 수 있기 때문이다.

사익편취행위로 금지되는 사업기회가 회사에 상당한 이익이 되고(이익성) 수행하고 있거나 수행할 사업과 밀접한 관계가 있는 것(관련성)으로 정의되지만 현실적으로 사업기회인지 여부의 판단이 쉽지 않다. 현실에서 이익을 내는 관련사업 모두를 직접 수행하지 않고 자회사나 관계회사를 통하여 수행하는 사례가 많고 직접 수행할 수는 없을 뿐 아니라 직접 수행할지 아니면 자회사를 통하여 수행할 것인지는 governance의 문제이기 때문에 이익성과 관련성이 인정된다고 하여 모두 금지하거나 규제할 수 없다.

관련하여 과거 글로비스 물량몰아주기 지원행위와 관련하여 현대자동차의 소수주주들이 총수 등에 대하여 제기한 손해배상소송에서 글로비스가 영위하는 자동차 물류사업이 현대자동차의 사업기회인지 여부가 쟁점이 된 바 있다. 하급심 법원은 사업기회의 제공에 해당하지 않는다고 보았고(서울중앙지방법원 2011. 2. 25. 선고 2008가합47881 판결), 동 판결은 항소하지 않아 확정되었다. 글로비스의 설립이 현대자동차에 현존하는 현실적이고 구체적인 사업기회라고 인정할 증거가 없다는 이유였다. 그러나 이 판결은 상법 제397조의2 사용기회 유용금지 규정이나 공정거래법 제23조의2가 신설되기 이전의 사건이었기 때문에 현재 법률 아래에서는 사업기회의 제공으로 보아야 한다는 견해가 유력하다.[155] 물론 반대견해도 있

---

155) 구승모, 「상법 회사편 입법과정과 향후 과제」, 선진상사법률연구 제55호(2011), p.125("개정상품에 따르면 당연히 회사기회에 해당하는 사안이라고 생각한다"); 정찬형, 「상법강의(상)」, 제15판(2012), pp.961~962 ("상법 제397조의2에 의하면 자동차회사의 객관적인 사유에 따른 사업기회에 해당한다고 볼 수 있다");

다.[156]

이처럼 회사의 사업기회인지에 대한 판단이 쉽지 않을 뿐 아니라 사회기업라고 판단되더라도 자회사가 그 사업을 수행한 것이 부당함을 입증하기도 쉽지 않다. 계열사 간 일감몰아주기는 계약의 상대방 선택과 관련된 계약자유의 원칙이 적용되는 영역이기도 하고 계열사 간 사업기회의 배분 역시 기업집단 전체의 효율성을 도모할 수 있는 정상적인 경영판단일 가능성이 큰 바, 경영판단에 현저한 불합리가 존재하지 않는 이상 사업기회 유용으로 인한 부당지원행위로 인정받기는 쉽지 않다.

관련하여 외환위기 당시 자금조달의 어려움을 겪던 광주신세계가 유상증자를 하기로 했다. 100% 주주인 신세계가 이사회를 통하여 신주인수권 인수를 포기하고 그 실권자를 동일인관련자에게 배정하자, 이에 신세계의 소수주주들이 대표소송을 제기하면서 광주신세계라는 사업기회를 동일인 관계자에게 유용하였다고 주장하였다. 동 사건에서 대법원은 "이사회가 충분한 정보를 수집·분석하고 정당한 절차를 거쳐 회사의 이익을 위하여 의사를 결정함으로써 어떠한 사업기회를 포기하거나 어느 이사가 그것을 이용할 수 있도록 승인했다면 그 의사결정과정에 현저한 불합리가 없는 이상 그와 같이 결의한 이사들의 경영판단은 존중되어야 한다"고 판시하며 소수주주들의 청구를 기각한 바 있다(대법원 2013. 9. 12. 선고 2011다57869 판결).

이처럼 사업기회인지 여부의 판단뿐 아니라 사업기회를 자회사 등이 이용하는 것이 부당한 경영판단인지 여부의 판단이 필요하기 때문에 현실적으로 사업기회 유용에 의한 특수관계인이익제공 조항이 현실적으로 적용될 가능성은 매우 낮다고 본다.

2. 회사기회에 대한 판단이 어려워 수범자의 혼동을 준다

미국에서는 기회 유용의 법리라 함은 외부의 기회를 가로채는 것으로만 한정하고 있다(Palmiter, 2003, p.265). 여기서 외부의 기회라 함은 제3자에 의해 기회가 창출되거나 회사의 기존 사업과정에서 창출되는 것을 의미하며 회사가 적극적인 행동에 의해 창출하는 것이 아니라는 것이다. 이 둘 사이에는 미묘한 차이가 있으므로 경우에 따라 큰 논란이 가능

천경훈, 「회사기회의 법리에 관한 연구」, 서울대학교 법학박사학위논문(2012), p.204("회사기회 해당성은 인정되어야 할 것")

156) 임재연, 「회사법 II」(2012), p.390(글로비스 건에 관하여 "기존사업에 수반되는 업무를 외부업체에 아웃소싱한 것이라면 규제대상 사업기회로 볼 수 있을지 의문"이라고 논평)

[""]

하다. 참여연대나 학계에서는 회사 내부의 기회도 회사 기회에 해당한다고 해석한다. 전경련도 그렇게 해석하고 있는 듯이 보인다. 기업의 자유를 지나치게 침해하는 결과를 발생시킬 가능성이 있기 때문에 재고의 필요가 있다.

내부의 기회도 회사 기회에 해당한다면 내부거래 금지 규정과 기회 유용은 중복되는 것이다. 이른바 몰아주기의 문제는 기본적으로 충실의무 위반과 경영판단의 원칙 적용으로 규율할 문제이지 별도의 법률로서 제한할 문제가 아니다.

이 법리를 100여 년간 운영하였던 미국에서도 회사 기회를 확실하게 정의하지 못하고 있다. 우리 상법상의 회사기회 유용금지 조문은 회사 기회에 대해 너무도 간략하게 언급하여 무엇이 회사 기회인지를 파악하기가 어렵다. 최소한 기대와 이익의 기준을 적용할 것인지 아니면 사업의 연장선 기준을 적용할 것인지 정도는 법조문에 규정했어야 했고, 공정성 기준은 채택할 것인지 배제할 것인지도 밝혔어야 한다. 또한 이익과 기대 기준과 사업의 연장선 기준 등을 이중으로 사용할지도 결정했어야 하는데 이에 대한 규정이 없다. 회사 기회가 불명확하게 정의되어 있어 법원이나 공정거래위원회의 판단이 기업 경영 실무에서는 자의적이고 비현실적인 것으로 비판받을 가능성이 있다.

3. 완전자회사에 대한 기회유용은 개념상 성립하기 어려운데 이에 대한 규정이 없다[157)]

완전 자회사는 법률상 다른 회사이지만 실제로는 같은 회사이다. 대리 비용이 발생하지 않으므로 자신의 기회를 완전 자회사에게 준다고 해서 어떠한 주주들도 손해를 보지 않으므로 완전자회사의 기회 유용은 허용되어야 한다. 완전자회사와의 거래가 대리인 비용을 발생하지 않는다는 인식이 우리나라에서는 부족하여 완전자회사의 내부거래를 부당내부거래로 규정한 법원의 판례가 있을 정도이므로(대법원 2003. 9.5. 선고, 2001두7411 판결), 이를 법률에서 허용해야 완전자회사의 효율적인 운영이 가능해질 것이다.

---

157) 김화진·문병순, 「회사기회의 유용과 부당내부거래」, p.17

Q 78 총수일가 사익편취행위에서 제공주체에게는 제공의사, 제공객체에게 피제공의사 등 주관적 요소가 요구되는가?

A 사익편취행위에서도 지원주체나 지원객체의 주관적 의사는 필요하지 않다고 본다.

해설

Q53을 참조하라. 공정거래위원회의 2016. 12. 제정 '총수일가 사익편취 가이드라인'에서도 "총수일가 사익편취행위의 거래상대방인 지원객체가 법 제23조의2 제3항 위반에 해당하는지 여부는 당해 거래가 총수일가 사익편취행위에 해당할 수 있음을 지원객체가 인식하거나 인식할 수 있었는지 여부에 따라 판단한다"고 설명하고 있다. 공정거래위원회는 개별 사건에서도 해당 거래행위가 부당행위에 해당할 수 있음을 지원객체가 인식하고 있거나 인식할 수 있었는지 여부에 대한 판단은 공정거래법 전문가가 아닌 일반인의 입장에서 사회통념에 비추어 과다한 경제상 이익을 제공받았다는 것을 인식할 수 있을 정도면 족하다고 판단하고 있다.[158]

하지만 제공객체가 이익을 제공받지 않아야 하는 의무는 제공주체의 지원하지 않아야 하는 의무에 대한 대향적 의무(對向的 義務)이므로 제공주체에게 주관적 요건은 요구되지 않는다면 제공객체에게도 필요하지 않다고 해석함이 타당하다.

사실, 지원주체와 특수관계에 있는 지원객체가 지원 사실을 몰랐다거나 모름에 과실이 없다고 할 수 있는 경우가 도대체 존재할지 의문이다. 지원객체가 지원사실을 몰랐거나 과실없이 알지 못했다는 것은 소송법상 예외적이고 특별한 사정이므로, 지원객체에게 입증하게 함이 입증책임 분배의 원칙상 합당하다.

---

158) 공정거래위원회 2016. 7. 7. 의결 2016-189, 공정거래위원회 2017. 1. 10. 의결 2017-009, 공정거래위원회 2018. 5. 21. 의결 2018-148 등 다수

Q 79 사익편취에서 필요한 특수관계인에게 귀속되는 '이익'은 무엇인가?

A 특수관계인에게 제공되는 이익은 '부당'한 것으로 추정하고 이에 대한 반증을 특수관계인 등에게 하도록 해야 한다.

해설

특수관계인에게 귀속되는 이익은 특수관계인이 직접 거래상대방인 경우에는 거래에 따른 경제적 이익, 특수관계인 회사가 거래상대방인 경우 특수관계인의 지분적 이익으로도 충분하다고 본다. 제공행위로 인해 특수관계인에 대한 경제력집중이 발생하거나 그런 우려가 있는 상황이 되는 것이 '이익'이라고 보는 것은 근거가 없다.

하지만 공정거래위원회는 특수관계인에게 귀속되는 이익에 대하여 동일인 등의 지배권 및 경영권 유지 등을 검토하는 것으로 보인다.

대표적인 사례가 금호아시아나 그룹 특수관계인이익제공 사건이다. 금호아시아나 그룹 사건에서는 공정거래위원회는 금호산업 등 계열회사들이 특수관계인 회사인 금호홀딩스에게 정상금리보다 낮은 금리로 자금을 대여해 주고(1차 사건), 아시아나 항공이 제3자인 중국 회사를 매개로 중국회사에게 기내식 공급계약을 체결해 주고 중국회사로 하여금 금호홀딩스에게 1,600억 원 상당의 신주인수권부사채 인수를 낮은 금리에 인수하도록 하여 금호홀딩스를 간접적으로 지원해 주었다고 보았다(2차 사건). 공정거래위원회는 이를 통하여 동일인 등 특수관계인에게 금호그룹 계열사에 대한 지배권 및 경영권 유지, 그리고 금호홀딩스가 보유한 계열회사 주식을 매각하지 않고 유지하도록 함으로써 금호홀딩스의 지분가치가 유지되는 이익이 귀속되었고, 해당 사건에서 금호산업이 이를 교사하였다고 판단하면서, 제공주체인 회사들, 제공객체인 거래상대방이었던 금호홀딩스, 지원행위의 교사자인 금호산업[159]에게 과징금을 부과하였다. 그러면서도 동일인 등 특수관계인에게는 과징금을 부과하지 않았다(공정거래위원회 2020. 11. 6. 선고 의결 2020-294호). 해당 사건에서 공정거래위원회는 총수 및 그 일가의 그룹에 대한 지배권 및 경영권 유지 및 총수 및 그 일가의 지분적 이익의 유지를 특수관계인에게 귀속된 이익으로 본 것으로 해석된다.

---

159) 금호산업 등의 금호홀딩스에 대한 자금대여 지원행위(1차 사건)에서 금호산업은 지원주체로서 316,708,605원, 지원교사로 225,133,396원의 부과과징금이 정해졌다.

Q 80 일반 부당지원행위의 '부당성'과 특수관계자에 대한 이익제공의 '부당한 이익'은 그 개념이 동일한 것인가?

A 입법취지와 규제목적이 다른 만큼 '부당성'의 의미도 다르게 해석되어야 하며, 특수관계인에 대한 이익제공행위가 인정되면 특별한 사정이 없는 한 부당성이 인정되어야 한다.

해설

공정거래법 제23조의2와 관련하여 부당성 요건이 필요하다는 견해[160]와 불필요하다는 견해[161]가 있을 수 있다.

그런데 서울고등법원은 기업집단 한진 소속 계열회사들의 특수관계인에 대한 부당이익 제공행위 사건에서, 경제력집중이라는 부당성 요건이 구체적·개별적으로 입증되어야 한다고 판시하여 전자의 입장을 취하였다. 서울고등법원은 한진그룹 부당지원 사건에서 "당초 개정법률안이 발의되었을 때에는 위 조항에 규정된 '부당한 이익'이라는 표현이 없고 '정당한 이유 없이 특수관계인에게 직접 또는 간접적으로 경제상 이익을 귀속시키는 행위'라는 문언만 있었으나 위 조항이 내부거래 자체를 금지하는 것이 아니라는 점과 총수일가에게 귀속되는 모든 이익을 규제하려는 것이 아니라 부당하게 귀속된 이익만을 규제하려 한다는 점, 그러한 사항에 대한 증명책임이 공정거래위원회에 있다는 점을 나타내기 위해 법안 심사과정에서 '부당한 이익'이란 표현으로 최종 수정되었다. 이러한 입법과정, 최종적인 법률 문언 내용, 앞서 본 입법취지 및 입법목적 등에 비춰보면, 공정거래법 제23조의2 제1항을 해석함에 있어서도 각 호에서 정한 행위의 충족 여부와 별도로 그러한 행위가 특수관계인에게 '부당한 이익'을 귀속시키는 것인지 여부에 대한 규범적 평가가 아울러 이루어져야 한다. 따라서 행위의 목적, 행위 당시 행위주체·객체들이 처한 경제적 상황, 귀속되는 이익의 규모 등을 종합적으로 고려하여 사익편취를 통한 경제력집중이 발생할 우려가 있는지를 구체적·개별적으로 판단하여야 한다"고 판시하였다(서울고등법원 2017. 9. 1. 선고 2017누 36153 판결).[162]

물론 대법원 판결을 기다려 보아야 하겠지만 사실상 부당성에 대한 입증책임의 면에서 제23조 제1항 제7호의 일반 부당지원행위와 큰 차이가 없어지는 판결을 내린 것이다. 사견

---

160) 홍대식, 「비교사법」, 제21권 제1호(2014), pp.218~232
161) 백승엽, 「경쟁과 법」(2017. 4), pp.95~96
162) 동 판결은 상고되어 대법원 2017두63993 사건으로 계속 중이다.

으로 이러한 서울고등법원의 판결은 제23조의2 입법취지나 목적 등에 비추어 부당하다. 관련하여 공정거래저해성 요건 없이 사익편취행위로 규율되도록 한 것이 입법자의 명확한 의도이므로 이에 따라 해석해야 한다는 견해도 있다.[163] 특수관계인에게 단순히 이익이 귀속되는 것이 아닌 '부당한' 이익이 귀속되는 것으로 해석하는 것은 맞지만, 공정거래법 제23조의2에 규정된 금지행위 유형들(상당히 유리한 조건의 거래, 사업 기회의 유용 등)은 그 자체로 위법성이 표상되는 행위이므로, 이러한 거래를 통해 발생하는 이익은 특별한 사정이 없는 한 '정당한 이익'이라고 보기 어렵다. 더하여 삼성 SDS 판결 등에서 나온 공정거래저해성이라는 요건을 배제 또는 완화시키기 위하여 제23조의2를 신설한 입법의 취지와 목적, 제23조 제1항 제7호의 경쟁 저해성이나 경제력집중은 거래의 결과로 시장에 나타나는 '행위의 부당성'으로 '이익의 부당성'으로 보기 어렵다는 점, 동일인 등이 자신의 지배력을 이용하여 내부거래를 통하여 자신의 이익(직접적이든 간접적이든)을 꾀하는 것 자체가 부당하다는 점 등에 비추어 볼 때, ① 공정거래법 제23조의2 제1항 각 호에서 정한 금지행위에 해당하고 ② 그 결과 동일인 일가에게 경제적 이익(직접적인 것뿐 아니라 제공객체에 대한 지분적 이익의 증가도 포함)이 귀속되었음이 입증되면 '이익의 부당성'까지 존재한다고 사실상 추정되는 것이 마땅하다. '부당'하지 않다는 점에 대하여 지원거래를 한 당사자들에게 반증하도록 해야 한다.[164]

특수관계인이 지원주체 및 지원객체의 의사를 결정하는 것은 기본적으로 '본인'과 '대리인' 관계에 있는 것이고, 대리인이 자신 또는 자신의 이해관계자와 본인을 거래하게 하는 것은 사실상 '자기거래'에 해당한다. 내부거래 자체가 금지되는 것은 아니지만 사실상 '자기거래'의 의사결정을 하는 것이라면 이에 대한 정당성과 필요성은 대리인이 입증하도록 하는 것이 옳다. 특히 회사 내부의 내부거래와 관련한 규정과 지침이 있는데 그 규정과 지침을 위반한 경우이거나 상법상 요구되는 정당한 이사회 승인 등을 받지 않았던 경우, 또는 관련하여 제대로 된 정보를 회사, 이사, 주주 등에게 전달하지 않아 정보와 사실에 기초한 의사결정이 내려진 것으로 볼 수 없었다면, 특별한 사정이 없는 한 부당한 이익이 귀속된 것으로 보아야 한다.

---

163) 서정, 「재벌의 내부거래를 둘러싸고 나타난 규범의 지체현상과 그 극복」, 법조 2015. 5.(Vol. 704), p.228
164) 유사한 견해로 권오승·서정, 「독점규제법 이론과 해설」, 박영사(2018), p.528("정당한 사유가 없는 한 이익의 귀속 그 자체가 부당성의 내용이고 별도로 공정거래저해성을 필요로 하는 것은 아니라고 보아야 할 것이다.")

Q 81 부당지원행위 또는 사익편취행위에 대한 시정명령의 의미와 한계는 무엇인가?

A 포괄적·추상적이고 일반적인 금지명령 형태의 시정조치가 가능하지만, 그 효력범위는 제재대상인 지원행위를 중단하고 금지하라는 취지일 뿐 향후 유사한 방법의 지원행위·제공행위를 한다고 해서 시정조치불이행죄가 성립하지 않는다.

해설

공정거래위원회는 부당지원행위(법 제23조 제1항 제7호)와 사익편취행위(법 제23조의2) 위반의 경우 전자의 경우 지원주체와 지원객체, 후자의 경우 제공주체와 제공객체(거래상대방), 그 행위를 지시하거나 관여한 특수관계인에게 지원·제공행위의 중지 및 재발방지를 위한 조치, 해당 보복조치의 중지, 계약조항의 삭제, 시정명령을 받은 사실의 공표 기타 시정을 위한 필요한 조치를 명할 수 있다(공정거래법 제24조). 이러한 시정조치는 양태와 주된 내용에 따라 작위명령, 부작위명령, 보조적명령으로 나눈다. 그중 가장 일반적인 것이 부작위명령이다.

대법원은 "부당지원행위를 한 이유로 법 제24조 소정의 시정명령의 내용이 지나치게 구체적인 경우, 매일매일 다소간의 변형을 거치면서 행해지는 수많은 거래에서 정합성이 떨어져 결국 무의미한 시정명령이 되므로 그 본질적인 속성 다소간의 포괄성·추상성을 띨 수밖에 없다고 할 것이고, 한편 시정명령제도를 둔 취지에 비추어 시정명령의 내용은 과거의 위반행위에 대한 중지는 물론 가까운 장래에 반복될 우려가 있는 동일한 유형의 행위의 반복금지까지 명할 수 있는 것으로 해석함이 상당하다"고 판시하였다(대법원 2004. 4. 9. 선고 2001두6203 판결). 공정거래위원회가 중지명령 내지 금지명령을 의결하게 되면 수범기업이 형식적으로는 시정 내지 종료하면서도 유사한 행위를 할 수도 있고, 심지어 공정거래위원회가 조사를 시작하면 문제의 행위를 시정 또는 종료하면서 유사한 효과를 가지는 행위로 바꿀 가능성도 있기 때문에, 지나치게 구체적이고 개별적인 시정명령을 할 경우 그 시정명령은 실효성이 없게 되는 문제를 염두에 둔 것이라는 의견이 있다.[165]

아래는 포괄적 금지명령의 예시이다. 기업집단 금호아시아나 소속 계열회사들의 특수관계인에 대한 부당이익제공행위 및 부당지원행위에 대한 건(2020. 11. 6. 의결 2020-294호)의 시정명령이다.

---

165) 박해식, 「공정경쟁연합회」, 경쟁저널(2004. 8.), p.8

시정조치를 이행하지 않은 경우 2년 이하의 징역 또는 1억 5천만 원 이하의 벌금형에 처해진다(공정거래법 제67조 제6호). 그런데 이러한 포괄적·추상적 형태의 금지명령은, 공정거래법 제23조 및 제23조의2의 규정보다는 구체적이지만 여전히 일반적 명령형태로, 어찌보면 법률상 금지된 행위 또는 의무를 재진술한 것으로 볼 여지가 있다. 그래서 포괄적·추상적 내용의 금지명령의 효력 범위를 문언 그대로 인정하여 향후 다시 유사한 방법으로 지원행위를 하였다는 이유로 시정조치불이행죄로 형사처벌하는 것으로 해석하는 것은 과잉처벌 또는 이중처벌금지 원칙에 반하는 문제가 있다. 바꿔 말해, 공정거래법상의 일반적 금지의무를 위반한 것인데 단지 수범자가 동일 유형 위반으로 이전에 제재받았다는 이유로 제23조의 부당지원행위 또는 제23조의2의 사익편취행위로 형사처벌받고 다시 시정조치불이행죄로 형사처벌받는 불합리한 결과가 되기 때문이다. 마치 절도죄로 적발되어 처벌받으면서 '절도를 하지 말라'는 포괄적 금지명령을 받았다는 이유로 이후 절도로 적발되면 절도죄 형사처벌과 함께 금지명령 위반죄로 형사처벌받는 격이기 때문이다.

이에 대하여 공정거래위원회는 서울시태권도협회의 시장지배적 지위남용행위 시정조치에 대한 이의신청건에서 "부작위명령에 대한 시정조치불이행이 성립하기 위하여는 … 시정조치의 원인이 된 위반행위와 시정조치 이후의 위반행위 간 동일성이 인정되지 않는다면 이를 시정조치불이행으로 보기 어렵다"고 판단한 바 있다(공정거래위원회 2010. 7. 15. 의결 2010-082호). 이러한 공정거래위원회 판단에 비추어 볼 때, 포괄적·추상적이고 일반적인 금지명령의 효력 범위는 제재대상인 지원행위를 계속하여서는 안되는 법적 의무를 부과한 명령일 뿐이고 제재대상 행위를 중단한 이후 이와 별개의 유사한 유형의 지원행위를 하는 것까지 금지시키는 것은 아니라고 해석된다. 즉, 조사 및 제재대상이 된 행위를 중단하면 될 뿐이고 금지명령 이후 동일한 유형의 행위를 다른 계기도 다시 하더라도 시정명령 불이행죄는 적용되지 않는다는 것이다.

〈예시〉 기업집단 금호아시아나 소속 계열회사들의 특수관계인에 대한 부당이익제공행위 및 부당지원행위에 대한 건(2020. 11. 6. 의결 2020-294호)

1. 피심인 금호산업 주식회사, ***, …는 아래 각 호와 같은 행위를 다시 하여서는 아니 된다.
   가. 특수관계인이 발행주식 총수의 100분의 30(주권상장법인이 아닌 회사의 경우에는 100분의 20) 이상을 소유하고 있는 계열회사와 직접 또는 다른 회사를 통해 우회적으로 정상적인 거래에서 적용되거나 적용될 것으로 판단되는 조건보다 상당히 유리

한 조건으로 자금을 거래함으로써 특수관계인에게 부당한 이익을 귀속시키는 행위

나. 상당히 유리한 조건의 자금 거래를 통해 계열회사를 부당하게 지원하는 행위

2. 피심인 아시아나항공 주식회사는 아래 각 호와 같은 행위를 다시 하여서는 아니 된다.

　가. 기내식 공급업체 등 비계열회사를 통해 우회적으로 특수관계인이 발행주식 총수의 100분의 30(주권상장법인이 아닌 회사의 경우에는 100분의 20) 이상을 소유하고 있는 계열회사와 정상적인 거래에서 적용되거나 적용될 것으로 판단되는 조건보다 상당히 유리한 조건으로 거래함으로써 특수관계인에게 부당한 이익을 귀속시키는 행위

　나. 기내식 공급업체 등 비계열회사를 통해 우회적으로 상당히 유리한 조건의 거래를 하여 계열회사를 부당하게 지원하는 행위

3. 피심인 금호고속 주식회사는 아래 각 호와 같은 행위를 다시 하여서는 아니 된다.

　가. 위 1. 가.와 같이 정상적인 거래에서 적용되거나 적용될 것으로 판단되는 조건보다 상당히 유리한 조건으로 자금을 거래함으로써 특수관계인에게 부당한 이익을 귀속시키는 행위에 해당할 우려가 있음에도 불구하고 해당 거래를 하는 행위 또는 위 1. 나.와 같이 상당히 유리한 조건의 자금거래를 통해 부당한 지원행위에 해당할 우려가 있음에도 불구하고 해당 지원을 받는 행위

　나. 위 2. 가.와 같이 정상적인 거래에서 적용되거나 적용될 것으로 판단되는 조건보다 상당히 유리한 조건으로 거래함으로써 특수관계인에게 부당한 이익을 귀속시키는 행위에 해당할 우려가 있음에도 불구하고 해당 거래를 하는 행위 또는 위 2. 나.와 같이 상당히 유리한 조건의 거래를 통해 부당한 지원행위에 해당할 우려가 있음에도 불구하고 해당 지원을 받는 행위

4. 피심인 금호산업 주식회사는 아래 각 호와 같은 행위를 다시 하여서는 아니 된다.

　가. 계열회사들로 하여금 위 1. 가.의 행위를 하도록 하는 행위

　나. 피심인 아시아나항공 주식회사로 하여금 위 2. 가.의 행위를 하도록 하는 행위

5. 피심인 박○○는 아래 각 호와 같은 행위를 다시 하여서는 아니 된다.

　가. 기업집단 「금호아시아나」 소속 계열회사 등 누구에게든지 위 1. 가.의 행위 또는 3. 가. 전단의 행위를 하도록 지시하거나 해당 행위에 관여하는 행위

　나. 기업집단 「금호아시아나」 소속 계열회사 등 누구에게든지 위 2. 가.의 행위 또는 3. 나. 전단의 행위를 하도록 지시하거나 해당 행위에 관여하는 행위

Q82 일반부당지원행위 및 사익편취행위에서 시정조치 및 과징금부과대상자는 누구인가? 지원주체, 지원객체, 교사자, 제공주체, 제공객체, 이익이 귀속된 특수관계인, 지시·관여자 중 처벌대상은 어디까지인가?

A 일반부당지원행위에서는 지원주체, 지원객체에 대하여 가능하지만, 지원주체뿐만 아니라 지원객체에게도 과징금이 부과될 수 있다고 해석해야 하나, 과징금 고시 규정상 논란의 여지가 있다. 한편, 특수관계자이익제공에서 이익귀속자인 특수관계인에게는 과징금 부과가 불가하지만, 이익제공행위를 지시·관여한 특수관계인에게는 과징금 부과가 가능하다.

해설

공정거래법 규정상 일반지원행위에서 지원주체와 지원객체에게 시정조치와 과징금을 부과할 수 있음은 이론의 여지가 없다. 문제는 그 지원행위를 교사한 자에 대하여도 시정조치와 과징금을 부과할 수 있는지이다. 일단 제23조 제1항 후문에서 '사업자'에 대하여 교사금지의무를 부여한 것이므로 '개인'에 대하여는 시정조치나 과징금이 어렵다고 본다. 그런데 제24조의2 제2항에서 제23조 제1항 제7호(지원주체 및 교사한 사업자) 및 제2항(지원객체)에 대하여 과징금 부과를 할 수 있도록 하고 있어, 교사 사업자에 대하여도 과징금 부과가 가능하다고 해석해야 한다.

한편, 특수관계인이익제공행위와 관련하여는 제24조에서 제23조의2 위반 시 해당 특수관계인 또는 회사에 대하여 시정조치를 할 수 있다고 규정하고 있으므로, 제23조의2 제1항을 위반한 지원주체, 동조 제3항을 위반한 지원객체, 동조 제4항을 위반한 지시 또는 관여 특수관계인에 대하여 시정조치를 할 수 있다. 과징금 부과 조항인 제24조의2 제2항에서 "제23조의2 제1항 또는 제3항을 위반한 행위가 있을 경우"만 언급하고 있고 이익제공행위에 대한 지시·관여를 금지한 제23조의2 제4항을 별도로 언급하고 있지 않은바, 지시·관여한 특수관계인에 대하여는 과징금 부과가 어렵다고 보아야 한다. 명시적으로 의도하고 입법한 것인지 아니면 입법상 실수인지 명확하지 아니하다.

과징금 부과가 가능한 제23조 제1항 제7호의 교사 특수관계인의 경우 사업자이지만 제23조의2 지시·관여한 특수관계인은 동조 제1항의 "특수관계인(동일인 및 그 친족에 한한다. 이하 이 조에서 같다)"의 문언에 따라 개인으로 국한된다. 개인에 대한 과징금 부과가 부적절하다고 생각하여 이런 입법을 의도적으로 한 것인지 의문이기도 하거니와 만약 그렇다면 불합리하다. 사건으로 제23조의2 제1항의 특수관계인은 이익귀속자를 의미하는데, "특수관계인(동일인 및 그 친족에 한한다. 이하 이 조에서 같다)"이라고 하여 동조의 제4항의 특수관계인에게도 적용하도록 하여 모순이 발생한 것인바, 이를 "특수관계인(동일인 및 그 친족에 한한다. 이하 동 항에서 같다)"으로 수정하고 제4항에서 "특수관계인(제1항에도 불구하고 제11조의 특수관계인)을 의미한다"고 하여 제4항의 특수관계인을 동일인 또는 친인척인 개인으로 한정하지 않는 것이 필요하다.

한편, 개정 과징금 고시의 "위반액"에 관한 모호한 정의규정 때문에 지원주체에게만 과징금을 부과할 수 있다고 오해될 소지가 있다. 개정 과징금 고시 II. 8. 가[166]에서는 일반부당지원행위에 대하여는 '지원하거나 지원받는 지원금액'을 위반액으로 본다고 규정하여 지원주체와 지원객체 모두에게 과징금을 부과할 수 있다는 점을 명확히 하였다. 이에 반해, 특수관계인에 대한 부당지원의 경우 법 제23조의2 제1항 또는 제3항의 규정에 위반하여 '거래 또는 제공한 위반금액'을 위반액으로 정의하고 있어서 마치 지원주체에 대해서만 위반액이 산정되는 것처럼 해석될 우려가 있는 것이다. 물론 과징금 고시 II. 11.[167]에서는 법위반유형으로 공정거래법 제23조의2 제1항 외에 제3항도 명시하고 있으므로 실무상 혼선이 초래될 가능성이 높지 않으나, 종국적으로는 과징금 고시상 위반액 정의규정에 대한 정비가 필요할 것으로 보인다.

실제 '기업집단 현대 계열회사의 부당지원행위 및 특수관계인에 대한 부당한 이익제공행위에 대한 건'에서 현대증권이 특수관계인 회사인 에이치에스티와의 거래를 통해 특수관계인에게 부당한 이익을 귀속시킨 것을 법위반으로 보면서 거래상대방인 에이치에스티에게만 시정조치 및 과징금납부명령을 하였고 이익귀속자인 특수관계인에 대하여는 피심인으로도 보지 않았다(공정거래위원회 2016. 7. 7. 의결 2016-189호). '기업집단 효성 소속 계열회사들의 특수관계인에 대한 부당이익제공행위 및 부당지원행위 사건'에서 거래상대방인 갤럭시아일렉트로닉스뿐 아니라 특수관계인도 피심인으로 삼았지만 특수관계인을 이익귀속자이기 때문에 피심인으로 한 것이 아니라 제공행위 지시 및 관여자로 심사한 것이다. 동 사건에서 공정거래위원회는 갤럭시아일렉트로닉스 및 특수관계인에게 시정명령을 부과하면

---

166) ""위반액"은…(중략)… 법 제23조(불공정 거래행위의 금지) 제1항 제7호 또는 제2항의 규정에 위반하여 지원하거나 지원받은 금액 및 법 제23조의2(특수관계인에 대한 부당한 이익제공 등 금지) 제1항 또는 제3항의 규정에 위반하여 거래 또는 제공한 위반금액을 각각 말한다"

167) ""위반액"의 유형은…(중략)… ⑤ 부당한 지원행위(법 제12조 제1항 제7호, 제2항), ⑥ 특수관계인에 대한 부당한 이익제공행위(법 제23조의2 제1항·제3항) 등 6종으로 나눈다"

서 과징금은 갤럭시아일렉트로닉스에게만 부과했다(공정거래위원회 2018. 5. 21. 의결 2018 - 148호). 또, '기업집단 금호아시아나 소속 계열회사들의 특수관계인에 대한 부당이익제공행위 및 부당지원행위 사건'에서도 자금대여 및 제3자를 통한 BW 인수의 제공행위를 받은 특수관계인 회사인 금호홀딩스와 부당지원행위를 교사한 금호산업과 이익제공행위를 지시·관여한 특수관계인 개인을 모두 피심인으로 삼았다. 다만, 시정조치와 과징금은 지원주체, 지원객체, 제공주체, 제공객체에게 부과되었으며 아울러 부당지원행위의 교사 사업자인 금호산업에게는 시정조치와 부과금이 부과되었으며, 이익제공행위의 지시·관여한 개인 특수관계인에게는 시정조치가 부과되고 과징금은 부과되지 않았다. 한편, 이익귀속자인 특수관계인을 피심인으로도 삼지 않았다(공정거래위원회 2020. 11. 6. 선고 의결 2020 - 294호).[168]

한편, 공정거래법 제23조의2 제4항에 따라 제공행위를 지시하거나 관여한 개인인 특수관계인에 대한 제재가 가능하다. 하지만 이익귀속자인 특수관계인이 지시·관여하였다는 입증이 없으면 제재할 수 없다는 것이 법원의 입장이다. 사견으로 이익귀속자인 특수관계인이 제공행위이 몰랐다는 것은 매우 이례적인 상황이고 총수 및 일가가 기업집단 전반에 사실상 결정적 영향력을 가지고 있음은 현실이므로 이익귀속자의 지시·관여에 대한 입증책임을 규제기관에 엄격히 요구하는 것은 타당하지 않다고 본다. 특히 기업집단의 총수나 그 핵심 일가의 의사결정 과정에서 지시나 관여를 한 경우라도 이들에 대한 보호를 위하여 결제서류나 서류상으로 나타나지 않는 경우가 많고 조사과정에서 임직원이 이들의 지시나 관여에 대하여 숨길 가능성이 높기 때문이다. 이런 점에서 지시·관여한 특수관계인이 아니라 이익귀속자인 특수관계인을 직접 제재하는 조항의 신설이 입법적으로 필요하다고 본다.

---

168) 금호아시아나 그룹 사건에서는 공정거래위원회는 금호산업 등 계열회사들이 특수관계인 회사인 금호홀딩스에게 정상금리보다 낮은 금리로 자금을 대여해 주고(1차 사건), 아시아나 항공이 제3자인 중국 회사를 매개로 중국회사에게 기내식 공급계약을 체결해 주고 중국회사로 하여금 금호홀딩스에게 1,600억 원 상당의 신주인수권부사채 인수를 낮은 금리에 인수하도록 하여 금호홀딩스를 간접적으로 지원해 주었다고 보았다(2차 사건). 공정거래위원회는 이를 통하여 동일인 등 특수관계인에게 금호그룹 계열사에 대한 지배권 및 경영권 유지, 그리고 금호홀딩스가 보유한 계열회사 주식을 매각하지 않고 유지하도록 함으로써 금호홀딩스의 지분가치가 유지되는 이익이 귀속되었고, 해당 사건에서 금호산업이 이를 교사하였다고 판단하면서, 제공주체인 회사들, 제공객체인 거래상대방이었던 금호홀딩스, 제공행위의 교사자인 금호산업에게 각 과징금을 부과하면서도 이익귀속자인 동일인 등 특수관계인에게는 과징금을 부과하지 않았다. 특히 공정거래위원회는 금호산업 등의 금호홀딩스에 대한 자금대여 제공행위(1차 사건)에서 금호산업에 대하여 제공주체로서 316,708,605원, 제공행위 교사에 대하여는 225,133,396원의 부과과징금이 정해졌다(공정거래위원회 2020. 11. 6. 선고 의결 2020 - 294호).

Q 83 과징금 산정 방법은 무엇인가?

A 중대성에 따라 지원금액의 80%, 50%, 20%를 기준율로 적용한 다음, 위반기간 및 횟수 등에 따라 행위요소를 고려한 1차 가중·감경을 적용하고, 보복행위·조사협력·시정 조치 등 행위자요소를 고려한 2차 가중·감경을 적용하며, 현실적 부담능력을 고려하여 최종적인 부과과징금을 정하게 된다.

해설

공정거래법 제23조의 일반부당지원행위, 제23조의2의 사익편취행위에 대하여는 금전적 행정제재인 과징금이 부과될 수 있다(공정거래법 제24조의2). 구체적으로 공정거래법 제23조 제1항 제7호 일반부당지원행위의 지원주체와 교사자(사업자에 한정), 동조 제2항의 지원객체, 제23조의2 사익편취행위 제공주체, 동조 제3항의 제공객체에게는 대통령령이 정한 매출액[지원금액(사익편취의 경우 제공금액) 또는 지원금액이 없는 경우에는 지원성 거래금액(사익편취의 경우 제공규모)]의 10%, 그것이 없는 경우에는 20억 원을 초과하지 아니하는 범위 내에서 과징금이 부과될 수 있다(공정거래법 제24조의2 제2항). 2022. 12. 30.부터 시행되는 개정법(2020. 12. 29. 법률 제17799호로 개정된 것)에서는 지원금액(또는 지원성 거래규모)의 10%, 그것이 없는 경우의 정액과징금으로는 40억 원 이하로 변경된다(2020 개정법 제50조 제2항).

두 행위는 법률적으로 병렬적으로 적용되는 것으로 실체적 경합관계이다. 그래서 과징금 한도, 산정방식 등도 동일하다. 하나의 행위가 여러 개의 법령 규정에 위반되는 경우이므로 각 위반행위별로 산정된 임의적 조정과징금 중 가장 큰 금액을 기준으로 부과과징금을 결정하게 된다(과징금 고시 III. 4. 라.). 그래서 하나의 행위에 대하여 일반부당지원행위와 사익편취행위로 의율하여 과징금을 부과한 경우 그중 하나의 위법성이 부정되더라도 과징금부과처분은, 나머지 위반으로만 과징금부과에 대한 재량의 일탈·남용이 있다고 볼 특별한 사정이 없는 한 취소되지 않을 수 있다.

부당지원행위나 사익편취행위에 있어 과징금은 지원금액 또는 지원성거래규모(제공금액 또는 제공규모)에 부과기준율을 곱한 기본산정기준, 위반행위의 기간 및 횟수 등에 따른 가중·감경하는 1차 조정, 위반사업자의 고의·과실 등에 따라 가중·감경하는 2차 조정, 위반사업자의 현실적 부담능력과 시장여건 등을 반영하여 감경하여 최종 부과과징금을 산정하게 된다.

기본산정기준은 위반행위의 내용 및 정도에 따라 위반행위를 "중대성이 약한 위반행위", "중대한 위반행위", "매우 중대한 위반행위"로 평가하여 각 지원금액 또는 지원성거래규모의 80%, 50%, 20%의 부과기준율을 곱해 계산한다.

행위요소에 의한 1차 조정은 위반행위의 기간에 의한 조정(위반기간이 1~2년이면 10~20%, 2~3년이면 20~50%, 3년 초과이면 50~100% 가중), 위반행위 횟수에 의한 조정(과거 5년간 1회 이상 법 위반으로 조치받고 위반횟수 가중치 합산이 2점 이상이면 20%, 2회 이상 법 위반 조치와 가중치 합산 3점 이상이면 40%, 3회 이상인 법 위반 조치와 가중치 합산 5점 이상이면 60%, 4회 이상 법 위반 조치와 가중치 합산 7점 이상이면 80% 이하의 가중)이 이루어진다.

행위자 요소에 의한 2차 조정은 위반행위에 응하지 않은 사업자에게 보복행위를 한 경우 10~30% 가중, 조사협력 감경(심사관의 조사 단계부터 위원회 심리 종결 시까지 인정하고 적극협력한 경우 20% 이내, 심사관 조사 단계 이후, 심사보고서 송부 이후라도 행위사실을 새로이 인정하면서 위법성 판단에 도움이 되는 자료를 제출하거나 진술한 경우 10% 이내), 위반행위 자진시정 감경(피해 원상회복 등 위반효과를 실질적으로 제거한 경우 20~30%, 위반효과를 상당부분 제거한 경우 20% 이내, 위반행위 효과 제거를 위하여 적극 노력하였고 귀책사유 없이 제거되지 않은 경우 10% 이내, 다만 조사개시 또는 심사보고서 송부 이후 이루어진 경우 감경률을 축소할 수 있다)이 이루어진다.

이후 사업자의 현실적 부담능력에 따라 자본잠식이 있는 경우 50% 이내 감경, 시장 및 경제여건이나 위반행위가 미치는 영향, 취득한 이익의 규모 등을 감안해 10% 이내로 감경하되, 자본잠식률이 50%이면서 부채비율이 400% 또는 200%를 초과하면서 최근 2개 사업연도 적자, 의결일 직전 사업연도 자본잠식 등의 세 가지 요건을 충족시키는 경우 50%를 초과하여 감경할 수 있다.

「채무자 회생 및 파산에 관한 법률」에 따라 회생절차에 있는 등 객관적으로 납부할 능력이 없는 경우에는 과징금 면제도 가능하다. 그 외 사유를 감안해 경제여건 등을 추가로 고려해 10% 이내 감경이 가능하다. 이러한 과징금고시에 비추어 가중·감경에 있어서는 공정거래위원회의 폭넓은 재량이 인정되며, 특히 피심인에게 불리하지 않은 감경에 대하여는 거의 무제한적 재량이 인정된다.

기본과징금 지원금액×부과율	1차 조정 (행위요소)	2차 조정 행위자 요소	부과과징금
-중대성이 약한 위반행위: 80% -중대한 위반행위: 50% -매우 중대한 위반행위: 20%	위반행위의 기간에 의한 조정 -위반기간이 1~2년이면 10~20%, 2~3년이면 20~50%, 3년 초과이면 50~100% 가중 위반행위 횟수에 의한 조정 -과거 5년간 1회 이상 법위반으로 조치받고 위반 횟수 가중치 합산이 2점 이상이면 20%, 2회 이상 법위반 조치와 가중치 합산 3점 이상이면 40%, 3회 이상인 법위반 조치와 가중치 합산 5점 이상이면 60%, 4회 이상 법위반 조치와 가중치 합산 7점 이상이면 80% 이하의 가중	-위반행위 불응 사업자에게 보복행위를 한 경우 10~30% 가중 -조사협력 감경(위원회 심리 종결 시까지 인정하고 적극 협력한 경우 20% 이내, 심사관 조사 단계 이후, 심사보고서 송부 전에 행위사실을 새로이 인정하면서 위법성 판단에 도움이 되는 자료를 제출, 진술한 경우 10% 이내) -자진시정 감경(피해 원상회복 등 위반효과를 실질적으로 제거한 경우 20~30%, 위반효과를 상당부분 제거한 경우 20% 이내, 적극 노력하였고 귀책사유 없이 제거되지 않은 경우 10% 이내, 다만 감경률 축소 가능)	사업자의 현실적 부담능력 감경 -자본잠식이 있는 경우 50% 이내 감경, 시장 및 경제여건이나 위반행위가 미치는 영향, 취득한 이익의 규모 등을 감안해 10% 이내로 감경하되, 자본잠식율이 50% 이면서 부채비율이 400% 또는 200%를 초과하면서 최근 2개 사업연도 적자, 의결일 직전 사업연도 자본잠식 등의 세가지 요건을 충족시키는 경우 50%를 초과하여 감경할 수 있다. 회생절차에 있는 등 객관적으로 납부할 능력이 없는 경우에는 과징금 면제도 가능 -그 외 사유를 감안해 경제여건 등을 추가로 고려해 10% 이내 감경

과징금 고시 중 관련 부분을 발췌하면 아래와 같다.

과징금부과 세부기준 등에 관한 고시(공정거래위원회고시 제2017-21호, 2017. 11. 30. 개정)

II. 정의

  8. 위반액

    나. 법 제23조(불공정거래행위의 금지) 제1항 제7호 또는 제2항의 규정에 위반하여 지원하거나 지원받은 지원금액은 부당하게 다음 각 목의 어느 하나에 해당하는 행위를 통해 특수관계인 또는 다른 회사를 지원한 금액을 말한다. 이때 지원금액의 산출이 가능한 경우에는 당해 지원금액을, 지원금액의 산출이 어렵거나 불가능한 경우에는 당해 지원성 거래규모의 100분의 10에 해당하는 금액을 말한다.

      (1) 특수관계인 또는 다른 회사에 대하여 가지급금·대여금·인력·부동산·유가증권·상품·용역·무체재산권 등을 제공하거나 상당히 유리한 조건으로 거래하는 행위

      (2) 다른 사업자와 직접 상품·용역을 거래하면 상당히 유리함에도 불구하고 거래상 실질적인 역할이 없는 특수관계인이나 다른 회사를 매개로 거래하는 행위

    다. 법 제23조의2(특수관계인에 대한 부당한 이익제공 등 금지) 제1항 또는 제3항의 규정에 위반하여 거래 또는 제공한 위반금액은 다음 각 목의 어느 하나에 해당하는 행위를 통해 특수관계인 또는 계열회사에 제공한 금액(정상적인 거래에서 기대되는 급부와의 차액)을 말한다. 이때 위반금액의 산출이 가능한 경우에는 위반금액을, 위반금액의 산출이 어렵거나 불가능한 경우에는 그 거래 또는 제공 규모(법 제23조의2 제1항 제2호의 경우에는 사업기회를 제공받은 특수관계인 또는 계열회사의 관련매출액)의 100분의 10에 해당하는 금액을 말한다.

      (1) 정상적인 거래에서 적용되거나 적용될 것으로 판단되는 조건보다 상당히 유리한 조건으로 거래하는 행위

      (2) 회사가 직접 또는 자신이 지배하고 있는 회사를 통해 수행할 경우 회사에 상당한 이익이 될 사업기회를 제공하는 행위

      (3) 특수관계인과 현금 기타 금융상품을 상당히 유리한 조건으로 거래하는 행위

      (4) 사업능력, 재무상태, 신용도, 기술력, 품질, 가격 또는 거래조건 등에 대한 합리적인 고려나 다른 사업자와의 비교 없이 상당한 규모로 거래하는 행위

III. 과징금 부과 여부의 결정

  2. 행위 유형별 기준

마. 부당한 지원행위

(1) 상호출자제한기업집단에 속하는 사업자가 행한 부당한 지원행위에 대하여
는 원칙적으로 과징금을 부과한다. 다만, 당해 업계의 특수성이나 거래관행
등을 참작할 때 위반의 정도나 지원효과가 미미한 경우 등에는 과징금을 부
과하지 아니할 수 있다.

(2) 상호출자제한기업집단에 속하지 아니한 사업자가 행한 부당한 지원행위에
대하여는, 지원객체가 참여하는 관련 시장에서 위반행위로 인하여 나타난
경쟁질서 저해효과가 중대하거나 악의적으로 행해진 경우에 원칙적으로 과
징금을 부과한다.

바. 특수관계인에 대한 부당한 이익제공행위

특수관계인에게 부당한 이익을 제공하는 행위에 대하여는 원칙적으로 과징금을
부과한다. 다만, 위반의 정도나 위반의 효과가 미미한 경우 등에는 과징금을 부
과하지 아니할 수 있다.

IV. 과징금의 산정기준

1. 위반행위 유형별 산정기준

산정기준은 위반행위를 그 내용 및 정도에 따라 "중대성이 약한 위반행위", "중대한
위반행위", "매우 중대한 위반행위"로 구분한 후, 위반행위 유형별로 아래에 정한 중
대성의 정도별 부과기준율 또는 부과기준금액을 적용하여 정한다. 이 경우 위반행위
중대성의 정도는 위반행위 유형별로 마련된 [별표] 세부평가 기준표에 따라 산정된
점수를 기준으로 정한다. 다만, 위반행위로 인하여 발생한 경쟁질서의 저해정도, 관
련시장 현황, 시장에 미치는 영향 및 그 파급효과, 관련 소비자 및 사업자의 피해정
도, 부당이득의 취득 여부, 위반행위 전후의 사정, 기타 위반사업자와 다른 사업자
또는 소비자와의 관계 등을 종합적으로 고려하여 위반행위 중대성의 정도를 달리 정
할 수 있다. 이 경우 그 이유를 의결서에 명시하여야 한다.

마. 부당한 지원행위

위반액에 위반행위 중대성의 정도별 부과기준율을 곱하여 산정기준을 정한다.

중대성의 정도	기준표에 따른 산정점수	부과기준율
매우 중대한 위반행위	2.2 이상	80%
중대한 위반행위	1.4 이상 2.2 미만	50%
중대성이 약한 위반 행위	1.4 미만	20%

바. 특수관계인에 대한 부당한 이익제공행위

위반액에 위반행위 중대성의 정도별 부과기준율을 곱하여 산정기준을 정한다.

중대성의 정도	기준표에 따른 산정점수	부과기준율
매우 중대한 위반행위	2.2 이상	80%
중대한 위반행위	1.4 이상 2.2 미만	50%
중대성이 약한 위반 행위	1.4 미만	20%

2. 1차 조정

위반행위의 기간 및 횟수를 고려하여 산정기준의 100분의 100의 범위에서 가산할 수 있다.

가. 위반행위의 기간에 의한 조정

산정기준을 정하는 과정에서 위반기간이 고려되지 않은 경우에는 다음과 같이 위반기간에 따라 산정기준을 조정한다.

(1) 단기 위반행위: 위반기간이 1년 이내인 경우는 산정기준을 유지한다.

(2) 중기 위반행위: 위반기간이 1년 초과 2년 이내인 경우에는 산정기준의 100분의 10 이상 100분의 20 미만에 해당하는 금액을, 2년 초과 3년 이내인 경우에는 산정기준의 100분의 20 이상 100분의 50 미만에 해당하는 금액을 가산한다.

(3) 장기 위반행위: 위반기간이 3년을 초과하는 경우에는 산정기준의 100분의 50 이상 100분의 80 이하에 해당하는 금액을 가산한다.

나. 위반행위의 횟수에 의한 조정

(1) 과거 5년간 1회 이상 법 위반으로 조치(경고 이상을 포함하되 시정조치의 대상이 아닌 위반행위에 대하여 경고한 경우는 제외한다)를 받고 위반횟수 가중치의 합산이 2점 이상인 경우에는 2회 조치부터 다음과 같이 산정기준을 가중할 수 있다.

(가) 과거 5년간 1회 이상 법 위반으로 조치(경고 이상)를 받고 위반횟수 가중치의 합산이 2점 이상인 경우: 100분의 10 이상 100분의 20 미만

(나) 과거 5년간 2회 이상 법 위반으로 조치(경고 이상)를 받고 위반횟수 가중치의 합산이 3점 이상인 경우: 100분의 20 이상 100분의 40 미만

(다) 과거 5년간 3회 이상 법 위반으로 조치(경고 이상)를 받고 위반횟수 가중치의 합산이 5점 이상인 경우: 100분의 40 이상 100분의 60 미만

(라) 과거 5년간 4회 이상 법 위반으로 조치(경고 이상)를 받고 위반횟수 가중치의 합산이 7점 이상인 경우: 100분의 60 이상 100분의 80 이하

(2) 위 Ⅲ. 1. 라. 및 Ⅳ. 2. 나. (1)에서 과거 시정조치의 횟수를 산정할 때에는 시정조치의 무효 또는 취소판결이 확정된 건(의결 당시 취소판결 또는 직권 취소 등이 예정된 경우 포함)을 제외한다.

3. 2차 조정
  가. 일반원칙
    행위자 요소 등에 의한 가중·감경은 위반사업자에게 다음 나. 및 다.에서 정한
    가중 또는 감경사유가 인정되는 경우에 각각의 가중비율의 합에서 각각의 감경
    비율의 합을 공제하여 산정된 비율을 1차 조정된 산정기준에 곱하여 산정된 금
    액을 1차 조정된 산정기준에 더하거나 빼는 방법으로 한다. 다만, 가중·감경의
    결과 가감되는 금액은 1차 조정된 산정기준의 100분의 50 범위 내이어야 한다.
  나. 가중사유 및 비율
    (1) 내지 (2) 〈삭제〉
    (3) 위반사업자가 위반행위에 응하지 아니하는 다른 사업자에 대하여 보복조치
       를 하거나 하게 한 경우: 100분의 10 이상 100분의 30 이내
    (4) 내지 (7) 〈삭제〉
  다. 감경 사유 및 비율
    (1) 사업자들 간에 공동행위의 합의를 하고 실행을 하지 아니한 경우 및 사업자
       단체가 제26조 제1항 제1호에 위반하는 합의를 하고 실행을 하지 아니한 경
       우: 100분의 50 이내
    (2) 〈삭제〉
    (3) 조사협력 등
      (가) 심사관의 조사 단계부터 위원회의 심리 종결 시까지 일관되게 행위사
          실을 인정하면서 위법성 판단에 도움이 되는 자료를 제출하거나 진술
          을 하는 등 적극 협력한 경우: 100분의 20 이내. 다만, 법 제19조를 위반
          한 자로서 법 제22조의2 및 시행령 제35조 제1항 제1호 내지 제3호에
          따라 과징금을 감면받는 자에 대해서는 감경을 하지 아니한다.
      (나) 심사관의 조사 단계 이후라도 위원회의 심리 종결 전에 행위사실을 새
          로이 인정하면서 위법성 판단에 도움이 되는 추가적 자료를 제출하거
          나 진술을 한 경우: 100분의 10 이내
    (4) 〈삭제〉
    (5) 위반행위를 자진 시정한 경우. 이때 자진 시정이라 함은 해당 위반행위 중지
       를 넘어서 위반행위로 발생한 효과를 적극적으로 제거하는 행위를 말하며,
       이에 해당하는지 여부는 위반행위의 내용 및 성격, 경쟁질서의 회복 또는 피
       해의 구제, 관련 영업정책이나 관행의 개선, 기타 재발 방지를 위한 노력 등
       을 종합적으로 감안하여 판단한다. 법 제19조를 위반한 자로서 법 제22조의2
       및 시행령 제35조 제1항 제1호 내지 제3호에 따라 과징금을 감면받는 자에

대해서는 자진 시정에 따른 감경을 하지 아니한다.

(가) 위반행위로 인한 가격상승폭만큼의 가격을 인하하거나 피해의 원상회복 등 위반행위의 효과를 실질적으로 제거한 경우: 100분의 20 이상 100분의 30 이내

(나) 위반행위로 인한 가격상승폭의 50% 이상 인하하거나 위반행위의 효과를 상당부분 제거한 경우: 100분의 10 이상 100분의 20 이내

(다) 위 (가) 및 (나)에 해당하지 아니하나, 위반행위 효과를 제거하기 위해 적극적으로 노력하였고 자신의 귀책사유 없이 위반행위 효과가 제거되지 않은 경우: 100분의 10 이내

(라) 위 (가) 내지 (다)의 자진시정이 조사가 개시된 이후 또는 심사보고서의 송부 이후에 이루어진 경우에는 각각 감경률을 축소할 수 있다.

(6) 내지 (11) 〈삭제〉

4. 부과과징금의 결정

가. 2차 조정된 산정기준이 위반사업자의 현실적 부담능력, 시장 또는 경제여건, 위반행위가 시장에 미치는 효과 및 위반행위로 인해 취득한 이익의 규모 등을 충분히 반영하지 못하여 과중하다고 인정되는 경우에는 공정거래위원회는 그 이유를 의결서에 명시하고 2차 조정된 산정기준을 다음과 같이 조정하여 부과과징금을 결정할 수 있다. 다만, 위반사업자의 현실적 부담능력과 관련한 감경의 경우, 공정거래위원회로부터 부과받을 과징금 납부로 인해 단순히 자금사정에 어려움이 예상되는 경우(법 제55조의4에 따른 과징금 납부기한 연장 및 분할납부로 자금사정의 어려움을 피할 수 있는 경우를 포함한다)에는 인정되지 않는다.

(1) 공정거래위원회는 다음과 같은 사항을 고려하여 2차 조정된 산정기준에서 감액하되, 이하 (가)~(나)의 사유를 모두 적용하더라도 100분의 50 이내에서 감액할 수 있다.

(가) 위반사업자의 현실적 부담능력에 따른 조정을 위해서는 다음 사항을 고려한다. 의결일 직전 사업연도 사업보고서상 자본잠식 상태에 있는 경우 2차 조정된 산정기준의 100분의 50 이내에서 감액(다만, 자본잠식 상태인 경우라도, 이하의 100분의 30 이내 감액요건을 충족시키지 못하는 경우에는 2차 조정된 산정기준의 100분의 30 이내에서만 감액)할 수 있으며, 의결일 직전 사업연도 사업보고서상 (i) 부채비율이 300%를 초과 또는 200%를 초과하면서 같은 업종(「통계법」에 따라 통계청장이 고시하는 한국표준산업분류의 대분류 기준에 따른 업종(제조업의 경우 중분류 기준에 따른 업종)을 말한다. 이하 같다) 평균의 1.5배

를 초과하고 (ii) 당기순이익이 적자이면서 (iii) 2차 조정된 산정기준이 잉여금 대비 상당한 규모인 경우 2차 조정된 산정기준의 100분의 30 이내에서 감액할 수 있다.

(나) 다음과 같은 사유들은 불가피한 경우에 한하여 적용하되, 이하 1)~2)의 사유를 모두 적용하더라도 100분의 10 이내에서 감경할 수 있다.

　　1) 시장 또는 경제여건에 따른 조정은 경기변동(경기종합지수 등), 수요·공급의 변동(해당 업종 산업동향 지표 등), 환율변동 등 금융위기, 석유·철강 등 원자재 가격동향, 천재지변 등 심각한 기후적 요인, 전쟁 등 심각한 정치적 요인 등을 종합적으로 고려할 때 시장 또는 경제여건이 상당히 악화되었는지 여부를 고려하여 적용한다.

　　2) 위반행위가 시장에 미치는 효과 및 위반행위로 인해 취득한 이익의 규모 등에 따른 조정은 개별 위반사업자의 시장점유율, 가격인상 요인 및 인상정도, 위반행위의 전후 사정, 해당 산업의 구조적 특징, 실제로 취득한 부당이득의 정도 등을 고려하여 적용하되, 처분의 개별적·구체적 타당성을 기하기 위한 경우에 적용한다.

(2) 공정거래위원회는 이하 (가)~(나)의 사항을 고려하여 2차 조정된 산정기준의 100분의 50을 초과해서 감액할 수 있으며, '채무자 회생 및 파산에 관한 법률'에 따른 회생절차 중에 있는 등 객관적으로 과징금을 납부할 능력이 없다고 인정되는 경우에는 과징금을 면제할 수 있다.

(가) 위반사업자의 현실적 부담능력에 따른 조정은 의결일 직전 사업연도 사업보고서상 위반사업자의 자본잠식률이 50% 이상이거나, (i) 의결일 직전 사업연도 사업보고서상 부채비율이 400%를 초과 또는 200%를 초과하면서 같은 업종 평균의 2배를 초과하고 (ii) 의결일 기준 최근 2개 사업연도 사업보고서상 당기순이익이 적자, (iii) 의결일 직전 사업연도 사업보고서상 자본잠식 등 세 가지 요건을 동시에 충족시키면서 50% 초과 감경 없이는 위반사업자가 사업을 더 이상 지속하기 어려운지 여부를 고려하여 적용한다.

(나) 다음과 같은 사유들은 불가피한 경우에 한하여 적용하되, 이하 1)~2)의 사유를 모두 적용하더라도 100분의 10 이내에서 감경할 수 있다.

　　1) 시장 또는 경제여건에 따른 조정은 경기변동(경기종합지수 등), 수요·공급의 변동(해당 업종 산업동향 지표 등), 환율변동 등 금융위기, 석유·철강 등 원자재 가격동향, 천재지변 등 심각한 기후적 요인, 전쟁 등 심각한 정치적 요인 등을 종합적으로 고려할 때 시장

또는 경제여건이 현저히 악화되었는지 여부를 고려하여 적용한다.

2) 그 밖에 위에 준하는 사유에 따른 조정은 위반사업자의 사업규모 또는 매출규모 대비 2차 조정된 산정기준 비율 등 다른 위반사업자와의 비교형량 결과 동 사유에 따른 감경 없이는 비례·평등 원칙에 현저히 위배된다고 판단되는 경우에 적용한다.

(3) 위반사업자는 '현실적 부담능력' 및 '시장 또는 경제여건'과 관련하여 2차 조정된 산정기준을 조정할 필요가 있다는 사실을 증명하기 위해서는 공정거래위원회에 객관적인 자료를 제출하여야 한다. 위반사업자는 현실적 부담능력 입증과 관련하여, 개별 (또는 별도) 재무제표가 포함된 사업보고서를 제출하여야 하며, 예상 과징금액이 충당부채, 영업외비용 등에 선반영되어 있는 경우 이를 제외하여 재작성한 재무제표도 추가로 제출하여야 한다.

(4) 공정거래위원회는 위 (3)과 관련하여 위반사업자의 경영 및 자산상태에 관한 객관적인 평가를 위하여 필요하다고 인정할 경우 기업회계, 재무관리, 신용평가 분야 등의 외부 전문가로부터 의견을 청취할 수 있다.

나. 〈삭제〉

다. 하나의 사업자가 행한 여러 개의 위반행위(각 위반행위가 동일한 법조에 해당하는 경우를 포함한다. 이하 같다)에 대하여 과징금을 부과하는 경우에는 다음 기준에 의한다.

(1) 여러 개의 위반행위를 함께 심리하여 1건으로 의결할 때에는 각 위반행위별로 이 고시에서 정한 방식에 의하여 부과과징금을 산정한 후 이를 모두 합산한 금액을 과징금으로 부과하되, 부과과징금의 한도는 각 위반행위별로 정해진 법상 한도를 합산하여 적용한다. 다만, 각각의 위반행위로 인한 효과가 동일한 거래분야에 미치면서 과징금 합산금액이 과다하다고 인정되는 경우에는 위 가.의 기준에 따라 이를 조정할 수 있다.

(2) 여러 개의 위반행위를 여러 건으로 나누어 의결하는 경우에는 이를 1건으로 의결하는 경우와의 형평을 고려하여 후속 의결에서 위 가.의 기준에 따라 부과과징금을 조정할 수 있다.

라. 하나의 행위가 여러 개의 법령규정에 위반될 경우 이 고시에서 정한 방식에 의하여 각 위반행위별로 산정된 임의적 조정과징금 중 가장 큰 금액을 기준으로 부과과징금을 결정한다.

마. 2차 조정된 산정기준이 1백만 원 이하인 경우는 과징금을 면제할 수 있다.

바. 부과과징금을 결정함에 있어서 1백만 원 단위 미만의 금액은 버리는 것을 원칙으로 한다. 다만, 공정거래위원회는 부과과징금의 규모를 고려하여 적당하다고

생각되는 금액단위 미만의 금액을 버리고 부과과징금을 결정할 수 있다.

사. 과징금 부과의 기준이 되는 매출액 등이 외국환을 기준으로 산정되는 경우에는 그 외국환을 기준으로 과징금을 산정하되, 공정거래위원회의 합의일에 KEB하나은행이 최초로 고시하는 매매기준율을 적용하여 원화로 환산하여 부과과징금을 결정한다. 다만, KEB하나은행이 고시하지 않는 외국환의 경우에는 미국 달러화로 환산한 후 이를 원화로 다시 환산한다.

84 지원금액(제공금액)의 의미와 산정방식은 무엇인가?

A 지원금액(제공금액)은 지원객체(제공객체)가 받거나 받은 것과 동일시할 수 있는 경제적 이익만으로 계산되어야 하며 과징금 산정의 기초가 된다.

해설

부당지원행위 및 특수관계인에 대한 부당이익제공 행위에 대한 과징금은 위반액을 기준으로 산정된다(과징금 고시 III. 1. 마 및 바). 위반액은 지원금액으로 산정되는 것이 원칙이지만 만약 지원금액(위반금액 등) 산정이 어려운 경우 지원성 거래규모의 10%로 계산된다(과징금 고시 II. 8.). 특수관계자 부당이익 제공의 경우 '제공금액 등'으로 표현하고 있지만 개념적으로 지원금액과 사실상 같다.

일반 부당지원행위 심사지침

II. 정의

  6. "지원금액"이라 함은 지원주체가 지원객체에게 제공하는 경제적 급부의 정상가격에서 그에 대한 대가로 지원객체로부터 받는 경제적 반대급부의 정상가격을 차감한 금액을 말한다.

III. 지원행위의 구체적 기준 및 지원금액 산정원칙

  1. 가지급금 또는 대여금 등 자금을 거래한 경우

    차. 지원주체와 지원객체 간의 자금거래에 적용된 실제적용금리가 개별정상금리보다 상당히 낮거나 높은 것으로 보는 것이 합리적이나 개별정상금리의 구체적 수준을 합리적으로 산정하기 어려운 경우에는 지원성 거래규모를 기준으로 지원금액을 산정한다.

    카. 지원주체가 지원객체를 지원하려는 의도하에 제3자를 매개하여 자금거래를 하고 그로 인하여 지원객체에게 실질적으로 경제상 이익을 제공하는 경우의 지원금액은 지원주체가 지원과정에서 부수적으로 제3자에게 지출한 비용을 제외하고 지원객체가 받았거나 받은 것과 동일시할 수 있는 경제상 이익만을 고려하여 산정한다(유가증권 등 자산거래, 부동산 임대차, 상품·용역거래, 인력제공 등에 의한 지원행위의 경우에도 이를 준용한다).

과징금 고시

II. 정의

  8. 위반액

가. "위반액"은 법 제8조의2(지주회사의 행위제한등) 제2항 내지 제5항의 규정에 위반하여 법 제17조(과징금) 제4항 각 호의 규정에 해당하는 금액, 제9조(상호출자의 금지 등)의 규정에 위반한 행위로 취득 또는 소유한 주식의 취득가액, 법 제9조의2(순환출자의 금지)의 규정에 위반한 행위로 취득 또는 소유한 주식의 취득가액, 법 제10조의2(계열회사에 대한 채무보증의 금지) 제1항의 규정에 위반하여 행한 채무보증액, 법 제17조의2(시정조치 등에 대한 특례) 제5항의 규정에 의한 주식의 취득가액, 법 제23조(불공정거래행위의 금지) 제1항 제7호 또는 제2항의 규정에 위반하여 지원하거나 지원받은 지원금액 및 법 제23조의2(특수관계인에 대한 부당한 이익제공 등 금지) 제1항 또는 제3항의 규정에 위반하여 거래 또는 제공한 위반금액을 각각 말한다.

나. 법 제23조(불공정거래행위의 금지) 제1항 제7호 또는 제2항의 규정에 위반하여 지원하거나 지원받은 지원금액은 부당하게 다음 각 목의 어느 하나에 해당하는 행위를 통해 특수관계인 또는 다른 회사를 지원한 금액을 말한다. 이때 지원금액의 산출이 가능한 경우에는 당해 지원금액을, 지원금액의 산출이 어렵거나 불가능한 경우에는 당해 지원성 거래규모의 100분의 10에 해당하는 금액을 말한다.

  (1) 특수관계인 또는 다른 회사에 대하여 가지급금·대여금·인력·부동산·유가증권·상품·용역·무체재산권 등을 제공하거나 상당히 유리한 조건으로 거래하는 행위

  (2) 다른 사업자와 직접 상품·용역을 거래하면 상당히 유리함에도 불구하고 거래상 실질적인 역할이 없는 특수관계인이나 다른 회사를 매개로 거래하는 행위

다. 법 제23조의2(특수관계인에 대한 부당한 이익제공 등 금지) 제1항 또는 제3항의 규정에 위반하여 거래 또는 제공한 위반금액은 다음 각 목의 어느 하나에 해당하는 행위를 통해 특수관계인 또는 계열회사에 제공한 금액(정상적인 거래에서 기대되는 급부와의 차액)을 말한다. 이때 위반금액의 산출이 가능한 경우에는 위반금액을, 위반금액의 산출이 어렵거나 불가능한 경우에는 그 거래 또는 제공 규모(법 제23조의2 제1항 제2호의 경우에는 사업기회를 제공받은 특수관계인 또는 계열회사의 관련매출액)의 100분의 10에 해당하는 금액을 말한다.

  (1) 정상적인 거래에서 적용되거나 적용될 것으로 판단되는 조건보다 상당히 유리한 조건으로 거래하는 행위

  (2) 회사가 직접 또는 자신이 지배하고 있는 회사를 통해 수행할 경우 회사에 상당한 이익이 될 사업기회를 제공하는 행위

  (3) 특수관계인과 현금 기타 금융상품을 상당히 유리한 조건으로 거래하는 행위

> (4) 사업능력, 재무상태, 신용도, 기술력, 품질, 가격 또는 거래조건 등에 대한 합
> 리적인 고려나 다른 사업자와의 비교 없이 상당한 규모로 거래하는 행위

대법원은 '지원금액'에 "지원행위와 관련하여 지원주체가 지출한 금액 중 지원객체가 속한 시장에서 경쟁을 제한하거나 경제력집중을 야기하는 등으로 공정한 거래를 저해할 우려가 있는 '지원객체가 받았거나 받은 것과 동일시할 수 있는 경제적 이익'만을 의미하는 것이지 지원과정에서 부수적으로 제3자에게 지출한 비용은 포함되지 않는다"고 판시하였다 (대법원 2004. 3. 12. 선고 2001두7220 판결, 대법원 2007. 1. 25. 선고 2004두7610 판결 등 다수). 만약 지원주체가 제3자와 거래하고 제3자가 다시 지원객체에게 거래하여 간접 지원한 경우 제3자가 취득한 비용이나 대가는 해당 판결에 의하면 제외될 것이다.

지원금액에는 금전뿐 아니라 가치도 해당된다. 에스케이네트워크 등 해외법인이 에스케이증권을 위하여 제이피모건이 인수하는 에스케이증권 신주의 등락에 따른 위험을 제거해 주는 옵션계약을 체결해 준 것에 대하여 에스케이네트워크 등이 에스케이증권을 부당지원 해 준 것이라는 공정거래위원회 판단과 관련하여 대법원은 제이피모건에게 위험을 제거해 줌으로써 에스케이네트워크는 그에 따른 비용을 부담하고 에스케이증권에 대하여는 같은 액수 상당의 경제적 급부를 부담한 셈이 되었다고 판시하였다(대법원 2007. 7. 27. 선고 2005두10866 판결). 현대자동차 등의 대한알미늄, 금강개발 전환사채 전환을 지원행위와 관련하여 "특정한 자금 또는 자산거래에 있어서 지원금액은 지원주체가 지출한 금액이 아니라 지원객체가 받았거나 받은 것과 동일시할 수 있는 경제상 이익만을 의미하는 것으로 보아야 할 것인바, 전환사채의 전환권행사는 사채와 주식의 교환이라는 거래행위의 성격 외에 단체법적인 출자행위의 성격도 가지고 있어 전환사채의 전환권행사로 지원객체인 사채발행회사가 얻은 구체적인 경제적 이익을 산정하기 곤란하고, 그 결과 이 사건 전환사채의 전환권행사 행위는 지원금액을 산출하기 어려운 경우에 해당한다고 할 것이다"라고 판시하였다(대법원 2007. 1. 25. 선고 2004두7610 판결).

Q 85 부당지원행위의 지원금액에 부가가치세가 포함되는가?

A 심사지침에서는 지원객체에게 경제적 이익으로 귀속한 부가가치세에 대하여는 지원금액으로 포함하도록 규정하고 있지만, 부가가치세가 경제적 이익으로 귀속되는 경우가 실무상 거의 존재하지 않는 점에서 이러한 산정기준의 타당성에 관한 논란이 있다.

해설

2017. 12. 12. 공정거래위원회 예규 제288호로 개정되기 이전의 심사지침에서는 "지원금액의 산정에 있어서 부가가치세가 수반되는 거래의 경우에는 부가가치세를 포함한다"고 규정하여, 과징금 산정의 기본이 되는 지원금액 산정 시 부가가치세를 포함하도록 하고 있다(심사지침 II. 6.). 하지만 2016. 12. 12. 개정 심사지침에서는 이를 삭제하였다. 공정거래위원회는 이에 대하여 '부가가치세가 지원객체에 귀속된 경제상 이익에 해당하는 경우에만 지원금액에만 포함시키도록 한' 취지라고 밝혔다.[169]

거래징수방식을 취하고 있는 부가가치세에서는 기본적으로 상품이나 용역의 제공자가 납세의무자가 된다. 상품이나 용역을 제공받은 자는 납세의무자로부터 거래징수한 부가가치세를 국가를 위하여 보관하고 있는 것에 불과하며 이는 국가에 고스란히 납부해야 하므로 이를 통해 아무런 경제적 이익도 얻지 못한다. 실제 기업회계 실무에 있어서도 매출로 인하여 거래징수한 부가가치세 상당액을 법인의 수익으로 처리하지 아니하고 '부가가치세 예수금' 계정(부채)으로 회계처리하는 것도 이러한 맥락이다. 따라서 지원행위로 인한 지원금액은 지원객체의 경제적 이익과 무관한 부가가치세를 제외한 금액으로 산정하는 것이 보다 타당하다. 이런 점에서 부가가치세를 지원금액에 포함시킨다는 규정을 삭제한 2017년 개정 심사지침의 태도는 합당하다.

다만, 심사지침 개정 이유에서 공정거래위원회가 밝힌 '부가가치세가 지원객체에게 귀속된 경제상 이익에 해당하는 경우'가 도대체 어떤 경우에 해당하는지 명확하지 않다. 일반 과세 거래에는 해당이 없을 것이고, 면세거래를 의미하는지, 영세율을 의미하는지, 양자를 모두 의미하는지 명확한 해설이 없다. 영세율의 경우 지원객체 역시 부가가치세를 거래징수할 수 없으므로 지원이 될 수 없다. 면세의 경우에는 지원객체가 부가가치세를 지원주체로부터 받지만 관련하여 매입세액공제를 받을 수 없다. 그래서 실무상 부가가치세가 지원주체에게 귀속된 경제상 이익에 해당하는 경우가 있는지 의문이다.

---

169) 심사지침 개정이유, https://www.law.go.kr/LSW//admRulInfoP.do?admRulSeq=2100000105509

Q 86 제3자를 통한 우회적·간접적 지원행위가 이루어진 경우 지원금액을 어떻게 산정해야 하는가?

A 지원주체와 제3자와의 거래보다는 제3자와 지원객체 사이 거래에서의 일반적인 거래 가격을 비교하여 지원금액을 산정하게 된다.

해설

제3자를 통한 간접적 거래를 통한 지원행위 구조에서, 만약 제3자가 단순히 도관(conduit)의 역할만을 담당하여 지원주체가 제공한 경제상 이익이 고스란히 지원객체에게 이전되었다면 지원객체에게 전달된 경제상 이익을 지원금액으로 산정해야 한다. 하지만 이와 같은 거래구조는 많지 않고, 통상의 경우 지원주체와 제3자가 거래를 한 이후 제3자가 지원객체와 후속 거래를 하여 지원하는 형태가 되므로, 이때 지원금액은 무엇을 기준으로 산정해야 하는지 문제될 수 있다.

심사지침에서는 "지원금액은 지원주체가 지원과정에서 부수적으로 제3자에게 지출한 비용을 제외하고 지원객체가 받았거나 받은 것과 동일시할 수 있는 경제상 이익만을 고려하여 산정해야 한다"는 원칙을 명시하고 있다(심사지침 III. 1. 마.). 부당지원행위는 지원객체가 부당한 경제상 이익을 제공받아 자신이 속한 시장에서 경쟁상 우위를 점하고 공정한 거래를 저해하는 문제를 막고자 하는 것이므로, 지원금액은 지원주체와 제3자와의 거래보다는 제3자와 지원객체와의 거래를 중심으로, 해당 거래에서의 정상가격을 기준으로 산정해야 한다.

이와 관련하여, 법원도 A사가 발행한 어음을 B사가 매입하고, 이를 B로부터 C사가 다시 매입하는 형태로 C사가 A사를 지원한 행위가 문제된 사안에서, 정상금리와 비교할 실제적용금리는 지원객체인 A사와 B사 사이의 거래에 적용된 금리로 보아야 한다고 판단한 바 있다(대법원 2007. 10. 26. 선고 2005두3172 판결). 즉, 지원주체(C사)가 부담한 금리가 아니라 지원객체(A사)가 직접 받은 금리를 기준으로 해야 한다는 것이다.

참고로, 국세기본법 제14조 제3항에서는 "제3자를 통한 간접적인 방법이나 둘 이상의 행위 또는 거래를 거치는 방법에 의하여 이 법 또는 세법의 혜택을 부당하게 받기 위한 것으로 인정되는 경우에는 그 경제적 실질에 따라 당사자가 직접 거래한 것으로 보거나 연속된 하나의 행위 또는 거래로 보아 이 법 또는 세법을 적용한다"고 규정하고 있는바, 제3자를 매개한 지원행위는 조세법적인 측면에서는 지원주체와 지원객체 사이의 단일 거래로 볼 수 있는 근거를 두고 있다.

다만, 아직까지는 제3자를 매개로 한 지원행위와 관련하여 위 국세기본법 규정의 적용 가부가 직접적으로 쟁점이 된 사례는 찾아보기 어렵다.

Q87 소위 '통행세 거래'에 따른 지원금액은 어떻게 산정해야 하는가?

A 중간 거래단계에 있는 지원객체가 얻은 이익(거래 차액)에서 지원객체가 당해 거래를 위해 지출한 직접비를 공제하되, 간접비는 공제하지 않는 것이 실무이다.

해설

개정법에서 통행세 거래가 지원행위 유형으로 신설되었지만, 과징금 고시에는 이러한 유형의 거래에 따른 지원금액 산정기준이 별도로 마련되어 있지 않다. 따라서 통행세 거래 시 지원금액 산정방법은 공정거래위원회의 기존 심결례(2014. 3. 3. 의결 제2014-037호, 2012. 9. 13. 의결 제2012-228호 등)를 참고하여 판단할 필요가 있다.

공정거래위원회는 A사가 C사와 직접 물품 공급거래를 할 수 있었음에도, 거래상 실질적 역할을 거의 수행하지 않는 B사를 중간거래 단계로 포함시켜 지원행위를 한 경우, A가 B사에 지원한 금액을 산정함에 있어서 ① 정상가격은 B사와 C사가 거래한 금액을 의미하며, ② 구체적인 지원금액은 기본적으로 A사와 B사가 거래한 금액과 위 정상가격 간의 차액으로 산정하되 ③ B사가 그 거래를 위해 지출한 인건비 등 직접비는 B사가 취득한 이익으로 보기 어렵다는 점에서 위 차액에서 직접비를 공제한 금액을 지원금액으로 산정하였다. 향후 특별한 사정이 없는 한 통행세 유형의 부당지원행위의 과징금을 산정함에 있어서는, 이러한 방법론이 활용될 것으로 보인다.

공정거래위원회로서는 지원금액에서 지원객체가 그 거래를 위해 지출한 비용을 차감하는 과정에서 간접비 배분 방법이 다소 자의적이고 명확하게 산정하기 어렵다는 점 때문에 지원금액에서 차감될 비용으로 고려하지 않은 것으로 생각된다. 하지만 간접비 또한 지원객체의 비용의 일부임이 명백하고 간접비 배부가 자의적인지 여부는 그 적정성을 판단하여 적정한 비용을 간접비로 인정하면 족하지 간접비를 제외할 근거가 될 수는 없다. 그런 점에서 간접비 자체를 아예 공제하지 않는 것은 부당하다.[170]

---

170) 참고로 세법에서 용역대가와 관련한 정상가격산정의 보충적 평가방법에서는 간접비를 포함하고 있다.

Q88 부당지원행위에 따른 과징금은 지원주체뿐 아니라 지원객체에게도 부과될 수 있는가?

A 2013년 개정법 이전에는 지원주체에 대해서만 과징금을 부과할 수 있었지만, 2013년 개정법 시행 후에는 지원객체에게도 과징금 부과가 가능하다.

> **해설**

법원은 대규모기업집단 소속 계열회사들이 기업집단 전체의 이익을 도모하고자 지원행위를 지속적으로 주고 받으며 계열의 유지·확산의 수단으로 부당한 지원행위를 활용한 경우 중장기적으로는 지원주체도 기업집단의 경제력집중을 통해 부당이득을 얻는다고 판시한 바 있다(대법원 2004. 10. 14. 선고 0221두2881 판결, 환송심 서울고등법원 2005. 11. 16. 선고 2004두22765 판결).

하지만 이는 이론적·추상적인 측면의 부당이득에 불과하고 지원주체 입장에서 계량화할 수 있는 구체적인 이익이라고 볼 수는 없다. 실제 다른 공정거래법 위반행위들과는 달리, 부당지원행위의 경우 지원주체(법 위반 주체)는 당해 지원행위를 통하여 계량화할 수 있는 이익을 거의 취하지 못한다고 보아도 무방하다. 그럼에도 불구하고 종전 공정거래법에서는 지원주체에게만 과징금을 부과해왔다. 헌법재판소는 이러한 과징금 부과 규정에 대하여 5 : 4의 의견으로 합헌을 선언하였다. 헌법재판소와 대법원은 부당지원행위에 대한 과징금이 행정상의 제재금의 성격이 강하다는 점, 지원행위를 통해 기업집단 전체적으로 경제력집중이 이루어져 결과적으로 지원주체에게도 상당한 부당이득이 발생한다는 점을 들어 '지원행위에 따른 직접적인 이익을 취하지 않는' 지원주체에 대한 과징금 부과 근거 규정이 정당하다고 판단하였다(헌법재판소 2003. 7. 24.자 2001헌가25 결정, 대법원 2004. 10. 14. 선고 2001두2881 판결).

그러나, 법 위반으로 이익을 취한 바 없는 지원주체에 대한 편면적 과징금 부과는 부당하다는 비판이 지속적으로 제기되었고, 지원행위를 통해 이익을 얻는 지원객체가 아닌 지원주체에 대하여만 과징금을 부과하는 것은 부당하므로 (지원주체와 지원객체 모두에게 과징금을 부과해야 한다는 주장이 아니라) 과징금 부과 대상을 지원객체로 바꾸어야 한다는 비판이 강하였다.[171] 이에 따라 지원객체가 지원을 받는 행위도 명시적으로 금지시키고 과징금 부과조항도 신설하였다.

---

171) 채이배, 「지배주주의 사익추구행위로서의 일감몰아주기 실태와 규제방안」, 경쟁저널, p.30

　　2013년 개정법에서는 일반 부당지원행위와 관련하여 제23조 제2항에서 "특수관계인 또는 회사는 다른 사업자로부터 제1항 제7호에 해당할 우려가 있음에도 불구하고 해당 지원을 받는 행위를 하여서는 아니 된다"는 조항을 신설하고, 총수일가 사익편취행위 규제와 관련하여도 제23조의2 제4항에서도 "특수관계인은 누구에게든지 제1항 또는 제3항에 해당하는 행위를 하도록 지시하거나 해당 행위에 관여하여서는 아니 된다"는 금지의무 조항을 신설했다. 한편, 두 행위의 지원객체에 대하여 과징금 부과조항에 대하여도 개정 공정거래법 제24조의2에서는 "제23조(불공정거래행위의 금지) 제1항 제7호 또는 같은 조 제2항, 제23조의2(특수관계인에 대한 부당한 이익제공 등 금지) 제1항 또는 제3항을 위반하는 행위가 있을 때에는 해당 특수관계인 또는 회사에 대하여 대통령령으로 정하는 매출액(평균매출액)에 100분의 5를 곱한 금액을 초과하지 아니하는 범위에서 과징금을 부과할 수 있다"라고 규정하여 신설하였다. 동 규정에 따라 개정법 시행 후에는 지원주체는 물론 지원객체에 대한 과징금 부과처분도 가능하게 되었다.

　　다만, 오너 일가(특수관계인)가 대부분 지분을 소유한 계열회사를 지원하여 결과적으로 오너 일가(특수관계인)에게 이익이 귀속되어 공정거래법 제23조의2 위반이 된 경우, 지원객체 회사에게 과징금을 부과할 수 있는지 아니면 이익귀속주체인 오너 일가(특수관계인)에게 부과할 수 있는지 아니면 양자 모두에게 부과할 수 있는지 문제될 수 있다. 법문상 양자 모두에게 부과할 수 있다고 본다. 한편, 하나의 위반행위에 대하여 지원객체와 이익귀속주체 양자 모두에게 과징금을 부과하는 것은 부당이득반환의 측면도 있는 과징금 본질에 대한 정합성 문제도 있으므로, 지원객체에게 공정거래법 제23조 제1항 제7호 위반도 동시에 성립한다면 지원객체에게는 동법에 따라 과징금을 부과하고 특수관계인에게는 제23조의2에 따라 과징금을 부과함이 바람직하다. 다만, 지원객체와 특수관계인에 대한 과징금의 합계에 대하여는 과징금의 부당이득반환의 측면을 고려하여 조정하는 것이 필요하다.

　　이후 공정거래위원회는 삼양식품이 에코그린캠퍼스(삼양목장)에 대한 지원행위에서 지원객체인 에코그린캠퍼스(현 삼양목장)에게도 과징금을 부과했고, 법원이 이에 대하여 위법하지 않다고 판시하였다(서울고등법원 2016. 10. 14. 선고 2015누70074 판결).[172] 또, 하이트진로의 서영이앤티에 대한 인력지원행위, 하이트진로의 삼광글래스에 대한 통행세 지원행위와 관련하여 서영이앤티 및 삼광글래스에게 과징금을 부과하였다.[173]

---

172) 동 판결은 상고를 하지 않음에 따라 확정되었다.
173) 공정거래위원회 2018. 3. 26. 의결 2018-110

구분	지원행위	지원기간	지원금액	적용법조	적용대상
1	인력지원	2008. 4.~ 2015. 12.	6억 원	舊법 및 법 제23조 제1항 제7호, 법 제 23조의2 제1항 제7호**	하이트 진로
		2015. 1.~ 2015. 12.		법 제23조 제2항 법 제23조의2 제3항**	서영이앤티
2	공캔 통행세 거래	2008. 4.~ 2012. 12.	56억 원	법 제23조 제1항 제7호	하이트진로
3	코일 통행세 거래	2013. 1.~ 2014. 1.	8.5억 원	법 제23조 제1항 제7호	하이트진로 삼광글라스
4	주식 고가매각 우회지원	2014. 2.경	11억 원	舊법* 제23조 제1항 제7호	하이트진로
5	글라스락캡 구매 시 동행세 거래	2014. 9.~ 2017. 9.	18.6억 원	법 제23조 제1항 제7호	하이트진로 삼광글라스
				법 제23조 제2항	서영이앤티
합계			100.3억 원		

* 2013. 8. 13. 법률 제12095호로 개정되기 전의 법
** 총수일가 사익편취 금지 규정(법 제23조의2)은 2015. 1. 1. 이후의 행위에 대해 적용

공정거래위원회는 기업집단 효성 소속 계열회사의 특수관계인에 대한 부당이익 제공행위 사건에서도 효성투자개발이 갤럭시아일렉트로닉스에게 총수익스와프(Total Returen Swap)[174]를 통해 지원한 것에 대하여도 갤럭시아에게 과징금을 부과하였다.[175]

---

174) TRS란 파생금융상품 중 신용파생상품의 한 종류이다. 유가증권 등 기초자산의 신용위험만을 따로 분리하여 시장에서 거래하는 신용부도스와프(CDS, Credit Default Swap) 같은 신용파생상품과 달리 기초자산에서 발생하는 모든 현금흐름, 즉 시장위험과 신용위험을 모두 이전시키는 상품이다. TRS 거래의 기능이 사실상 무상 담보제공 내지 무상 신용보증과 동일하기 때문에 정당한 대가를 받지 않고 TRS를 제공하는 행위는 그 자체로 부당지원행위에 해당한다.
175) 공정거래위원회 2018. 5. 21. 의결 2018-148

Q 89 지원주체와 지원객체 모두에게 과징금을 부과할 경우 어떠한 점이 문제될 수 있는가?

A 부당이득 금액과 과징금 액수 사이의 지나친 불균형이 발생할 수 있고, 이 경우 비례원칙 위반 또는 재량권 일탈 · 남용 여부가 문제된다.

해설

2013년 개정법에 따라 부당한 지원행위를 행한 지원객체와 지원주체 모두에게 과징금을 부과할 경우, 경우에 따라서는 지원주체와 지원객체에게 부과되는 과징금의 합계액이 지원주체에 대해서만 부과되던 과징금에 비해 약 2배로 증가하므로 헌법상 과잉금지 원칙에 위반된다는 주장이 제기될 수 있다. 공정거래위원회가 지원주체와 지원객체에 대한 과징금을 최대로 산정하여 적용한다면 과징금 부과 수준과 피심인들이 취한 부당이득 사이 현저한 불균형이 초래될 수 있고, 과징금의 징벌적 성격을 고려하더라도 과징금 부과에 관한 재량권의 일탈남용이 문제된다는 견해가 있을 수 있기 때문이다. 만약 지원주체와 지원객체 양자에게 종전과 동일한 수준의 과징금을 부과할 경우 그 이전과 비교하여 과징금의 합계액이 2배 증가하므로 헌법상 과잉금지 원칙에 위반될 소지가 있다. 즉, 지원행위를 통해 직접적인 이익을 얻는 지원객체에게 과징금이 부과되는 이상 지원주체에 대한 과징금의 부당이득환수의 성격은 사라지고 오로지 행정제재적 성격만 남게 되는데, 그럼에도 불구하고 지원객체와 동일한 수준의 과징금을 부과하는 것은 과잉금지 원칙의 측면에서 문제가 있다는 지적이 가능하다.

이와 관련하여, 법원은 과거 현대증권이 현대중공업에게 현대전자가 제3자에게 매각한 주식에 대하여 환매계약을 체결하도록 하고 이후 현대중공업이 주식을 환매하는 방식으로 현대전자를 지원한 사안에서, 지원주체인 현대중공업과 부당지원행위의 교사자인 현대증권 양사에게 지원금액을 양분하여 과징금을 부과한 공정거래위원회의 처분을 지지한 바 있다(서울고등법원 2004. 2. 3. 선고 2001누2562 판결, 대법원 2006. 7. 6. 선고 2004두2998 판결). 이러한 선례를 고려하면, 지원객체와 지원주체 양자에게 모두 과징금을 부과할 경우 그 지원금액을 양분하여 각각의 위반액을 산정한 다음 과징금 고시에 따라 과징금을 부과하는 것이 가능할 것으로 판단되는바, 이러한 산정방법에 따를 경우 부당이득 수준에 비해 과징금 부과 합계액이 비례원칙에 어긋날 정도로 과다하다는 비판을 어느 정도 해소할 수 있을 것이다. 이러한 과징금 부과방식이 하나의 대안으로 고려될 수 있다.

Q 90 부당지원행위에 따른 과징금 부과 시 조세 부담을 고려해야 하는지, 조세 부담과 과징금납부부담을 해야 하는 지원객체 입장에서 이중부담이 발생할 수 있는데 어떻게 해결해야 하는지?

A 부당지원행위에 대한 과징금 부과 시 과세 문제를 전혀 고려하지 않을 경우 수범자의 과도한 이중부담이 초래되어 과잉제재의 문제가 제기될 수 있다.

해설

개정법에 따라 지원객체에게 부당지원행위에 따른 과징금을 부과할 경우, 지원객체로서는 조세와 과징금을 사실상 이중으로 부담하게 된다는 문제가 제기될 수 있다. 부당지원행위가 인정될 경우, 부당행위계산에 해당하거나 수증이익(受贈利益)의 발생으로 법인세를 추가로 납부하게 될 수 있다. 특수관계인에 대한 부당한 이익제공의 경우, 특히 개인에 대한 지원행위의 경우는 상증세법상 증여의제에 해당하여 증여세를 부과받을 수 있다.

이 경우에 지원객체의 입장에서 실질적으로 지원받은 금액은 자신이 부담해야 하는 조세를 차감한 나머지 금액이라고 볼 수 있고, 이 경우 납부해야 하는 조세는 지원행위와 관련된 일종의 비용으로 인식될 것이다.

이해의 편의를 위하여 특수관계인에 대한 부당한 이익제공의 경우를 먼저 살펴보면, A사가 특수관계인인 갑에게 500억 원의 경제상 이익을 부당하게 제공했다고 가정한다. 현행 심사지침에 의하면, A사는 갑에게 500억 원을 지원한 것이 되고 지원금액인 500억 원을 기준으로 A사와 갑에 대한 과징금이 산정된다(지원주체와 지원객체 모두에게 과징금을 부과할 수 있다는 해석을 전제로 함). 그런데 공정거래법상 부당지원행위 또는 특수관계인에 대한 이익제공에 해당하게 되면 대부분의 경우 세법상 부당행위계산 규정이 적용된다. A사는 500억 원을 손금(비용)으로 인식하면 안 되는데, 인식하여 법인세 부담을 줄였기 때문에 부당행위계산부인 규정에 따라 A에게 500억 원의 손금이 부인되어 결과적으로 121억 원(=500억 원 × 24.2%, 현행 소득금액 200억 원 이상인 경우 법인세율 22%와 지방소득세 2.2%의 합계 24.2%)의 법인세를 추가로 납부해야 한다(이와 관련한 가산세 등은 납세자의 신고·납부의무 불이행에 대한 제재로서 부당지원행위 자체와 관련된 것이 아니므로 별도로 고려하지 않는다).

한편 지원객체인 특수관계인 갑(개인) 입장에서는 그것이 증여세 과세 대상인 증여[176)]에 해당하여 증여세 250억 원 납부의무가 발생할 수 있다(증여세율 50% 전제).[177)] 심사지침상의 지원금액은 500억 원으로 산정되지만 갑이 실질적으로 지원받은 잔여 이익은 250억 원에 불과하다. 여기서 조세로 납부하는 250억 원 부분에 대하여도 공정거래위원회가 과징금을 부과하는 것은 사실상 이중부담의 문제를 발생시킬 수 있다. 지원주체와 지원객체 모두에게 심사지침상 최고 수준의 부과율인 80%를 적용하여 과징금을 부과하면 갑과 A는 각각 400억 원을 과징금으로 납부해야 하고 그 결과 갑은 150억 원의 손실을 입을 수 있다.

지원객체에 대한 과징금 부과의 목적은 부당한 이익을 취한 자에 대한 금전적 제재이자 부당이득을 환수하는 것인데, 조세제도에 따른 부담을 고려할 경우 지원객체에 대한 과징금 부과는 이중부담의 문제를 초래할 위험이 있고, 심한 경우 지원금액을 초과하는 과잉제재의 문제가 발생할 수 있는 것이다. 더하여 지원주체 입장에서도 과징금 400억 원과 법인세 121억 원, 합계 521억 원 상당의 금전적 제재를 받게 되므로, 지원주체와 지원객체 양자의 경제적 부담은 최대 1,171억 원(=400억 원+121억 원+400억 원+250억 원)이라는 지원금액의 2배가 넘는 과중한 제재를 받게 될 수 있다.

다음으로 일반 부당지원행위를 살펴보면, A사가 계열사인 B사에게 시가가 1,000억 원인 자산을 500억 원에 매도했고, 그 거래가 부당지원행위에 해당한다고 가정한다. 현행 심사지침에 의하면, A사는 B사에게 500억 원을 지원한 것이 된다. 그런데 A사는 1,000억 원을 익금으로 계상해야 하는데 매도대금인 500억 원만 계상하여 조세부담을 줄였기 때문에 부당행위계산부인 규정에 따라 A에게 500억 원의 익금이 가산되어 121억 원(=500억 원 × 24.2%, 현행 소득금액 200억 원 이상인 경우 법인세율 22%와 지방소득세 2.2%의 합계 24.2%)을 부담하게 된다. 한편, B사 역시 자산을 매수하는 시점에서는 조세를 부담하지 않지만 세법상 대응조정을 하지 못하는 탓에 A로부터 매수한 자산의 취득가액은 계속 500억 원으로 남게 되고 결과적으로 시가와의 차액인 500억 원만큼은 이후 양도 시 양도차액이나 감가상각 시 감가상각비를 적게 인식하게 될 것이며, 결과적으로 결손이 없다는 가정 아래

---

176) 상증세법 제2조 제3항은 "이 법에서 '증여'란 그 행위 또는 거래의 명칭·형식·목적 등과 관계없이 경제적 가치를 계산할 수 있는 유형·무형의 재산을 직접 또는 간접적인 방법으로 타인에게 무상으로 이전[현저히 저렴한 대가를 받고 이전(移轉)하는 경우를 포함한다]하는 것 또는 기여에 의하여 타인의 재산가치를 증가시키는 것을 말한다"라고 규정하고 있는바(이른바 '포괄증여 규정'), 공정거래법상 부당지원행위에 해당하는 행위는 원칙적으로 지원객체에 대한 증여세 과세대상에 해당한다.

177) 편의상 과세표준 30억 원 이하 구간에 적용되는 50% 미만의 세율은 고려하지 않는다.

에서는 121억 원 상당의 조세를 추가로 부담하게 된다.

앞에서와 마찬가지로 부당지원행위에 대한 과징금 부과기준율을 80%로 가정할 경우, 지원주체 입장에서는 과징금 400억 원과 법인세 추가분 121억 원을 부담하게 되는 것이어서 지원금액보다 더 많은 금전적 제재를 받는 결과가 발생한다. 또한 지원객체 입장에서 지원행위로 지원받은 금액은 500억 원이 아니라 추가 부담하는 조세 121억 원을 제외한 379억 원이라고 볼 수 있는데, 500억 원을 지원금액으로 하여 과징금을 부과받는 상황이 발생할 수 있고, 나아가 조세와 과징금을 모두 부담하면 오히려 손실을 입는 결과가 될 것이다. 지원주체와 지원객체는 결과적으로 과징금 800억 원과 조세 242억 원, 합계 1,042억 원을 부담하게 될 수 있다.

이처럼 과세 부담을 고려하지 아니한 채 과징금을 부과할 경우 과도한 이중부담의 문제 및 지원금액 원본을 초과하는 과잉제재 여부가 논란이 될 수 있다. 따라서 지원객체에 대한 과징금 부과 시 지원객체가 부담하는 조세 상당액은 지원금액에서 제외하거나, 지원주체와 지원객체 양자에게 과징금을 부과하는 경우 그 합계액을 조정하는 방식으로 합리적인 제도를 운영할 필요가 있다고 생각된다.[178]

---

178) 정종채·이문성, 「부당지원행위의 쟁점들: 개정 법령 및 고시를 중심으로」, 경쟁저널(2013. 8.), pp.61~62

2013년 개정법에 신설된 위반행위(예컨대, 지원객체가 지원받는 행위나 특수관계인에 대한 부당한 이익제공행위)는 언제부터 금지된다고 보아야 하는가? 개정법 시행일 이전부터 계속되어 온 거래가 개정법에 위반될 경우 전체 거래기간에 대해서 개정법을 적용하여 과징금을 부과할 수 있는가?

A 개정법이 시행된 2014년 2월 14일 이전부터 계속된 거래라 하더라도 개정법 적용 유예기간이 경과한 시점까지 거래를 중단하지 않을 경우 개정법에 따라 과징금이 부과될 수 있다. 이때 과징금 부과방법에 관한 확립된 해석은 존재하지 않지만, 부칙 등의 취지상 계속 중인 거래에 개정법이 적용되기 시작하는 2015년 2월 14일 이후의 지원행위에 대하여만 과징금을 부과할 수 있다고 해석하는 것이 합리적이라고 판단된다.

> **해설**

개정 공정거래법 부칙 제1조에 의하면 개정법은 2014. 2. 14.부터 시행된다. 그리고 동 부칙 제2조에 따르면, (i) 개정법 시행일(2014. 2. 14.) 이전에 종료된 행위에 대해서는 구법이, (ii) 개정법 시행일 이전에 시작되어 법 시행일 이후에도 계속되는 행위에 대해서는 개정법 시행일로부터 1년간은 구법이 적용된다.

개정법에서는 지원객체가 부당한 지원을 받는 행위를 금지하는 규정(공정거래법 제23조 제2항)과 특수관계인에 대한 부당한 이익 제공 금지규정(공정거래법 제23조의2) 등이 신설되었다. 그런데, 개정법 시행 전에 시작된 이러한 개정법상 신설규정 위반행위가 개정법 시행 이후까지 계속되다가 적발된 경우, 법 시행일 이전의 개정법 위반행위에 대하여도 개정법에 따라 과징금을 부과할 수 있는지 문제된다(쟁점 1). 아울러 개정법 부칙 제2조는 개정법 시행 당시 계속 중인 거래에 대해서는 개정법 시행일로부터 1년간 종전 규정을 적용한다고 명시하고 있는데, 개정법 시행일 이전 시점의 위반행위에 대하여는 과징금을 부과할 수 없다고 하더라도 시행일로부터 1년의 유예기간이 지난 이후의 위반행위에 대하여만 과징금을 부과할 수 있는지, 아니면 시행일 이후 유예기간 경과 전 위반행위에 대해서도 과징금을 부과할 수 있는지도 문제된다(쟁점 2).

먼저 쟁점 1과 관련하여, 개정법 시행일 이전의 개정법 위반행위에 대하여도 과징금을 부과할 수 있는지 여부를 살펴본다. 우선, (i) 개정법 시행 이전부터 개정법이 시행될 때까지 지속되고 있는 거래에 불리하게 개정된 법률을 적용하는 것은 '부진정 소급효'의 문제이기 때문에 개정법의 소급적용을 배제해야 하는 특별한 사정이 없는 한 소급적용된다는 점을 근거로 개정법 시행일 이전의 위반행위 전체에 대해서까지 제재가 가능한다는 입장이 있을 수 있다. 이러한 견해에 따른다면, 부칙 등에 특별한 경과규정이 없는 한 개정법 시행일 이후에 종료된 전체 위반행위에 개정된 규정을 적용하여 제재대상으로 삼아야 한다는 결론에 이른다. 이와 달리, (ii) 공정거래법 제23조 제2항(지원객체에 대한 금지규정)이나 제23조의2(특수관계인에 대한 부당한 이익제공 금지규정) 규정이 신설된 이후부터 비로소 각 위반행위에 대한 금지의무가 부과되었다는 점에서 개정법 적용일 이후부터 위반행위가 성립된 것이고, 따라서 그 이후 기간에 발생한 행위에 대하여만 과징금을 부과할 수 있다는 견해가 있을 수 있다. 즉, 개정법 적용일 이전에는 지원객체에게 부당지원을 받지 아니할 의무나 특수관계인에 대한 부당한 이익제공 금지의무가 없었기 때문에 위반행위 자체가 성립되지 않는다는 논리이다. 생각건대, 수범자 입장에서는 개정법 시행으로 규제대상이 되기 전까지는 금지의무를 부담하리라는 점을 예측할 수 없었으므로 개정법 시행 이후 비로소 새로운 의무를 부담하게 된 것이라 보아야 하고, 이러한 맥락에서 시행일 이전의 행위에 대해서까지 개정법상 제재규정을 적용하는 것은 헌법상 허용되기 힘든 '진정소급효'적 해석이라고 볼 수 있다. 그렇다면 개정법 시행일 이전의 위반행위에도 개정법이 적용된다는 견해는 타당하다고 보기 어렵다.

다음으로 쟁점 2와 관련하여, "이 법 시행 당시 계속 중인 거래에 대해서는 이 법 시행일부터 1년간은 종전의 규정을 적용한다"는 개정법 부칙 제2조 제2항을 어떻게 해석할 것인지에 대하여 살펴본다. 우선 (i) 단순한 유예기간(Grace Period)으로 보는 입장이 있을 수 있다. 개정법 시행일로부터 1년 이내의 기간 동안 지속되던 위반행위를 중단하는 경우에는 종전의 규정을 적용하되, 유예기간 이후까지 위반행위를 계속하는 경우에는 개정법 시행일부터 개정법을 적용하여 제재하겠다는 의미로 해석하는 견해이다. 이와 달리 (ii) 개정법 시행 전부터 계속 중인 행위에 대하여는 개정법 시행시기를 연장하는 의미로 보는 입장이 있다. 위 경과규정은 예측가능성과 법적안정성의 측면에서 계속 중인 거래에 대해서는 개정법 시행일로부터 1년이 경과한 이후부터 비로소 개정법을 적용하겠다는 취지이므로, 예컨대 지원객체에 대하여는 2015. 2. 14. 이후부터 과징금 부과대상으로 삼고 특수관계자에 대한 부당한 이익제공 행위도 2015. 2. 14. 이후부터 문제삼겠다는 취지로 해석하는 견해이다. 개정법 부칙 제2조의 문언상으로는 두 가지 해석이 모두 가능해 보인다. 다만, 법규정의 모호함으로 인한 불이익은 입법을 한 국가가 부담하는 것이 원칙이고 그것이 침익적 행정법령의 경우 '불리한 경우에는 수범자의 이익'으로 해석해야 한다는 일반원칙에도 부합한다. 더욱이 위 경과규정을 단순한 유예기간(Grace Period)으로 하고자 하였다면 명확하게 시행일로부터 1년 이내 지속되던 법위반 행위를 중단하는 경우에는 구법을 적용한다는 명확한 문언을 두었어야 한다. 이러한 점에서 두 번째 견해, 즉 개정법 시행일 이전부터 지속되던 행위에 대해서는 2015. 2. 14. 이후부터 개정법에 따라 규제할 수 있다고 보는 견해가 보다 합리적이라고 판단된다.

한편, 위와 같은 해석론에 의하면 개정법 시행일 전후에 계속된 부당한 지원행위를 이유로 지원객체에게 과징금을 부과하는 경우 하나의 지원행위와 관련하여 과징금 산정의 기초가 되는 지원금액이 지원주체와 지원객체에 따라 달라지는 상황이 발생할 수 있다. 하지만, 과징금 고시에서 부당지원행위의 거래당사자에 대한 제재수준이 반드시 같아야 한다고 정하고 있지 않을 뿐 아니라, 지원객체에 대한 금지의무가 개정법에 신설되면서 위반기간이 상이하게 된데 따른 불가피한 결과이므로 이를 모순이라 보기 어렵다.

Q 92 부당지원행위에 대한 과징금 산정에 있어 자진시정 감경이 가능한가? 감경사유가 되는 자진시정이 무엇인가?

A 과징금 고시상 자진시정 감경은 가능하지만 위반행위의 위법성을 소급적으로 치유하는 것이 자진시정이므로, 종래 지원의 방법이 되는 거래방식을 중단·변경하는 것을 자진시정이라고 보는 공정거래위원회 관행은 잘못이다.

해설

공정거래위원회 고시인 과징금부과 세부기준 등에 관한 고시 Ⅳ, 3, 다. (5)는 다음과 같이 규정하고 있다. 과징금 고시에 의하면 자진시정이란 해당 위반행위 중지를 넘어서 위반행위로 발생한 효과를 적극적으로 제거하는 행위를 말하며, 이에 해당하는지 여부는 위반행위의 내용 및 성격, 경쟁질서의 회복 또는 피해의 구제, 관련 영업정책이나 관행의 개선, 기타 재발 방지를 위한 노력 등을 종합적으로 감안하여 판단하여야 한다.

---

3. 2차 조정
   가. 일반원칙
   행위자 요소 등에 의한 가중·감경은 위반사업자에게 다음 나. 및 다.에서 정한 가중 또는 감경사유가 인정되는 경우에 각각의 가중비율의 합에서 각각의 감경비율의 합을 공제하여 산정된 비율을 1차 조정된 산정기준에 곱하여 산정된 금액을 1차 조정된 산정기준에 더하거나 빼는 방법으로 한다. 다만, 가중·감경의 결과 가감되는 금액은 1차 조정된 산정기준의 100분의 50 범위 내이어야 한다.

   다. 감경 사유 및 비율
   (5) 위반행위를 자진 시정한 경우. 이때 자진시정이라 함은 해당 위반행위 중지를 넘어서 위반행위로 발생한 효과를 적극적으로 제거하는 행위를 말하며, 이에 해당하는지 여부는 위반행위의 내용 및 성격, 경쟁질서의 회복 또는 피해의 구제, 관련 영업정책이나 관행의 개선, 기타 재발 방지를 위한 노력 등을 종합적으로 감안하여 판단한다. 법 제19조를 위반한 자로서 법 제22조의2 및 시행령 제35조 제1항 제1호 내지 제3호에 따라 과징금을 감면받는 자에 대해서는 자진시정에 따른 감경을 하지 아니한다.
   (가) 위반행위로 인한 가격상승폭만큼의 가격을 인하하거나 피해의 원상회복 등 위반행위의 효과를 실질적으로 제거한 경우: 100분의 20 이상 100분의 30 이내

> (나) 위반행위로 인한 가격상승폭의 50% 이상 인하하거나 위반행위의 효과를
>   상당부분 제거한 경우: 100분의 10 이상 100분의 20 이내
> (다) 위 (가) 및 (나)에 해당하지 아니하나, 위반행위 효과를 제거하기 위해 적
>   극적으로 노력하였고 자신의 귀책사유 없이 위반행위 효과가 제거되지 않
>   은 경우: 100분의 10 이내
> (라) 위 (가) 내지 (다)의 자진시정이 조사가 개시된 이후 또는 심사보고서의
>   송부 이후에 이루어진 경우에는 각각 감경률을 축소할 수 있다.

공정거래위원회는 부당지원행위에서 지원주체가 지원객체에 대한 지원을 위한 거래를 중단하거나 거래방식을 중단하는 것을 자진시정으로 보고 과징금 감경사유로 인정해 주는 관행이 있는 것으로 알려져 있다. 특히 현대자동차 등이 현대카드를 지원하기 위하여 협력사들에 대한 자금결제방식을 현대카드로 변경해 주어 수수료 상당액을 얻게 해 준 것과 관련하여, 조사 착수 이후 현대카드 결제정책을 중단한 것을 자진시정으로 인정하여 20%의 감경률을 적용한 바 있다.

하지만 이러한 지원거래의 중단은 법에 금지되는 위반행위를 중단한 마땅한 행위에 불과하다. 해당 위반행위 중지를 넘어서 위반행위로 발생한 효과를 적극적으로 제거하는 행위라 볼 수 없다. 만약 부당지원행위에서 자진시정을 생각해 보자면 지원주체가 지원객체에게 부당하게 지원받은 금액에 대한 부당이득반환청구 등을 하고 위법한 행위를 한 임직원들에 대하여 손해배상청구를 하는 것이 될 것이다.

공정거래위원회는 공권력 행사기관으로 불편부당하게 권한을 행사해야 한다. 과징금 처분이 아무리 재량처분이라 하더라도 근거없이 감경하는 것은 재량의 일탈·남용에 해당하여 위법하다. 다만, 과징금을 감경해 주는 경우 피심인(피처분자)이 행정소송 등 이의를 제기할 수도 없고 할 이유도 없고 별도로 이를 문제삼을 수 있는 당사자가 없어 문제되지 않을 뿐이지, 결코 합당한 처분이라 볼 수 없다. 공정거래위원회가 종종 이런 과도한 자진시정 감경을 해 주는 사례가 부당지원행위뿐 아니라 부당한 공동행위 등 다른 유형의 위법행위에서도 있는 것으로 알려져 있는바, 시정될 필요가 있다.

Q93 절차적으로 내부거래를 어떻게 통제할 것인가?

A 내부거래위원회, 공정거래법상 공시이행, 이사회 의결 및 정기주주총회에 대한 보고 등 법령상 제도를 충실히 활용하여 내부거래를 감시 및 통제할 수 있다.

해설

내부거래에 관한 통제절차는 크게 계약 체결 단계, 계약 이행 단계, 사후적인 통제단계에 따라 다음과 같이 구분될 수 있다.

우선 계약체결을 위한 의사결정 단계에서는, 해당 거래가 대규모 내부거래에 해당하는 경우 이사회 사전의결을 거쳐야 하고(공정거래법 제11조의2), 상법상 자기거래 또는 이해관계자와의 거래 요건에 해당할 경우 상법상 절차에 따른 이사회의 사전승인을 받아야 한다(상법 제398조, 제542조의9 제3항). 만약, 자율적 통제수단으로서 회사가 내부거래심의위원회를 운영하거나 내부거래 심의규정을 제정하였다면 해당 절차와 규정에 따라 내부거래에 관한 자체 심의를 거쳐야 한다. 참고로, 내부거래위원회는 회사의 자율적 판단에 따라 설치하는 내부거래에 관한 심의 및 통제기구로서, 10대 대규모 기업집단(삼성, 현대자동차, SK, LG, 롯데, 현대중공업, GS, 한진, 한화, 두산그룹) 상당수는 2012년 '일감 나누기 자율선언' 이후 내부거래위원회 설치를 확대하고 있는 것으로 보인다.[179] 이러한 절차적인 통제수단은 부당한 지원행위 또는 특수관계인에 대한 부당한 이익제공 금지 규정의 위반 가능성을 낮추고 거래 내용과 조건의 공정성을 확보하기 위한 것이다.

계약체결 이후에는 거래내용에 대한 공시 규제가 적용되는데, 공정거래법상 공시규정에 따라 해당 계약에 대한 수시공시 또는 정기공시 의무를 이행해야 하며(공정거래법 제11조의2 내지 4), 상법상 이해관계자와의 거래에 대해서는 상법 제542조의9 제4항에 따라 정기주주총회에 대한 보고의무를 부담하게 된다.

만약 내부거래가 사후적으로 부당한 지원행위 또는 특수관계인에 대한 부당한 이익제공으로서 위법하다고 판단될 경우에는, 해당 거래에 관한 의사결정에 관여한 대표이사나 이사 등은 회사에 대하여 선관주의의무 위반에 따른 손해배상책임을 부담할 수 있고(상법 제399조), 형법상 업무상 배임죄 또는 상법상 특별배임죄 성립 여부도 문제될 수 있다.

---

179) 공정거래위원회의 2013. 12. 17. 보도자료, "10대 기업집단, 경쟁입찰 및 중소기업 직발주 확대노력 지속－자율선언 이행현황 결과 발표"

Q94 계열회사 간 거래 시 수의계약 체결이 허용되는가?

A 수의계약을 체결하는 행위 자체가 금지되는 것은 아니지만, 절차적 · 실체적 합리성과 정당성을 확보할 필요가 있다.

해설

수의계약은 거래상대방 선정을 위한 통상적인 계약방식 중 하나로서 공정거래법에서 계열회사 간 수의계약 체결 자체를 금지하지는 않는다. 다만, 경쟁입찰 거래가 가능하고 통상적으로 입찰이나 경쟁수의계약 방식이 활용되는 분야에서 합리적인 이유 없이 계열회사와의 거래에서만 수의계약으로 거래하는 경우, 그것이 부당한 지원행위의 부당성(특히, 지원의도)을 판단하는데 유력한 정황사실로 해석될 가능성이 있고, 공정거래위원회의 부당성 요건에 대한 입증부담을 상당 정도 완화시킬 수 있다. 특히, 수의계약방식이 비계열사와의 거래를 차단하고 배타적 내부거래를 유지하기 위한 수단으로 활용되었다는 점이 확인될 경우에는 일감몰아주기의 전형적인 정황증거로 해석될 수 있다는 점에 유의할 필요가 있다.

따라서, 수의계약 방식으로 거래할 경우 수의계약 사유와 거래상대방 선정 방식을 내부지침으로 정하여 두고 합리적인 사유와 원칙에 따라 거래하는 것이 바람직하다.

Q 95 내부거래 시 주의할 사항에는 어떤 것들이 있는가?

A 내부거래 시 주의해야 할 주요사항 10가지를 정리하면 다음과 같다.

해설

① 계열사 간 거래라 하더라도 거래당사자 입장에서 최선의 이익이 되도록 거래조건에 관하여 실질적으로 협상하고, 계약 체결 이후에도 지속적으로 거래조건을 검증할 것

② 관련 법령에 따른 내부거래 통제절차 및 공시의무를 성실히 이행할 것

③ 거래상대방 선정방법과 절차, 거래조건에 관한 독립된 내부거래 심의기구 또는 내부거래 심의규정을 마련하고, 이를 실질적으로 운영할 것

④ 거래상대방 선정 시 특별한 사정이 없는 한 가급적 입찰 등 경쟁적인 방법을 원칙으로 하고, 계열회사와 수의계약 체결 시 그 이유와 근거를 명확히 하여 둘 것

⑤ 공정거래위원회가 제시하는 경쟁입찰 촉진 분야(건설, SI, 광고, 물류)와 관련하여 계열사와 장기간 전속거래를 지속하고 있다면 현 거래절차 및 내용에 관한 보다 엄격한 검증을 거치고 (필요하다면) 거래조건을 개선할 것

⑥ 계열회사 중 동일인 일가의 지분율이 높은 회사(특히, 공정거래법 제23조의2 적용 대상 회사), 내부거래 비율이 높은 회사와 거래할 경우 더욱 엄격한 거래조건 검증 절차를 거칠 것

⑦ 해지 규정 등 계약 종료사유가 존재하더라도 가급적 장기간의 거래를 일괄적으로 체결하는 것은 지양할 것

⑧ 내부거래규정 기타 내부지침으로 내부거래에 관련된 자료의 보존 범위와 기간, 방법 등을 매뉴얼화하여 체계적으로 보관할 것

⑨ 제3자의 시각에서 내부거래를 통해 계열회사를 지원하려는 의도가 담긴 것으로 오해할 수 있는 불필요한 문서는 애초에 작성하지 말 것

⑩ 정상가격 산정이 어려운 거래의 경우(예컨대, 상표권 사용계약 등), 가능한 범위에서 외부 전문기관의 자문을 받아 거래조건을 객관적으로 설정할 것

| 내부거래 유형별 유의사항 |

원칙: 비특수관계인과 거래한다고 가정하고 거래조건 설정	
인력 파견	• 2 이상의 계열사 업무를 수행하는 직원이 있다면 보수 지급회사와 근로 제공회사를 일치시켜야 함.
통행세 거래 사업기회 제공	• 거래 중간 단계의 계열사가 실질적 역할을 하고, 수수료(마진)가 그 역할에 부합하는지 평가 • 중간 역할을 하는 계열회사가 없을 경우 신설되어야 할 조직에 소요되는 인건비, 사무실 임차료 등 비용을 산정하여 계열사에 지급하는 수수료보다 최소한 동일하거나 많다는 결과가 나오는지 확인 - 거래 중간의 계열사로 인해 규모의 경제가 작동하는지(Volume DC) 고려 • 계열사에 사업기회 제공 시 정당한 대가를 지급받고 있는지 점검
자금거래	• 자금을 필요로 하는 회사(지원객체)의 신용도에 맞는 금리를 산정 • 유사한 시기에 유사한 규모 및 차입기간의 자금을 독립된 금융회사로부터 차입하는 경우의 금리 등
자산 거래 (비상장주식, 부동산, 무체재산권)	• 외부 전문평가기관(가능하면 2개 이상)의 평가를 거쳐 그에 따라 거래 • 비상장주식의 평가: 여러 평가방법 중 어느 것을 택하더라도 방법 자체가 문제될 가능성은 낮음. 단, DCF법 등 일부 평가방법은 평가대상 회사의 추정재무지표가 내부에서 관리하는 추정지표와 다른 경우 문제될 수 있음에 유의
부동산 임대차 거래	• 동일한 조건의 비계열사 간 부동산 임대차 거래가 있으면 이를 참고 • 이러한 거래가 없다면 인근 부동산(최대한 유사한 용도의 부동산으로서 위치나 구조 등의 유사한 것)의 비특수관계인 간 거래조건 참고 • 임대료만 비교할 것이 아니라 관리비 등 기타 조건도 고려

수의계약
일감몰아주기
	• 불가피하게 수의계약 시: 거래상대방 선정 및 거래조건 검토에 필요한 자료를 충분히 수집하여 다른 사업자와 비교·검토
	  - 수의계약 사유가 충분히 합리적인지, (다른 사업자와 거래조건 비교가 어려울 경우)가능한 선에서 제안가격을 충분히 검증하였는지
	• 일감몰아주기 리스크가 있는 거래: 거래규모가 크다면 정상가격으로 거래하더라도 문제될 수 있으므로, 효율성·보안성·긴급성의 예외 검토
	  - 예 효율성 증대: 수십 개의 기존 전산 시스템과 연동되어서 기존 SI사와 거래하는 것이 효율적인지, 시스템 구축 시기 단축 및 투입인원 축소 효과 등이 있는지
	  - 수의계약 거래상대방이 제공하는 서비스나 품질에 차이가 있다면, 그 차이를 분석·고려

Q 96 부당지원행위에 대하여 부과할 수 있는 조세는 무엇이 있는가? 공정거래법상 제재와 중첩될 경우 이중제재의 문제는 없는가?

A 부당 내부거래의 통제수단으로서 조세법과 공정거래법의 제재가 동시에 활용되는 경우가 빈번하지만, 양자의 규제취지가 상이하고 요건도 다르므로 이중제재라고 보기 어렵다.

> **해설**

부당한 지원행위에 적용될 수 있는 세법상 규정으로, (i) 법인세법 또는 소득세법상 부당행위계산부인 규정(특수관계인 간의 거래), (ii) 법인세법상 간주기부금 손금불산입(비특수관계인 간의 거래) 규정, (iii) 부가가치세법상 부당행위계산부인 규정, (iv) 상증세법상 증여의제 및 포괄증여 규정, (v) 상증세법상 특정거래에 대한 증여 규정, (vi) 국제조세조정법에 따른 이전가격(TP; Transfer Price) 과세 등이 주로 문제된다.

가장 대표적인 부당행위계산부인은 법인세법, 소득세법(종합소득 및 양도소득), 부가가치세법에 있는 제도이다. 대표적으로 법인세법에서는 내국법인의 행위 또는 소득금액의 계산이 특수관계인과의 거래로 인하여 그 법인의 법인세를 부당하게 감소시킨 것으로 인정되는 경우 그 행위 또는 소득금액의 계산을 부당행위계산이라 하고, 납세지 관할 세무서장 또는 관할 지방국세청장이 해당 거래의 사법적 효력에 관계 없이 과세목적상 해당 거래의 효력을 부인하고 합리적인 행위 내지는 계산으로 바꾸어 그 법인의 각 사업연도의 소득금액을 다시 계산하는 것을 부당행위계산부인이라고 한다(법인세법 제52조). 이는 일반적으로 조세회피(tax avoidance)를 방지하여 조세부담의 공평을 실현하기 위한 제도라고 설명된다. 즉, 이는 납세의무자가 거래를 함에 있어 합리적 거래형식에 의하지 않고 이상성(異常性)이 있는 행위나 형식을 선택함으로써 정상적인 행위나 형식을 선택하였을 경우와 동일하거나 거의 유사한 경제적 효과를 달성함과 동시에 법인세가 경감되거나 배제되는 효과를 얻은 경우 해당 조세회피를 부인함으로써 조세부담의 공평을 실현하기 위한 법적 장치라고 보는 것이다.

소득세법상 부당행위계산부인 규정은 법인세법 규정과 대동소이하다. 부가가치세법상 부당행위계산부인 규정은 특수관계인 간에 재화 또는 용역을 부당하게 낮은 대가를 받거나 대가를 받지 않고 공급한 경우(다만, 용역의 무상공급에 관하여는 사업용 부동산 무상임대의 경우에 한함)에 시가에 따른 부가가치세를 거래 징수하도록 하기 위한 규정이다.

법인세법상 부당행위계산부인 규정 적용과 간주기부금 손금불산입은 지원행위를 하는 주체에 대한 세무조정과 관련된 것이고, 이는 지원행위 주체가 조세부담의 부당한 감소를 초래한데 대한 제재 측면에서 적용되는 조세법상 특칙에 해당한다.

이에 비하여 상증세법상의 증여의제 및 포괄증여 규정은 지원객체에 대한 과세이고, 지원객체가 '개인'인 경우만 증여세를 과세할 수 있다. 참고로, 지원객체가 법인인 경우에는, 지원행위로 인한 수혜금액이 지원행위를 받은 법인의 장부에 자산수증이익 등으로 반영되기 때문에 세무조정의 문제는 발생하지 않게 된다.

국제조세조정법상 이전가격 과세는 국가 간 세율 차이를 이용한 조세 회피를 방지하고자 하는데 목적이 있으므로, 부당지원행위에 대한 제재와는 취지와 관점을 달리한다.

요컨대, 부당 내부거래와 관련된 세법상 제재는, (i) 특수관계인 간의 거래를 통하여 지원 주체 측의 조세 부담의 부당한 감소를 조정하기 위한 것이거나(법인세법, 부가가치세법상 부당행위계산부인 규정 등), (ii) 우회적인 증여의 실질을 갖는 지원객체의 증여세 부담 회피를 방지하고자 하는 것이거나(상증세법상 증여의제 및 포괄증여 규정 등), (iii) 국가 간 세율 차이를 이용하여 조세 회피하는 것을 방지하지 위한 것이므로(국제조세조정법에 따른 이전가격 과세), 지원객체가 속한 시장에서의 경쟁제한성이나 경제력집중이 초래되는 것을 막기 위한 부당지원행위 규제와는 그 목적과 취지를 달리 한다. 따라서 공정거래법과 세법상 부당 내부거래에 관한 규제가 중첩적으로 적용되더라도 이를 이중제재라고 보기는 어려울 것이다.

실제 내부거래에 대한 통제 수단으로서 조세법과 공정거래법의 제재가 동시에 활용되는 경우가 빈번하므로 기업의 입장에서도 부당내부거래에 관한 규제위험을 통합적으로 관리하는 것이 필요하다.

법인세법상 부당행위계산부인 제도는 무엇인가?

A 법인이 특수관계자와의 거래에서 시가와 다른 조건을 적용하여 조세부담을 부당히 감소시킨 경우에 적용되는 세법상 장치로, 공정거래법상 부당지원행위와 사실상 같은 제도이다.

해설

법인세법 제52조(부당행위계산부인)
① 납세지 관할 세무서장 또는 관할지방국세청장은 내국법인의 행위 또는 소득금액의 계산이 특수관계인과의 거래로 인하여 그 법인의 소득에 대한 조세의 부담을 부당하게 감소시킨 것으로 인정되는 경우에는 그 법인의 행위 또는 소득금액의 계산(이하 "부당행위계산"이라 한다)과 관계없이 그 법인의 각 사업연도의 소득금액을 계산한다.
② 제1항을 적용할 때에는 건전한 사회 통념 및 상거래 관행과 특수관계인이 아닌 자 간의 정상적인 거래에서 적용되거나 적용될 것으로 판단되는 가격(요율·이자율·임대료 및 교환 비율과 그 밖에 이에 준하는 것을 포함하며, 이하 "시가"라 한다)을 기준으로 한다.
③ 내국법인은 대통령령으로 정하는 바에 따라 각 사업연도에 특수관계인과 거래한 내용에 관한 명세서를 납세지 관할 세무서장에게 제출하여야 한다.
④ 제1항부터 제3항까지의 규정을 적용할 때 부당행위계산의 유형 및 시가의 산정 등에 필요한 사항은 대통령령으로 정한다.

법인세법 시행령 제88조
① 법 제52조 제1항에서 "조세의 부담을 부당하게 감소시킨 것으로 인정되는 경우"란 다음 각 호의 어느 하나에 해당하는 경우를 말한다.
1. 자산을 시가보다 높은 가액으로 매입 또는 현물출자받았거나 그 자산을 과대상각한 경우
2. 무수익 자산을 매입 또는 현물출자받았거나 그 자산에 대한 비용을 부담한 경우
3. 자산을 무상 또는 시가보다 낮은 가액으로 양도 또는 현물출자한 경우. 다만, 제19조 제19호의2 각 목 외의 부분에 해당하는 주식매수선택권등의 행사 또는 지급에 따라 주식을 양도하는 경우는 제외한다.
3의2. 특수관계인인 법인 간 합병(분할합병을 포함한다)·분할에 있어서 불공정한 비율로 합병·분할하여 합병·분할에 따른 양도손익을 감소시킨 경우. 다만, 「자본시장과 금융투자업에 관한 법률」 제165조의4에 따라 합병(분할합병을 포함한다)·분할하는 경우는 제외한다.
4. 불량자산을 차환하거나 불량채권을 양수한 경우

5. 출연금을 대신 부담한 경우

6. 금전, 그 밖의 자산 또는 용역을 무상 또는 시가보다 낮은 이율·요율이나 임대료로 대부하거나 제공한 경우. 다만, 다음 각 목의 어느 하나에 해당하는 경우는 제외한다.

    가. 제19조 제19호의2 각 목 외의 부분에 해당하는 주식매수선택권등의 행사 또는 지급에 따라 금전을 제공하는 경우

    나. 주주등이나 출연자가 아닌 임원(소액주주등인 임원을 포함한다) 및 직원에게 사택(기획재정부령으로 정하는 임차사택을 포함한다)을 제공하는 경우

7. 금전, 그 밖의 자산 또는 용역을 시가보다 높은 이율·요율이나 임차료로 차용하거나 제공받은 경우

7의2. 기획재정부령으로 정하는 파생상품에 근거한 권리를 행사하지 아니하거나 그 행사기간을 조정하는 등의 방법으로 이익을 분여하는 경우

8. 다음 각 목의 어느 하나에 해당하는 자본거래로 인하여 주주등(소액주주등은 제외한다. 이하 이 조에서 같다)인 법인이 특수관계인인 다른 주주등에게 이익을 분여한 경우

    가. 특수관계인인 법인 간의 합병(분할합병을 포함한다)에 있어서 주식등을 시가보다 높거나 낮게 평가하여 불공정한 비율로 합병한 경우. 다만, 「자본시장과 금융투자업에 관한 법률」 제165조의4에 따라 합병(분할합병을 포함한다)하는 경우는 제외한다.

    나. 법인의 자본(출자액을 포함한다)을 증가시키는 거래에 있어서 신주(전환사채·신주인수권부사채 또는 교환사채 등을 포함한다. 이하 이 목에서 같다)를 배정·인수받을 수 있는 권리의 전부 또는 일부를 포기(그 포기한 신주가 「자본시장과 금융투자업에 관한 법률」 제9조 제7항에 따른 모집방법으로 배정되는 경우를 제외한다)하거나 신주를 시가보다 높은 가액으로 인수하는 경우

    다. 법인의 감자에 있어서 주주등의 소유주식등의 비율에 의하지 아니하고 일부 주주등의 주식등을 소각하는 경우

8의2. 제8호 외의 경우로서 증자·감자, 합병(분할합병을 포함한다)·분할, 「상속세 및 증여세법」 제40조 제1항에 따른 전환사채등에 의한 주식의 전환·인수·교환 등 자본거래를 통해 법인의 이익을 분여하였다고 인정되는 경우. 다만, 제19조 제19호의2 각 목 외의 부분에 해당하는 주식매수선택권등 중 주식매수선택권의 행사에 따라 주식을 발행하는 경우는 제외한다.

9. 그 밖에 제1호부터 제3호까지, 제3호의2, 제4호부터 제7호까지, 제7호의2, 제8호 및 제8호의2에 준하는 행위 또는 계산 및 그 외에 법인의 이익을 분여하였다고 인정되는 경우

② 제1항의 규정은 그 행위당시를 기준으로 하여 당해 법인과 특수관계인 간의 거래(특수관계인 외의 자를 통하여 이루어진 거래를 포함한다)에 대하여 이를 적용한다. 다만, 제1항 제8호 가목의 규정을 적용함에 있어서 특수관계인인 법인의 판정은 합병등기일이 속하

는 사업연도의 직전 사업연도의 개시일(그 개시일이 서로 다른 법인이 합병한 경우에는 먼저 개시한 날을 말한다)부터 합병등기일까지의 기간에 의한다.

③ 제1항 제1호·제3호·제6호·제7호 및 제9호(제1항 제1호·제3호·제6호 및 제7호에 준하는 행위 또는 계산에 한한다)는 시가와 거래가액의 차액이 3억 원 이상이거나 시가의 100분의 5에 상당하는 금액 이상인 경우에 한하여 적용한다.

④ 제3항은 주권상장법인이 발행한 주식을 「자본시장과 금융투자업에 관한 법률」에 따른 한국거래소(이하 "한국거래소"라 한다)에서 거래한 경우에는 적용하지 아니한다.

납세지 관할 세무서장(또는 지방국세청장)은 법인의 행위 또는 소득금액의 계산이 특수관계인과의 거래로 인하여 그 법인의 소득에 대한 조세의 부담을 부당하게 감소시킨 것으로 인정되는 경우에는, 그 법인의 행위 또는 소득금액의 계산과 관계없이 그 법인의 각 사업연도의 소득금액을 계산한다(법인세법 제52조 제1항). 부당행위계산부인 제도이다. 조세실질주의 원칙에 기인한 것으로 이를 통하여 동일한 경제사실관계에 대해 동일한 조세부담을 지워 조세평등원칙을 구현하고자 하는 제도이다.

부당행위계산부인 규정은 거래형식에 불구하고 실질내용에 따라 과세한다는 실질과세원칙을 법인과세 측면에서 구체화한 것으로 법인이 특수관계자와 거래할 때 정상적인 경제인의 합리적인 방법에 의하지 아니하고 법인세법 시행령 제88조 제1항 각 호에 열거된 여러 거래형태를 빙자하여 남용함으로써 조세부담을 부당하게 회피하거나 감소시키는 경우 과세권자가 이를 부인하고 법령에 정하는 방식에 따라 일정한 소득이 있는 것으로 과세하는 제도이다(대법원 2010. 10. 28. 선고 2008두15541 판결 등). 미국 내국세입법 제482조의 "납세의무자 간의 소득과 비용의 배분"이나 일본 법인세법 제132조의 "동족회사 등의 행위 또는 계산의 부인"과 유사한 제도로 대부분 국가에 유사한 제도를 두고 있다. 본디 행위란 법인의 재산상태에 영향을 미치는 법률효과를 만드는 대외적 행위이고 계산이란 관련한 대내적 회계처리를 나타내는 개념이지만 세법해석상 양자는 동전의 양면이어서 구별의 실익은 없다.

부당행위계산부인의 요건은 ① 특수관계자와의 거래, ② 경제적 합리성이 결여된 비정상적인 거래(부당행위), ③ 조세부담의 부당한 감소이다.

법인세의 부담을 회피하기 위한 이상성을 띤 거래는 주로 특수관계인과의 사이에서 이루어지기 때문에 부당행위계산부인 규정은 특수관계인과의 거래에 한정해서 적용된다. 특수관계인의 구체적 범위에 대해서는 법인세법 제2조 제12호 및 법인세법 시행령 제2조 제5항에서 정하고 있으며, 여기에 열거하는 자 외에는 특수관계인에 포함될 여지가 없다. 임원의 임면권 행사, 사업방침의 결정 등 해당 법인의 경영에 대하여 사실상 영향력을 행사하고 있다고 인정되는 자와 그 친족(동항 제1호), 해당 법인이 공정거래법에 의한 기업집단에 속하는 법인인 경우 그 기업집단에 소속된 다른 계열회사 및 그 계열회사의 임원(동항 제7호)을 특수관계인에 포함시킨 것은 지배주주가 회사의 이사에 대한 영향력을 배경으로 자기에게 유리한 방향으로 업무를 집행하도록 지시하거나, 지배주주가 영향력을 행사하여 계열회사 상호 간에 거래를 발생시켜 개인적 혹은 기업집단 전체의 이익을 추구하는 것을 부당행위계산으로 보아 부인하기 위한 것이다. 법인세법 시행령 제2조의 특수관계자의 자세한 내용은 아래 표와 같고, 세법상 특수관계인과 공정거래법상 특수관계자의 범위에 대하여는 Q12를 참조하면 된다. 아래의 1호와 6호의 영향력 행사자를 포함시킨 것은 공정거래법상 동일인 개념과 유사한 지배주주에 의한 행위·계산의 부인, 즉 계열회사 간의 거래가격 조작행위를 포착하기 위함이다.

구 분	특수관계자 범위
영향력 행사자	1. 임원의 임면권 행사, 사업방침의 결정 등 해당 법인의 경영에 대하여 사실상 영향력을 행사하고 있다고 인정되는 자(「상법」 제401조의2 제1항에 따라 이사로 보는 자 포함)와 그 친족 「상법」 제401조의2 제1항 – 회사에 대한 자신의 영향력을 이용하여 이사에게 업무 집행을 지시한 자 – 이사의 이름으로 직접 업무를 집행한 자 – 이사가 아니면서 명예회장·회장·사장·부사장·전무·상무·이사 기타 회사의 업무를 집행할 권한이 있는 것으로 인정될 만한 명칭을 사용하여 회사의 업무를 집행한 자
주주등	2. 주주등(소액주주등을 제외함)과 그 친족
임원·사용인· 생계유지자	3. 법인의 임원·사용인 또는 주주 등의 사용인(주주등이 영리법인인 경우에는 그 임원을, 비영리법인인 경우에는 그 이사 및 설립자)이 사용인 외의 자로서 법인 또는 주주 등의 금전 기타 자산에 의하여 생계를 유지하는 자와 이들과 생계를 함께 하는 친족
지배적인 영향력 행사자	4. 해당 법인이 직접 또는 그와 1~3까지에 해당하는 자를 통하여 경영에 지배적인 영향력을 행사하고 있는 법인 5. 해당 법인이 직접 또는 그와 1~4까지에 해당하는 자를 통하여 경영에 지배적인 영향력을 행사하고 있는 법인

구 분	특수관계자 범위
2차 출자법인	6. 해당 법인에 30% 이상을 출자하고 있는 법인에 30% 이상을 출자하고 있는 법인이나 개인
기타	7. 해당 법인이 「독점규제 및 공정거래에 관한 법률」에 의한 기업집단에 속하는 법인인 경우 그 기업집단에 소속된 다른 계열회사 및 그 계열회사의 임원

■ 지배적인 영향력

영리법인인 경우	비영리법인인 경우
가. 법인의 발행주식 총수 또는 출자총액의 30% 이상을 출자한 경우	가. 법인의 이사 과반수를 차지하는 경우
나. 임원의 임면권 행사. 사업방침의 결정 등 법인의 경영에 대하여 사실상 영향력을 행사하고 있다고 인정되는 경우	나. 법인의 설립 시 출연재산의 30% 이상을 출연하고 그중 1인이 설립자인 경우

■ 소액주주

발행주식총수 또는 출자총액의 1%에 미달하는 주식 또는 출자지분을 소유하는 주주

■ 지배주주

법인의 발행주식총수 또는 출자총액의 1% 이상의 주식 또는 출자지분을 소유한 주주등으로서 그와 특수관계에 있는 자와의 소유 주식 또는 출자지분의 합계가 해당 법인의 주주등 중 가장 많은 경우의 해당 주주등

■ 생계유지자와 생계를 함께 하는 친족의 범위

구 분	범 위
생계유지자	해당 주주 등에게 급부로 받는 금전·기타의 재산수입과 급부로 받는 금전·기타의 재산 운용에 의하여 생기는 수입을 일상생활비의 주된 원천으로 하고 있는 자
생계를 함께 하는 친족	주주등 또는 생계를 유지하는 자와 일상생활을 공동으로 영위하는 친족

■ **친족(국세기본법 시행령 제1조의2 제1항)**

1. 6촌 이내 혈족
2. 4촌 이내 인척
3. 배우자(사실상의 혼인관계에 있는 자 포함)
4. 친생자로서 다른 사람에게 친양자 입양된 자 및 그 배우자·직계비속

| 특수관계인 범위 개요도 |

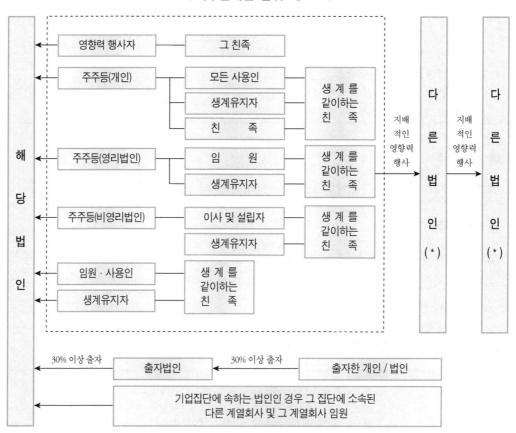

(*) 다른 법인에는 영리법인과 비영리법인을 포함

한편, 특수관계자를 판정할 때 본인을 기준으로 볼 때 특수관계자이면 본인도 그 특수관계자의 특수관계자가 된다(쌍방관계설. 법인세법 시행령 제88조 제1항). 사실 2001. 12. 31. 개정되기 이전의 법인세법 시행령 제87조 제1항 제2호에서는 '주주등(소액주주 제외)과 그 친족'이라고 명시하고 있었는데, 이와 관련하여 판례는 납세의무자인 법인(A)이 거래상대방 법

인(B)의 주주이지만 거래상대방 법인(B)은 납세의무자 법인(A)의 주주가 아닌 경우 문언상 거래상대방 법인(B)이 동호상의 주주등에 해당되지 않는다고 보아 '일방관계설'을 취했다. 부당행위계산부인 제도의 취지를 몰각시킨다는 비판이 있어 '쌍방관계설'로 개정된 것이다.

부당행위계산부인과 법인세법 제24조의 기부금 관련 규정은 거래의 상대방이 특수관계자인지 여부만을 빼고는 이익의 분여라는 측면에서 동일하다. 다만, 부당행위계산부인 규정이 특수관계자와의 거래라는 요건을 통하여 거래를 부인할 수 있는 경우를 객관화·유형화한 것이라면, 기부금 규정은 증여를 통한 이익처분의 존재라는 사실인정의 문제로 해결한다는 점에 차이가 있다.

따라서 부당행위계산부인의 경우 별도의 증여사실의 입증은 불필요한 반면, 거래사실의 부인이라는 도구개념이 필요한데 반하여 기부금에 있어서는 증여사실에 대한 입증의 어려움을 입법적으로 해결하기 위하여 정상가액 개념을 도입하여 그 범위를 넘어서는 경우에만 기부(증여)의 존재를 인정하되 예외적으로 정당한 사유가 있는 경우에는 그 적용에서 제외될 수 있도록 한 것으로 이해된다.[180]

---

180) 법무법인 화우, 「세법의 쟁점」(2016), p.24

98 법인세법상의 부당행위계산부인 유형은 무엇인가?

A 법인세법 및 시행령은 부당행위계산부인의 유형을 열거하는 방식을 취하고 있다. 열거되지 않은 거래유형은 부당행위계산부인에 해당되지 않는다. 한편, 시행령에서 자산·용역 거래뿐 아니라 자본 거래까지도 열거되고 있다.

해설

법인세법 시행령 제88조 제1항은 부당행위계산의 유형을 열거하고 있다. 대표적인 유형으로는 고가매입, 무수익자산의 매입, 무상(저가)양도, 금전 또는 용역의 무상(저가)제공, 자본거래를 통한 이익분여(불공정합병, 신주인수권의 표기 및 신주의 고가인수, 불균등감자) 등을 들 수 있다. 동항 제9호는 "그 밖에 제1호 내지 제8호에 준하는 행위 또는 계산 및 그 외에 법인의 이익을 분여하였다고 인정되는 경우"를 부당행위계산 유형의 하나로 규정하고 있는 바, 이로 인해 동항이 부당행위계산부인의 유형을 예시하고 있는 것인지 제한적으로 열거하고 있는 것인지에 대한 다툼이 있지만, 조세법률주의원칙에 비추어 당연히 제한적 열거규정이다.[181]

법인세법 시행령 제88조 제1항이 대표적인 사례로 규정한 거래는 다음과 같다. 열거주의이기 때문에 열거되지 않은 사항은 부당행위계산부인이 되지 않는다. 한편, 제9호는 위 각 호의 열거된 구체적인 행위계산의 유형과 법적 형식면에서 동일시할 수 있을 정도로 긴밀한 유사성이 인정되는 경우로 한정된다.

제1호 자산의 고가 매입, 현물출자 또는 과대상각
제2호 무수익자산의 매입, 현물출자 또는 비용부담
제3호 자산의 무상 또는 저가 양도 또는 현물출자
제3호의2 불공정합병 또는 분할
제4호 불량자산의 차환 또는 불량채권의 양수
제5호 출자자 등의 출연금 부담
제6호 금전, 자산, 용역의 무상 또는 저리 제공[다만, i) 주식매수청구권 등의 행사 또는 지급에 따라 금전을 제공하는 경우와 ii) 주주등이나 출연자가 아닌 임원(소액주주인 임원 포함) 및 사용인에게 사택을 제공하는 경우]

---

181) 제한적 열거로 보는 견해는 이태로·한만수, 「조세법강의」(신정11판), 박영사(2015), p.541 ; 예시적 규정으로 보는 견해는 김완석·황남석, 앞의 책, p.568

제7호 금전, 자산, 용역의 고율차용 또는 사용

제7호의2 파생상품상의 권리의 불행사나 행사기간의 조정

제8호 자본거래로 인한 특수관계 주주등(소액주주등 제외)에게 이익을 분여한 경우[불
공정합병, 신주인수권(전환사채, 신주인수권부사채 또는 교환사채 등 포함)의 포
기, 신주의 고가인수, 불균등감자]

제8호의2 증자·감자, 합병(분할합병을 포함한다)·분할, 전환사채 등에 의한 주식의 전
환·인수·교환 등 자본거래를 통해 법인의 이익을 분여하였다고 인정되는 경우

제9호 기타 준하는 행위 또는 계산 및 그 외에 법인의 이익을 분여하였다고 인정되는 경우

구 분	부당행위계산의 유형
손익거래	① 자산을 시가보다 높은 가액으로 매입 또는 현물출자받았거나 그 자산을 과대상각한 경우 ② 자산을 무상 또는 시가보다 낮은 가액으로 양도 또는 현물출자한 경우. 다만, 「법인세법 시행령」(제19조 제1항 제19의 2호)에 해당하는 주식매수선택권 등의 행사 또는 지급에 따라 주식을 양도하는 경우는 제외한다. ③ 금전 그 밖의 자산 또는 용역을 무상 또는 시가보다 낮은 이율·요율이나 임대료로 대부하거나 제공한 경우. 다만, 다음 중 어느 하나에 해당하는 경우는 제외한다. 　• 「법인세법 시행령」(제19조 제1항 제19의 2호)에 해당하는 주식매수선택권 등의 행사 또는 지급에 따라 금전을 제공하는 경우 　• 주주 등이나 출연자가 아닌 임원 및 직원에게 사택(임차사택 포함)을 제공하는 경우. 여기서 '임차사택'이란 법인이 직접 임차하여 임원 또는 직원에게 무상으로 제공하는 주택으로서 임차기간 동안 임원 또는 직원이 거주하고 있는 주택을 말한다. 　이 가운데 '출자자 등에게 금전을 무상 또는 낮은 이율로 대부한 때'는 그 미달한 이자상당액을 익금산입하게 되는데, 이것을 실무상 '가지급금 인정이자'라고 한다. ④ 금전 그 밖의 자산 또는 용역을 시가보다 높은 이율·요율이나 임차료로 차용하거나 제공받은 경우 ⑤ 특수관계인인 법인 간 합병(분할합병을 포함)·분할을 할 때 불공정한 비율로 합병·분할하여 합병·분할에 따른 양도손익을 감소시킨 경우. 다만, 주권상장법인이나 다른 법인과 「자본시장과 금융투자업에 관한 법률」(제165조의4)에 따른 합병가액·분할합병의 산정기준에 따라 합병(분할합병을 포함)·분할하는 경우는 제외한다. ⑥ 출연금을 대신 부담한 경우 ⑦ 무수익자산(無數益資産)을 매입하거나 현물출자받은 경우 또는 그 자산에 대

구 분	부당행위계산의 유형
	한 비용을 부담한 경우. 여기서 '무수익자산'이란 법인의 수익파생에 공헌하지 못하거나 법인의 수익과 관련이 없는 자산으로서 장래에도 그 자산의 운용으로 수익을 얻을 가망성이 희박한 자산을 말한다(대법원 2000. 11. 10. 선고 98두 12056). ⑧ 불량자산을 차환(借換)하거나 불량채권을 양수한 경우 ⑨ 파생상품에 근거한 권리를 행사하지 않거나 그 행사기간을 조절하는 등의 방법으로 이익을 분여하는 경우, 여기서 '파생상품'이란 기업회계기준에 따른 선도거래, 선물(先物), 스와프, 옵션, 그 밖에 이와 유사한 거래 또는 계약을 말한다(법인세법 시행세칙 제42의4). ⑩ 그 밖에 위 ①~⑨에 준하는 행위 또는 계산 및 그 외에 법인의 이익을 분여하였다고 인정되는 경우(개괄적 유형)
자본거래	① 불공정자본거래로 인하여 주주 등(소액주주 등은 제외한다. 이하 같다)인 법인이 특수관계인의 다른 주주 등에게 이익을 분여한 경우 ② 위 ① 외의 경우로서 증자·감자·합병(분할합병 포함)·분할, 전환사채 등에 따른 주석의 전환·인수·교환 등 자본거래를 통해 법인의 이익을 분여하였다고 인정되는 경우 ③ 그 밖에 위 ①, ②에 준하는 행위 또는 계산 및 그 외에 법인의 이익을 분여하였다고 인정되는 경우(개괄적 유형)

한편, 사소한 거래에까지 시가를 따져 부당행위계산부인 제도를 취할 경우 납세의무자의 부담이 너무 크기 때문에, 자산의 고저가 양수도나 현물출자, 금전 등의 무상 또는 저율의 대부 또는 차용 등의 경우에는 현저한 이익의 분여이어야 하고 그래서 시가와 거래가액의 차액이 3억 원 미만이거나 그 차액이 시가의 5% 미안인 경우에는 부당한 거래로 보지 않는다. 다만, 상장수식은 시가가 명백하므로 이 기준을 적용하지 않는다(법인세법 시행령 제88조 제3항 및 제4항).

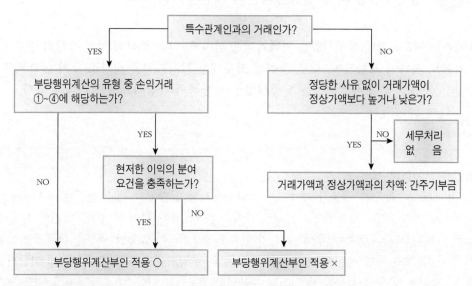

| 부당행위계산부인의 적응요건(손익거래의 경우) |

* 주권상장주식을 한국거래소에서 거래한 경우에는 거래일 현재 최종시세가격을 시가로 하여 시가 산정에 오차가 발생하지 않으므로 현저한 이익의 분여요건을 적용하지 않는다.

99 법인세법상 시가 산정방식은 무엇인가?

A 시가는 제3자 간에 형성되었을 거래가격을 의미하는 바, 주식이 아닌 자산의 경우 감정가액도 시가에 포함되며, 다만 주식의 경우에는 감정가액을 시가로 보지 않으므로 시가가 불명한 경우 세법에서는 상증세법상 보충적 평가방식으로 평가해야 한다.

해설

법인세법 시행령 제89조

① 법 제52조 제2항을 적용할 때 해당 거래와 유사한 상황에서 해당 법인이 특수관계인 외의 불특정다수인과 계속적으로 거래한 가격 또는 특수관계인이 아닌 제3자 간에 일반적으로 거래된 가격이 있는 경우에는 그 가격(주권상장법인이 발행한 주식을 한국거래소에서 거래한 경우 해당 주식의 시가는 그 거래일의 한국거래소 최종시세가액)에 따른다.

② 법 제52조 제2항을 적용할 때 시가가 불분명한 경우에는 다음 각 호를 차례로 적용하여 계산한 금액에 따른다.

1. 「감정평가 및 감정평가사에 관한 법률」에 따른 감정평가업자가 감정한 가액이 있는 경우 그 가액(감정한 가액이 2 이상인 경우에는 그 감정한 가액의 평균액). 다만, 주식등은 제외한다.

2. 「상속세 및 증여세법」 제38조·제39조·제39조의2·제39조의3, 제61조부터 제66조까지의 규정 및 「조세특례제한법」 제101조를 준용하여 평가한 가액. 이 경우 「상속세 및 증여세법」 제63조 제1항 제1호 나목 및 같은 법 시행령 제54조에 따라 비상장주식을 평가함에 있어 해당 비상장주식을 발행한 법인이 보유한 주식(주권상장법인이 발행한 주식으로 한정한다)의 평가금액은 평가기준일의 한국거래소 최종시세가액으로 하며, 「상속세 및 증여세법」 제63조 제2항 제1호·제2호 및 같은 법 시행령 제57조 제1항·제2항을 준용할 때 "직전 6개월(증여세가 부과되는 주식등의 경우에는 3개월로 한다)"은 각각 "직전 6개월"로 본다.

③ 제88조 제1항 제6호 및 제7호에 따른 금전의 대여 또는 차용의 경우에는 제1항 및 제2항에도 불구하고 기획재정부령으로 정하는 가중평균차입이자율(이하 "가중평균차입이자율"이라 한다)을 시가로 한다. 다만, 다음 각 호의 경우에는 해당 각 호의 구분에 따라 기획재정부령으로 정하는 당좌대출이자율(이하 "당좌대출이자율"이라 한다)을 시가로 한다.

1. 가중평균차입이자율의 적용이 불가능한 경우로서 기획재정부령으로 정하는 사유가 있는 경우: 해당 대여금 또는 차입금에 한정하여 당좌대출이자율을 시가로 한다.

1의2. 대여기간이 5년을 초과하는 대여금이 있는 경우 등 기획재정부령으로 정하는 경우: 해당 대여금 또는 차입금에 한정하여 당좌대출이자율을 시가로 한다.

2. 해당 법인이 법 제60조에 따른 신고와 함께 기획재정부령으로 정하는 바에 따라 당좌대
   출이자율을 시가로 선택하는 경우: 당좌대출이자율을 시가로 하여 선택한 사업연도와
   이후 2개 사업연도는 당좌대출이자율을 시가로 한다.

④ 제88조 제1항 제6호 및 제7호의 규정에 의한 자산(금전을 제외한다) 또는 용역의 제공
에 있어서 제1항 및 제2항의 규정을 적용할 수 없는 경우에는 다음 각 호의 규정에 의하여
계산한 금액을 시가로 한다.

1. 유형 또는 무형의 자산을 제공하거나 제공받는 경우에는 당해 자산시가의 100분의 50에
   상당하는 금액에서 그 자산의 제공과 관련하여 받은 전세금 또는 보증금을 차감한 금액
   에 정기예금이자율을 곱하여 산출한 금액
2. 건설 기타 용역을 제공하거나 제공받는 경우에는 당해 용역의 제공에 소요된 금액(직접
   비 및 간접비를 포함하며, 이하 이 호에서 "원가"라 한다)과 원가에 당해 사업연도 중
   특수관계인 외의 자에게 제공한 유사한 용역제공거래에 있어서의 수익률(기업회계기준
   에 의하여 계산한 매출액에서 원가를 차감한 금액을 원가로 나눈 율을 말한다)을 곱하
   여 계산한 금액을 합한 금액

⑤ 제88조의 규정에 의한 부당행위계산에 해당하는 경우에는 법 제52조 제1항의 규정에
의하여 제1항 내지 제4항의 규정에 의한 시가와의 차액 등을 익금에 산입하여 당해 법인의
각 사업연도의 소득금액을 계산한다. 다만, 기획재정부령이 정하는 금전의 대여에 대하여
는 이를 적용하지 아니한다.

⑥ 제88조 제1항 제8호 및 제8호의2의 규정에 의하여 특수관계인에게 이익을 분여한 경우
제5항의 규정에 의하여 익금에 산입할 금액의 계산에 관하여는 그 유형에 따라 「상속세
및 증여세법」 제38조ㆍ제39조ㆍ제39조의2ㆍ제39조의3ㆍ제40조ㆍ제42조의2와 같은 법 시
행령 제28조 제3항부터 제7항까지, 제29조 제2항, 제29조의2 제1항ㆍ제2항, 제29조의3 제1
항, 제30조 제5항 및 제32조의2의 규정을 준용한다. 이 경우 "대주주" 및 "특수관계인"은
이 영에 의한 "특수관계인"으로 보고, "이익" 및 대통령령으로 정하는 이익"은 "특수관계
인에게 분여한 이익"으로 본다.

시가란 해당 거래와 유사한 상황에서 해당 법인이 특수관계인 외의 불특정다수인과 계속
적으로 거래한 가격 또는 특수관계인이 아닌 제3자 간에 일반적으로 거래된 가격이 있는
경우에는 그 가격을 의미한다(법인세법 시행령 제89조 제1항, 대법원 1998. 2. 9. 선고 대법87누671 판
결 등 다수). 시가는 ① 주관적인 요소가 배제된 객관적인 것이어야 하고, ② 거래에 의하여
형성된 것이어야 하며, ③ 그 거래는 일반적이고 정상적인 것이어야 하고, ④ 그 기준시점
의 재산의 구체적인 현황에 따라 평가된 객관적 교환가치를 적정하게 반영하는 것이어야

한다. 시가주의의 철저한 운용에는 무엇보다도 당해 평가대상 재산의 시장성이 풍부하다는 것과 동종재산의 등가성이 전제되어야 한다. 즉, 시장성이 풍부한 동종의 물건의 거래에 있어서 형성된 가액만이 그것을 시가로 포착할 수 있다.[182]

한편, 시가에 대하여는 과세관청에 엄격한 입증책임이 있다. 과세관청은 특수관계 없는 자 간의 거래실가를 찾아서 제시해야 하고, 그것이 없는 경우에는 (i)「부동산가격공시 및 감정평가에 관한 법률」에 의한 감정평가법인이 감정한 가액에 의하고, (ii) 감정한 가액이 없는 경우에는 상증세법상 보충적 평가방법을 준용하여 평가한 가액에 의한다(법인세법 시행령 제89조 제1항 제1호). 이와 관련하여 실제 매매가격을 부인하고 감정가액을 시가로 볼 수 없고, 양도일 이전에 평가한 감정가액은 유효하지만 양도일 이후 평가한 감정가액은 시가로 볼 수 없다.

관련하여 상증세법상 보충적 평가방법 적용과 관련한 입증책임에 대한 판례이지만 '시가 부존재'에 대한 입증책임이 사실상 납세의무자에게 전환된다는 취지의 것이 있다. 보충적 평가방법 적용의 전제인 '시가를 산정하기 어려운 때'와 관련하여 종래에는 과세관청이 과세대상의 시가를 산정하기 어려움을 주장·입증해야 한다고 보았지만(대법원1993. 2. 26. 선고 92누787 판결, 대법원 1994. 8. 23. 선고 94누5960 판결 등), 이후 상속개시 당시까지 목적물이 처분된 일이 없고 별도로 감정가격도 존재하지 않는 경우에는 시가를 산정하기 어려운 경우에 해당된다고 판단하여 그 입장을 바꾸었다(대법원 2001. 9. 14. 선고 2000두406 판결, 대법원 1995. 12. 8. 선고 94누15905 판결 등).

시가와 관련한 분쟁은 대부분 주식에 대한 것이다. 상장주식은 한국거래소 거래일의 최종 시세가액이 시가가 된다(법인세법 시행령 제89조 제1항 제2호). 상장주식이라도 장외거래의 경우 동 조항이 적용되지 않는다. 한편, 규정이 명확하지 않았던 종래에는 판례가 최대주주 및 특수관계인이 보유한 이른바 경영권 수반 주식의 평가에 대하여는 할증 규정이 적용되지 않는다고 보았지만(대법원 1993. 2. 12. 선고 92누9913 판결), 현행법에서는 '시가'에 의해 지배주식을 평가하는 경우에도 할증평가가 적용되는 것으로 개정되었다(상증세법 제63조 제3항). 지배주식 할증은 통상 20%(중소기업 10%)이지만 최대주주 등이 50% 초과 주식보유 시 30%(중소기업 15%)이다(상증세법 제63조 제3항, 상증세법 시행령 제53조 제3항, 제6항).

한편, 거래 선례가 없는 비상장주식의 거래라도 그것이 일반적이고 정상적인 방법에 의

182) 법무법인 화우,「세법의 쟁점」(2016), p.90

한 것이어서 당시 객관적인 교환가치를 반영하고 있다면 시가로 본다(대법원 1987. 5. 26. 선고 86누408 판결). 영업권, 면허권 등의 가치를 포함한 비상장주식 거래가격도 시가이다(국세심판원 1981. 10. 16. 결정 81부596, 대법원 1991. 7. 23. 선고 91누87 판결). 비상장주식의 시가를 발견하지 못하면 감정가액을 시가로 보지 않고 상증세법상 보충적 평가방식에 따른다(법인세법 시행령 제89조 제2항).

현행 상증세법은 비상장주식의 가액을 1주당 수익력가치(순손익가치: 1주당 최근 3개년간 순손익액 4의 가중평균 / 금융기관 보증한 3년 만기 회사채 유통수익률을 감안하여 국세청장이 고시하는 이자율)와 1주당 순자산가치(해당법인의 순자산가액 / 발행주식총수)를 각각 3과 2의 비율로 가중평균한 가액에 의하도록 한다(상증세법 시행령 제54조).

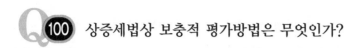

Q100 상증세법상 보충적 평가방법은 무엇인가?

A 시가를 산정하기 어려운 때 상속·증여재산을 평가하는 기준을 정한 것으로 세법 전반에 있어 자산의 평가기준으로 매우 중요한 역할을 하며, 공정거래법상 부당지원행위에서도 중요한 기준으로 인정하고 있다.

해설

상증세법 제60조 제1항은 "이 법에 따라 상속세나 증여세가 부과되는 재산의 가액은 상속개시일 또는 증여일(이하 '평가기준일'이라 한다) 현재의 시가에 의한다. 이 경우 제63조 제1항 제1호 가목 및 나목에 규정된 평가방법으로 평가한 가액(제63조 제2항의 규정에 해당하는 경우를 제외한다)을 시가로 본다"고 규정하고, 동조 제3항은 "제1항을 적용할 때 시가를 산정하기 어려운 경우에는 해당 재산의 종류, 규모, 거래 상황 등을 고려하여 제61조부터 제65조까지에 규정된 방법으로 평가한 가액을 시가로 본다"고 하였다. 시가주의와 현황평가의 원칙이다. 상증세법 제61조 내지 제65조와 시행령 제3장 제49조 내지 제63조에서 개별자산의 평가방법에 관하여 구체적으로 규정하고 있다.

한편, 상증세법 제60조 제2항은 "제1항에 따른 시가는 불특정 다수인 사이에 자유로이 거래가 이루어지는 경우에 통상적으로 성립된다고 인정되는 가액으로 하고 수용가격, 공매가격 및 감정가격 등 대통령령으로 정하는 바에 따라 시가로 인정되는 것을 포함한다"고 규정하고 있다. 이는 법인세법상 시가나 소득세법상 시가 등과 같은 의미로서 '일반적이고 정상적인 거래에 의하여 형성된 객관적 교환가격'의 취지이다(대법원 1994. 12. 22. 선고 93누22333 판결).

한편, 상증세법상 보충적 평가방법은 '시가를 산정하기 어려운 때'에 적용한다. '시가를 산정하기 어려운 때'의 해석과 관련하여 법원은 종래에 원칙적으로 과세관청에 입증책임이 있으며, 과세관청은 과세대상의 시가를 산정하기 어려움을 주장·입증해야 한다고 보았다(대법원 1993. 2. 26. 선고 92누787 판결, 대법원 1994. 8. 23. 선고 94누5960 판결 등). 법원은 이후 상속개시 당시까지 목적물이 처분된 일이 없고 별도로 감정가격도 존재하지 않는 경우에는 시가를 산정하기 어려운 경우에 해당된다고 판단하여 그 입장을 바꾸었다(대법원 2001. 9. 14. 선고 2000두406 판결, 대법원 1995. 12. 8. 선고 94누15905 판결 등). 상속개시 이후 부과 시까지 목적물이 처분되는 경우는 예외적이고 감정가격이 별도로 존재한다는 것도 소극적 사항으로서 결국은 소송 전후를 통해 납세자가 보다 낮은 감정가격의 존재를 입증하여야 한다는 점에서 판례의 태도는 실질적으로 입증책임의 전환을 인정한 것이다.

상증세법상 시가로 인정되는 가액은 평가기준일 전후 6개월(증여재산의 경우에는 3개월) 이내의 기간 중 매매·감정·수용·경매 또는 공매가 있는 경우에 다음의 어느 하나에 따라 확인되는 가액을 말한다(상증세법 시행령 제49조 제1항).

---

① 해당 재산에 대한 매매사실이 있는 경우에는 그 거래가액
② 해당 재산이 평가한 감정가액이 있는 경우에는 그 감정가액의 평균액
③ 해당 재산에 대하여 수용·경매 또는 공매사실이 있는 경우에는 그 보상가액·경매가액 또는 공매가액

실무상 자주 문제되는 것은 비상장주식이다. 비상장주식에 관한 법정평가방법은 회사의 주식에 대한 불특정인 사이에서의 매매의 실례가 없고 객관적이고 합리적인 방법으로 평가한 감정가액도 존재하지 않는 경우에 행하는 방법이므로(대법원 1996. 12. 10. 선고 95누18602 판결), 그에 관한 객관적 교환가치를 적정하게 반영하였다고 인정되는 매매의 실례가 있는 경우에는 그 가액을 시가로 보아야 한다(대법원 1987. 1. 20. 선고 86누318 판결 등). 하지만 회사의 경영권을 지배하는 이례적인 주식매매대금을 적정가격이라고 보기는 어렵고(대법원 1982. 2. 23. 선고 80누543 판결, 대법원 1985. 9. 24. 선고 85누208 판결), 유상증자 시 주식발행법인에 의하여 발행가액으로 결정된 액면가액이나 감정가액 등도 특별한 사정이 없는 한 비상장주식의 시가로 보기 어렵다.[183]

상증세법상 보충적 평가방법에 따른 평가방법은 다음과 같다.

(1) 부동산(상증법 제61조)

① 토지: 부동산 가격공시 및 감정평가에 관한 법률에 따른 개별공시지가
② 건물: 건물의 신축가격, 구조, 용도, 위치, 신축연도 등을 고려하여 매년 1회 이상 국세청장이 산정 고시하는 가액
③ 오피스텔 및 상업용 건물: 건물의 종류, 규모, 거래 상황, 위치 등을 고려하여 매년

---

183) 법무법인 화우, 「세법의 쟁점」(2016), p.92

1회 이상 국세청장이 토지와 건물에 대하여 일괄하여 산정·고시한 가액

④ 주택: 부동산 가격공시 및 감정평가에 관한 법률에 따른 개별주택가격 및 공동주택가격

(2) 선박 등 그 밖의 유형자산(상증법 제62조)

① 선박·항공기·차량·기계장비 및 입목: 해당 자산을 처분할 경우 다시 취득할 수 있다고 예상되는 가액. 그 가액이 확인되지 아니하는 경우에는 장부가액 및 지방세법 시행령 제4조 제1항의 시가표준액에 따른 가액을 순차로 적용한 가액

② 상품·제품·반제품·재공품·원재료 기타 이에 준하는 동산: 해당 자산을 처분할 때에 취득할 수 있다고 예상되는 가액. 그 가액이 확인되지 아니하는 경우에는 장부가액

(3) 유가증권(상증법 제63조)

① 상장주식: 평가기준일 이전·이후 각 2개월 동안 공표된 매일의 거래소 최종 시세가액

② 비상장주식: 1주당 최근 3년간의 순손익액의 가중 평균액을 3년 만기회사채의 유통수익률을 감안하여 기획재정부령으로 정하여 고시하는 이자율(순손익가치환원율)로 나누어 계산한 1주당 순손익가치와 1주당 순자산가치를 각각 3과 2의 비율로 가중평균한 가액. 부동산과다보유법인의 경우 1주당 순손익가치와 순자산가치의 비율을 각각 2와 3으로 한다.

(4) 담보로 제공된 자산(상증법 제66조)

그 재산이 담보하는 채권액을 기준으로 평가한 다음의 가액과 상속세 및 증여세법 제60조에 따라 평가한 가액 중 큰 금액을 그 재산의 가액으로 한다.

① 저당권이 설정된 재산: 당해 재산이 담보하는 채권액

② 근저당권이 설정된 재산: 평가기준일 현재 당해 재산이 담보하는 채권액

③ 질권이 설정된 재산 및 양도담보재산: 당해 재산이 담보하는 채권액

(5) 국회재산(상증령 제58조의3)

외국에 있는 상속 또는 증여재산으로서 상속세 및 증여세법 제60조 내지 제65조 규정을 적용하는 것이 부적당한 경우에는 당해 재산이 소재하는 국가에서 양도소득세·상속세 또는 증여세 등의 부과목적으로 평가한 가액을 평가액으로 하고, 위 평가액이 없는 경우에는 세무서장 등이 2 이상의 국내 또는 외국의 감정기관에 의뢰하여 감정한 가액을 참작하여 평가한 가액에 의한다.

Q 101 부당행위계산에서의 부당성의 개념은 무엇인가?

A 경제적 합리성의 결여, 즉 거래의 이상성(異常性)을 뜻하며, 통상적인 경제인을 기준으로 판단된다. 공정거래저해성보다는 넓은 개념이지만 경영상 필요성과 같은 추상적 이유로는 부당성이 치유되지 않는다.

해설

행위 또는 소득금액 계산에서의 '이상성(異常性)' 또는 '경제적 사실에의 부적합성'을 의미한다. 법인세법에서는 이를 '부당'으로 표현하고 있으며 행위 또는 계산의 경제적 합리성의 결여를 의미한다. 경제적 합리성 유무는 경제인이 통상적으로 선택하리라고 기대되는 거래인지 여부를 기준으로 판단해야 한다. 즉, 어떠한 경제적 목적을 달성함에 있어 정상적인 사람이라면 그 같은 법형식(거래)을 택하지 않았으리라고 인정할 정도로 납세자가 추구한 경제적 목적·효과에 비추어 선택한 법형식(거래방식)이 이상한 경우를 의미하며, 그 판단기준은 '경제적 합리성'이다. 경제적 합리성이란 특정한 행위가 행하여진 경제적 상황에서 그 행위자가 의도한 경제적 목적을 달성하기 위하여 그 행위를 선택한 것이 정상적인 경제인의 관점에서 볼 때 부자연스럽거나 불합리하지 않은 것을 의미한다(대법원 2007. 12. 13. 선고 2005두14257 판결).

법인세법 제52조 제2항은 건전한 사회통념 및 상관행과 특수관계인이 아닌 자 간의 정상적인 거래에서 적용되거나 적용될 것으로 판단되는 시가를 판단의 기준으로 제시하고 있다. 단, 시가와 실제 거래가액의 차액이 3억 원 이상이거나 시가의 5%에 상당하는 금액 이상 차이가 날 경우에만 부당행위계산부인 규정이 적용된다(법인세법 시행령 제88조 제3항).

한편, 그 행위의 거래조건만을 놓고 판단할 것이 아니라 거래행위에 이르게 된 동기나 연계된 다른 거래조건과의 관계 등 경제적 상황을 구체적이고도 종합적으로 관찰하여 판단하여야 한다(대법원 2006. 9. 8. 선고 2004두3724 판결). 법인세법 기본통칙은 "법인의 부당한 행위 또는 계산은 정상적인 사인 간의 거래, 건전한 사회통념 내지 상관행을 기준으로 판정한다"고 해석하고 있다(법인세법 기본통칙 52-87…1조). 즉, 통상 이상한 행위라 해도 그 구체적인 상황에서 특수한 경제적 합리성이 있으면 '부당성'이 부인된다.

판례는 복리후생 등을 목적으로 무연고지에 근무하는 직원들에게 과다하지 않은 전세보증금을 무이자로 대여한 행위(대법원 2008. 10. 9. 선고 2006두19013 판결), 출판업계에서 도서반품

관행에 따라 발생할 가능성이 있는 도서반품액을 감안하지 아니한 채 도서의 외상매출채권을 장부가액대로 인수한 행위(대법원 2009. 7. 9. 선고 2007두10389 판결)는 상관행에 비추어 경제적 합리성이 있으므로 부당하지 않다고 보았다. 한편, 부당행위계산부인의 요건에 조세회피의 의도, 즉 조세상의 이익을 얻을 의도는 포함되지 않는다(대법원 2006. 11. 10. 선고 2006두125 판결).

Q 102 부당행위계산부인에 있어 조세회피의사라는 주관적 요건이 필요한지? 그리고 대응조정을 할 수 있는지?

A 부당행위계산부인에 있어 조세회피의사는 요구되지 않으며, 부당행위계산부인에서 거래상대방의 부당한 거래가격을 조정하여 과세하더라도 거래상대방의 거래가격을 조정해 주지 않는데 이를 대응조정 불가원칙이라 한다.

해설

조세회피의사를 부당행위계산부인 규정의 적용 요건으로 할 것인지 문제된다. 동일한 경제적 이익을 향유한다면 동일한 조세부담을 지워야 함에도 불구하고 담세능력과 관계없는 조세회피의도 유무에 따라 조세부담의 크기에 차이가 생기는 것은 부당하기 때문에 이를 주관적 요건으로 보지 않는 것이 타당하다. 판례 역시 조세회피의사는 부당행위계산의 부인의 요건이 아니라고 설시하고 있다(대법원 1996. 7. 12. 선고 95누7260 판결). 대법원은 해당 사건에서 "법인세법 제20조, 같은 법 시행령(1993. 12. 31. 대통령령 제14080호로 개정되기 전의 것) 제46조 제2항에서 말하는 '법인의 소득에 대한 조세의 부담을 부당히 감소시킨 것으로 인정되는 경우'라 함은 당해 법인이 행한 거래형태가 객관적으로 보아 경제적 합리성을 무시한 비정상적인 것이어서 조세법적인 측면에서 부당한 것이라고 인정되는 경우를 뜻한다고 할 것이므로, 반드시 조세부담을 회피하거나 경감시킬 의도가 있어야만 부당행위계산에 해당하는 것은 아니라고 할 것이다"라고 판시하였다.

조세부담의 감소는 비정상적 행위계산을 한 해당 법인을 기준으로 하고, 해당 사업연도의 세부담에는 영향이 없더라도 후속 사업연도의 세부담 감소를 초래한 경우에도 그 일련의 경과를 하나의 부당행위계산으로 취급하여 세부담이 감소한 사업연도의 그 행위계산을 부인할 수 있다. 한편, 비영리법인이 수익사업이 아닌 고유목적사업의 수행으로 행한 거래는 법인세 과세대상 소득에 영향을 주지 않으므로 부당행위계산부인 대상이 아니다(대법원 2013. 11. 28. 선고 2013두12456 판결). 조세부담의 감소는 반드시 해당 행위나 계산을 한 사업연도의 세부담의 감소만을 의미하는 것이 아니며 후속 사업연도의 세부담의 감소를 초래하는 경우에는 그 일련의 경과를 하나의 부당행위계산으로 취급하여 세부담이 감소한 사업연도에 그 행위계산을 부인할 수 있다.

어떤 거래가격을 시가로 치환하여 부인을 하는 경우 그 거래상대방이 치환된 시가로 거래한 것으로 보아 그 소득과 세부담을 감액하는 과세관청의 행위를 대응조정(matching or corrective adjustment of profits)이라 한다. 그런데 내국세법에서는 대응조정이 인정되지 않는다. 즉, 내국법인의 거래가격이 시가와 서로 다르다는 이유로 법인세법상의 부당행위 계산부인을 하여 해당 내국법인의 세부담을 증액조정하는 경우 거래상대방의 세부담을 이에 맞추어 감액조정(대응조정)하는 것은 인정되지 않고, 거래상대방에게 소득을 지급한 것으로 처리한다(법인세법 제67조).

국제조세에서는 대응조정이 인정된다. 이전가격세제, 즉 거주지국을 달리하는 당사자들 사이에 이루어지는 거래 가액을 부인(이전가격조정)하여 일방 당사자의 소득을 증액조정하는 경우 상대방 당사자의 거주지국은 양국 정부 간의 합의를 전제로 대응조정을 할 의무가 있는 것으로 인식되고 있다(OECD 모범조약 제9조 제2항).

우리 국제조세조정법은 내국법인 거주자의 국외특수관계인의 거주지국이 그 국외특수관계인과 내국법인 등 사이의 이전가격을 증액 또는 감액조정하여 그 국외특수관계인의 소득을 증액 또는 감액하고 그 국외특수관계인에게 소득의 증액 또는 감액 조정을 우리 정부가 상호합의절차를 통하여 받아들이는 경우에는 내국법인 등이 처음부터 정상가격으로 거래한 것으로 보아 국외특수관계인으로부터 정상가격과 실제거래가격 간의 차액에 상당하는 이익을 분여받지 않거나 분여하지 않은 것으로 조정하는 것으로 규정하고 있다(국조법 제10조 제1항). 즉, 국외특수관계인의 거주지국(외국)이 정상가격과의 차이만큼 특수관계인 소득을 증액하고 우리 정부가 상호합의절차를 거쳐 받아들이면, 실제 그 차액이 반환되지 않아도 미반환액을 소득으로 보지 않는 것이다. 법인세법 제53조도 같은 취지로 규정하고 있다. 반대의 경우, 즉 우리 과세당국이 내국법인 등이 국외특수관계인과의 거래가격을 정상가격과 달리 정하여 그 차액에 해당하는 소득에 대한 세부담을 회피한 것으로 인정하는 경우 그 차액을 국외특수관계인에게 지급한 것으로 보아 배당, 출자, 기타 사외유출 등의 처분을 하는 것을 원칙으로 하면서도 내국법인 등이 그 차액을 반환받은 경우에는 그러한 처분을 하지 않는다(국조법 제9조 제1항). 즉, 실제로 반환되지 않으면 대응조정을 해 주지 않는다.

Q 103 소득세법상 부당행위계산부인 제도는 무엇인가?

A 법인세법상 부당행위계산 제도와 거의 동일하고, 다만 소득세를 부담하는 개인(거주자)의 사업소득, 기타소득 및 양도소득에 적용될 뿐이다.

해설

소득세법에도 실질과세원칙에 근거하여 공평과세를 실현하기 위하여 부당행위계산부인 제도를 두고 있다. 사업소득, 기타소득 및 양도소득에 대하여 규정이 있다. 사업소득과 기타소득과 관련하여 그 총수입금액 또는 필요경비 계산에 있어 특수관계인(소득세법 시행령 제98조 제1항)과의 거래로 조세 부담을 부당하게 감소시킨 것으로 인정되는 때에 납세지 관할 세무서장 또는 지방국세청장은 그 행위나 계산과 관계없이 해당 과세기간의 소득금액을 계산할 수 있다(소득세법 제41조).

'조세부담을 부당하게 감소시킨 것으로 인정되는 때'란 (i) 자산의 저가양도·고가매입, (ii) 금전 기타 자산 또는 용역의 낮은 요율로의 대부 또는 제공, (iii) 금전 기타 자산 또는 용역의 높은 요율로의 차용 또는 제공받음, (iv) 무수익자산의 매입 및 그 자산에 대한 비용부담, (v) 기타 부당한 조세부담의 감소행위를 말한다(소득세법 시행령 제98조 제2항). (iv)의 경우를 제외하고는 시가와 거래가액의 차액이 3억 원 이상이거나 시가의 5% 이상인 경우에 한하여 부당행위계산으로 취급된다(동항 단서).

소득세법에서는 종합소득에 대한 부당행위계산부인 규정인 제41조와 양도소득에 대한 부당행위계산부인 규정인 제101조에서 시가를 규정하고 있다. 소득세법 제41조는 법인세법 시행령 제89조 제1항 및 제2항, 제3항, 제4항의 규정을 그대로 준용하도록 하고 있으며, 제101조는 상속세 및 증여세법 제60조 내지 제64조를 준용하도록 되어 있다. 즉, 시가는 법인세법에서 법인이 행한 거래 부당행위계산부인 기준으로 정하고 있는 시가에 의하고, 다른 유형의 거래의 거래가격 적정성 역시 법인세법상 부당행위계산부인의 기준에 따라 판단한다(소득세법 시행령 제98조 제3항, 제4항).

부동산 대여의 시가와 관련하여 판례는 과세관청이 해당 토지는 물론 인접 및 유사지역 내의 토지에 대한 임대사례가 없어 제반 가격산정 요인을 세밀히 조사하고 국유재산법과 지방재정법상의 사용료율 및 시중은행 금리수준과 국공채 이율 등을 고려하여 부동산시가에 연간 기대수익률 5%를 적용·적산하여 토지의 각 연도별 임대료를 산정했다면 합리성과 타당성을 갖춘 것이라 할 수 있다고 보았다(대법원 2009. 9. 24 선고 2007두7505 판결).

양도소득과 관련하여, 거주자가 특수관계인과의 거래(소득세법 시행령 제98조 제1항)에 있어서 토지 등을 시가보다 초과하여 취득(고가매입)하거나 시가에 미달하여 양도(저가양도)함으로써 양도소득에 대한 조세부담을 부당하게 감소시킨 것으로 인정하는 경우 양도소득의 계산은 시가에 의하여야 한다(소득세법 제101조 제1항, 소득세법 시행령 제167조 제4항). 양도소득에 있어서도 시가와 거래가액의 차액이 3억 원 이상이거나 시가의 5% 이상인 경우에 한하여 부당행위계산으로 취급된다(소득세법 시행령 제167조 제3항 단서).

시가는 원칙적으로 정상거래인 거래에 의하여 형성된 객관적 교환가격이지만, 공신력 있는 감정기관에 의한 소급적 감정가액과 같이 객관적이고 합리적인 방법으로 평가한 가액도 포함된다(대법원 2001. 6. 15. 선고 99두1731 판결). 객관적인 감정가액이 없는 경우 개별공시지가 등 상증세법상 보충적 평가방법에 의한다.

한편, 양도소득세가 부당하게 감소하였는지 여부와 관련하여, 갑이 보유한 을 회사 주식의 양도에 앞서 을 회사에게 갑이 대여함으로써 주식양도일 현재 을 회사의 총자산가액 중 토지와 건물이 차지하는 비율이 74.5%에서 46.3%로 낮아져 부동산 과다법인이 아니게 되고 그래서 을의 주식양도에 대한 조세가 감소되었다 하더라도, 을의 갑에 대한 금원대여형태는 총수입금액 또는 필요경비 계산이 아니라 자산보유형태와 비율에 영향을 준 것에 불과하므로 부당행위계산에 해당하지 않는다는 판결이 있다(대법원 1999. 11. 9. 선고 98두14082 판결).

또한, 개인과 법인 간의 재산 양수도 거래에서 거래가격이 법인세법 시행령 제89조에 따라 해당하여 법인 관점에서 부당행위계산이 아니라면 개인 관점에서도 거짓 그 밖의 부정한 방법으로 양도소득세를 감소시킨 것으로 인정되지 않는 한 소득세법상 부당행위계산이 되지 않는다(소득세법 시행령 제167조 제6항).

특수관계인에 대한 자산의 저가양도로 판단하여 양도인에게 시가로 양도소득세를 과세하면서 동시에 양수인에게 얻은 이익만큼 증여세를 부과하거나 또는 특수관계인으로부터 고가매입으로 판단하여 양수인의 필요경비를 시가로 감소시키면서도 동시에 양도인에게 얻은 이익만큼 증여세를 부과하는 것이 가능한지에 대하여 대법원은 긍정하였다(대법원 1999. 9. 21. 선고 98두11830 판결). 동 판결은 "증여세에 대하여 소득세법에 따라 수증자에게 소득세가 부과되는 때에는 증여세를 부과하지 않는다"는 소득세법 제2조 제2항의 규정은 수증자에게 소득세를 부과하는 경우 증여세를 중복 부과하지 않는다는 취지로 여기에 적용되지 않는다고 본 것이다.

또, 거주자가 특수관계인에게 자산을 증여한 후 수증자가 증여일로부터 5년 이내 다시 타인에게 양도한 경우 (i) 수증자의 증여세와 양도소득세를 합한 세액이 (ii) 증여자가 직접 양도하는 경우로 보아 계산한 양도소득세보다 적은 경우 증여자가 자산을 직접 양도한 것으로 본다(소득세법 제101조 제2항).

한편, 거주자가 특수관계인 중 배우자 및 직계존비속으로부터 증여받은 자산을 수증일로부터 5년 이내 양도하는 경우 양도자산의 취득가액을 증여자인 배우자 및 직계존비속의 취득가액으로 보아 양도차익을 계산한다(소득세법 제97조).

| 부당행위계산부인 제도에 대한 소득세법 및 법인세법 제도 비교[184] |

구 분	소득세법	법인세법
적용주체	일부 배당소득, 사업소득 또는 기타 소득이 있는 거주자(국내사업장 또는 부동산소득이 있는 비거주자를 포함)(소법 제41조 제1항, 제122조)	내국법인(국내사업장 또는 부동산소득이 있는 외국법인 포함)(법법 제52조 제1항, 제92조 제1항)
적용요건	특수관계인과의 거래로 인하여 소득에 대한 조세의 부담을 부당하게 감소시킨 경우(소법 제41조 제1항)	좌동(법법 제52조 제1항)
특수관계인의 범위	국세기본법 준용(소령 제98조 제1항)	자세 규정(법령 제87조 제1항)
행위유형	자산의 고가양수 등 손익거래만을 대상으로 함(소령 제98조 제2항 제1호 내지 제5호). 무상양도는 적용대상이 아님.	손익거래 외에 불공정합병·증자·감자에 따라 다른 주주에게 이익을 분여한 경우 등 자본거래를 포함함(법령 제88조 제1항 제1호 내지 제9호). 무상양도도 적용대상임(위 제3호).
시가	법인세법 준용(소령 제98조 제3항, 제4항)	법령 제89조 제1항 내지 제4항

---

184) 법무법인 화우, 「세법의 쟁점」(2016), pp.23~24

구 분	소득세법	법인세법
판단시점	명문의 규정 없음.	행위 당시. 단, 불공정합병의 경우 합병등기일이 속하는 사업연도의 직전 사업연도의 개시일부터 합병등기일까지의 기간에 의해 판정 (법령 제88조 제2항)
상대방에 대한 소득처분	해당 없음 → 증여세 과세 가능	해당됨 → 원칙적으로 증여세 과세불가(상증법 제4조의2 제2항. 다만, 법령 제106조의 제1항 제3호의 차목에 따라 기타 사외유출로 처분되는 불공정자본거래는 예외)
저가양도 시 상대방에 대한 과세	• 개인의 경우: 자산의 종류에 관계없이 증여세 과세(상증법 제35조 제1항 제1호) • 법인의 경우: 유가증권은 법인세 과세(법법 제15조 제2항 제1호). 기타 자산은 처분 시까지 과세이연	• 개인의 경우: 좌동 • 법인의 경우: 자산의 종류에 관계없이 처분 시까지 과세이연

Q 104 부가가치세법상 부당행위계산부인 제도는 무엇인가?

A 특수관계인 간에 시가와 다른 가격으로 상품·용역을 제공하여 조세부담을 부당히 감소시키는 경우 시가를 공급가격으로 보고 부가가치세를 계산하여 부과하는 제도이다.

> 해설

특수관계인에게 (i) 재화를 무상으로 또는 부당하게 낮은 대가를 받고 공급하는 경우, (ii) 용역을 부당하게 낮은 대가를 받고 공급하는 경우(용역의 무상공급은 제외), (iii) 사업용 보동산의 임대용역 등 시행령이 정하는 용역을 무상으로 제공하는 경우(부가가치세법 제12조 제2항 단서)로서 조세 부담을 부당하게 감소시킬 것으로 인정되는 경우 공급한 재화 또는 용역의 시가를 공급가액으로 한다(부가가치세법 제29조 제4항). 부가가치세법은 사업자가 특수관계가 없는 자와의 당해 거래와 유사한 상황에서 계속적으로 거래한 가격 또는 제3자 간에 일반적으로 거래된 가격을 시가라고 보면서, 가격이 없거나 시가가 불분명한 경우에는 소득세법 시행령 제98조 제3항 및 제4항 또는 법인세법 시행령 제89조 제2항 및 제4항의 규정에 의한 가격을 시가로 보도록 규정하고 있다(제62조).

판례는 종업원들을 위하여 회사의 사택 자체의 유지관리와 상관없이 입주자들의 전기료, 가스구입비 등 사용으로 인한 비용을 부담하여 지출하였다면, 회사가 사업과 관련하여 취득한 재화를 사용인 또는 기타 자가사업과 직접 관련없이 사용소비한 것으로 사업자가 그 대가를 받지 아니하거나 현저히 낮은 대가를 받은 것이다라고 판단하였다(대법원 1987. 12. 8. 선고 86누4 판결).

한편, 계약 또는 상관행에 따라 적용되는 물량할인 등이 합리적인 범위 내라면 특수관계인 간에 적용되더라도 경제적 합리성을 결한 것이 아니다. 판례는 사업자가 총 매출액의 50%를 넘게 구매하는 특수관계인에게 10%의 할인율을 적용한 가격으로 판매하는 경우(대법원 2003. 9. 23. 선고 2002두1922 판결), 우수한 품질의 제품을 생산하고 있지만 군소업체의 명칭으로 판로 및 시장개척에 어려움을 겪고 있던 회사가 다른 회사인 B의 판매대리점을 경영하던 C에게 B와 동일한 가격을 적용하여 결과적으로 다른 대리점보다 10% 정도 저렴하게 된 경우(대법원 1991. 1. 29. 선고 90누7692 판결)에는 부당하게 낮은 경우가 아니라고 판단하였다.

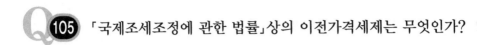

Q 105 「국제조세조정에 관한 법률」상의 이전가격세제는 무엇인가?

A 내국법인과 특수관계인 간의 국제 거래에서 정상가격과 다르게 거래하는 경우 적용되는 제도로서, 부당행위계산부인과 달리 대응조정이 인정된다. 정상가격은 법률에 정해진 방법, 예를 들어 비교가격 제3자 가격법, 재판매가격법, 원가가산법, 이익분할법, 거래순이익법 등을 적용해 산정한다.

해설

내국법인과 특수관계인 간의 거래는 부당행위계산의 문제로 다루어지는 반면, 내국법인과 외국에 있는 특수관계인 간의 거래, 즉 특수관계자 간의 국제거래는 이전가격세제의 문제로 다루어진다.

여기서 국제거래란 당사자 한쪽 또는 양쪽이 비거주자 또는 외국법인인 거래(국내사업장인 경우는 제외)로 유형자산 또는 무형자산의 매매·임대차, 용역의 제공, 금전의 대출·차용, 그 밖의 거래자의 손익 및 자산과 관련된 모든 거래를 말한다(국조법 제2조 제3항).

이전가격세제에서 시가와 유사한 개념이 '정상가격'이다. 우리 국제조세조정법은 거주자나 내국법인이 국외 특수관계인과 행한 국제거래 가격의 타당성을 판단하는 기준으로의 '정상가격'을 비교가능 제3자 가격법, 재판매가격법, 원가가산법, 이익분할방법, 거래순이익률 방법 중 가장 합리적인 것을 선택하여 산정하되, 그것이 가능하지 않을 때에는 보완적으로 '기타 방법'을 사용하여 산정하도록 하고 있다(국조법 제4조, 제5조 제1항 본문).

이 방법들은 특수관계 없는 자 사이의(독립기업 간) 거래가격에 의존한다는 점에서 '독립 당사자 간 거래의 원칙(the arm's length principle 또는 independent enterprise standard)'이라고 부른다.

정상가격 산출방법	구체적인 내용
비교가능 제3자 가격방법	거주자와 국외 특수관계인 간의 국제거래에서 그 가격과 유사한 거래상황에서 특수관계 없는 독립된 사업자 간의 거래가격을 정상가격으로 보는 방법
재판매가격방법	거주자와 국외 특수관계인의 자산을 거래한 후 거래의 어느 한쪽인 그 자산의 구매자가 특수관계가 없는 자에게 판매할 경우 그 판매가격에서 구매자의 통상이윤으로 볼 수 있는 금액을 뺀 가격을 정상가격으로 보는 방법

정상가격 산출방법	구체적인 내용
원가가산방법	거주자와 국외 특수관계인 간의 국제거래에서 자산의 제조·판매나 용역의 제공과정에서 발생한 원가에 자산 판매자나 용역제공자의 통상 이윤으로 볼 수 있는 금액을 더한 가격을 정상가격으로 보는 방법
이익분할방법	거주자와 국외 특수관계인 간의 국제거래에서 거래 쌍방이 함께 실현한 거래순이익(제3자와의 거래에서 실현한 매출액 − 매출원가·영업비용)을 합리적인 배부기준[185]에 의하여 측정된 거래당사자들 간의 상대적 공헌도에 따라 배부하고, 배부된 이익을 기초로 산출한 거래가격을 정상가격으로 보는 방법
거래순이익률방법	거주자와 국외 특수관계인 간의 국제거래에서 거주자와 특수관계 없는 자 간의 거래 중 비슷한 거래에서 실현된 통상의 거래순이익률[186]을 기초로 산출한 거래가격을 정상가격으로 보는 방법
그 밖의 합리적이라 인정되는 방법	그 밖에 거래의 실질 및 관행에 비추어 합리적이라 인정되는 방법

이 방법들 중 어떤 방법이 가장 합리적인지는 (i) 특수관계자 간 국제거래와 특수관계 없는 자 간의 국제거래 사이의 비교가능성, (ii) 사용되는 자료의 확보·이용가능성, (iii) 국제거래를 비교하기 위하여 설정된 경제여건·경영환경 등에 대한 가정이 현실에 부합하는 정도, (iv) 사용되는 자료 또는 설정된 가정의 결함이 산출된 정상가격에 미치는 영향 및 (v) 해당 정상가격 산출방법이 특수관계에 있는 자 간의 거래에 적용할 수 있는 정도의 높은 적합성을 가지고 있는지 등을 기준으로 판단해야 한다(국조법 시행령 제5조 제1항 제1호 내지 제5호).

가장 합리적인 정상가격 산출방법을 적용하여 어떤 거래의 정상가격을 산정하기 위하여

---

185) 합리적인 배부기준은 다음 중 어느 하나에 따른 기준 및 각 기준이 거래순이익의 실현에 미치는 중요도에 따라 측정한다(국조법 시행령 제4조 제1항 2목).
    가. 사용된 자산 및 부담한 위험을 고려하여 평가된 거래당사자가 수행한 기능의 상대적 가치
    나. 영업자산, 유형·무형의 자산 또는 사용된 자본
    다. 연구·개발, 설계, 마케팅 등 핵심 분야에 지출·투자된 비용
    라. 그 밖에 판매증가량, 핵심 분야의 고용인원 또는 노동 투입시간, 매장 규모 등 거래순이익의 실현과 관련하여 합리적으로 측정할 수 있는 배부기준
186) 통상의 거래순이익률은 다음 중 어느 하나에 따른 사항을 기초로 산출한다(국조법 시행령 제4조 제2항 제3호).
    가. 매출에 대한 거래순이익의 비율
    나. 자산에 대한 거래순이익의 비율
    다. 매출원가 및 영업비용에 대한 거래순이익의 비율
    라. 영업비용에 대한 매출총이익(거래순이익과 영업비용을 합산한 것을 말한다. 이하 같다)의 비율
    마. 그 밖에 합리적이라고 인정될 수 있는 거래순이익률

는 (i) 납세자의 사업환경 및 특수관계인 간 거래의 분석, (ii) 내부 및 외부 비교가능거래에 대한 자료수집, (iii) 선택한 정상가격 산출방법에 따른 가격·이윤 또는 거래순이익의 산출, (iv) 비교가능거래의 선정 및 합리적인 차이 조정 등의 분석절차를 거쳐야 한다(국조법 시행령 제6조 제1항).

해당 거래와 특수관계 없는 자 사이에 행해진 거래 간에 비교가능성 분석요소의 차이가 존재함으로 인하여 특수관계 없는 자 간의 거래가격·거래이윤 또는 거래순이익을 그대로 정상가격으로 삼기 어려운 경우에는 그러한 비교가능성 분석요소의 차이를 반영하여 특수관계 없는 자 간의 거래가격·거래이윤 또는 거래순이익을 합리적으로 조정해야 한다(국조법 시행령 제6조 제2항).

정상가격은 특수한 수치인 부당행위계산부인에서의 시가나 공정거래법상의 정상가액과 달리 일정한 수치의 범위이다. 정상가격범위(arm's length range)를 벗어난 경우에 한하여 거래가격을 부인할 수 있다(국조법 시행령 제6조 제4항). 이 경우 거래가격을 구체적인 수치의 정상가격으로 대체하여 소득조정을 하게 되는데, 정상가격으로 대체할 구체적인 수치는 정상가격 범위 내의 가격으로 행해진 복수의 거래에서 추출한 평균값·중위값·최빈값·기타 합리적인 특정가격으로 한다(국조법 시행령 제6조 제5항).

한편, 과세관청이 동일한 정상가격 산출방법을 적용해 2개 이상 과세연도에 대하여 정상가격을 산출하고 이를 기준으로 일부 과세연도의 과세표준이나 세액을 결정·경정하는 경우 나머지 과세연도의 과세표준 및 세액도 같은 정상가격으로 결정·경정하여야 한다(국조법 제4조 제1항 단서).

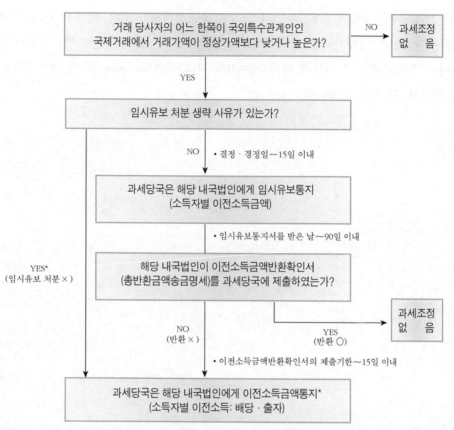

| 이전가격세제 적용을 위한 플로차트 |

거래 당사자의 어느 한쪽이 국외특수관계인인
국제거래에서 거래가액이 정상가액보다 낮거나 높은가? → NO → 과세조정
없 음

YES

임시유보 처분 생략 사유가 있는가?

NO • 결정 · 경정일~15일 이내

과세당국은 해당 내국법인에게 임시유보통지
(소득자별 이전소득금액)

• 임시유보통지서를 받은 날~90일 이내

해당 내국법인이 이전소득금액반환확인서
(총반환금액송금명세)를 과세당국에 제출하였는가?

YES*
(임시유보 처분 ×)

NO
(반환 ×)

YES
(반환 ○) → 과세조정
없 음

• 이전소득금액반환확인서의 제출기한~15일 이내

과세당국은 해당 내국법인에게 이전소득금액통지*
(소득자별 이전소득: 배당 · 출자)

* 임시유보 처분을 하지 않는 경우 이전소득금액통지서를 받은 날부터 90일 이내에 이전소득금액반환확인서
를 제출한 경우에는 배당처분이나 출자의 조정은 없는 것으로 본다(국조령 제16조).

정상가격 산출방법의 사전승인제도(Advance Pricing Agreement: APA)가 있다. 거주
자는 일정기간 과세연도에 대하여 정상가격 산출방법을 적용하려는 경우에는 정상가격 산
출방법을 적용하려는 과세연도 중 최초의 과세연도 개시일의 전날까지 국세청장에게 승인
신청을 할 수 있다(국조법 제6조 제1항).

상호합의에 의한 사전승인과 일방적 사전승인이 있다. 국세청장은 거주자가 정상가격 산
출방법에 대한 승인을 신청하는 경우 체약상대국의 권한있는 당국과의 상호합의절차를 거
쳐 합의하였을 때 정상가격을 승인할 수 있는데 이를 상호합의에 의한 사전승인이라 한다
(국조법 제6조 제2항 본문). 또 납세자가 사전승인신청 시 상호합의절차를 요구하지 않거나 상
호합의절차가 중단된 경우에는 상호합의절차를 거치지 않고 사전승인할 수 있는데, 이를

일방적 사전승인이라 한다(국조법 제6조 제2항 단서).

  이전가격세제는 부당행위계산부인과 달리 대응조정제도가 있다. 체약상대국이 거주자와 국외특수관계인의 거래가격을 정상가격으로 결정하고 이에 대한 상호합의절차가 종결된 경우에는 과세당국은 그 합의에 따라 거주자의 각 과세연도 소득금액 및 결정세액을 조정하여 계산할 수 있다(국조법 제10조).

Q 106 지원성 거래에 적용될 수 있는 포괄증여규정은 무엇인가?

A 증여 개념에 속할 수 있는 모든 경제적 가치의 이전에 대하여 포괄하여 증여세를 과세하는 것을 증여의 완전포괄주의라 하고, 상증세법상 증여의 개념을 포괄적으로 규정한 조항을 '포괄증여규정'이라 한다. 위헌이라는 주장도 있지만 우리 법원은 합헌이라고 보면서도 구체적인 적용에 있어서는 직접 또는 유추적용할 증여가액산정 규정이 없다는 이유로 실질적으로는 부정적인 입장이다.

해설

2003. 12. 31. 이전에 증여세는 열거한 증여재산에 대하여만 증여세를 과세하면서 유형별로 구분하여 과세하는 방식을 취함으로써 열거되지 아니한 새로운 유형에 대하여는 과세하지 아니하였다. 상증세법상 '증여'에 관한 개념 정의가 없어 민법상 증여 개념을 차용하였다. 이른바 유형별 포괄주의 과세방식이다.

2003. 12. 30. 법률 제7010호로 개정되어 2003. 1. 1.부터 시행된 상증세법은 세금 없는 부의 이전을 방지하고 조세평등주의를 실현하기 위하여 '완전포괄주의'를 선택했다.[187] 동법 제2조 제3항에서 "이 법에서 증여라 함은 그 행위 또는 거래의 명칭·형식·목적 등에 불구하고 경제적 가치를 계산할 수 있는 유형·무형의 재산을 타인에게 직접 또는 간접적인 방법에 의하여 무상으로 이전(현저히 저렴한 대가로 이전하는 경우를 포함한다)하는 것 또는 기여에 의하여 타인의 재산가치를 증가시키는 것을 말한다"고 규정하고, 제4항에서 "제3자를 통한 간접적인 방법이나 2 이상의 행위 또는 거래를 거치는 방법에 의하여 상속세 또는 증여세를 부당하게 감소시킨 것으로 인정되는 경우에는 그 경제적인 실질에 따라 당사자가 직접 거래한 것으로 보거나 연속된 하나의 행위 또는 거래로 보아 제3항의 규정을 적용한다"고 규정한 것이다.

종전에는 증여세 과세대상은 일반적인 증여와 증여로 의제하는 14개 증여의제유형이 있

---

187) 2020. 12. 22. 법률 제17654호로 개정된 상속세 및 증여세법 제2조 제6호는 증여에 대하여 "그 행위 또는 거래의 명칭·형식·목적 등과 관계없이 직접 또는 간접적인 방법으로 타인에게 무상으로 유형·무형의 재산 또는 이익을 이전(移轉)(현저히 낮은 대가를 받고 이전하는 경우를 포함한다)하거나 타인의 재산가치를 증가시키는 것을 말한다. 다만, 유증, 사인증여, 유언대용신탁 및 수익자연속신탁은 제외한다"고 정의하고 있다. 동조 제7호는 증여재산에 대하여 "증여로 인하여 수증자에게 귀속되는 모든 재산 또는 이익을 말하며, 다음 각 목의 물건, 권리 및 이익을 포함한다. 가. 금전으로 환산할 수 있는 경제적 가치가 있는 모든 물건. 나. 재산적 가치가 있는 법률상 또는 사실상의 모든 권리. 다. 금전으로 환산할 수 있는 모든 경제적 이익"이라고 정의하고 있다.

었으나 증여의제규정으로 열거되지 아니하는 사항은 과세하지 못하는 문제가 있었으므로, 앞으로는 종전의 증여의제규정의 내용을 보완하여 증여재산가액의 계산에 관한 예시규정으로 전환하고 예시되지 아니한 재산의 무상이전이나 가치증가분 등에 대하여도 증여세를 과세할 수 있도록 포괄규정을 마련하였다(법 제33조 내지 제42조). 이에 따라 상증세법 제33조 내지 제43조는 변칙적 거래(저가·고가 양도, 합병, 증자, 감자 등)에 따른 이익의 증여 유형을 예시하여 증여재산가액의 계산에 관한 사항을 정하고 있다.

이처럼 상증세법은 증여세 포괄주의를 채택한다는 취지에서 개별 증여 규정들을 증여에 관한 예시적 규정 내지 과세가액 산정방식에 관한 규정으로 설정하는 한편, 그 기본규정으로 포괄적 증여조항을 두었고, 이와 별도로 증여추정과 증여의제 조항을 규정하고 있다. 이와 같은 입법 취지와 법 체계 및 규정 형태 등에 비추어 볼 때, 위 조항을 위헌무효로 보지 않는 한 해당 요건이 충족된 경우 이를 단순한 선언적 규정만으로 이해하기는 어렵다.

다만, 구체적인 경우에 과세가액의 산정방법 등을 어떻게 정할 것인가 하는 것은 법원의 법 보충작업이 수반되어야 하므로 현행 규정상 그와 같은 법 보충작업이 통상적인 방법으로 불가능하다면 궁극적으로 과세는 불가능하다고 보아야 하고, 또한 법에 평가방법에 관한 규정이 있더라도 그것이 실질적 담세력을 초과하여 적정하지 않은 경우 합헌적 효력을 인정하기 어렵다. 결국 위 규정의 효력 및 적용범위의 문제는 예측가능하고, 적정한 증여재산의 평가방법이 있는가의 문제로 수렴된다고 생각된다.[188]

상증세법상 증여세 과세체계를 도식화하면 다음과 같다.

---

188) 법무법인 화우, 「세법의 쟁점」(2016), p.82

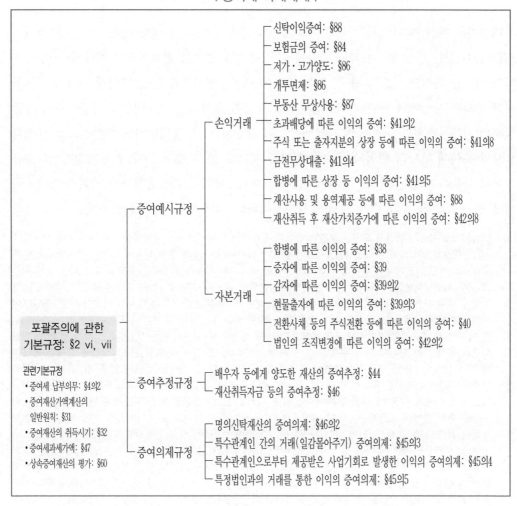

| 증여세 과세체계 |

포괄주의에 관한 기본규정: §2 vi, vii

관련기본규정
• 증여세 납부의무: §4의2
• 증여재산가액계산의 일반원칙: §31
• 증여재산의 취득시기: §32
• 증여세과세가액: §47
• 상속증여재산의 평가: §60

증여예시규정
　손익거래
　　신탁이익증여: §88
　　보험금의 증여: §84
　　저가·고가양도: §86
　　개투면제: §86
　　부동산 무상사용: §87
　　초과배당에 따른 이익의 증여: §41의2
　　주식 또는 출자지분의 상장 등에 따른 이익의 증여: §41의8
　　금전무상대출: §41의4
　　합병에 따른 상장 등 이익의 증여: §41의5
　　재산사용 및 용역제공 등에 따른 이익의 증여: §88
　　재산취득 후 재산가치증가에 따른 이익의 증여: §42의8
　자본거래
　　합병에 따른 이익의 증여: §38
　　증자에 따른 이익의 증여: §39
　　감자에 따른 이익의 증여: §39의2
　　현물출자에 따른 이익의 증여: §39의3
　　전환사채 등의 주식전환 등에 따른 이익의 증여: §40
　　법인의 조직변경에 따른 이익의 증여: §42의2

증여추정규정
　배우자 등에게 양도한 재산의 증여추정: §44
　재산취득자금 등의 증여추정: §46

증여의제규정
　명의신탁재산의 증여의제: §46의2
　특수관계인 간의 거래(일감몰아주기) 증여의제: §45의3
　특수관계인으로부터 제공받은 사업기회로 발생한 이익의 증여의제: §45의4
　특정법인과의 거래를 통한 이익의 증여의제: §45의5

이와 관련하여, 최근 상증세법 제2조 제3항의 이른바 '포괄증여규정'의 적용에 있어, 위 개별 예시규정이 정하고 있지 아니한 유형의 거래에 관하여도 포괄증여규정에 따른 증여세 과세가 가능한지 여부가 문제된다.

판례는 가능하다는 취지의 것도 있지만(대법원 2011. 4. 28. 선고 2008두17882 판결), 대체로 완전포괄주의 과세에 대하여 부정적인 입장이다. 서울고등법원은 구체적으로 새로운 유형에 대해서도 포괄적 증여로 볼 수 있지만, 이 경우에도 증여가액을 계산할 수 있는 개별적 조항이 있거나 또는 증여가액 계산조항을 적용할 수 있는 경우에 해당하여야 하며 그렇지 않은 경우에는 증여가액 확정이 되지 않아 과세할 수 없다고 판시하였다(서울고등법원 2013. 6.

19. 선고 2012누26786 판결).

대법원은 한발 더 나아가 지배주주 등이 상증세법 제41조 제1항이 정하고 있는 특정법인(결손금이 있는 법인 등) 이외의 법인에 대한 증여를 통하여 결과적으로 해당 법인의 주주에게 이익을 분여한 것으로 볼 수 있는 경우에 포괄증여규정을 통한 증여세 과세가 가능한지가 문제된 사안에서 "개별가액산정규정이 특정한 유형의 거래·행위를 규율하면서 그중 일정한 거래·행위만을 증여세 과세대상으로 한정하고 그 과세범위도 제한적으로 규정함으로써 증여세 과세의 범위와 한계를 설정한 것으로 볼 수 있는 경우에는 개별가액산정규정에서 규율하고 있는 거래·행위 중 증여세 과세대상이나 과세범위에서 제외된 거래·행위가 법 제2조 제2항의 증여 개념에 들어맞더라도 그에 대한 증여세를 과세할 수 없다고

189) 대법원 2015두3270 판결의 요지는 포괄적 증여와 관련하여 조세실질주의 과점에서 아래와 같이 판시하였다. "갑은 제품생산과 회사 운영을 위한 자금이 필요한 상황에서 주거래 은행 등 금융기관과 투자업체들에 대출을 요청하였으나 그때까지 매출액 규모가 미미한 중소기업이고 사업 성공을 장담할 수 없다는 등의 이유로 모두 거절당하였고, 결국 그 전에 갑에게 투자하였던 A만이 전환사채 인수계약의 조건과 계약서 초안 작성을 모두 자신이 한다는 조건으로 대출의사를 밝혀 이 사건 전환사채의 발행에 이르게 되었으므로, 이 사건 전환사채 발행은 그 자체로 사업상 목적이 있는 거래이다. 이 사건 전환사채 인수계약의 조기상환권은 다른 계약 내용과 마찬가지로 A의 주도로 정해진 것으로 보이는데, 이는 기본적으로 투자 상황 등 제반 여건과 당사자 간 협의에 따라 부여될 수 있는 조건이라 할 수 있다. A로서는 조기상환권 부여를 통하여 연 복리 10%의 이자수익을 확보하면서 자금을 조기에 회수할 수 있다는 장점이 있고, 갑, 을로서도 시설투자를 위한 단기자금을 확보하고 전환사채 인수계약에 따른 경영상의 제한을 최소화할 수 있다는 장점이 있었으며, 실제로 갑은 이 사건 전환사채의 발행 시점부터 조기상환권 행사 시점까지 1년 남짓 동안 A의 자금을 회사 운영에 사용할 수 있게 되었으므로, 이에 비추어 보아도 조세회피목적 외에 별다른 사업상 목적이 없다고 할 수 없다. 위와 같은 사정들을 종합하여 보면, 이 사건 전환사채의 발행부터 원고의 조기 상환권 및 전환권 행사에 따른 갑 신주취득까지 약 2년 11개월의 시간적 간격이 있는 일련의 행위들이 별 다른 사업상 목적이 없이 증여세를 부당하게 회피하거나 감소시키기 위하여 비정상적으로 이루어진 행위로서 그 실질이 갑의 대주주인 원고에게 그 소유주식비율을 초과하여 신주를 저가로 인수하도록 하여 시가와 전환가액의 차액 상당을 증여한 것과 동일한 연속된 하나의 행위 또는 거래라고 단정하기는 어려우며, 따라서 이에 대하여 구 상증세법 제2조 제4항을 적용하여 증여세를 과세할 수는 없다고 할 것이다." 대법원 2015. 10. 15. 선고 2014두47945 판결의 내용은 다음과 같은 이유로 포괄적 의미의 증여에 대하여 증여세 과세대상으로 하는 별도의 규정이 있는 등의 특별한 사정이 없는 한 상증세법 제2조 제3항 등을 근거로 하여 증여세를 과세할 수 없다고 하였다.
(1) 우선, 납세자의 예측가능성 등을 보장하기 위하여 개별 가액산정규정이 특정한 유형의 거래·행위를 규율하면서 그중 일정한 거래·행위만을 증여세 과세대상으로 한정하고 그 과세범위도 제한적으로 규정함으로써 증여세 과세의 범위와 한계를 설정한 것으로 볼 수 있는 경우에는, 개별 가액산정규정에서 규율하고 있는 거래·행위 중 증여세 과세대상이나 과세범위에서 제외된 거래·행위가 상증세법 제2조 제3항의 증여의 개념에 들어맞더라도 그에 대한 증여세를 과세할 수 없다고 전제한 뒤,
(2) 상증세법 제41조 제1항, 상증세법 시행령 제31조 제1항, 제6항은 비상장법인을 대상으로 하여 결손금이 있는 법인 등과 특수관계에 있는 자가 그 법인에 재산을 무상으로 제공하는 등의 거래를 하여 그 주주 등이 얻은 이익이 1억 원 이상인 경우를 증여세 과세대상으로 하여 증여재산가액 산정에 관하여 규정하고 있는데, 이는 결손법인에 재산을 증여하여 그 증여가액을 결손금으로 상쇄시키는 등의 방법으로 증여가액에 대한 법인세를 부담하지 아니하면서 특정법인의 주주 등에게 이익을 주는 변칙증여

할 것이다"라고 판시하였다(대법원 2015. 10. 15. 선고 2013두13266 판결).[189]

에 대하여 증여세를 과세하는데 그 취지가 있으므로(대법원 2011. 4. 14. 선고 2008두6813 판결),

(3) 이는 정상적으로 사업을 영위하면서 자산수증이익 등에 대하여 법인세를 부담하는 법인과의 거래로 인하여 주주 등이 얻은 이익을 증여세 과세대상에서 제외하고자 하는 입법의도에 기한 것임이 분명하고 완전포괄주의 과세제도의 도입으로 인하여 이러한 입법의도가 변경되었다고 볼 수 없는 바, 이는 '결손법인과의 거래로 인한 이익 중 결손금을 초과하는 부분'이나 '휴업·폐업 법인을 제외한 결손금 없는 법인과의 거래로 인한 이익'에 대하여는 주주 등에게 증여세를 과세하지 않도록 하는 한계를 설정한 것으로 보아야 한다.

종합해보면, 원고들이 주식회사 W에 주식, 정기예금 및 대여금 채권을 증여함으로써 주식회사 W의 주식가치가 상승하는 간접적인 이익을 얻었더라도, 이 사건 증여는 결손금 없는 법인에 재산을 증여한 경우에 해당하므로 이와 같은 간접적인 이익에 대하여 이를 증여세 과세대상으로 하는 별도의 규정이 없는 한, 결국 상증세법 제2조 제3항, 제42조 제1항 제3호를 적용하여 원고들에게 증여세를 과세할 수 없다.

107 포괄적 증여개념에 따라 변칙적 증여에 대한 증여재산가액 산정조항은 무엇인가?

A 상증세법 제33조부터 제42조의3에 변칙적 증여에 대한 증여재산가액 산정규정을 두고 있다. ① 신탁이익의 증여, ② 보험금의 증여, ③ 저가양수 또는 고가양도에 따른 이익의 증여, ④ 채무면제 등에 따른 증여, ⑤ 부동산 무상사용에 따른 이익의 증여, ⑥ 금전의 무상증여에 따른 이익의 증여, ⑦ 재산사용 및 용역제공 등에 따른 이익의 증여, ⑧ 합병에 따른 이익의 증여, ⑨ 증자에 따른 이익의 증여, ⑩ 감자에 따른 이익의 증여, ⑪ 현물출자에 따른 이익의 증여, ⑫ 전환사채 등의 주식전환 이익의 증여, ⑬ 현물출자에 따른 이익 증여, ⑭ 초과배당에 따른 이익의 증여, ⑮ 주식 등의 상장 등에 따른 이익의 증여, ⑯ 합병에 따른 상장 등 이익의 증여, ⑰ 법인의 조직변경 등에 따른 이익의 증여, ⑱ 재산 취득 후 재산가치 증가에 따른 이익의 증여 규정이다.

> 해설

한편, 상증세법에서는 이러한 포괄적 증여의 개념에 부합하는 증여재산의 범위를 열거하고 있다(상증세법 제4조 제1항). 상증세법 제33조부터 제42조의3은 포괄적 증여개념에 따른 증여재산가액 산정방식을 규정한 것이고, 이와는 별개로 증여추정과 증여의제 조항을 두고 있다. 증여추정에는 상증세법 제44조의 배우자 등에게 양도한 재산의 증여추정, 제45조의 재산 취득자금 및 채무상환자금의 증여추정 조항이 있고, 증여의제에는 제44조의2는 명의신탁재산의 증여의제, 제44조의3은 특수관계법인과의 거래를 통한 이익의 증여의제, 제44조의4는 특수관계법인으로부터 제공받은 사업기회의 증여의제, 제44조의5는 특정법인과의 거래를 통한 이익의 증여의제 조항이 있다.

제4조(증여세 과세대상)
① 다음 각 호의 어느 하나에 해당하는 증여재산에 대해서는 이 법에 따라 증여세를 부과한다.
1. 무상으로 이전받은 재산 또는 이익
2. 현저히 낮은 대가를 주고 재산 또는 이익을 이전받음으로써 발생하는 이익이나 현저히 높은 대가를 받고 재산 또는 이익을 이전함으로써 발생하는 이익. 다만, 특수관계인이 아닌 자 간의 거래인 경우에는 거래의 관행상 정당한 사유가 없는 경우로 한정한다.
3. 재산 취득 후 해당 재산의 가치가 증가한 경우의 그 이익. 다만, 특수관계인이 아닌 자 간의 거래인 경우에는 거래의 관행상 정당한 사유가 없는 경우로 한정한다.

4. 제33조부터 제39조까지, 제39조의2, 제39조의3, 제40조, 제41조의2부터 제41조의5까지, 제42조, 제42조의2 또는 제42조의3에 해당하는 경우의 그 재산 또는 이익[190]

5. 제44조 또는 제45조에 해당하는 경우의 그 재산 또는 이익[191]

6. 제4호 각 규정의 경우와 경제적 실질이 유사한 경우 등 제4호의 각 규정을 준용하여 증여재산의 가액을 계산할 수 있는 경우의 그 재산 또는 이익

② 제45조의2부터 제45조의5까지의 규정에 해당하는 경우에는 그 재산 또는 이익을 증여받은 것으로 보아 그 재산 또는 이익에 대하여 증여세를 부과한다.[192]

| 변칙적 증여에 대한 증여재산가액 산정방식 |

구 분		증여자 → 수증자	비 고
① 신탁이익의 증여		위탁자 → 수익자	
② 보험금의 증여		보험료 납부자 → 보험금 수령인	
③ 저가·고가 양도에 따른 이익의 증여	저가양수	양도자 → 양수자	*기준금액 이상인 경우로 한정(차액이 시가의 30% 또는 3억 원 이상인 경우) *증여자의 증여세연대납부의무 없음.
	고가양도	양수자 → 양도자	
④ 채무면제 등에 따른 증여		채권자 등 → 채무자 등	*증여자의 증여세연대납부의무 없음.
⑤ 부동산 무상사용에 따른 이익의 증여		부동산 소유자 등 → 부동산 사용자 등	*무상사용기간은 5년으로 하고, 초과하는 경우 다시 무상사용을 개시한으로 봄. *기준금액 이상인 경우로 한정 (1억 원 이상)
		담보제공자 → 담보이용자	*증여자의 증여세연대납부의무 없음. *차입기간을 1년으로 하고, 초과하는 경우 다시 담보이용을 개시한으로 봄. *기준금액 이상인 경우로 한정

---

190) 제33조는 신탁이익의 증여, 제34조는 보험금의 증여, 제35조는 저가양수 또는 고가양도에 따른 이익의 증여, 제36조는 채무면제 등에 따른 증여, 제37조는 부동산 무상사용에 따른 이익의 증여, 제38조는 합병에 따른 이익의 증여, 제39조는 증자에 따른 이익의 증여, 제39조의2는 감자에 따른 이익의 증여, 제39조의3은 현물출자에 따른 이익의 증여, 제40조는 전환사채 등의 주식전환 이익의 증여, 제41조의2는 초과배당에 따른 이익의 증여, 제41조의3은 주식 등의 상장 등에 따른 이익의 증여, 제41조의4는 금전의 무상증여에 따른 이익의 증여, 제41조의5는 합병에 따른 상장 등 이익의 증여, 제42조는 재산사용 및 용역제공 등에 따른 이익의 증여, 제42조의2는 법인의 조직변경 등에 따른 이익의 증여, 제42조의3은 재산 취득 후 재산가치 증가에 따른 이익의 증여 조항이다.

191) 제44조는 배우자 등에게 양도한 재산의 증여추정, 제45조는 재산 취득자금 및 채무상환자금의 증여추정 조항이다.

192) 제44조의2는 명의신탁재산의 증여의제, 제44조의3은 특수관계법인과의 거래를 통한 이익의 증여의제, 제44조의4는 특수관계법인으로부터 제공받은 사업기회의 증여의제, 제44조의5는 특정법인과의 거래를 통한 이익의 증여의제 조항이다.

구 분			증여자 → 수증자		비 고
					(1천만 원 이상)
					*증여자의 증여세연대납부의무 없음.
⑥ 금전무상대출 등에 따른 이익의 증여			대출자 → 대출받은 자		기준금액 이상에 한정 (1,000만 원 이상)
⑦ 재산사용 및 용역제공 등에 따른 이익의 증여			공급자(제공자) → 공급받은자(제공받은자)		*기준금액 이상에 한정(재산·용역의 무상제공은 1,000만 원 이상, 유상제공은 차액이 시가 30% 이상) 또는 3억 원 초과)
⑧ 합병에 따른 이익의 증여			주가가 과소평가된 합병당사법인의 주주 → 주가가 과대평가된 합병당사자법인의 대주주		*특수관계인 법인 간의 합병에 한함. *소액주주는 제외 *기준금액 이상인 경우에 한정(이익이 합병법인 주식의 30% 이상 또는 3억 원 이상) *증여자의 증여세연대납부의무 없음.
⑨ 증자에 따른 이익의 증여			저가발행	고가발행	
	일반적인 경우	실권주를 재배정	실권주주 → 실권주인수자	실권주인수자 → 실권주주	① 저가발행: 특수관계 불문 ② 고가발행: 특수관계인에 한정 *증여자의 증여세연대납부의무 없음.
		실권주를 재배정하지 않는 경우	실권주주 → 실권주인수자	실권주인수자 → 실권주주	*특수관계인에 한정 *기준금액 이상인 경우에 한정(차액이 시가의 30% 이상 또는 3억 원 이상) *증여자의 증여세연대납부의무 없음.
	신주를 불균등배정 받는 경우	신주를 불균등배정 하는 경우	다른 주주 → 초과배정받은 자	초과배정받은 자 → 다른 주주	① 저가발행:특수관계 불문 ② 고가발행: 특수관계인에 한정 *증여자의 증여세연대납부의무 없음.
⑩ 감자에 따른 이익의 증여			저가로 감자당한 주주 → 다른 대주주		*특수관계인에 한정 *기준금액 이상에 한정(차액이 시가의 30% 이상 또는 3억 원 이상) *증여자의 증여세연대납부의무 없음.
⑪ 현물출자에 따른 이익의 증여		저가인수	다른 주주 → 현물출자자		*특수관계인에 한정 *기준금액 이상에 한정(차액이 시가의 30% 이상 또는 3억 원 이상) *증여자의 증여세연대납부의무 없음.
		고가인수	현물출자자 → 다른 주주		
⑫ 전환사채 등의 주식전환 이익의 증여	전환사채 등	저가인수·취득	특수관계인 → 인수·취득자		*특수관계인에 한정 *기준금액 이상에 한정 (차액이 시가의 30% 이상 또는 1억 원 이상) *증여자의 증여세연대납부의무 없음.
		고가양수	특수관계자 → 양도자		
	주식으로	주식가액〉	특수관계인 → 주식을 교부받은 자		*특수관계인에 한정 *기준금액 이상에 한정

구 분			증여자 → 수증자	비 고
전환 등	전환가액		주식을 교부받은 자 → 특수관계인	(차액이 1억 원 이상) *증여자의 증여세연대납부의무 없음.
	전환가액 〉 주식가액			
⑬ 초과배당에 따른 이익의 증여			최대주주(과소배당) → 최대주주의 특수관계인인 주주(초과배당)	*특수관계인에 한정 *증여세액이 초과배당금액에 대한 소 득세보다 커야 하며, 이 경우 소득세 상당액을 증여세에서 차감 *증여자의 증여세연대납부의무 없음.
⑭ 주식 등의 상장 등에 따른 이익의 증여			증여자(또는 양도자) → 수증자(또는 양수자)	*특수관계인에 한정 *주식 증여·취득 후 5년 이내 상장 *기준금액 이상에 한정 (상장차액이 30% 이상 또는 3억 원 이상) *증여자의 증여세연대납부의무 없음.
⑮ 법인의 조직변경 등에 따른 이익의 증여			조직변경 법인 → 대주주 등	*주식 포괄적 교환·사업의 양도·양 수·교환, 법인 조직변경 등 *특수관계인이 아니면 정당한 사유가 없는 경우에만 적용 *기준금액 이상에 한정(이익이 증여 시 재산의 30% 이상 또는 3억 원 이상) *증여자의 증여세연대납부의무 없음.
⑯ 재산 취득 후 재산가치 증가에 따른 이 익의 증여			증여자 → 수증자	*취득 자력 등이 없는 자의 취득 *5년 내 자산가치 증가 *기준금액 이상에 한정 (자산증가가 30% 또는 3억 원 이상) *증여자의 증여세연대납부의무 없음.

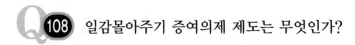

Q 108 일감몰아주기 증여의제 제도는 무엇인가?

A 특수관계법인과의 거래비율이 일정비율(대기업 30%, 중견기업 40%, 중소기업 50%)을 넘는 경우 법인의 이익 중 이에 해당하는 부분 중 지배주주 지분율에 해당하는 부분(다만, 대기업 3%, 중견·중소기업 10%인 한계보유비율 부분은 차감)을 지배주주 등에게 증여한 것으로 보아 증여세를 과세한다.

해설

상증세법 제45조의3은 특수관계법인과의 거래를 통한 특정 이익에 관한 증여의제 규정(이른바 '일감몰아주기에 대한 증여세 과세')을 두고 있다. 이는 특수관계법인과의 거래를 통하여 수혜법인의 지배주주와 그 지배주주의 친족이 이익을 얻은 경우, 수혜법인의 영업이익 중 일감몰아주기와 관련된 이익을 수혜법인에 출자한 지배주주와 그 친족이 증여받은 것으로 의제하여 증여세를 과세함으로써 변칙적 증여를 통한 조세회피를 방지하기 위한 제도이다.

위 규정에서 '수혜법인'이란 특수관계거래법인 거래비율(법인의 사업연도 매출액 중에서 그 법인의 지배주주[193]와 특수관계에 있는 법인에 대한 매출액이 차지하는 비율)이 정상거래비율(대기업 30%, 중견기업 40%, 중소기업 50%)을 초과하는 내국법인을 말하고, 증여세 과세 대상 주주는 수혜법인의 지배주주와 그 지배주주의 친족으로서 수혜법인의 사업연도 종료일을 기준으로 수혜법인에 대한 직접보유비율과 간접보유비율을 합한 비율이 한계보유비율(3%, 수혜법인이 중소기업·중견기업에 해당하는 경우 10%)을 초과하는 자이다. 위 규정이 정한 요건에 해당하는 경우, 다음과 같이 계산한 증여의제이익을 증여받은 것으로 보게 된다. 다만, 이중과세 방지를 위하여 이후 주주들이 받는 배당금액 중 증여의제된 부분에 대하여는 증여의제이익에서 제외해 준다(상증세법 시행령 제34조의2 제13항).

---

193) 지배주주라 함은 (i) 수혜법인의 상증세법 시행령 제19조 제2항의 최대주주 등 가운데 직접보유비율이 가장 높은 자가 개인인 경우에는 그 개인을, (ii) 수혜법인의 최대주주 등 가운데 직접보유비율이 가장 높은 자가 법인인 경우에는 수혜법인에 대한 직접보유비율과 간접보유비율(개인과 수혜법인 사이에 출자를 통하여 1개 이상의 법인이 게재하고 있는 경우 각 단계의 직접출자비율을 모두 곱하여 나오는 비율: 상증세법 시행령 제34조의2 제2항)을 모두 합하여 계산한 비율이 가장 높은 개인을 말한다. 한편, 수혜법인의 주주 등이면서 최대주주 등에 해당하지 아니하는 자 및 수혜법인의 최대주주 등에서 수혜법인에 대한 직접보유비율이 가장 높은 법인의 최대주주 등에 해당하지 아니한 자는 제외한다.

한편, 중소기업인 수혜법인과 중소기업인 특수관계법인 간의 거래에서 발생하는 거래의 매출액은 제외한다(상증세법 제45조의3 제3항).

수혜법인 각 사업연도별 증여의제이익 =
수혜법인의 세후영업이익 × 초과거래비율^{*1} × (직·간접^{*2}주식보유비율 – 한계보유비율^{*3})

^{*1} 초과거래비율 = 특수관계법인 거래비율 – 정상거래비율의 일정비율
   차감하는 정상거래비율의 일정거래비율: 대기업의 경우 5%, 중견기업은 20%(정상거래비율을 40%로 보고 그 1/2), 중소기업의 경우 50%(정상거래비율 50%)
^{*2} 간접주식보유비율: 최대주주 등이 거래대상 법인에 대하여 가지는 간접지분율
^{*3} 한계보유비율: 대기업 5%, 중견기업 및 중소기업 10%

특수관계인 ──일감──▶ 수혜법인 ──이익──▶ 지배주주등

법인의 구분	수혜법인의 요건
① 중소기업 또는 중견기업인 경우	법인의 특수관계법인 거래비율이 정상거래비율(중소기업은 50%, 중견기업은 40%)을 초과하는 경우의 그 법인
② 일반기업	다음 중 어느 하나에 해당하는 경우(㉠ or ㉡)의 그 법인 ㉠ 법인의 특수관계법인 거래비율이 정상거래비율(30%)을 초과하는 경우 ㉡ 특수관계법인 거래비율이 정상거래비율(30%)의 2/3(20%)를 초과하는 경우로서 특수관계법인에 대한 매출액이 1,000억 원을 초과하는 경우

특수관계법인 거래비율 = $\dfrac{\text{특수관계법인에 대한 매출액}^*}{\text{법인의 사업연도 매출액}}$

* 위 분자의 '특수관계법인에 대한 매출액'에는 공시대상기업집단 간의 교차거래 등에서 발생한 매출액을 포함한다.

동 제도와 관련하여 비판론이 만만치 않다. 해당 제도가 대기업이 수요독점(monosony)적 지위에서 대주주나 그 친족이 지배하는 법인에게 일감을 몰아줌으로써 대주주나 친족의 주식가치를 상승시키는 결과에 대하여 증여세를 부과하는 것인데, 이는 무상으로 이전받아 발생한 이익이 아니라 무상이전을 받은 제3자(수혜법인)의 가치 상승으로 인한 간접적 이익에 불과하여 무상이전이라는 '증여'의 개념에 맞지 않으며 아울러 수요독점과 관련한 문

제는 세법이 관여할 문제가 아니라는 비판론이 있다.[194] 법인소득에 대하여 법인세를 부담함에도 불구하고 동일한 소득에 대하여 주주에게 증여세를 부과하는 것은 이중과세의 우려가 있다는 비판이 있다.

아울러 애초부터 무리가 있는 제도이다 보니 여러 차례 개정을 거치면서 예외규정을 만들 수밖에 없었고 그러한 예외들로 인하여 제도가 지나치게 복잡해서 납세행정비용 및 납세순응비용을 높이는 문제점이 있으며, 중소·중견기업의 경우 가업상속공제 등으로 부의 세대 간 이전을 장려하면서 한편으로 일감몰아주기 과세를 하는 것이 모순이라는 비판도 있다.[195]

---

194) 이태로·한만수, 「조세법 강의」 제14판, 박영사(2020), p.868
195) 노형철, 「세법요해」(2019), pp.899~900

Q 109 특수관계법인으로부터 제공받은 사업기회로 발생한 이익의 증여의제 제도는 무엇인가?

A 지배주주 등의 주식보유비율이 30% 이상인 법인이 특수관계 법인으로부터 사업기회를 제공받는 경우, 사업기회를 제공받은 사업연도 종료일에 3개년 치 이익을 제공받은 것으로 보고 지배주주에게 지분율 상당액을 증여의제하여 증여세를 과세한다.

해설

법인의 지배주주와 그 친족의 직·간접 주식보유비율이 30% 이상인 법인(수혜법인)의 지배주주와 특수관계에 있는 법인이 직접 수행하거나 다른 사업자가 수행하고 있던 특정의 사업기회(임대차계약, 입점계약, 대리점계약, 프랜차이즈 계약 등 명칭 여하를 불문한 약정을 통한 방법; 상증세법 시행령 제34조의3 제2항 및 시행규칙 제10조의8 제1항)를 제공하는 경우 해당 이익을 증여로 의제하여 증여세를 과세한다(상증세법 제45조의4). 2016. 1. 1. 이후 개시되는 사업연도에 사업기회를 제공받은 분부터 적용된다. 3년간의 이익을 일시에 증여의제하여 과세하되 3년 후 실제 손익을 반영하여 증여세를 재계산하여 추가 납부 또는 환급받는다(상증세법 시행령 제34조의3). 한편, 중소기업 또는 수혜법인의 주식보유비율이 50% 이상인 법인은 (사업기회를 준 시혜법인인) 특수관계법인에서 제외된다.

지배주주와 특수 관계에 있는 법인 ──사업기회──▶ 수혜법인 ──이익──▶ 지배주주 등

사업기회를 제공받은 사업연도 종료일에 증여받은 것으로 보는 증여의제이익은 다음과 같이 계산된다.

증여의제이익
$$= \left[\begin{matrix} 제공받은\ 사업기회로\ 인하여 \\ 발생한\ 개시\ 사업연도의 \\ 수혜법인의\ 이익 \end{matrix} \times \begin{matrix} 지배주주 \\ 등의\ 주식 \\ 보유비율 \end{matrix} \times \begin{matrix} 개시\ 사업연도분의 \\ 법인세\ 납부세액 \\ 중\ 상당액 \end{matrix} \right] \times \frac{12}{개시\ 사업연도의\ 월수} \times 3$$

사업기회를 제공받은 사업연도에 그 해 얻은 이익이 3개년에 걸쳐 균등 발생할 것으로 보고 먼저 증여세를 과세하는 것이기 때문에, 실제 이익과 다른 경우 이를 조정해 준다. 조

정 시에 사용하는 정산증여의제이익은 다음과 같이 계산된다.

$$
\begin{aligned}
정산증여의제이익 = &\left(\begin{array}{c}\text{제공받은 사업기회로 인하여 개시} \\ \text{사업연도부터 정산 사업연도까지} \\ \text{발생한 수혜법인의 이익 합계액}\end{array}\right) \times \begin{array}{c}\text{지배주주} \\ \text{등의 주식} \\ \text{보유비율}\end{array} \times \begin{array}{c}\text{개시 사업연도분부터 정산} \\ \text{사업연도분까지의 법인세} \\ \text{납부세액 중 상당액}\end{array}
\end{aligned}
$$

지배주주 등이 수혜법인으로부터 배당받은 소득이 있으면, 아래의 산식에 따라 증여의제이익에서 공제한다(상증세법 시행령 제34조의3 제5항).

$$
\begin{aligned}
&증여의제이익(배당소득 공제 후의 금액) \\
&= 증여의제이익 - 배당소득 \times \frac{증여의제이익}{\left(\begin{array}{c}\text{수혜법인의 사업연도} \\ \text{말일의 배당가능이익}\end{array} \times \begin{array}{c}\text{지배주주 등의 수혜법인에} \\ \text{대한 주식보유비율}\end{array}\right)}
\end{aligned}
$$

한편, 애초 증여세 과세표준에 대한 신고기한은 개시 사업연도 법인세 과세표준 신고기한이 속하는 달 말일부터 3개월이 되는 날이며, 정산대상 증여세 과세표준에 대한 신고기한은 역시 정산 사업연도 법인세 신고기한이 속하는 달의 말일부터 3개월 되는 날로 한다. 두 산식 모두 '지배주주 등의 주식보유비율'은 개시 사업연도 종료일 기준이다.

Q110 결손법인 등 특정법인과의 거래를 통한 이익의 증여의제 제도는 무엇인가?

A 지배주주 등이 직·간접으로 30% 이상을 보유한 소위 '특정법인'이 특수관계인과 재산·용역을 무상 제공하거나 받는 거래, 현저히 낮은 대가로 양도·제공받거나 양수·제공하는 거래를 하는 경우 특정법인의 이익에 대한 지배주주의 지분에 해당하는 부분을 지배주주가 증여받은 것으로 보고 증여세를 과세한다.

해설

지배주주와 그 친족(지배주주 등)의 직접 또는 간접적인 주식보유비율이 30% 이상인 법인을 특정법인이라고 하며, 그 특정법인이 지배주주 등의 특수관계인으로부터 유리한 조건으로 거래함으로써 특정법인이 이익을 얻는 경우 특정법인의 지배주주 등은 그 지분비율에 상당하여 사실상 이익을 얻는다. 예를 들어, 아들이 대주주로 경영하는 특정법인에게 아버지가 거액의 현금을 증여하면 특정법인의 주주인 아들은 사실상 이익을 얻는다.

원래 특수관계자가 대주주인 결손법인, 휴업법인 등과 같은 법인에게 재산 등을 증여할 경우 특정법인의 결손금으로 자산수증이익에 대한 법인세가 부과되지 않게 됨을 이용하여 사실상 그 특수관계자에게 부를 이전하는 것을 막기 위한 제도로 1996. 12. 30. 법률 제5193호로 개정된 상증세법에서 결손법인, 휴업·폐업법인만을 특정법정으로 보고 그로 인한 지배주주 등의 이익을 예시적인 증여이익으로 규정하는 조항을 신설하였다. 그런데 증여세 과세를 받은 납세의무자들은 증여 이후에도 특정법인의 자산가치가 여전히 (-)이므로 그 대주주가 이익을 본 것이 없으므로 증여세를 과세해서는 안된다며 불복하였고, 법원은 과세처분이 위법하다는 판결을 내리기 시작하였다. 예를 들어, 증여 전의 특정법인이 결손으로 인하여 -1,000억 원의 자산가치였는데 900억 원이 증여되었더라도 증여 이후에 그 법인의 가치는 여전히 -100억 원이므로 대주주의 주식가치는 여전히 (-)이므로 대주주가 얻은 이익은 없다고 보는 것이다. 특히 대법원은 2017. 4. 20. 전원합의체 판결을 통하여 특정법인의 주주 등과 특수관계자가 특정법인에게 재산을 증여하는 거래를 하였다 하더라도 해당 거래를 전후하여 주주 등이 보유한 주식 등의 가액이 증가하여 이익을 얻은 바가 없다면 사실상 주주가 얻은 지분이익은 없는 것이므로 증여세를 부과할 수 없다고 보았다(대법원 2017. 4. 20. 선고 2015두45700 전원합의체 판결 등). 하지만 증여 이후에도 기업가치가 (-)인 것은 비상장법인의 주식가치의 세법상 계산방식 때문에 나타난 착시현상일 수 있고, 실제로는 증여로 인한 특정법인의 주식가치가 상승하였을 가능성이 높기 때문에 위와 같은 대법원 판결은 실질적으로는 부당한 측면이 있다. 하지만 세법의 엄격해석의 원칙, 과세요건에 대한 과세관청의 입증책임 등에 비추어 불가피한 해석이었다고 본다.

이러한 납세의무자들의 불복과 판결 등으로 인하여 특정법인의 지배주주 등에 대한 증여세 제도는 사실상 형해화되었다. 이후 2015. 12. 15. 법률 제13557호 개정된 상증세법은 결손법인, 휴·폐업 법인뿐 아니라 지배주주 등의 주식보유비율이 50% 이상인 법인도 특정법인으로 규정하고 이전의 예시적 증여조항을 증여의제로 변경하였다가 2019. 12. 31. 법률 제16846호로 결손법인 등이 아니라 지배주주가 30% 이상 주식을 보유한 법인을 '특정법인'으로 보는 현재의 방식으로 변경하였다. 당시 정부는 "특정법인과의 거래를 통한 증여이익에 대한 증여세 과세의 지분율 요건 및 과세대상 주주범위 등을 법인의 결손여부 등과 관계없이 일원화함으로써 동일 유형의 증여에 대하여 과세방식을 동일하게 정비하고, 직접 증여한 경우보다 증여세액이 커지지 아니하도록 한도를 신설함"이라고 개정이유를 밝혔다.

현행 상증세법 제45조의3의 특정법인은 지배주주와 그 친족의 직·간접 주식보유비율이 50% 이상인 영리법인으로 결손법인 또는 휴업·폐업 법인인지는 무관하다. 이 경우 지배주주 등과 특수관계에 있는 자(지배주주 등의 배우자 또는 직계존비속, 이들이 최대주주인 법인)가 특정법인과 일정한 거래를 하는 경우 그 특정법인이 받은 이익에 주주의 주식보유비율을 곱하여 계산한 금액을 증여받은 것으로 본다(상증세법 제45조의5).

증여의제 금액

$$= \left(\text{특정법인 이익} - \text{법인세산출세액} \times \frac{\text{해당 거래이익}}{\text{각 사업연도 법인세}} \right) \times \text{주주 등 지분율}$$

대상 거래는 재산·용역의 무상 제공 또는 현저히 낮은 대가(시가와 30% 차이가 나거나 차액이 3억 원 이상)로 양도·제공하는 행위, 재산·용역을 현저히 높은 대가(시가와 30% 차이가 나거나 차액이 3억 원 이상)로 양도·제공받는 행위, 당해 법인의 채무를 면제·인수·변제하는 행위, 저가로 현물출자하는 행위이다.

특정법인과의 거래	특정법인에게 이전된 이익	비 고
① 계산이나 용역을 무상으로 제공하는 거래	증여계산가액(금전대출의 경우 금전대출 등에 따른 이익의 증여 규정을 준용하여 계산한 이익)	–
② 채무를 면제·인수 또는 변제하는 것	채무의 면제·인수 또는 변제로 얻은 이익	
③ 재산이나 용역을 현저히 낮은 대가로 양도·제공하는 거래	재산·용역의 (시가 – 대가)	시가와 대가의 차액이 시가의 30% 이상이거나 3억 원 이상인 경우에 한함.
④ 재산이나 용역을 현저히 높은 대가로 양수·제공하는 거래	재산·용역의 (대가 – 시가)	* 여기서 재산·용역의 시가는 법인세법상 시가에
⑤ 시가보다 현저히 낮은 가액으로 현물 출자하는 것	출자한 재산의 (시가 – 대가*)	따른다.

* 출자한 재산에 대하여 교부받은 주식의 액면가액의 합계액을 말한다.

한편, 이와 같이 계산된 증여이익에 대한 증여세액이 그 증여이익을 지배주주 등이 직접 증여받았더라면 산출되는 증여세 상당액에서 특정법인이 해당 거래로 얻은 이익에 대해 부담한 법인세 상당액을 차감한 금액을 초과하는 경우에는 그 초과액은 없는 것으로 본다(상증세법 제45조의5 제2항). 특정법인을 통해 간접적으로 증여받은 경우의 세액이 직접 증여받은 경우에 비해 더 많을 수 없도록 한 취지인데, 변칙증여에 대한 징벌적 성격이 있는 조세에 대하여 굳이 이런 조정을 해 줄 필요가 있는지 의문이다.

법인과 주주를 별개 인격으로 보아 과세하는 원칙에 대한 예외적 제도일뿐 아니라 자산 수증으로 법인의 잉여금이 늘어 주식의 가치가 증가했다 하더라도 배당금 수령이나 주식 양도 전까지는 미실현이익에 불과한데, 이를 증여로 보아 과세하는 것은 헌법상 과잉금지나 비례원칙에 반한다는 주장이 있다.[196]

---

196) 노형철, 「세법요해」(2019), p.901

❓ 111 법인세법, 소득세법, 부가가치세법상 시가와 상증법상 시가 및 재산에 대한 평가방법은 어떻게 다른가?

A 상증세법과 법인세법·소득세법, 부가가치세법에 따른 시가 평가 방법에는 통상 별 차이가 없는 것으로 인식되나, 실제로는 산정 방식에 다소 간의 차이가 존재한다.

해설

먼저 상증세법 제60조 제1항 내지 제4항의 재산의 평가에 관한 가장 기본적인 규정들로 서 가장 큰 특징은 법정 보충적 평가방법에 의한 평가액을 원칙적으로 시가와 별도의 개념 으로 상정한 것이다. 그런데 상증세법 제35조는 저가양도나 고가양수의 경우 그 대가와 시 가와의 차액을 증여로 의제하면서 그 시가를 제60조 내지 제66조의 규정에 따른(보충적 평 가방법에 따른) 평가액으로 하도록 하고 있어(상증세법 시행령 제26조), 상증세법 제60조의 체 계와의 모순을 발생시키고 있다. 한편 법인세법 제52조 제2항, 같은 법 시행령 제89조 제2 항은 시가가 불분명한 경우에 감정평가법인의 감정가액, 상증세법상의 보충적 평가방법에 의한 평가액의 순에 의하도록 하고 있어 감정가액을 시가의 하나로 파악하고 있는 상증세법 과는 대비를 이루고 있다. 법인세법은 그 밖에 일부 자산의 취득가액을 시가에 의하도록 하 고 있고(법인세법 제41조, 시행령 제72조 제2항), 기부금 규정의 적용에 있어서도 그 기준을 시가 내지는 시가를 기초로 한 정상가액에 의하도록 하고 있으나(법 제24조, 시행령 제35조 제2호, 제 37조 제1항), 이곳에서는 시가의 산정기준과 관련하여 아무런 보충규정을 두고 있지 않다.

소득세법의 경우도 법인세법과 대체로 동일한바, 부당행위계산부인 규정과 관련하여서는 시가의 산정기준을 법인세법 시행령 제89조를 준용하도록 하고 있으나(소득세법 시행령 제98조 제3항), 자산의 취득가액이나 기부금 등의 규정과 관련하여서는 별도의 보충규정을 두지 않 고 있다. 다만, 양도소득세에 관하여는 부당행위계산부인 규정을 적용함에 있어 시가의 산정 기준을 상증세법 규정을 준용하도록 하는 이외에(소득세법 제100조 제1항, 소득세법 시행령 제167조 제5항), 양도차익을 산정함에 있어서 감정가액이나 매매사례가액 등을 실지거래가액에 포함 시키고 있다(법 제100조 제1항). 그 밖에 부가가치세법에서도 공급 대가의 산정과 관련하여 시 가의 개념이 사용되는데, 동법은 시가를 "사업자가 특수관계에 있는 자 외의 자와 해당 거래 와 유사한 상황에서 계속적으로 거래한 가격 또는 제3자 간에 일반적으로 거래된 가격"으로 정의하면서(부가세법 시행령 제62조 제1호), 위 가격이 없는 경우에는 사업자가 그 대가로 받은 재화 또는 용역의 가격을 시가로 보고(같은 조 제2호), 그마저 없거나 시가가 불분명한 경우에는

소득세법이나 법인세법의 관련규정을 준용하도록 하고 있다(같은 조 제3호).[197]

정리하면 재산의 평가와 관련하여는 법인세법, 소득세법, 부가가치세법, 상증세법상 규정들은 조금씩 차이는 있지만 큰 틀에서는 같은 취지이다. 이하에서 법인세법상 개념과 상증세법상 개념의 차이 사항을 중심으로 좀 더 구체적으로 설명한다.

상증세법은 '2 이상의 감정기관이 평가한 감정가액이 있는 경우에는 그 감정가액의 평균액'을 '시가 자체'로 본다고 규정하고 있으나(상증세법 제60조 제2항, 같은 법 시행령 제49조 제1항), 법인세법은 '시가가 불분명한 경우'에 한하여 이를 시가로 보도록(즉, 보충적인 평가방법으로) 규정하고 있다(법인세법 제52조 제1항, 같은 법 시행령 제89조 제2항 제1호).

한편, 법인세법 제89조 제2항 제1호는 주식 등은 감정가액을 시가로 볼 수 없도록 규정되어 있는바, 상증세법과는 달리 비상장법인 주식의 감정가액이 시가로 인정될 수 없다(다만, 대법원 판례가 이와 달리 법인세법의 적용에 있어서도 비상장법인 주식의 감정가액을 시가로 인정하는 전제에서 판단하였다는 견해도 있다).

또한, 상증법은 매매사례가액, 보상가액, 경매가액, 공매가액 등을 시가의 범위에 포함하도록 명시적으로 규정하고 있으나, 법인세법은 이를 따로 규정하고 있지 않는다. 위와 같은 가액이 법인세법상 시가에 해당한다고 하기 위하여는 위 가격이 "해당 거래와 유사한 상황에서 해당 법인이 특수관계인 외의 불특정다수인과 계속적으로 거래한 가격 또는 특수관계인이 아닌 제3자 간에 일반적으로 거래된 가격"에 해당한다는 점이 별도로 인정되어야 한다.

법인세법상 시가와 상증세법상의 시가에 차이가 있는 구체적인 예로, 상장주식의 평가방법에 관한 것을 들 수 있다. 법인세법 시행령 제89조 제1항은 상장주식의 시가는 '그 거래일의 한국거래소 최종시세가액'으로 보도록 규정하고 있는 반면, 상장주식의 보충적 평가방법에 관한 상증세법 제63조 제1항 제1호는 '평가기준일 이전·이후 각 2개월 동안 공표된 매일의 한국거래소 최종 시세가액'으로 규정하고 있다. 한편, 소득세법(양도소득세 부분)에서는 법인세법과 같은 규정을 두지 않은 채 상증법상의 평가기준을 준용토록 하고 있어(소득세법 시행령 제167조 제3항), 법인과 개인 간의 거래 시에 어떤 기준에 따라 거래가액을 산정해야 하는지 문제된다. 소득세법 시행령 제167조 제6항에서 법인과 개인 간의 거래로서 법인이 법인세법상 기준에 따라 가액을 정해 부당행위계산부인 규정이 적용되지 않는 경우라면 소득세법상 부당행위계산부인 규정도 적용하지 않도록 하고 있다.

197) 법무법인 화우, 「세법의 쟁점」(2016), pp.91~92

112 부당지원행위에 관여하거나 이를 지시한 지원주체의 이사가 부담하는 손해배상책임의 범위는 어디까지인가? 지원객체도 과징금을 부과받을 경우 지원객체의 이사도 손해배상책임을 부담하는가?

A 지원주체의 이사는 지원금액 및 과징금 상당에 대한 손해배상책임을 부담하며, 책임제한의 비율을 확정하는 것이 손해액 산정에 관한 중요한 쟁점이 될 것이다. 한편, 지원객체의 이사는 부당한 지원행위로 인해 지원객체에 손해가 발생한 것으로 인정될 경우에 한하여 손해배상책임을 부담한다.

해설

이사가 업무상 임무에 위배한 행위로 회사에 손해를 가하고 재산상의 이익을 취득하거나 제3자로 하여금 이를 취득하게 한 때에는 회사에 끼친 손해를 배상할 의무를 부담하는바(상법 제399조), 부당지원행위에 관여한 지원주체의 이사 등 경영진은 지원성 거래로 인하여 회사에 경제적 손실을 끼쳤다는 점에서 임무 위배에 따른 손해배상책임을 부담할 수 있다.

이때 손해액 산정방법에 관하여 살펴본다. 지원주체 입장에서 손해액은, 부당지원행위에 따른 지원금액과 공정거래법 위반으로 부담하게 된 과징금 또는 벌금 등이 될 것이다.

글로비스 사건에서, 현대자동차 소액주주 15명이 현대자동차 그룹의 동일인과 현대모비스 부회장을 상대로 부당지원행위에 따른 손해배상을 청구한 주주대표소송에서 동일인 등에게 총 826억 790만 원을 회사에 배상하라는 판결이 선고된 바 있다(서울중앙지법 2011. 2. 25. 선고 2008가합47881 판결, 항소포기 확정). 서울중앙지방법원은 문제된 경영진의 행위가 부당한 지원행위에 해당함을 전제로, 이로 인하여 현대자동차에게 손해가 발생하였다는 점과 대주주가 배임 행위에 관한 보고를 받았거나 지시하는 등 위법행위에 관여하였다는 점을 인정하였고, 경영판단의 원칙이 적용될 수 없는 사안이라고 판단하여 이사의 선관주의의무 및 충실의무 위반에 따른 손해배상책임을 인정하였다(서울중앙지방법원 2011. 2. 25. 선고 2008가합47881 판결).

법원은 현대자동차의 손해액이 (i) 부당한 지원행위로 인한 지원금액과 (ii) 공정거래위원회 처분에 따른 과징금 납부액의 합계액 및 그에 대한 지연손해금이라고 판단한 뒤, 각 피고들의 제반 사정을 참작하여 손해배상책임의 범위를 일부 제한한 바 있다.

행 위		심결/고등법원		민사소송(손해액)		책임제한 범위
		지원금액	과징금	지원금액	과징금	
1	현대모비스 자금지원	106,785	34,171	106,785	34,171	40% (원고 청구금액 500억 원 상한)
2	기아자동차 자금지원	19,600	6,272	19,600	6,272	60%
3	글로비스지원	23,275	4,655	14,328 (지원금액 중 일부 제외)		90%
손해액 합계				185,811		
배상금액						82,607

위 판결에서 법원은 부당한 지원행위로 인한 지원금액과 과징금 납부액을 지원주체의 손해로 판단하였는바, 이는 지원금액 산정에 관한 공정거래위원회의 판단을 존중하는 취지로 이해된다. 공정거래법 위반에 대한 과징금 산정목적으로 계산되는 지원금액이 반드시 민사상 손해액이 된다고 볼 수 없으며 손해액은 특수관계 없는 제3자 간이면 이루어졌을 가정적 상황의 경제적 상태를 추정하여 계산되는 것이므로, 사견으로는 본 소송에서 '손해액'에 대하여 원·피고 간에 공방이 이루어져 법원에 의한 판단이 이루어지지 못한 것이 아쉽다.

한편, 동 판결에서 지원행위의 목적과 취지, 이로 인한 지원주체와 지원객체의 손익, 지원행위로 동일인 등에게 귀속된 이익, 피고(행위자)의 행위책임과 지원행위로 취득한 이익 등을 종합하여 경영진의 책임의 범위를 제한하였으므로, 향후에도 경영진의 손해배상책임을 어느 정도로 제한할 것인지가 주된 쟁점이 될 것이다.

2013년 개정 공정거래법에 따라 지원객체에게도 과징금이 부과되는 경우 부당한 지원행위에 관여한 지원객체의 이사 등에게 회사가 손해배상책임을 물을 수 있는지 문제된다. 지원객체에 손해가 발생하였다면 이사 등에게 책임을 물을 수 있겠지만, 문제는 과연 지원객체인 회사에게 무슨 손해가 발생한 것으로 볼 수 있는지 여부이다. 지원객체가 부담한 과징금이나 벌금 등이 손해라고 하더라도 그것이 지원객체가 지원으로 얻은 경제적 이익을 초과하지 않는다면 지원객체 회사에게는 현실적으로 손해가 발생했다 볼 수 없거나 손익상계로 그 손해를 청구할 수 없기 때문에 부정적이라는 견해가 있을 수 있다. 지원객체에게는 지원행위가 이익이기 때문에 그 결정을 한 지원객체의 이사에게는 충실의무 위반이 성립하지 않는다는 견해나 그러한 입법이 타당하지 않다는 견해도 있다.[198] 하지만 2013년 개정법 제23조 제3항에 따라 지원객체가 지원받지 않을 의무를 부담하므로 이를 위반한 것은 불법행위가 될 것이므로, 지원주체는 지원객체에 대하여 지원으로 인한 손해에 대하여 배상청구를 할 수 있다고 판단된다. 지원주체가 지원객체에 손해배상을 하거나 실제할 손해배상할 가능성이 크다면, 지원객체가 지원행위로 얻은 이익이 존재한다고 볼 수 없으므로 지원객체의 이사는 회사에 대하여 과징금 및 벌금 등을 손해로 배상하여야 할 것으로 생각된다.[199]

---

198) 송창현·조중일·김남훈, 「기업집단 내부거래 규제의 현황과 개선 방안」, 법학평론 제4권(2013. 12.), p.140 내지 p.185

199) 한편, 부당지원행위로 인하여 손해를 입게 된 제3자가 지원주체 또는 지원객체에게 손해배상을 청구할 수 있는지 여부도 문제될 수 있다. 이론적으로는 가능할 수 있지만, 지원행위와 제3자에게 발생한 손해 사이의 상당인과관계를 입증하는 것이 어렵기 때문에 현실적으로는 청구가 인용되기 어려울 것이다. 예를 들어, 몰량몰아주기 때문에 사업기회를 배제당한 경쟁사업자의 경우, 물량몰아주기가 없었다면 지원주체가 자신과 거래하였을 것이라는 특별한 사정이 없는 한 물량몰아주기와 사업기회 박탈 간의 인과관계는 인정되지 않을 것이다. 또한 지원행위로 인하여 지원객체의 경쟁상 지위가 강해지고 그로 인하여 불이익을 입은 경쟁사업자들이 있더라도 그로 인한 자신의 손해가 무엇인지 입증하는 것이 쉽지 않을 뿐 아니라, 그 손해와 지원행위 사이의 인과관계를 밝히는 것도 어려워 손해배상청구가 인용될 확률은 낮다고 판단된다.

Q 113 지원주체는 지원객체에 대해 지원금액 상당을 반환청구할 수 있는가?

A 지원금액 반환을 명하는 공정거래위원회의 시정명령은 불가능하지만, 지원주체의 지원객체에 대한 불법행위로 인한 손해배상청구 또는 부당이득반환청구의 법리로 가능하다고 본다.

해설

기본적으로 부당지원행위가 있었다 하더라도 공정거래위원회가 지원객체에 대하여 지원주체에게 그 반환을 하도록 명하는 취지의 시정명령은 불가능하다.

한편, 지원주체가 지원객체에 대하여 민사적으로 반환을 청구할 수 있는지는 많은 논의가 있다. 공정거래법을 위반한 행위라 하더라도 민법 제103조의 반사회적 법률행위나 제104조의 불공정한 법률행위 등에 해당하지 않는 한 민사적으로 유효하다는 것이 일반적 이해이다. 그래서 특별한 사정이 없는 한, 지원주체가 지원객체에게 부당이익 반환청구를 할 수는 없다. 불법행위에 따른 손해배상청구와 관련해서도, 지원주체가 지원해서는 안된다는 규정만 있던 2013년 개정법(2013. 8. 13. 법률 제16998호로 개정된 것) 이전에는 지원객체가 지원주체에 대하여 지원받은 바에 대해 손해배상을 청구할 법률적 권원에 대한 근거가 명확하지 않았다.

하지만 2013년 개정법에서 부당지원행위와 관련하여는 제23조 제3항에서 "특수관계인 또는 회사는 다른 사업자로부터 제1항 제7호에 해당할 우려가 있음에도 불구하고 해당 지원을 받는 행위를 하여서는 아니 된다."는 지원객체의 금지의무를 규정하고 있고, 제23조의2 제3항에서 "제1항에 따른 거래 또는 사업기회 제공의 상대방은 제1항 각 호의 어느 하나에 해당할 우려가 있음에도 불구하고 해당 거래를 하거나 사업기회를 제공받는 행위를 하여서는 아니 된다."는 제공객체의 금지의무를 규정했다. 지원주체와 지원객체의 거래는 사법상 별개 인격체 간의 거래이고 지원객체는 자신에게 유리한 거래를 한 것에 불과하므로 지원객체가 지원주체에게 불법행위를 한 것으로 볼 수는 없다는 견해도 있지만,[200] 지원객체가 지원받지 않아야 할 의무가 공정거래법에 명시된 이상 불법행위가 성립한다고 볼 수밖에 없다.

---

200) 송창현 · 조중일 · 김남훈, 「기업집단 내부거래 규제의 현황과 개선 방안」, 법학평론 제4권(2013. 12.), p.140 내지 p.185

동 규정들로 인하여 지원객체(제공객체)가 지원(제공)받지 않아야 할 의무가 명확하게 된 것이므로, 지원주체로서는 지원객체에게 불법행위로 인한 손해배상청구로 지원객체에 대하여 지원금액 상당액 및 손해액을 청구할 수 있다고 본다. 지원주체와 지원객체의 거래는 사법상 별개 인격체 간의 거래이고 지원객체는 자신에게 유리한 거래를 한 것에 불과하므로 지원객체가 지원주체에게 불법행위를 한 것으로 볼 수는 없다는 견해도 있지만,[201] 지원객체가 지원받지 않아야 할 의무가 공정거래법에 명시된 이상 불법행위가 성립한다고 볼 수밖에 없다.

물론 공정거래법상 부당지원행위에 해당한다고 하여 그 거래 자체의 유효성이 부인되지는 않으므로 일반적으로 부당이득반환청구가 가능하다고 보지는 않는다. 하지만, 지원주체가 상법 제398조의 이사의 자기거래에 해당함에도 불구하고 적법한 이사회의 승인을 거치지 않고 지원한 것이라면 민사적으로 무효에 해당하므로 부당이득반환청구도 가능하다. 이사의 자기거래에 따른 절차를 거치지 않은 거래라 하더라도 상대적 무효설에 따라 거래상대방이 선의 또는 경과실인 경우에는 무효를 주장할 수 없지만, 특수관계에 있는 지원객체의 경우 특별한 사정이 없는 한 악의 또는 과실이 인정되기 때문이다.

관련하여 대법원은 "이사회의 승인 없이 행하여진 이른바 이사의 자기거래행위는 회사와 이사 간에서는 무효이지만, 회사가 위 거래가 이사회의 승인을 얻지 못하여 무효라는 것을 제3자에 대하여 주장하기 위해서는 이사회의 승인을 얻지 못하였다는 것 외에 제3자가 이사회의 승인 없음을 알았거나 이를 알지 못한 데 중대한 과실이 있음을 증명하여야 한다"는 입장이다(대법원 2004. 3. 25. 선고 2003다64688 판결, 대법원 2005. 5. 27. 선고 2005다480 판결 등 참조).

---

201) 송창현 · 조중일 · 김남훈, 「기업집단 내부거래 규제의 현황과 개선 방안」, 법학평론 제4권(2013. 12.), p.140 내지 p.185

Q 114 회사가 지배주주 또는 임직원에게 내부거래의 책임을 물어 주주대표소송을 제기할 경우 소송의 당사자 및 주의해야 할 점 등은 무엇인가?

A 발행주식총수의 1% 이상을 보유한 주주(상장회사의 경우 0.01% 이상)는 주주대표소송을 제기할 수 있다. 이 경우 주주 자신이 입은 손해는 간접손해이므로 청구할 수 없고, 회사가 입은 손해에 대해 회사를 대표하여 청구하는 것이다.

해설

회사는 부당한 내부거래를 실행한 이사 및 이를 지시한 지배주주에 대하여 민사적 책임을 물을 수 있다. 원래 지배주주 또는 임직원의 회사에 대한 책임은 회사의 대표기관이 회사를 대표해서 추궁하여야 할 것이지만, 회사의 대표기관과 이들과의 친분관계로 인해 회사가 이들의 책임을 추궁하지 않는 경우 주주대표소송을 제기할 수 있다.

대표소송을 제기할 수 있는 주주는 회사 발행주식총수의 1% 이상을 보유한 자이어야 하고(상법 제403조 제1항), 상장회사의 경우 6개월 전부터 계속하여 발행주식총 수의 0.01% 이상에 해당하는 주식을 보유하는 주주이어야 한다(상법 제542조의6 제6항). 그러나 일반 개인투자자들이 0.01%의 지분을 보유하는 것이 쉽지 않다.

주주대표소송에서의 피고는 회사에 대하여 책임이 있는 이사 또는 이사였던 자이다. 다만, 형식적으로 이사의 지위에 있지는 않지만 사실상 이사와 마찬가지로 회사의 경영에 관여하는 자(업무집행관여자)는 회사에 대하여 이사와 동일한 책임을 부담하므로 이러한 자에 대한 책임의 추궁에 있어서도 대표소송 규정이 적용된다(제401조의2 제1항).

주주대표소송은 소수주주가 회사의 이익을 위하여 회사의 대표기관적 자격에서 소송을 수행하는 것이므로 제3자의 소송담당에 해당한다. 따라서 판결의 효력은 당연히 회사에 미친다(민사소송법 제218조). 대표소송은 본점소재지의 지방법원의 관할에 전속한다(상법 제403조 제7항, 제186조). 대표소송을 제기한 주주가 승소한 경우 주주는 회사에 대하여 소송비용 및 그 밖의 소송으로 인하여 지출한 비용 중 상당한 금액의 지급을 청구할 수 있다. 소송으로 지출한 비용은 변호사보수뿐 아니라 회사에 직접 소송을 제기하여 진행하였더라면 지출되었을 모든 유형의 비용을 의미한다. 이때 청구할 수 있는 변호사보수는 「변호사보수의 소송비용산입에 관한 규칙」에 의한 소송비용에 산입할 변호사보수가 아니라 상법에 의하여 인정되는 '상당한 금액'의 변호사보수이다.

이러한 주주대표소송은 상법 제정 당시부터 존재했지만 위와 같은 엄격한 제소요건, 주주의 경제적 유인 부재(손해배상판결을 받더라도 모두 회사로 귀속됨), 원고의 입증책임 부담 등으로 활성화되지 못하고 있다. 뿐만 아니라 총수 이외의 이사의 경우 자력이 부족하여 거액의 손해배상 판결을 받더라도 집행이 어렵다는 문제도 있다.[202]

---

202) 송창현·조중일·김남훈, 「기업집단 내부거래 규제의 현황과 개선 방안」, 법학평론 제4권(2013. 12.), p.140 내지 p.185

Q 115 내부거래에 의한 손해발생청구의 소멸시효(장기소멸시효, 단기소멸시효)의 기산점은 언제인가?

A 10년의 장기소멸시효는 개별 지원행위의 거래 종료일이고, 3년의 단기소멸시효는 공정거래위원회 처분의 위법성이 확정된 날(소송을 하였다면 판결확정일이고, 불복하지 않았다면 처분일)이 된다.

해설

공정거래법 위반으로 인한 손해배상청구권의 성질은 민법상 불법행위에 기한 손해배상청구로서, 그 손해 및 가해자를 안 날로부터 3년이라는 단기소멸시효, 불법행위를 한 날로부터 10년이라는 장기소멸시효의 적용을 받는다. 그 손해배상청구권을 국가 또는 지방자치단체가 행사하는 경우에는 국가재정법 제92조 또는 지방재정법 제82조에 따라 5년의 소멸시효가 적용된다.

장기소멸시효의 시점인 '불법행위를 한 날'의 의미에 대하여 '가해행위 시'라고 보는 입장과 '손해발생 시'라고 보는 입장이 있었으나, 대법원은 '손해가 현실화되었다고 볼 수 있는 때'라고 함으로써 '손해발생 시' 입장을 취하였다(대법원 1979. 12. 26. 선고 77다1894,1895 전원합의체 판결). 좀 더 구체적인 "불법행위에 의한 손해배상청구권의 단기소멸시효의 기산점이 되는 민법 제766조 제1항이 정한 '손해 및 가해자를 안 날'이라 함은 피해자가 손해 및 가해자를 현실적이고도 구체적으로 인식한 날을 의미하며, 그 인식은 손해발생의 추정이나 의문만으로는 충분하지 않고, 손해의 발생 사실뿐만 아니라, 가해행위가 불법행위를 구성한다는 사실, 즉 불법행위의 요건사실에 대한 인식으로서 위법한 가해행위의 존재, 손해의 발생 및 가해행위와 손해 사이의 인과관계 등이 있다는 사실까지 안 날을 뜻한다"는 판시가 있다(대법원 2013. 7. 12. 선고 2006다17539 판결 등 참조).

'손해가 현실화된 손해발생 시'의 의미와 관련하여 부당한 지원행위가 장기간에 걸쳐 이루어진 경우 지원주체의 이사 등 경영진에 대한 손해배상청구권의 소멸시효의 기산점이 문제된다. 부당지원행위에 대한 것은 아니지만 공정거래법상 담합이 문제된 손해배상소송에서의 판례를 참조할 수 있다. 엘리베이터 담합사건 손해배상청구 소송에서 하급심 법원(서울고등법원 2014. 1. 21. 선고 2014나4899 판결)은 피고들의 합의, 입찰 참가, 낙찰자 결정 및 계약 체결 등의 일련의 과정에서 낙찰자와 원고 사이에 구매계약이 체결됨으로써 피고들의 담합행위는 종료되었고, 원고가 낙찰자에게 지급할 금액이 구체적으로 확정되었으며, 이로 인하여 손해가 현실적인 것으로 되었으므로, 10년의 장기소멸시효의 기산점은 전체 위반행위의 종기가 아니라 개별 입찰 건별 엘리베이터 구매계약 체결일이라고 판시하였다. 이에 따라 각 계약별로 손해를 산정한 결과, 50개의 계약 중 9개의 계약에 대하여 장기소멸시효가 완성되었다고 판단하였다(동 판결은 대법원 2015. 1. 27. 선고 2015다6494 판결로 확정).

한편, 소멸시효 기산점에 관한 논리에 따른다면 장기간 연속적으로 이루어진 지원성 거래라 하더라도, 계약이 갱신되는 등의 사정으로 거래기간이 구분된다면 각 개별계약의 거래 종료일을 기준으로 손해배상청구권의 장기소멸시효가 진행된다고 본다.

단기소멸시효의 시점인 '손해발생을 안 날'은 언제인가? 피해자가 손해 및 가해자를 현실적이고도 구체적으로 인식할 날을 의미한다. 그 인식은 손해발생의 추정이나 의문만으로는 충분하지 않고, 손해의 발생 사실뿐만 아니라 가해행위가 불법행위를 구성한다는 사실, 즉 불법행위의 요건 사실에 대한 인식으로서 위법한 가해행위의 존재, 손해의 발생 및 가해행위와 손해 사이의 인과 관계 등이 있다는 사실까지 안 날을 뜻한다.

그런데 내부거래는 특수관계에 있는 거래상대방들이 은밀하게 협의하여 외형상 합법적인 내부거래의 형식을 띠고 있기 때문에 행위를 한 회사의 임직원 이외에는 그 위법성과 손해발생의 존재를 스스로 인식하는 것은 쉽지 않다. 실제 관여하지 않은 이사나 감사, 주주들이 내부거래 시점에서 그 위법성 및 회사에 손해를 끼쳤다는 사실을 알았다고 보기는 어렵다. 이 경우 대표이사나 이사가 알았다고 해서 회사가 알았다고 보아서도 안된다. 회사에 손해가 되는 내부거래의 경우 대표이사나 이사가 알고 의사결정했다고 하더라도 대표권(대리권)의 권한 범위 밖이거나 남용에 해당하기 때문이다. 그래서 내부거래의 위법성과 손해발생 여부는 공정거래위원회조사, 행정처분, 불복 절차(행정소송)라는 일련의 과정을 거치면서 인식하게 되는 경우가 대부분이다. 단기소멸시효의 기산점으로 고려해 볼 수 있는 시점으로는 공정거래위원회의 조사 착수 시점, 처분 시점, 그 처분에 불복하는 행정소송의 판결이 선고되거나 확정된 시점 등을 상정할 수 있다.

대법원은 "담합행위가 공정거래법 위반에 해당되고 그로 인하여 손해를 입었다고 주장해야 하는 원고로서는 최소한 공정거래위원회의 정식 서면 의결이 있었던 2007. 7. 25. 이전에는 피고들의 담합행위를 이유로 손해배상을 청구할 수 있다는 것을 인식할 수 있었다고 볼 수는 없다"고 판시하여(대법원 2014. 9. 4. 선고 2013다215843 판결 참조), 공정거래위원회의 의결이 있기 전까지는 단기소멸시효가 진행하지 않는다고 보았다.

나아가 대법원은 비록 공정거래위원회의 시정 명령이 있다고 하더라도 행정소송에 의하여 부당한 공동행위에 해당하는지 여부가 다투어지고 있는 상황이라면 공정거래위원회의 처분이 있다는 사실만으로는 공동행위자들 행위에 대한 법적 평가의 귀결이 확실해졌다고 할 수 없고, 공동행위자들의 행위가 공정거래법상의 부당한 공동행위에 해당되고 이로 인하여 손해를 입었다고 주장해야 하는 피해자로서는 행정소송 판결이 확정된 때에 공동행위자들의 공정거래법 위반으로 인한 손해의 발생을 현실적이고도 구체적으로 인식하였다고 보아야 한다고 하였다. 이때 특별한 사정이 없는 한 공동행위자들 모두에 관한 행정소송 판결이 확정될 필요는 없고 그중 1인에 의한 행정소송 판결이 확정됨으로써 관련 공동행위자들 전부의 불법행위를 현실적이고 구체적으로 인식하였다고 보아 그때부터 단기소멸시효가 진행된다고 하였다(대법원 2014. 9. 4. 선고 2013다 215843 판결).

Q116 부당지원행위 또는 특수관계인에 대한 이익제공 금지규정 위반을 이유로 형사책임을 부담할 수 있는가?

A 과거 부당지원행위와 관련하여서도 업무상 배임죄 등으로 형사처벌이 이루어진 사례가 있으므로, 신설된 특수관계인에 대한 이익제공 금지규정 위반 시에도 동일하게 적용될 것이다. 또한 부당지원행위 조사를 방해할 경우 형사처벌이 이루어질 수 있다.

해설

공정거래법은 부당한 지원행위 또는 특수관계인에 대한 부당한 이익제공 금지규정 위반에 대하여 3년 이하의 징역 또는 2억 원 이하의 벌금에 처할 수 있도록 하는 형사처벌 규정을 두고 있다(제66조 제1항 제9호). 특정 거래가 부당지원행위라고 판단될 경우 공정거래법 위반행위 자체를 이유로 처벌하는 규정으로, 공정거래위원회의 고발요청이 있는 경우에 한하여 검찰의 공소 제기가 가능하다(제71조).

지원주체의 이사 등 경영진이 업무상 주의의무에 반하여 회사에 손실을 끼치고 제3자로 하여금 경제적 이익을 얻도록 하는 지원행위는 공정거래법 위반행위를 이유로 한 형사처벌 외에도 형법상 업무상 배임죄에 해당할 수 있다. 실제로, 법원은 한화그룹의 동일인이 계열사들에게 위장 계열사에 해당하는 회사와의 거래를 통해 9,000억 원 상당의 지원성 거래를 하도록 한 것에 대하여 업무상 배임죄를 인정하였고, 웅진그룹의 동일인이 우량 계열사로 하여금 자금난을 겪고 있던 계열회사에 자금을 지원하도록 한 행위에 대하여도 업무상 배임죄를 인정하는 등 부당지원행위를 지시하거나 그에 관여한 동일인을 처벌한 바 있다.

다만, 업무상 배임죄가 성립하기 위해서는 주관적 요건으로서 임무위배의 인식과 그로 인하여 자기 또는 제3자가 이익을 취득하고 본인(회사)에게 손해를 가한다는 인식, 즉 배임의 고의가 입증되어야 한다. 부당지원행위가 존재한다고 하여 바로 업무상 배임죄가 성립되는 것은 아니다. 그러나, 배임행위에 대한 인식은 미필적 인식으로도 족하기 때문에, 이익을 취득하는 제3자가 같은 계열회사이고, 계열그룹 전체의 회생을 위한다는 목적에서 이루어진 행위로서 그 행위의 결과가 일부 본인을 위한 측면이 있다 하더라도 본인의 이익을 위한다는 의사는 부수적일 뿐이고 이득 또는 가해의 의사가 주된 것임이 판명된다면 배임죄의 고의를 부정할 수 없다는 것이 판례의 입장이다(대법원 2001. 7. 13. 선고 2001도1660 판결, 2004. 6. 24. 선고 2004도520 판결, 2004. 7. 9. 선고 2004도810 판결 등).

따라서, 동일인이나 이사 등의 관여하에 부당지원행위 등이 이루어진 경우 업무상 배임 죄가 인정될 가능성이 상당하다. 상법상 특별배임죄(상법 제622조 제1항)로 의율될 수도 있다.

한편, 공정거래위원회의 부당지원행위 조사 과정에서 임직원들이 조사를 방해할 경우 형사처벌 등 다음과 같은 제재를 받을 수 있으므로 유의해야 한다.

- 현장 조사 시 폭언·폭행, 고의적인 현장 진입 저지·지연 등을 통해 조사를 거부·방해 또는 기피: 3년 이하의 징역 또는 2억 원 이하의 벌금
- 조사관이 요구하는 보고 또는 필요한 자료나 물건을 제출하지 않거나 거짓 보고 또는 자료 물건을 제출한 경우, 자료 은닉·폐기, 접근거부 또는 위조·변조 등을 통해 조사 거부·방해 또는 기피: 2년 이하의 징역 또는 1억 5천만 원 이하의 벌금
- 공정위의 출석 요구에 대하여 정당한 사유 없이 출석을 하지 아니할 경우: 회사에 1억 원 이하 과태료, 해당 임원 또는 종업원에게 1천만 원 이하 과태료 부과 가능

Q117 기업집단의 회장 또는 총괄 대표이사가 내부거래 관련 업무상 배임의 주체가 될 수 있는가?

A 소위 기업집단의 총수 또는 오너는 일반적으로 개별 기업의 상법상 업무집행지시자 또는 사실상의 경영자에 해당하므로 배임죄에서의 타인사무처리자에 해당될 수 있다. 개별 기업의 경영에 관여하지 않았다면 타인사무처리자라 볼 수 없지만 검사가 경영 관여의 가능성에 대하여 일응 입증하면 무죄를 주장하는 측이 관여하지 않았음에 대하여 반증하여야 한다고 본다.

해설

　기업집단의 오너가 주로 맡는 그룹 회장 또는 총괄 대표이사라는 직책이 있다. 실질적으로 기업집단 소속 전체 계열사의 경영 의사결정을 담당하는 경우가 많다. 하지만 보통 개별 계열사의 대표이사로 등재되지 않은 경우가 대부분이다. 기업집단은 공정거래법 등 규제법에서 편의상으로 만들어 낸 개념일 뿐 우리 민법·형법상으로는 존재하지 않으므로 법적 실체가 있다고 볼 수 없다. 기업집단의 사무 처리자라는 개념은 존재하기 어렵다. 그래서 이들에 대해 형법상 책임을 묻기 위하여는 기업집단 소속의 개별 회사의 사무 처리자가 되어야 하는바, 그룹 회장 또는 총괄 대표이사가 그 그룹의 계열사(본인)의 사무 처리자인지에 대한 논란이 있다.

　심각한 소수지배구조인 우리 경제 현실상 기업집단의 총수가 개별 계열사의 의사결정에 관여하는 것을 현실적으로 부인하기는 어렵다. 설사 개별 계열사의 구체적인 의사결정에 관여한 입증이 부족하다 하더라도 총수가 소속 계열사에 대해 단지 대주주의 한 명으로서의 영향력에 미치는 것이 아니라 개개의 인사나 의사결정에 결정적인 영향을 미치는 것을 부정하기 힘든 경우도 많다. 뿐만 아니라 총수 이외의 이사의 경우 거액의 손해배상판결을 자력의 부족으로 집행이 어려운 현실이 있기 때문에 총수에 대한 적극적인 책임추궁이 필요하다.

　배임죄는 타인의 사무를 처리하는 자가 그 임무에 위배하는 행위로써 재산상 이익을 취득하거나 제3자로 하여금 이를 취득하게 하여 본인에게 손해를 가함으로써 성립한다. '임무에 위배하는 행위'는 사무의 내용, 성질 등 구체적 상황에 비추어 법률의 규정, 계약의 내용 혹은 신의칙상 당연히 할 것으로 기대되는 행위를 하지 않거나 당연히 하지 않아야 할 것으로 기대되는 행위를 함으로써 본인과 사이의 신임관계를 저버리는 일체의 행위를 포함한다

(대법원 2017. 11. 9. 선고 2015도12633 판결). '업무'란 직업 또는 직무라는 말과 같아 법령, 계약에 의한 것뿐 아니라 관례를 쫓거나 사실상이거나를 묻지 않고 같은 행위를 반복할 수 있는 지위에 따른 사무를 가르킨다. 기업의 사무처리자가 반드시 상법상 이사이거나 또는 위임이나 고용관계를 전제로 한다고 보기 어렵고 사실상 그러한 관계에 있으면 족하다고 본다.

우리 상법도 제401조의2에서 그룹 회장 또는 총괄 대표이사 등 계열사의 대표이사나 이사 등이 아니지만 사실상 경영자로서의 역할을 하는 자에게 이사로서의 책임을 묻기 위하여 업무집행지시자의 개념을 두고 있다.

상법 제401조의2(업무집행지시자 등의 책임)

① 다음 각 호의 1에 해당하는 자는 그 지시하거나 집행한 업무에 관하여 제399조·제401조 및 제403조의 적용에 있어서 이를 이사로 본다.

1. 회사에 대한 자신의 영향력을 이용하여 이사에게 업무집행을 지시한 자
2. 이사의 이름으로 직접 업무를 집행한 자
3. 이사가 아니면서 명예회장·회장·사장·부사장·전무·상무·이사 기타 회사의 업무를 집행할 권한이 있는 것으로 인정될 만한 명칭을 사용하여 회사의 업무를 집행한 자

② 제1항의 경우에 회사 또는 제3자에 대하여 손해를 배상할 책임이 있는 이사는 제1항에 규정된 자와 연대하여 그 책임을 진다.

대법원은 소위 롯데그룹 사건에서 총괄 대표이사에 대하여 계열사의 사실상 이사로서 사무처리자에 해당한다고 보아 배임죄를 인정하였다. 이 사건에서 피고인 측은 그룹 총괄 대표이사에 대하여 계열사의 사무처리자가 아니고 오히려 계열사와의 거래 상대방에 불과하다는 주장을 하였지만 배척되었다.

[대법원 2019. 10. 17 선고 2018도16652 판결(상고기각)]

1. 사실관계

롯데그룹 총괄회장인 피고인(신격호)은 경영권과는 관련이 없는 롯데그룹 비상장주식을 보유하고 있었는데, 이를 일방적인 지시를 통해 롯데그룹 계열사에 매도하였다. 주식의 매매대금은 상속세 및 증여세법 시행령(대통령령 제21641호로 2009. 7. 31. 시행된 것, 이하 '상증법 시행령'이라 한다) 제54조 제1항에 의한 보충적 평가방식에 의한 가격에 상속세 및 증여세법(2008. 12. 26. 법률 제9269호로 일부 개정된 것, 이하 '상증법'이

라 한다) 제63조 제3항, 상증법 시행령 제53조 제3항, 제19조 제2항에 의하여 30% 할증된 금액으로 산정하였다. 매수 계열사는 이 사건 매매계약의 내용과 회계법인의 주식가치평가 서류를 검토할 시간적 여유를 넉넉히 부여받지 못하였으나, 이 사건 매매계약을 채결하였다

2. 피고인의 주장

배임죄에서 배임주체와 대향적 거래의 상대방에 불과한 경우, 배임행위를 교사하거나 거래의 전 과정에 가담한 사실이 없이는 배임죄의 공동정범이 성립하지 않는다.

3. 법원의 판단

피고인은 이 사건 주식을 매도하는 당사자임과 동시에 BA그룹 총괄회장으로서 위 주식 매매와 관련하여 매수 계열사와의 이익을 최우선적으로 고려하여 그 매매계약 체결 여부 및 계약 내용 등을 결정하고 그 매매계약으로 인해 매수 계열사가 손해를 입지 않도록 하여야 할 업무상 임무를 부담한다고 할 것이므로, 배임죄의 주체로 인정된다.

Q 118 배임의 고의에 대한 항변인 형법상 경영판단의 원칙은 무엇인가?

A 이사가 충분한 정보를 기초로 회사의 이익을 위하여 판단한 경우라면 그 결과가 회사의 손해로 귀결되더라도 이사의 회사에 대한 책임은 인정되지 않는다는 미국 회사법에서 확립된 법리로 우리 법원도 인정하고 있다.

해설

경영판단의 원칙(經營判斷의 原則, Business Judgment Rule)이란 회사의 이사나 임원들이 선의로 선량한 관리자의 주의를 다하고 그 권한 내의 행위를 하였다면, 그 행위로 인하여 비록 회사에 손해를 끼쳤다고 하더라도 회사에 대해 그 개인적인 책임을 부담하지 않는다는 법리이다. 주로 미국 판례법에서 발전한 이론이다.

미국 판례법에 의하면, ① 신의칙에 따른 행위일 것, ② 회사의 최고 이익에 따른 행위일 것, ③ 알려진 근거에 의한 행위일 것, ④ 기업에게 쓸모 없는 것이 아닐 것의 요건이 충족되면, 이사의 경영판단행위가 결과적으로 회사에게 손해로 귀결되더라도 배임죄가 성립되지 않는다고 본다(Grobow v. Perot, 539 A.2d 180 (Del. 1988)). 하지만 성문법주의를 취하는 우리 법제에서 '경영판단의 원칙'이 배임죄의 구성요건조각 사유에 해당한다는 명문이 없기 때문에, 배임죄에 있어 경영판단의 항변이 인정되는지에 대해 오랫동안 논란이 있었다.

우리 법원은 '경영판단의 원칙'을 배임죄의 고의 인정에서 고려하고 있다. 대법원은 문제된 경영상의 판단에 이르게 된 경위와 동기, 판단 대상인 사업의 내용, 기업이 처한 경제적 상황, 손실 발생과 이익 획득의 개연성 등의 여러 사정을 고려할 때 자기 또는 제3자가 재산상 이익을 취득한다는 인식과 본인에게 손해를 가한다는 인식하의 의도적 행위임이 인정되는 경우에 한하여 배임죄의 고의를 인정하여야 하고, 그러한 인식이 없는데도 본인에게 손해가 발생하였다는 결과만으로 책임을 묻거나 단순히 주의의무를 소홀히 한 과실이 있다는 이유로 책임을 물어서는 안 되다는 법리를 인정하였다(대법원 2011. 10. 27. 선고 2009도14464 판결 다수).

나아가 대법원은 "주식회사의 이사는 회사를 둘러싼 복잡하고 유동적인 여러 상황 아래에서 그 임무를 수행하기 위하여 전문적인 지식과 경험에 기초하여 여러 가지 사정들을 고려하여 경영상의 판단을 하여야 하고, 이와 같은 이사의 경영상 판단에는 그 성질상 폭넓은 재량이 인정되어야 하는 것이므로, 이사의 어떠한 판단이 결과적으로 회사에 대하여 손해를 초래하였다고 하더라도 그것만으로 곧바로 이사에게 선관주의의무 위반이 있었다고 단정할 수는 없는 것이고, 이사에 의한 직무수행이나 경영판단의 특수성을 충분히 배려하고 가혹한 책임의 위협에 의하여 회사경영을 부당하게 위축시키지 않도록 하는 한편 이사가 적당한 견제를 받도록 하여 이사에게 경영자로서의 합리적인 재량을 확보할 수 있도록 구체적인 사안에서 회사의 규모, 사업내용, 문제가 된 거래나 사업계획의 내용과 필요성, 당해 이사의 지식경험과 담당업무, 당해 사업계획 등에 관여한 정도, 그 밖에 여러 가지 사정을 종합적으로 고려하여 이사에게 선관주의의무 위반이 있는지 여부를 개별적·구체적으로 판단하여야 한다"고 설시하고 있다(대법원 2005. 5. 27. 선고 2004다8128 판결). 하급심은 "회사의 이사가 정관 소정의 목적 범위 내에서 회사의 경영에 관한 판단할 재량권을 가지고 있고, 또한 기업의 경영은 다소의 모험과 이에 수반되는 위험성이 필수적으로 수반되는 것이므로, 이사가 업무를 집행함에 있어 기업인으로서 요구되는 합리적인 선택 범위 내에서 판단하고 성실히 업무를 집행하면, 그의 행동이 결과적으로 회사에 손해를 입게 하였다고 할지라도 이사에게 주의의무를 위반하였다고 해서 책임을 물을 수는 없는 것이다"라고 판시하기도 하였다(서울지법 1998.7.24, 선고 97가합39907 판결).

또, 대한보증보험의 대륙종합개발 등에 대한 특혜 보증에 대한 사건에서 대법원은 "기업의 경영에는 원천적으로 위험이 내재하여 있어서 경영자가 아무런 개인적인 이익을 취할 의도 없이 선의에 기하여 가능한 범위 내에서 수집된 정보를 바탕으로 기업의 이익에 합치된다는 믿음을 가지고 신중하게 결정을 내렸다 하더라도 그 예측이 빗나가 기업에 손해가 발생하는 경우가 있을 수 있는바, 이러한 경우에까지 고의에 관한 해석기준을 완화하여 업무상배임죄의 형사책임을 묻고자 한다면 이는 죄형법정주의의 원칙에 위배되는 것임은 물론이고 정책적인 차원에서 볼 때에도 영업이익의 원천인 기업가 정신을 위축시키는 결과를 낳게 되어 당해 기업뿐만 아니라 사회적으로도 큰 손실이 될 것이므로, … 자기 또는 제3자가 재산상 이익을 취득한다는 인식과 본인에게 손해를 가한다는 인식(미필적 인식을 포함)하의 의도적 행위임이 인정되는 경우에 한하여 배임죄의 고의를 인정하는 엄격한 해석기준은 유지되어야 할 것이고, 그러한 인식이 없는데 단순히 본인에게 손해가 발생하였다는 결과만으로 책임을 묻거나 주의의무를 소홀히 한 과실이 있다는 이유로 책임을 물을 수는 없다"며 무죄판결을 하였다(대법원 2004. 7. 22. 선고 2002도4229 판결).[203]

---

203) 대법원은 구체적으로 "보증보험회사의 영업으로 행한 보증보험계약의 인수인바, 대한보증보험의 설립취지문에도 나타나 있듯이 대한보증보험은 담보력이 부족한 기업이나 개인의 신용을 보완해 줌으로써 국가경제발전에 기여하기 위한 목적으로 설립된 보증보험회사로서 대출금에 대하여 전액 회수를 전제로 대출업

이처럼 우리 법원은 경영판단 원칙을 상당 부분 수용하여 배임의 고의 인정에 고려하고 있다. 법원은 합리적인 경영판단의 재량 범위 안이라면 결과적으로 회사의 손해로 귀결된 행위라도 배임의 고의 또는 불법이득의 의사를 인정하지 않는다고 보고 있다. 다만, 경영자가 법령의 규정, 계약 내용 또는 신의성실의 원칙상 구체적인 상황과 자신의 역할 및 지위에서 당연히 하여야 할 것으로 기대되는 행위를 하지 않거나 하지 않아야 할 것으로 기대되는 행위를 함으로써 재산상의 이득을 취득하거나 제3자로 하여금 이를 취득하게 하고 본인에게 손해를 가하였다면 그에 관한 고의 내지 불법영득의 의사는 인정되어야 한다고 본다(대법원 2011. 10. 27. 선고 2009도14464 판결).

또, 대법원은 SKM의 동산C&G 대출·지급보증 사건에서 "회사의 이사 등이 타인에게 회사 자금을 대여함에 있어 그 타인이 이미 채무변제능력을 상실하여 그에게 자금을 대여하거나 지급보증할 경우 회사에 손해가 발생하리라는 점을 충분히 알면서 이에 나아갔거나 충분한 담보를 제공받은 등 상당하고 합리적인 채권회수조치를 취하지 아니한 채 만연히 대여…(중략)…경영상 판단이라는 이유만으로 배임죄의 죄책을 면할 수는 없으며, 이러한 이치는 그 타인이 자금지원회사의 계열회사라 하여 달라지지 않는다"고 전제한 후 "피고인들의 이 사건 지원행위는 위와 같이 장래의 예측이 지극히 어려운 외환위기 상황하에서 상호보증으로 얽혀 있는 그룹 내 회사들의 동반 부도를 방지하기 위한 의도로 이루어졌다는 점을 고려한다고 하더라도, 그와 같은 결정이 경영상의 판단으로서 존중받아야 하는 것으로서 배임의 범의가 없었다고 인정받기 위하여는 그 결정이 가능한 범위 내에서 수집한 모든 정보에 기초하여 경영진의 신중한 논의에 따라 이루어진 합리적인 판단의 결과에 의한 것이어야 할 것이다"라고 유죄판결을 하였다(대법원 2004. 11. 26. 선고 2003도1791 판결).

무를 영위하는 일반 시중은행과 달리 보증보험회사는 보증한 회사채의 지급 불능 등으로 인한 보험사고가 발생할 위험이 어느 정도 있음을 전제로 보험의 법리에 따라 신용 위주로 영업을 영위하는 특성도 가지고 있고, 따라서 기본적으로 보증보험회사의 경영자에게 공소사실의 기재와 같이 보증금액의 상환이 확실한 경우에 한하여 보증을 인수할 임무가 있다고는 할 수 없다… 기록상 피고인 1이 원심의 판시와 같이 삼미그룹의 회장 김현철과 어떠한 친분관계가 있었다는 점을 인정할 만한 자료를 찾을 수 없으며, 심사 초기에 부사장 조재경이 삼미종합특수강의 부채비율이 높다는 등의 이유로 반대 의견을 표시하였으나 위와 같이 삼미금속이 발행한 회사채의 상환 및 삼미종합특수강이 발행한 전환사채 중 100억 원 상당의 주식전환과 연계하여 조건부로 처리하기로 한 이후에는 반대한 직원이 없었던 것으로 보이고, 위 조재경 역시 제1심의 증인으로 출석하여 위 지급보증으로 인하여 삼미그룹 전체에 대한 보증총액이 감소함으로써 회사에 이익이 되었다는 점을 시인한 바 있고, 위 지급보증 이후 삼미종합특수강이 발행한 제155차 내지 178차의 회사채에 대하여 한국보증보험 주식회사, 한국산업은행, 주식회사 제일은행, 주식회사 신한은행 등과 같은 금융기관들 역시 지급보증을 계속 해주었으며, 달리 피고인 1이 의도적으로 회사에 손해를 가하는 배임행위를 저지를 동기도 찾아볼 수 없는 점을 보태어 보면 피고인 1에게 배임의 고의가 있었다고 단정하기 어렵다 할 것이다"라고 판시하였다.

다만, 그 전제는 해당 이사가 충분한 정보를 기초로 경영판단을 한 것이어야 한다. 바꿔 말해 해당 이사가 충분한 정보를 가지고 있지 못하였거나 잘못된 정보를 기초로 한 것이고 정보 부족이나 잘못된 정보를 취득하게 된 상황에 대하여 이사의 고의나 과실이 있었다면 경영판단의 원칙이 적용될 수 없다.

더하여 법령을 위반한 행위에 대하여까지 경영판단의 원칙을 인정하기는 어렵다. 이사의 행위가 법령에 위반되는 경우에는 그 행위 자체로 회사에 대한 채무불이행이 되기 때문이다.[204] 부당한 내부거래의 경우 공정거래법 제23조 제1항 및 제23조의2 위반이기 때문에 경영판단의 원칙이 항변으로 허용되기 어렵다.

하지만 대법원은 SPP 부당지원행위에 대한 배임죄 사건에서 공정거래법을 위반한 부당 지원행위로 확정된 행위에 대하여 경영판단의 항변을 받아 들여 무죄로 선고한 바 있다. 동 사건에서 대법원은 "기업의 경영에는 원천적으로 위험이 내재하여 있어서 경영자가 개인적인 이익을 취할 의도 없이 가능한 범위 내에서 수집된 정보를 바탕으로 기업의 이익을 위한다는 생각으로 신중하게 결정을 내렸더라도 예측이 빗나가 기업에 손해가 발생하는 경우가 있으므로, 이러한 경우에까지 고의에 관한 해석기준을 완화하여 업무상배임죄의 형사 책임을 물을 수 없다. 여기서 경영상의 판단을 이유로 배임죄의 고의를 인정할 수 있는지는 문제 된 경영상의 판단에 이르게 된 경위와 동기, 판단대상인 사업의 내용, 기업이 처한 경제적 상황, 손실발생의 개연성과 이익획득의 개연성 등 제반 사정에 비추어 자기 또는 제3자가 재산상 이익을 취득한다는 인식과 본인에게 손해를 가한다는 인식하의 의도적 행위임이 인정되는 경우인지에 따라 개별적으로 판단하여야 한다'며 위와 같은 기준을 충족하는 일부 지원행위에 대해서는 기업집단 내 계열회사들의 공동이익을 위한 지원행위로서 합리적인 경영판단의 재량 범위 내에서 행하여진 것이므로 배임의 고의를 인정하기 어렵다"고 판시하였다(대법원 2017. 11. 9. 선고 2015도12633 판결). 이사들의 명백한 법령위반행위에 대하여 경영판단원칙을 적용한 것에 대해서도 동의하기 어렵지만 무엇보다 행정소송에서 위법성이 인정된 행위에 대하여 형사소송에서 무죄를 선고하는 것은 법리를 떠나 사회 일반에 대한 혼란을 주고 사법체계에 대한 신뢰를 약화시킬 수 있는 점에서 바람직하지 않다. 참고로 SPP 형사사건의 대법원 판결의 요지는 다음과 같다.

---

204) 권재열, 「대법원 판례상 경영판단의 원칙에 관한 소고」, http://www.ksla.org/text/0801__07.pdf

대법원 2017. 11. 9. 선고 2015도12633 판결

… 기업집단의 공동목표에 따른 공동이익의 추구가 사실적·경제적으로 중요한 의미를 갖는 경우라도 기업집단을 구성하는 개별 계열회사는 별도의 독립된 법인격을 가지고 있는 주체로서 각자의 채권자나 주주 등 다수의 이해관계인이 관여되어 있고, 사안에 따라서는 기업집단의 공동이익과 상반되는 계열회사의 고유이익이 있을 수 있다. 이와 같이 동일한 기업집단에 속한 계열회사 사이의 지원행위가 기업집단의 차원에서 계열회사들의 공동이익을 위한 것이라 하더라도 지원 계열회사의 재산상 손해의 위험을 수반하는 경우가 있으므로, 기업집단 내 계열회사 사이의 지원행위가 합리적인 경영판단의 재량 범위 내에서 행하여졌는지는 신중하게 판단하여야 한다.

따라서 동일한 기업집단에 속한 계열회사 사이의 지원행위가 합리적인 경영판단의 재량 범위 내에서 행하여진 것인지를 판단하기 위해서는 앞서 본 여러 사정들과 아울러, 지원을 주고받는 계열회사들이 자본과 영업 등 실체적인 측면에서 결합되어 공동이익과 시너지 효과를 추구하는 관계에 있는지, 이러한 계열회사들 사이의 지원행위가 지원하는 계열회사를 포함하여 기업집단에 속한 계열회사들의 공동이익을 도모하기 위한 것으로서 특정인 또는 특정회사만의 이익을 위한 것은 아닌지, 지원 계열회사의 선정 및 지원 규모 등이 당해 계열회사의 의사나 지원 능력 등을 충분히 고려하여 객관적이고 합리적으로 결정된 것인지, 구체적인 지원행위가 정상적이고 합법적인 방법으로 시행된 것인지, 지원을 하는 계열회사에 지원행위로 인한 부담이나 위험에 상응하는 적절한 보상을 객관적으로 기대할 수 있는 상황이었는지 등까지 충분히 고려하여야 한다. 위와 같은 사정들을 종합하여 볼 때 문제된 계열회사 사이의 지원행위가 합리적인 경영판단의 재량 범위 내에서 행하여진 것이라고 인정된다면 이러한 행위는 본인에게 손해를 가한다는 인식하의 의도적 행위라고 인정하기 어렵다.

Q 119 기업집단 전체를 위한 행위가 개별기업 입장에서 배임이 되는가?

A 개별 기업에 반하지만 기업집단의 이익에 부합하는 것으로는 배임죄의 성립을 조각하지 못한다. 당연한 말이지만 기업집단의 이익에 부합하면서 개별 기업의 이익에도 부합하는 경우에는 배임죄가 성립하지 않지만 특별한 사정이므로 이사가 입증해야 한다.

해설

내부거래가 개별 기업 측면에서는 손해일 수 있지만 기업집단 전체 측면에서는 이익이므로 부당내부거래나 배임으로 보아서는 안된다는 주장이 있을 수 있다. 우리 기업의 현실상 기업집단이 무너질 경우 개별 계열사도 위험해지므로 단기적으로 개별 계열사에게 손해로 보이더라도 장기적으로는 이익이 될 수 있다는 주장이다. 같은 맥락에서 개별 계열사가 고유이익을 가지는 주체이지만 아울러 기업집단의 공동이익을 고려해야 하는 이중적 지위가 있고 기업집단 내의 이해상충을 조정하거나 전체 전략을 세우는 조정자 역할을 고려하여 형사책임을 물어야 한다는 입장도 있다.[205]

사실 이 문제는 회사의 경영진이 누구의 이익을 위하여 권한을 행사하고 의무를 부담하는 것인지에 대한 회사법의 근본적인 이슈와 연결되어 있다. 서로 대립하는 이념형(ideal typus)으로 주주이론(shareholder theory)과 이해관계자이론(stakeholder theory)이 제시되어 왔다.

주주이론(shareholder theory)은 경영진의 권한은 전체 주주의 비례적 이익을 위해서만 행사될 수 있다는 입장이다. 주주는 투자에 대한 위험을 직접 부담하면서 잔여이익청구권을 가지므로 회사 경영성과에 직접적 이해관계가 있는 반면, 다른 이해관계자들은 계약에 따른 보호를 받는 것에 불과하다고 본다. 이러한 입장은 배임죄 구성요건 요소인 '임무위배행위' 여부에 대하여 전체 주주의 비례적 이익(도산에 임박한 상황에서는 채권자도 포함)을 기준으로 판단해야 한다는 '주주이익론'과 직결된다.

한편, 이해관계자이론(stakeholder theory)은 주주뿐만 아니라 채권자·근로자·소비자·공급자·지역사회 등의 이해관계자의 이익도 고려해야 한다는 입장이다. 사채 등 다양한 투자수단이 발달한 상황에서 주주 역시 주식 수에 따른 제한된 경영참여권과 재산적 권리를 가지는 투자자에 불과하고 다른 이해관계자들과 본질적으로 구별되는 점은 없다고 본다.

---

205) 조성훈, 「계열사 간 내부거래와 배임」, 선진상사법률연구 통권 제76호(2016. 10.), p.131 내지 p.133

이러한 입장은 '임무위배행위' 해석에 있어 이른바 '법인이익독립론'과 밀접한 관계를 가지게 된다. 법인이익독립론은 ① 회사는 주주 기타 이해관계자로부터 구분된 법인격을 가지는 별개의 존재이고, ② 손해 여부를 판단할 때 주주 기타 이해관계자와 구분된 회사 자체만을 기준으로 판단하여야 하며, ③ 이사는 회사에 대하여 선관주의의무 및 충실의무를 부담하므로 회사 그자체에 손해가 발생하면 임부위배행위에 해당한다고 본다.

하지만 경제 현실에서는, 기업회계나 기업재무의 관점에서는 지배종속관계에 있는 회사들을 경제적 단일체로 인식하는 경우가 많다. 제도적으로도 단일체로 취급하는 경우도 있다. 기업회계기준의 연결재무제표 작성이나(기업회계기준서 제1110호 연결재무제표), 대출약관에서 사용되는 관계회사가 채무불이행에 빠지면 다른 회사의 기한의 이익도 상실되는 교차불이행조항(cross-default provision)을 대출계약서에 넣는 경우도 많다) 등이다. 하지만 법인격 독립을 원칙으로 하는 우리 법제에서 법원칙상 기업집단의 실체를 법률적으로 인정하기는 어렵다. 우리 법원은 1인 주식회사의 경우 1인 주주와 피해자인 회사는 별개의 인격이고 그 회사에 재산상 손해가 발생하였을 때 배임죄는 기수가 된다고 판시하여 기본적으로 법인이익독립론의 입장에 선 것으로 판단된다(대법원 1983. 12. 13. 83도2330 전원합의체 판결).

판례는 개별기업의 이익과 분리된 기업집단의 이익을 법률적으로 인정하는 것에 대하여 부정적이다. 법원은 "회사의 이사가 회사의 경영상의 부담에도 불구하고 관계회사의 부도 등을 방지하는 것이 회사의 신인도를 유지하고 회사의 영업에 이익이 될 것이라는 일반적·추상적인 기대하에 일방적으로 관계회사에 자금을 지원하게 하여 회사에 손해를 입게 한 경우 등에는, 그와 같은 이사의 행위는 허용되는 경영판단의 재량범위 내에 있는 것이라고 할 수 없다"고 하여(대법원 2013. 1. 24. 선고 2012도10629 판결) 기업집단의 이익과 상반되는 개별기업 고유의 이익에 반하는 경우에는 배임죄가 성립된다고 보고 있다.

다만, 예외적으로 해당 계열사의 이해관계와 다른 계열사 또는 기업집단 전체와 밀접하게 연관되어 있어 장기적으로 해당 기업의 이해관계에도 큰 영향을 미치는 경우이어서 기업집단의 이익이 개별 기업 고유의 이익에도 부합하는 측면이 있다면 배임죄 고의가 인정되지 않을 수 있다. 또한 단기적·편면적으로는 해당 개별기업 입장에서 손해가 되는 행위로 볼 여지가 있다 하더라도 합리적인 경영판단의 재량 범위 안의 행위가 될 수도 있다고 판례는 보고 있다. 대법원은 이런 법리를 전제로 조선업 관련 계열사로 구성된 SPP 그룹

사주의 재무책임자들에 대하여 그룹 차원에서 전략적으로 육성하던 계열회사가 자금난에 빠지자 그에 대한 여러 방법의 지원행위를 한 것에 대하여 배임죄 성립을 부정했다(대법원 2017. 11. 9. 선고 2015도12633 판결).

앞서 설명한 바와 같이 사견으로 명백한 법령위반의 행위에 대하여 경영판단원칙을 적용하는 것에 대하여 부정적일 뿐 아니라 공정거래법 위반으로 확정된 사례에 대하여 법원이 형사사건에서 다른 판단을 하는 것 역시 수범자의 혼란을 초래하고 사법체계에 대한 신뢰성을 잠식하는 것으로 바람직하지 않다.

부록

참고자료

부당한 지원행위의 심사지침

[시행 2020. 9. 10.] [공정거래위원회 예규 제355호, 2020. 9. 10., 일부개정]

Ⅰ. 목적

이 심사지침은 독점규제 및 공정거래에 관한 법률(이하 "법"이라 한다) 제23조(불공정거래행위의 금지) 제1항 제7호 및 동법 시행령(이하 "시행령"이라 한다) 제36조(불공정거래행위의 지정) 제1항의 규정에 의한 "불공정거래행위의 유형 및 기준" 제10호(부당한 지원행위) 규정의 운영과 관련하여 객관적이고 구체적인 심사기준을 마련하는데 그 목적이 있다.

이 심사지침은 사업자의 활동 중에서 공통적이고 대표적인 사항을 중심으로 작성한 것이므로 이 심사지침에 명시적으로 열거되지 않은 사항이라고 해서 반드시 부당한 지원행위에 해당하지 않는 것은 아니다.

Ⅱ. 용어의 정의

1. "지원주체"라 함은 법 제23조(불공정거래행위의 금지) 제1항 제7호의 지원행위를 한 사업자를 말한다.

2. "지원객체"라 함은 지원주체의 지원행위로 인한 경제상 이익이 귀속되는 특수관계인 또는 다른 회사를 말한다. 이때 다른 회사는 지원주체의 계열회사에 한정되지 아니한다.

3. "특수관계인"이라 함은 시행령 제11조(특수관계인의 범위)의 규정에 의하여 정하여지는 자를 말한다.

4. "지원행위"라 함은 지원주체가 지원객체에게 직접 또는 간접으로 제공하는 경제적 급부의 정상가격이 그에 대한 대가로 지원객체로부터 받는 경제적 반대급부의 정상가격보다 높거나(무상제공 또는 무상이전의 경우를 포함한다. 이하 이 심사지침에서 같다) 상당한 규모로 거래하여 지원주체가 지원객체에게 과다한 경제상 이익을 제공하는 작위 또는 부작위를 말한다. 다만, 그러한 작위 또는 부작위의 결과 지원객체가 얻게 되는 이익은 지원행위의 경제상 효과에 불과하므로 법 제23조 제1항 제7호의 규정

이 시행(1997. 4. 1.)되기 이전에 지원행위가 있었던 경우에는 그로 인한 경제상 이익의 제공이 동 규정의 시행시점 이후에까지 계속되었다고 하여도 변제기를 연장하거나 금리를 변경하는 것 등과 같이 새로운 지원행위라고 볼만한 다른 특별한 사정이 없는 한 지원행위에 해당하지 아니한다(법 제49조 제4항의 규정에 의한 시정조치 등의 처분가능시점 이전에 지원행위가 있었던 경우에도 이를 준용한다).

5. "정상가격"이라 함은 지원주체와 지원객체 간에 이루어진 경제적 급부와 동일한 경제적 급부가 시기, 종류, 규모, 기간, 신용상태 등이 유사한 상황에서 특수관계가 없는 독립된 자 간에 이루어졌을 경우 형성되었을 거래가격 등을 말한다.

6. "지원금액"이라 함은 지원주체가 지원객체에게 제공하는 경제적 급부의 정상가격에서 그에 대한 대가로 지원객체로부터 받는 경제적 반대급부의 정상가격을 차감한 금액을 말한다.

7. "지원성 거래규모"라 함은 지원주체가 지원객체에게 지원행위를 한 기간 동안 해당 지원행위와 관련하여 이루어진 거래(무상제공 또는 무상이전을 포함한다. 이하 이 지침에서 같다)의 규모를 말한다.

Ⅲ. 지원행위의 구체적 기준 및 지원금액 산정원칙

1. 가지급금 또는 대여금 등 자금을 거래한 경우

가. 지원주체가 지원객체와 가지급금·대여금 등 자금을 정상적인 거래에서 적용되는 대가보다 상당히 낮거나 높은 대가로 제공 또는 거래하는 행위를 통하여 과다한 경제상 이익을 제공하는 것은 지원행위에 해당한다. 또한 지원주체가 지원객체와 가지급금·대여금 등 자금을 상당한 규모로 제공 또는 거래하는 행위를 통하여 과다한 경제상 이익을 제공하는 것은 지원행위에 해당한다.

(예시)

- 지원주체가 지원객체의 금융회사로부터의 차입금리보다 저리로 자금을 대여하는 경우
- 계열금융회사에게 콜자금을 시중 콜금리보다 저리로 대여하는 경우
- 계열투신운용회사가 고객의 신탁재산으로 지원객체에게 저리의 콜자금 등을 제공하는 경우
- 상품·용역 거래와 무관하게 「선급금 명목으로」 지원객체에게 무이자 또는 저리로

자금을 제공하는 경우

－계열금융회사가 특수관계가 없는 독립된 자의 예탁금에 적용하는 금리보다 낮은
금리로 계열금융회사에 자금을 예치하는 경우

－단체퇴직보험을 금융회사에 예치하고 이를 담보로 지원객체에게 저리로 대출하도
록 하는 경우

－계열금융회사가 지원객체에게 대여한 대여금의 약정 연체이자율을 적용하지 않고
일반 대출이자율을 적용하여 연체이자를 수령하는 경우

－주식매입을 하지 않으면서 증권예탁금 명목으로 계열증권회사에 일정 기간 자금을
저리로 예탁하는 경우

－보유하고 있는 지원객체 발행주식에 대한 배당금을 정당한 사유없이 수령하지 않
거나 수령을 태만히 하는 경우

－지원객체소유 부동산에 대해 장기로 매매계약을 체결하고 계약금 및 중도금을 지
급한 뒤 잔금지급 전 계약을 파기하여 계약금 및 중도금 상당액을 변칙 지원하는
경우

－지원주체가 제3자인 은행에 정기예금을 예치한 다음 이를 다시 지원객체에 대한
대출금의 담보로 제공함으로써 지원객체로 하여금 은행으로부터 낮은 이자율로 대
출받도록 하는 경우

나. 지원주체와 지원객체 간의 가지급금 또는 대여금 기타 자금의 거래(이하 "자금거래"
라 한다)에 의한 지원행위 중 위 가.의 전단의 지원행위는 실제 적용된 금리(이하 "실
제적용금리"라 한다)가 해당 자금거래와 시기, 종류, 규모, 기간, 신용상태 등의 면에
서 동일 또는 유사한 상황에서 특수관계가 없는 독립된 자 사이에 자금거래가 이루어
졌다면 적용될 금리(이하 "개별정상금리"라 한다)보다 상당히 낮거나 높은 경우에
성립한다.

다. 자금거래에 의한 지원행위는 회계처리상 계정과목을 가지급금 또는 대여금으로 분류
하고 있는 경우에 국한하지 아니하고, 지원주체가 지원객체의 금융상 편의를 위하여
직접 또는 간접으로 현금 기타 자금을 이용할 수 있도록 경제상 이익을 제공하는 일
체의 행위를 말한다.

라. 개별정상금리는 다음의 방법에 따라 순차적으로 산출한다.

1) 지원주체와 지원객체 사이의 자금거래와 시기, 종류, 규모, 기간, 신용상태 등의

면에서 동일한 상황에서 그 지원객체와 그와 특수관계가 없는 독립된 자 사이에 자금거래가 이루어졌다면 적용될 금리

2) 지원주체와 지원객체 사이의 자금거래와 시기, 종류, 규모, 기간, 신용상태 등의 면에서 유사한 상황에서 그 지원객체와 그와 특수관계가 없는 독립된 자 사이에 자금거래가 이루어졌다면 적용될 금리. 여기서 유사한 시점이란 사안별로 지원규모, 지원시점의 금리변동의 속도 등을 종합적으로 고려하여 결정하되, 해당일 직전·직후 또는 전후의 3개월 이내의 기간을 말한다. 다만, 유사한 시점에 독립적인 방법으로 차입한 금리는 없으나 그 이전에 변동금리 조건으로 차입한 자금이 있는 경우에는 지원받은 시점에 지원객체에게 적용되고 있는 그 변동금리를 유사한 시점에 차입한 금리로 본다.

3) 지원주체와 지원객체 사이의 자금거래와 시기, 종류, 규모, 기간, 신용상태 등의 면에서 동일 또는 유사한 상황에서 특수관계가 없는 독립된 자 사이에 자금거래가 이루어졌다면 적용될 금리

마. 공사대금 미회수, 기간이 특정되어지지 않은 단순대여금 등 지원시점에 만기를 정하지 않은 경우에는 지원객체의 월별평균차입금리를 개별정상금리로 본다. 여기서 월별평균차입금리는 지원객체가 해당 월에 독립적으로 차입한 자금의 규모를 가중하여 산정한 금리를 말한다.

바. 다만, 상기 원칙에 따라 정해진 금리를 개별정상금리로 볼 수 없거나, 적용순서를 달리할 특별한 사유가 있다고 인정될 경우, 또는 지원주체의 차입금리가 지원객체의 차입금리보다 높은 경우 등 다른 금리를 개별정상금리로 보아야 할 특별한 사유가 있는 경우에는 그 금리를 개별정상금리로 본다.

사. 개별정상금리를 위에서 규정된 방법에 의해 산정하기 어렵고, 또한 지원객체의 재무구조, 신용상태, 차입방법 등을 감안할 때 개별정상금리가 한국은행이 발표하는 시중은행의 매월 말 평균 당좌대출금리(이는 해당 월말 현재 시중은행의 당좌대출계약에 의하여 실행한 대출액 잔액 전부를 가중평균하여 산출한 금리를 말한다. 이하 "일반정상금리"라 한다)를 하회하지 않을 것으로 보는 것이 합리적인 경우에는 해당 자금거래의 실제적용금리와 일반정상금리를 비교하여 지원행위 여부를 판단한다.

아. 전항의 규정에도 불구하고, 지원객체의 재무구조, 신용상태, 차입방법 등을 감안할 때 지원객체의 개별정상금리가 일반정상금리보다 높은 수준인 것으로 보는 것이 합리적인 상황에서 일반정상금리 수준으로 상당한 규모의 자금거래를 하는 것은 지원행위

에 해당한다.

자. 개별정상금리를 구체적으로 특정할 수 없는 경우에는 지원객체와 그와 특수관계가 없는 독립된 금융기관 사이에 또는 특수관계 없는 독립된 자 사이에 지원주체와 지원객체 사이의 자금거래에 비하여 시기, 종류 내지 거래의 성격 등의 면에서는 동일 또는 유사하지만 기간이나 신용상태 등의 면에서 우위의 조건을 가진 거래행위가 있는 경우 해당 거래에 적용된 금리를 지원주체와 지원객체 간 자금거래에 대한 개별정상금리의 최하한으로 볼 수 있다.

차. 지원주체와 지원객체 간의 자금거래에 적용된 실제적용금리가 개별정상금리보다 상당히 낮거나 높은 것으로 보는 것이 합리적이나 개별정상금리의 구체적 수준을 합리적으로 산정하기 어려운 경우에는 지원성 거래규모를 기준으로 지원금액을 산정한다.

카. 지원주체가 지원객체를 지원하려는 의도하에 제3자를 매개하여 자금거래를 하고 그로 인하여 지원객체에게 실질적으로 경제상 이익을 제공하는 경우의 지원금액은 지원주체가 지원과정에서 부수적으로 제3자에게 지출한 비용을 제외하고 지원객체가 받았거나 받은 것과 동일시할 수 있는 경제상 이익만을 고려하여 산정한다(유가증권 등 자산거래, 부동산 임대차, 상품·용역 거래, 인력제공 등에 의한 지원행위의 경우에도 이를 준용한다).

타. 자금거래에 의한 지원행위가 지원객체에게 상당히 유리한 조건의 거래인지 여부는 실제적용금리와 개별정상금리 또는 일반정상금리 사이의 차이는 물론 지원성 거래규모와 지원행위로 인한 경제상 이익, 지원기간, 지원횟수, 지원시기, 지원행위 당시 지원객체가 처한 경제적 상황 등을 종합적으로 고려하여 구체적·개별적으로 판단한다(유가증권 등 자산거래, 부동산 임대차, 상품·용역거래, 인력제공 등에 의한 지원행위의 상당성 판단에도 이를 준용한다).
   － 다만, 지원주체와 지원객체 간의 자금거래에 의한 실제적용금리와 개별정상금리 또는 일반정상금리와의 차이가 개별정상금리 또는 일반정상금리의 7% 미만으로서 개별 지원행위 또는 일련의 지원행위로 인한 지원금액이 1억 원 미만인 경우에는 지원행위가 성립하지 아니하는 것으로 판단할 수 있다.

2. 유가증권·부동산·무체재산권 등 자산을 거래한 경우

가. 지원주체가 지원객체에게 유가증권·부동산·무체재산권이나 기타 자산(이하 "자산"이라 한다)을 정상적인 거래에서 적용되는 대가보다 상당히 낮거나 높은 대가로

제공 또는 거래하는 행위를 통하여 과다한 경제상 이익을 제공하는 것은 지원행위에 해당한다. 또한 지원주체가 지원객체에게 자산을 상당한 규모로 제공 또는 거래하는 행위를 통하여 과다한 경제상 이익을 제공하는 것은 지원행위에 해당한다.

(예시)

- 지원객체가 발행한 기업어음을 비계열사가 매입한 할인율보다 낮은 할인율로 매입하는 경우 [기업어음 고가매입]
- 지원객체의 신용등급에 적용되는 할인율보다 낮은 할인율을 적용하여 발행한 기업어음을 매입하는 경우 [기업어음 고가매입]
- 지원주체가 제3자 발행의 기업어음을 매입하고 그 제3자로 하여금 그 매출금액의 범위 내에서 지원객체 발행의 기업어음을 지원객체에게 유리한 조건으로 매입하도록 하는 경우 [기업어음 고가매입]
- 역외펀드를 이용하여 지원객체가 발행한 주식을 고가로 매입하거나 기업어음 등을 저리로 매입하는 경우 [주식 또는 기업어음 고가매입]
- 계열투신운용회사가 고객의 신탁재산으로 지원객체의 기업어음이나 회사채를 저리로 매입하는 경우 [기업어음 또는 회사채 고가매입]
- 금융회사의 특정금전신탁에 가입하고 동 금융회사는 동 자금을 이용하여 위탁자의 특수관계인 등이 발행한 기업어음 또는 사모사채를 저리로 인수하는 경우 [기업어음 또는 사모사채 고가매입]
- 특수관계가 없는 독립된 자가 인수하지 않을 정도의 낮은 금리수준으로 발행된 후순위사채를 지원주체가 인수하는 경우 [후순위사채 고가매입]
- 제3자 배정 또는 실권주 인수 등의 방식을 통해 유상증자에 참여하면서 특수관계가 없는 독립된 자가 인수하지 않을 정도의 고가로 발행한 주식을 지분을 전혀 보유하고 있지 않던 지원주체가 인수하는 경우 [주식 고가매입]
- 제3자 배정 또는 실권주 인수 등의 방식을 통해 유상증자에 참여하면서 특수관계가 없는 독립된 자가 인수하지 않을 정도의 고가로 발행한 주식을 기존 주주인 지원주체가 인수하여 증자 후의 지분율이 증자 전의 지분율의 50/100 이상 증가하는 경우(다만, 증자 전 제1대 주주이거나 증자 후 제1대 주주가 되는 주주가 유상증자에 참여한 경우는 제외하며, 의결권이 제한되는 계열 금융사 등은 제1대 주주로 보지 아니함) [주식 고가매입]
- 금융관련 법규위반을 회피하기 위해 금융회사를 통하여 실권주를 높은 가격으로 우

회인수하거나 기타 탈법적인 방법으로 지원주체가 인수하는 경우 [주식 우회인수]
- 전환권행사가 불가능할 정도로 전환가격이 높고, 낮은 이자율로 발행된 전환사채를 지원주체가 직접 또는 제3자를 이용하여 우회 인수하는 경우 [전환사채 고가매입]
- 지원객체가 발행한 전환사채에 관하여 지원주체가 제3자인 대주단에 지원주체 소유의 부동산을 담보로 제공하고 위 전환사채에 관하여 대주단과 총수익스와프 (TRS, Total Return Swap) 계약을 체결하여 대주단으로 하여금 위 전환사채를 인수하도록 하는 경우 [전환사채 고가매입]
- 경영권 방어목적 등 특별한 사유없이 전환권행사로 인해 포기되는 누적이자가 전환될 주식의 시세총액과 총 전환가액의 차액보다도 큼에도 불구하고 지원주체가 전환권을 행사하는 경우 [전환사채 저가주식 전환]
- 시가보다 낮은 가격으로 신주인수권부사채를 발행하여 지원객체에 매각하는 경우 [신주인수권부사채 저가매각]
- 비계열금융회사에 후순위대출을 해주고, 동 금융회사는 지원객체가 발행한 저리의 회사채를 인수하는 경우 [회사채 고가매입]
- 계열금융회사가 지원객체가 보유한 부도난 회사채 및 기업어음 등 유가증권을 고가에 매입하는 경우 [부도 유가증권 고가매입]
- 부동산을 시가에 비하여 저가로 지원객체에 매도하거나, 고가로 지원객체로부터 매수하는 경우 [부동산 저가매도 또는 부동산 고가매수]
- 계열회사가 단독으로 또는 지원객체와 공동으로 연구개발한 결과를 지원객체에 무상양도하여 지원객체가 특허출원을 할 수 있도록 하는 경우 [무체재산권 무상양도]

나. 지원주체와 지원객체 간의 자산 거래에 의한 지원행위 중 위 가.의 전단의 지원행위는 실제 거래가격이 해당 자산 거래와 시기, 종류, 규모, 기간 등이 동일 또는 유사한 상황에서 특수관계가 없는 독립된 자 사이에 이루어졌다면 형성되었을 거래가격에 비하여 상당히 낮거나 높은 경우에 성립한다.

다. 정상가격은 다음의 방법에 따라 순차적으로 산출한다.

1) 해당 거래와 시기, 종류, 규모, 기간 등이 동일한 상황에서 특수관계가 없는 독립된 자 사이에 실제 거래한 사례가 있는 경우 그 거래가격을 정상가격으로 한다.

2) 해당 거래와 동일한 실제사례를 찾을 수 없는 경우에는 ① 먼저 해당 거래와 비교하기에 적합한 유사한 사례를 선정하고, ② 그 사례와 해당 지원행위 사이에 가격에 영향을 미칠 수 있는 거래조건 등의 차이가 존재하는지를 살펴, ③ 그 차이가

있다면 이를 합리적으로 조정하는 과정을 거쳐 정상가격을 산정한다.

   3) 해당 거래와 비교하기에 적합한 유사한 사례도 찾을 수 없다면 부득이 통상의 거래 당사자가 거래 당시의 일반적인 경제 및 경영상황 등을 고려하여 보편적으로 선택하였으리라고 보이는 현실적인 가격을 규명함으로써 정상가격을 산정한다. 이 경우 자산의 종류, 규모, 거래상황 등을 참작하여 국제조세조정에 관한 법률 제5조(정상가격의 산출방법) 및 동법 시행령 제2장(국외특수관계인과의 거래에 대한 과세조정) 또는 상속세 및 증여세법 제4장(재산의 평가) 및 동법 시행령 제4장(재산의 평가)에서 정하는 방법을 참고할 수 있다. 다만, 사업자가 자산거래 과정에서 국제조세조정에 관한 법률 등에 따라 가격을 산정하였다고 하여 그러한 사정만으로 부당한 지원행위에 해당하지 않는 것으로 판단되는 것은 아니다.

라. 지원주체와 지원객체 간의 자산거래에 적용된 실제 거래가격이 정상가격보다 상당히 낮거나 높은 것으로 보는 것이 합리적이나 정상가격의 구체적 수준을 합리적으로 산정하기 어려운 경우에는 지원성 거래규모를 기준으로 지원금액을 산정한다. 다만, 다음과 같이 본 지침에서 지원성 거래규모의 산정방법을 따로 정한 경우에는 그에 따른다.

   1) 후순위사채의 경우 지원주체가 매입한 후순위사채의 액면금액을 지원성 거래규모로 본다.

   2) 유상증자 시 발행된 주식의 경우 지원주체의 주식 매입액을 지원성 거래규모로 본다.

3. 부동산을 임대차한 경우

가. 지원주체가 지원객체에게 부동산을 무상으로 사용하도록 제공하거나, 정상임대료보다 상당히 낮은 임대료로 임대하거나 정상임차료보다 상당히 높은 임차료로 임차하는 행위를 통하여 과다한 경제상 이익을 제공하는 것은 지원행위에 해당한다. 또한 지원주체가 지원객체에게 부동산을 상당한 규모로 임대차하는 행위를 통하여 과다한 경제상 이익을 제공하는 것은 지원행위에 해당한다.

(예시)

- 지원객체에게 공장·매장·사무실을 무상 또는 낮은 임대료로 임대하는 경우 [부동산 저가임대]

- 임대료를 약정납부기한보다 지연하여 수령하면서 지연이자를 받지 않거나 적게 받는 경우 [부동산 저가임대]

- 지원객체로부터 부동산을 임차하면서 고가의 임차료를 지급하는 경우 [부동산 고가임차]
- 지원주체가 지원객체 소유 건물·시설을 이용하면서 특수관계가 없는 독립된 자와 동일하게 이용료를 지불함에도 불구하고 임차보증금 또는 임차료를 추가적으로 지급하는 경우 [부동산 고가임차]

나. 정상임대료는 해당 부동산의 종류, 규모, 위치, 임대시기, 기간 등을 참작하여 유사한 부동산에 대하여 특수관계가 없는 독립된 자 사이에 형성되었을 임대료로 하되, 이를 합리적으로 산정하기 어려운 경우에는 다음 산식에 의한다. 산식을 적용함에 있어 정기예금이자율은 임대인이 정한 이자율이 없거나 정상이자율로 인정하기 어려운 때에는 부가가치세법 시행규칙 제47조에 의한 정기예금이자율을 기준으로 한다(이하 이 지침에서 같다).

$$(부동산\ 정상가격의\ 50/100) \times 임대일수 \times 정기예금이자율/365 = 해당기간의\ 정상임대료$$

다. 임대보증금을 포함하는 임대차계약의 경우에는 임대보증금을 다음 산식에 의하여 환산한 금액을 임대료로 본다.

$$해당기간의\ 임대보증금 \times 임대일수 \times 정기예금이자율/365 = 임대료$$

4. 상품·용역을 거래한 경우

가. 거래대가 차이로 인한 지원행위

1) 지원주체가 지원객체와 상품·용역을 정상적인 거래에서 적용되는 대가보다 상당히 낮거나 높은 대가로 제공 또는 거래하는 행위를 통하여 과다한 경제상 이익을 제공하는 것은 지원행위에 해당한다.

   (예시)
   - 지원객체에 대한 매출채권회수를 지연하거나 상각하여 회수불가능 채권으로 처리하는 경우
   - 외상매출금, 용역대금을 약정기한 내에 회수하지 아니하거나 지연하여 회수하면서 이에 대한 지연이자를 받지 아니하는 경우

- 지원객체가 생산·판매하는 상품을 구매하는 임직원에게 구매대금을 대여하거나 융자금을 알선해 주고 이자의 전부 또는 일부를 임직원소속 계열회사의 자금으로 부담하는 경우
- 지원객체가 운영하는 광고매체에 정상광고단가보다 높은 단가로 광고를 게재하는 방법으로 광고비를 과다 지급하는 경우
- 주택관리업무를 지원객체에게 위탁하면서 해당 월의 위탁수수료 지급일보다 지원객체로부터 받는 해당 월의 임대료 등 정산금의 입금일을 유예해주는 방법으로 지원객체로 하여금 유예된 기간만큼 정산금 운용에 따른 이자 상당의 수익을 얻게 하는 경우
- 지원객체가 지원주체와의 상품·용역 거래를 통하여 지원객체와 비계열회사 간 거래 또는 다른 경쟁사업자들의 거래와 비교하여 상품·용역의 내용·품질 등 거래조건이 유사함에도 높은 매출총이익률을 시현하는 경우

2) 상품·용역 거래에 의한 지원행위 중 거래대가 차이로 인한 지원행위는 실제 거래가격이 해당 상품·용역 거래와 시기, 종류, 규모, 기간 등이 동일 또는 유사한 상황에서 특수관계가 없는 독립된 자 사이에 이루어졌다면 형성되었을 거래가격에 비하여 상당히 낮거나 높은 경우에 성립한다.

3) 정상가격의 산정은 III. 2. 다.에서 정한 순서와 방법을 준용한다.

4) 지원주체가 지원객체를 거래단계에 추가하거나 거쳐서 거래함에 있어 지원주체 또는 지원주체와 유사한 사업을 영위하는 사업자가 통상적으로 다른 사업자와 직접 거래하는 것이 일반적인 관행인 경우에는 지원주체가 특수관계에 있는 지원객체를 배제한 채 다른 사업자와 직거래를 했을 경우 형성되었을 가격을 정상가격으로 볼 수 있다. 다만, 계열회사1(지원주체) - 계열회사2(지원객체) - 계열회사3의 거래구조에서는 계열회사1 또는 계열회사1과 유사한 사업을 영위하는 사업자가 통상적으로 계열회사 또는 다른 사업자와 직접 거래하는 것이 일반적인 관행인 경우에 계열회사1이 특수관계에 있는 계열회사2를 배제한 채 계열회사2의 거래상대방인 계열회사3과 직거래를 했을 경우 형성되었을 가격을 정상가격으로 볼 수 있다.

5) 지원주체와 지원객체 간의 상품·용역 거래에 적용된 실제 거래가격이 정상가격보다 상당히 낮거나 높은 것으로 보는 것이 합리적이나 정상가격의 구체적 수준을 합리적으로 산정하기 어려운 경우에는 지원성 거래규모를 기준으로 지원금액을

산정한다.

나. 상당한 규모에 의한 지원행위

　　1) 지원주체가 지원객체와 상품·용역을 상당한 규모로 제공 또는 거래하는 행위를 통하여 과다한 경제상 이익을 제공하는 것은 지원행위에 해당한다.

　　　(예시)

　　　－지원주체가 지원객체에게 각종 물류업무를 비경쟁적인 사업양수도 또는 수의계약의 방식을 통하여 유리한 조건으로 대부분 몰아주는 경우

　　2) 상당한 규모의 거래로 인하여 과다한 경제상 이익을 제공한 것인지 여부는 지원성 거래규모 및 급부와 반대급부의 차이, 지원행위로 인한 경제상 이익, 지원기간, 지원횟수, 지원시기, 지원행위 당시 지원객체가 처한 경제적 상황, 지원객체가 속한 시장의 구조와 특성, 여타 경쟁사업자의 경쟁능력 등을 종합적으로 고려하여 구체적·개별적으로 판단한다.

　　3) 상당한 규모에 의한 지원행위 여부는 다음과 같은 사항을 고려하여 판단할 수 있다.

　　　가) 거래대상의 특성상 지원객체에게 거래물량으로 인한 규모의 경제 등 비용절감효과가 있음에도 불구하고, 동 비용 절감효과가 지원객체에게 과도하게 귀속되는지 여부

　　　나) 지원주체와 지원객체 간의 거래물량만으로 지원객체의 사업개시 또는 사업유지를 위한 최소한의 물량을 초과할 정도의 거래규모가 확보되는 등 지원객체의 사업위험이 제거되는지 여부

　　4) 위 3)에 의하여 지원행위 여부를 판단할 때에는 해당 지원객체와의 거래에 고유한 특성에 의하여 지원주체에게 비용절감, 품질개선 등 효율성 증대효과가 발생하였는지 여부 등 해당 행위에 정당한 이유가 있는지 여부를 고려하여야 한다.

5. 인력을 제공한 경우

가. 지원주체가 지원객체와 인력을 정상적인 거래에서 적용되는 대가보다 상당히 낮거나 높은 대가로 제공 또는 거래하는 행위를 통하여 과다한 경제상 이익을 제공하는 것은 지원행위에 해당한다. 또한 지원주체가 지원객체와 인력을 상당한 규모로 제공 또는 거래하는 행위를 통하여 과다한 경제상 이익을 제공하는 것은 지원행위에 해당한다.

　　(예시)

　　－업무지원을 위해 인력을 제공한 후 인건비는 지원주체가 부담하는 경우

- 인력파견계약을 체결하고 인력을 제공하면서 지원주체가 퇴직충당금 등 인건비의 전부 또는 일부를 미회수하는 경우
- 지원객체의 업무를 전적으로 수행하는 인력을 지원주체 회사의 고문 등으로 위촉하여 지원주체가 수당이나 급여를 지급하는 경우
- 지원주체가 자신의 소속 인력을 지원객체에 전적·파견시키고 급여의 일부를 대신 부담하는 경우

나. 인력 지원행위 중 위 가.의 전단의 지원행위는 지원객체가 지원주체 또는 해당 인력에 대하여 지급하는 일체의 급여·수당 등("실제지급급여"라 한다)이 해당 인력이 근로제공의 대가로서 지원주체와 지원객체로부터 지급받는 일체의 급여·수당 등(이하 "정상급여"라 한다)보다 상당히 적은 때에 성립한다.

다. 해당 인력이 지원객체와 지원주체 양자에게 근로제공을 하고 있는 경우에는 그 양자에 대한 근로제공 및 대가지급의 구분관계가 합리적이고 명확한 때에는 해당 인력이 지원객체와 지원주체로부터 지급받는 일체의 급여·수당 등의 금액에서 해당 인력의 지원주체에 대한 근로제공의 대가를 차감한 금액을 위의 정상급여로 간주한다. 그 구분관계가 합리적이지 아니하거나 명확하지 아니한 때에는 해당 인력이 지원객체와 지원주체로부터 지급받는 일체의 급여·수당 등에서 지원객체와 지원주체의 해당 사업연도 매출액 총액 중 지원객체의 매출액이 차지하는 비율에 의한 분담금액을 위의 정상급여로 간주한다. 다만, 인력제공과 관련된 사업의 구분이 가능한 경우에는 그 사업과 관련된 매출액을 지원객체와 지원주체의 매출액으로 할 수 있다.

6. 거래단계를 추가하거나 거쳐서 거래한 경우

가. 지원주체가 다른 사업자와 상품이나 용역을 거래하면 상당히 유리함에도 불구하고 거래상 역할이 없거나 미미한 지원객체를 거래단계에 추가하거나 거쳐서 거래하는 행위를 통하여 과다한 경제상 이익을 제공하는 것은 지원행위에 해당한다. 또한 거래상 지원객체의 역할이 있다고 하더라도 그 역할에 비하여 과도한 대가를 지원객체에게 지급하는 행위를 통하여 과다한 경제상 이익을 제공하는 것도 지원행위에 해당한다.
(예시)
- 통상적인 직거래관행 및 기존의 거래형태와 달리, 지원객체를 통해 제품을 간접적으로 구매하면서 실제 거래에 있어 지원객체의 역할을 지원주체가 수행하거나 지원주체와 지원객체의 역할이 중복되는 등 지원객체가 거래에 있어 실질적인 역할

을 하지 않는 경우

– 지원주체가 직접 공급사로부터 제품을 구매하는 것이 상당히 유리함에도 불구하고 거래상 실질적인 역할이 없는 지원객체를 중간 유통단계로 하여 간접 구매하는 경우

– 지원주체가 자신에게 제품을 납품하는 회사로 하여금 제품생산에 필요한 중간재를 거래상 실질적인 역할이 없는 지원객체를 거쳐 구매하도록 하는 경우

나. 거래단계 추가 등에 의한 지원행위 여부 판단 시에는 다음과 같은 사항을 고려할 수 있다.

1) 지원주체가 지원객체를 거래단계에 추가하거나 거쳐서 거래하기로 결정함에 있어 통상적으로 행하는 필요최소한의 분석·검증 작업을 거치지 않는 등 정상적인 경영판단에 따른 결과로 보기 어려운 경우에 해당하는지 여부

2) 통상적인 거래관행이나 지원주체의 과거 거래행태상 이례적인지 여부

3) 불필요한 거래단계를 추가하는 것이어서 지원주체에게 불리한 조건의 거래방식인지 여부

4) 지원주체가 역할이 미미한 지원객체를 거래단계에 추가하거나 거쳐서 거래함으로써 지원객체에게 불필요한 유통비용을 추가적으로 지불한 것으로 볼 수 있는 지 여부

5) 지원주체가 지원객체를 거치지 않고 다른 사업자와 직접 거래할 경우 지원객체를 거쳐서 거래하는 것보다 더 낮은 가격으로 거래하는 것이 가능한지 여부

Ⅳ. 부당성 판단기준

1. 부당성 판단의 기본원칙

가. 지원행위에 대한 부당성은 원칙적으로 지원주체와 지원객체의 관계, 지원행위의 목적과 의도, 지원객체가 속한 시장의 구조와 특성, 지원성거래규모와 지원행위로 인한 경제상 이익, 지원기간, 지원횟수, 지원시기, 지원행위 당시 지원객체의 경제적 상황, 중소기업 및 여타 경쟁사업자의 경쟁능력과 경쟁여건의 변화 정도, 지원행위 전후의 지원객체의 시장점유율 추이 및 신용등급의 변화 정도, 시장개방의 정도 등을 종합적으로 고려하여 해당 지원행위로 인하여 지원객체가 직접 또는 간접적으로 속한 시장 (따라서 지원객체가 일정한 거래분야에서 시장에 직접 참여하고 있는 사업자일 필요는 없다)에서 경쟁이 저해되거나 경제력 집중이 야기되는 등으로 공정한 거래를 저

해할 우려가 있는지 여부에 따라 판단한다. 이러한 지원행위의 부당성은 공정한 거래 질서라는 관점에서 판단되어야 하며, 지원행위에 단순한 사업경영상의 필요 또는 거래상의 합리성 내지 필요성이 있다는 사유만으로는 부당성이 부정되지 아니한다.

나. 사업자가 아닌 특수관계인에 대한 지원행위의 부당성은 특수관계인이 해당 지원행위로 얻은 경제상 급부를 계열회사 등에 투자하는 등으로 인하여 지원객체가 직접 또는 간접적으로 속한 시장에서 경쟁이 저해되거나 경제력 집중이 야기되는 등으로 공정한 거래를 저해할 우려가 있는지 여부에 따라 판단한다.

다. 공정한 거래를 저해할 우려는 공정한 거래를 저해하는 효과가 실제로 구체적인 형태로 나타나는 경우뿐만 아니라 나타날 가능성이 큰 경우를 의미하며, 현재는 그 효과가 없거나 미미하더라도 미래에 발생할 가능성이 큰 경우를 포함한다.

2. 부당한 지원행위에 해당하는 경우

가. 지원객체가 해당 지원행위로 인하여 일정한 거래분야에 있어서 유력한 사업자의 지위를 형성·유지 또는 강화할 우려가 있는 경우

(예시)

- 중소기업들이 합하여 1/2 이상의 시장점유율을 갖는 시장에 참여하는 계열회사에 대하여 동일한 기업집단에 속하는 회사들이 정당한 이유없이 자금·자산·상품·용역·인력 지원행위를 하여 해당 계열회사가 시장점유율 5% 이상이 되거나 시장점유율 기준 3위 이내의 사업자에 들어가게 되는 경우

나. 지원객체가 속하는 일정한 거래분야에 있어서 해당 지원행위로 인하여 경쟁사업자가 배제될 우려가 있는 경우

(예시)

- 지원객체가 지원받은 경제상 이익으로 해당 상품 또는 용역의 가격을 경쟁사업자보다 상당기간 낮게 설정하여 경쟁사업자가 해당 시장에서 탈락할 우려가 있는 경우
- 기업집단 내 계열사 간 거래가 이루어지는 분야에서 기업집단 외부의 경쟁사업자(잠재적 경쟁사업자 포함)가 진입하기 힘들어 지원주체의 지원행위로 지원객체가 자신의 경쟁력과 무관하게 별다른 위험부담 없이 안정적인 사업활동을 영위함으로써 사업기반이 공고하게 되는 반면, 해당 기업집단 외부의 다른 경쟁사업자들은 지원주체와 같은 대형 거래처와 거래할 기회가 봉쇄되는 경우

다. 지원객체가 해당 지원행위로 인하여 경쟁사업자에 비하여 경쟁조건이 상당히 유리하
   게 되는 경우

   (예시)

   - 지원객체가 해당 지원행위로 인하여 자금력, 기술력, 판매력, 제품이미지 개선 등
     사업능력이 증대되어 사업활동을 영위함에 있어서 경쟁사업자에 비하여 유리하게
     되는 경우

   - 지원주체의 지원행위를 통해 지원객체가 사업기반을 강화시킴과 동시에 재무상태
     를 안정적으로 유지·강화하게 되는 경우

라. 지원객체가 속하는 일정한 거래분야에 있어서 해당 지원행위로 인하여 지원객체의
   퇴출이나 타사업자의 신규진입이 저해되는 경우

   (예시)

   - 대규모기업집단 소속회사가 자기의 계열회사에 대하여 지원행위를 함으로써 해당
     계열회사가 속하는 일정한 거래분야에 있어서 신규진입이나 퇴출이 어려워지게 되
     는 경우

마. 관련법령을 면탈 또는 회피하는 등 불공정한 방법, 경쟁수단 또는 절차를 통해 지원
   행위가 이루어지고, 해당 지원행위로 인하여 지원객체가 속하는 일정한 거래분야에
   서 경쟁이 저해되거나 경제력 집중이 야기되는 등으로 공정한 거래가 저해될 우려가
   있는 경우

   (예시)

   - 증권회사가 「유가증권인수업무규정」상 계열증권사의 회사채인수 금지규정을 면탈
     하기 위해 다른 증권사를 주간사회사로 내세우고 자신은 하인수회사가 되어 수수
     료를 받는 방법으로 경제상 이익을 얻고 이로 인하여 다른 증권회사와의 공정하고
     자유로운 경쟁을 저해한 경우

3. 부당한 지원행위에 해당하지 않는 경우

가. 대규모기업집단 계열회사가 기업구조조정을 하는 과정에서 구조조정 대상회사나 사
   업부문에 대하여 손실분담을 위해 불가피한 범위 내에서 지원하는 경우

   (예시)

   - 지원객체에 대하여 기존에 채무보증을 하고 있는 계열회사가 그 채무보증금액의
     범위 내에서 지원객체의 채무를 인수하는 경우

　　　－지원객체에 대하여 기존에 지분을 보유하고 있는 계열회사가 지분비율에 따라 지
　　　원객체가 실시하는 유상증자에 참여하는 경우

나. 대·중소기업 상생협력 촉진에 관한 법률에 의하여 위탁기업체가 사전에 공개되고
　　합리적이고 비차별적인 기준에 따라 수탁기업체(계열회사 제외)를 지원하는 경우

다. 기업구조조정과정에서 일부사업부문을 임직원 출자형태로 분사화하여 설립한 중소
　　기업기본법상의 중소기업에 대하여 해당회사 설립일로부터 3년 이내의 기간동안 자
　　생력 배양을 위하여 지원하는 것으로서 다른 중소기업의 기존거래관계에 영향이 적
　　은 경우

　　(예시)

　　　－소요부품을 자체 생산하던 사업부문을 분사화한 회사에 대한 지원으로서, 분사화
　　　된 회사와 경쟁관계에 있는 다른 중소기업의 기존거래선을 잠식하지 않는 경우
　　　－제품을 생산하여 다른 회사에 공급하던 사업부문을 분사화한 회사에 대한 지원으
　　　로서, 분사화된 회사가 기존거래선과의 공급관계만을 계속하여 유지하는 경우
　　　－생산한 제품의 대부분(예: 70% 이상)을 수출하던 사업부문을 분사화한 회사에 대
　　　한 지원으로서, 분사화된 회사가 제품의 대부분을 계속하여 수출하는 경우

라. 정부투자기관·정부출자기관이 공기업 민영화 및 경영개선계획에 따라 일부 사업부
　　문을 분사화하여 설립한 회사에 대하여 분사 이전의 시설투자자금 상환·연구기술인
　　력 활용 및 분사후 분할된 자산의 활용 등과 관련하여 1년 이내의 기간동안 자생력
　　배양을 위하여 불가피하게 지원하는 경우로서 기존 기업의 거래관계에 영향이 적은
　　경우

마. 금융지주회사법에 의한 완전지주회사가 완전자회사에게 자신의 조달금리 이상으로
　　자금지원을 하는 경우

바. 개별 지원행위 또는 일련의 지원행위로 인한 지원금액이 5천만 원 이하로서 공정거
　　래저해성이 크지 않다고 판단되는 경우

사. 「장애인고용촉진 및 직업재활법」 제28조 제1항에 따른 장애인 고용의무가 있는 사업
　　주가 같은 법 제2조 제8호에 해당되는 장애인 표준사업장의 발행주식 총수 또는 출자
　　총액의 50%를 초과 소유하여 실질적으로 지배하고 있는 장애인 표준사업장에 대하
　　여 자생력 배양을 위하여 합리적인 범위내에서 지원하는 경우

아. 「사회적 기업 육성법」 제7조에 따라 고용노동부장관의 인증을 받은 사회적 기업의
　　제품을 우선 구매하거나, 사회적 기업에게 각종 용역을 위탁하거나, 사회적 기업에게

시설·설비를 무상 또는 상당히 유리한 조건으로 임대하는 등의 방법으로 지원하는 경우

Ⅴ. 보칙(삭제)

Ⅵ. 재검토기한

공정거래위원회는 「훈령·예규 등의 발령 및 관리에 관한 규정」에 따라 이 예규에 대하여 2021년 1월 1일 기준으로 매 3년이 되는 시점(매 3년째의 12월 31일까지를 말한다)마다 그 타당성을 검토하여 개선 등의 조치를 하여야 한다.

부칙 〈제355호, 2020. 9. 10.〉

이 지침은 2020년 9월 10일부터 시행한다.

특수관계인에 대한 부당한 이익제공행위 심사지침

[시행 2020. 2. 25.] [공정거래위원회 예규 제341호, 2020. 2. 25., 제정]

I. 목적

이 심사지침은 독점규제 및 공정거래에 관한 법률(이하 "법"이라 한다) 제23조의2(특수관계인에 대한 부당한 이익제공 등 금지) 및 동법 시행령(이하 "시행령"이라 한다) 제38조(특수관계인에 대한 부당한 이익제공 등 금지), [별표 1의3] '특수관계인에게 부당한 이익을 귀속시키는 행위의 유형 또는 기준(제38조 제3항 관련)'과 [별표 1의4] '법 제23조의2 제1항 제4호를 적용하지 아니하는 거래(제38조 제4항 관련)' 규정의 운영과 관련하여 객관적이고 구체적인 심사기준을 마련하는데 그 목적이 있다.

이 심사지침은 사업자의 활동 중에서 공통적이고 대표적인 사항을 중심으로 작성한 것이므로 이 심사지침에 명시적으로 열거되지 않은 사항이라고 해서 반드시 특수관계인에 대한 부당한 이익제공행위에 해당하지 않는 것은 아니다.

II. 용어의 정의

1. "제공주체"라 함은 법 제23조의2(특수관계인에 대한 부당한 이익제공 등 금지) 제1항 각 호의 어느 하나에 해당하는 행위를 통하여 특수관계인에게 부당한 이익을 귀속시키는 행위를 한 자로서 동일인이 자연인인 공시대상기업집단에 속하는 회사를 말한다.

2. "공시대상기업집단"이라 함은 시행령 제21조(공시대상기업집단 및 상호출자제한기업집단의 지정 등) 제1항의 규정에 따라 산정한 자산총액이 5조 원 이상인 기업집단으로서 공정거래위원회가 법 제14조(상호출자제한기업집단 등의 지정 등) 제1항에 따라 지정한 기업집단을 말한다.

3. "특수관계인"이라 함은 공시대상기업집단에 속하는 회사를 지배하는 동일인 및 시행령 제3조(기업집단의 범위) 제1호 가목에 해당하는 친족(배우자, 6촌 이내의 혈족 및 4촌 이내의 인척)을 말한다. 다만, 시행령 제3조의2(기업집단으로부터의 제외) 제1항에 따라 동일인 관련자로부터 분리된 자는 동일인의 친족에서 제외한다.

4. "특수관계인 회사"라 함은 법 제2조(정의) 제3호의 규정에 따른 제공주체의 계열회사 중에서 시행령 제38조(특수관계인에 대한 부당한 이익제공 등 금지) 제2항의 규정에 따라 동일인이 단독으로 또는 동일인의 친족과 합하여 발행주식 총수의 100분의 30 (주권상장법인이 아닌 회사의 경우에는 100분의 20) 이상을 소유하고 있는 계열회사 를 말한다.

5. "제공객체"라 함은 특수관계인 또는 특수관계인 회사로서 이익제공행위의 상대방을 말한다.

6. "이익제공행위"라 함은 제공주체가 제공객체와 법 제23조의2(특수관계인에 대한 부당한 이익제공 등 금지) 제1항 각 호에서 정한 i) 상당히 유리한 조건의 거래, ii) 사업 기회의 제공, iii) 현금, 그 밖의 금융상품의 상당히 유리한 조건의 거래, iv) 합리적 고려나 비교 없는 상당한 규모의 거래를 통하여 직접 또는 간접으로 특수관계인에게 이익을 귀속시키는 행위를 말한다.

Ⅲ. 법령상 요건의 충족여부 판단

1. 규정의 적용

가. 법 제23조의2(특수관계인에 대한 부당한 이익제공 등 금지)는 회사가 법 제14조(상 호출자제한기업집단 등의 지정 등) 제1항 후단에 따른 공시대상기업집단 지정 통지 를 받거나 법 제14조의2(계열회사의 편입 및 제외 등) 제1항에 따른 계열회사 편입 통지를 받은 날부터 적용한다. 다만, 회사가 법 제14조의3(계열회사의 편입·통지일 의 의제)에 따라 공시대상기업집단의 소속회사로 편입·통지된 것으로 보는 경우에 는 시행령 제21조(공시대상기업집단 및 상호출자제한기업집단의 지정 등) 제8항에 서 정한 의제일부터 적용한다.

나. 법 제23조의2는 회사가 시행령 제21조(공시대상기업집단 및 상호출자제한기업집단 의 지정 등) 제9항에 따른 공시대상기업집단 지정 제외 통지를 받거나 법 제14조의2 제1항에 따른 계열제외 통지를 받은 날부터 적용하지 아니한다.

다. 법 제23조의2 규정의 최초 시행(2014. 2. 14) 당시 계속 중인 거래에 대해서는 위 시 행일로부터 1년간은 적용하지 아니한다(2013. 8. 13. 개정 법률 제12095호 부칙 제2조 제2항). 위 규정의 최초 시행 당시 계속 중인 거래로서 위 시행일로부터 1년이 지난 후에 종료되는 거래의 경우 2015. 2. 14.부터 거래종료 시까지의 행위에 대해서 위 규정을 적용한다.

2. 제공주체

가. 특수관계인에 대한 부당한 이익제공행위의 제공주체는 공시대상기업집단(동일인이 자연인인 기업집단으로 한정한다)에 속하는 회사이어야 한다.

나. 제공주체가 공시대상기업집단에 속하는 회사에 해당하는지 여부의 판단 시점은 해당 이익제공행위 당시를 기준으로 한다.

3. 제공객체

가. 제공객체에는 특수관계인 및 특수관계인 회사가 포함된다.

나. 특수관계인 회사는 동일인이 단독으로 또는 동일인의 친족(친족이 수인인 경우 수인 의 친족의 지분을 모두 합산한다. 이하 같다)과 합하여 지분을 보유한 경우로서 상장 회사의 경우 30% 이상, 비상장 회사의 경우 20% 이상이 되어야 한다. 특수관계인의 지분보유비율을 계산함에 있어서는 보통주, 우선주, 자사주, 상환주식, 전환주식, 무 의결권주식 등 주식의 종류 및 의결권 제한 여부를 불문하고 계열회사가 발행한 모든 주식을 기준으로 계산한다.

다. 여기서의 지분이란 직접 보유한 지분만을 의미하고, 2단계 이상의 소유관계를 통해 간접적으로 영향력을 행사하는 지분은 포함하지 아니한다.

(예시)

– 계열회사인 A회사에 대한 특수관계인의 지분 보유비율이 30%이고, B회사가 A회 사의 100% 자회사인 경우, B회사는 특수관계인이 지분을 보유한 계열회사에 해당 하지 아니한다.

라. 지분의 보유 여부는 법 제7조의2(주식의 취득 또는 소유의 기준)에 따라 소유 명의와 관계없이 실질적인 소유관계를 기준으로 한다. 따라서 차명주식, 우회보유 등의 형태 를 취하더라도 특수관계인이 그 지분에 대한 실질적인 소유자인 경우에는 특수관계 인이 보유한 지분에 해당한다.

마. 동일인의 친족과 합하여 지분을 보유한 경우라 함은 동일인과 동일인의 친족이 함께 지분을 보유하고 있는 경우와 동일인만 지분을 보유하고 있는 경우, 동일인의 친족만 지분을 보유하고 있는 경우를 모두 포함한다.

바. 시행령 제3조의2(기업집단으로부터의 제외) 제1항에 따라 동일인 관련자로부터 분

리된 자는 동일인의 친족의 범위에서 제외된다. 이에 따라, 동일인의 6촌 이내의 혈족 또는 4촌 이내의 인척이라 하더라도 공정거래위원회로부터 기업집단에서 분리된 것으로 인정받은 경우에는 지분율 산정에서 제외된 것으로 본다.

사. 제공객체에 해당하는지 여부의 판단 시점은 해당 이익제공행위 당시를 기준으로 한다.

4. 이익제공행위

가. 이익제공행위는 제공주체와 제공객체 사이의 행위를 통하여 이루어진다.

나. 이익제공행위는 제공주체와 제공객체 사이에서 직접 또는 간접적인 방법으로 이루어질 수 있다. 따라서 제공주체와 제공객체 사이의 직접적이고 현실적인 상품거래나 자금 거래행위라는 형식을 회피하기 위한 방편으로 제3자를 매개하여 상품거래나 자금 거래행위가 이루어지고 그로 인하여 특수관계인에게 실질적으로 경제상 이익이 직접 또는 간접적으로 귀속되는 경우 제3자를 매개로 한 간접거래도 이익제공행위의 범위에 포함된다.

(예시)

- 제공주체가 제3자 발행의 기업어음을 매입하고 그 제3자로 하여금 제공주체의 매입행위와 동일 또는 유사한 시점에 그 매출금액의 범위 내에서 제공객체 발행의 기업어음을 제공객체에게 상당히 유리한 조건으로 매입하도록 함으로써 제3자를 매개로 하여 우회적으로 제공객체에 이익을 제공하는 행위
- 제공주체가 제3자인 은행에 정기예금을 예치한 다음 이를 다시 제공객체에 대한 대출금의 담보로 제공함으로써 제공객체로 하여금 은행으로부터 낮은 이자율로 금원을 대출받도록 경제상 이익을 제공하는 행위
- 제공객체가 발행한 전환사채에 관하여 제공주체가 제3자인 대주단에 제공주체 소유의 부동산을 담보로 제공하고 위 전환사채에 관하여 대주단과 TRS(Total Return Swap) 계약을 체결하여 대주단으로 하여금 위 전환사채를 인수하도록 함으로써 우회적으로 경제상 이익을 제공하는 행위

Ⅳ. 이익제공행위에 관한 구체적 검토

1. 상당히 유리한 조건의 거래

가. 판단기준

1) 상당히 유리한 조건이라 함은 정상적인 거래에서 적용되는 대가보다 사회통념이

나 거래관념상 일반인의 인식의 범위를 넘어서는 유리한 조건의 거래를 말하고, 현저히 유리한 정도에 미치지 못하여도 상당히 유리한 조건에는 해당할 수 있다.

2) 제공주체가 직접 제공객체와 상당히 유리한 조건의 거래를 하는 경우는 물론이고, 제공주체가 제3자를 매개하여 제공객체와 상당히 유리한 조건의 거래를 하고 그로 인하여 특수관계인에게 부당한 이익이 귀속되는 경우에도 부당한 이익제공행위에 해당한다.

3) 상당히 유리한 조건인지 여부는 급부와 반대급부 사이의 차이는 물론 거래규모와 이익제공행위로 인한 경제상 이익, 제공기간, 제공횟수, 제공시기, 제공행위 당시 제공객체가 처한 경제적 상황 등을 종합적으로 고려하여 구체적·개별적으로 판단한다.

나. 상당히 유리한 조건의 자금 거래

1) 상당히 유리한 조건의 자금 거래는 제공주체가 제공객체와 가지급금 또는 대여금 등 자금을 정상적인 거래에서 적용되는 대가보다 상당히 낮거나 높은 대가로 제공하거나 거래하는 행위를 말한다. 상당히 유리한 조건의 자금 거래는 회계처리상 계정과목을 가지급금 또는 대여금으로 분류하고 있는 경우에 국한하지 아니하고, 제공주체가 제공객체의 금융상 편의를 위하여 직접 또는 간접으로 자금을 이용할 수 있도록 경제상 이익을 제공하는 일체의 행위를 말한다.

(예시)

- 제공주체가 제공객체의 금융회사로부터의 차입금리보다 저리로 자금을 대여한 경우
- 계열금융회사에게 콜자금을 시중 콜금리보다 저리로 대여한 경우
- 계열투신운용회사가 고객의 신탁재산으로 제공객체에게 저리의 콜자금 등을 제공한 경우
- 상품·용역 거래와 무관하게「선급금 명목으로」제공객체에게 무이자 또는 저리로 자금을 제공한 경우
- 계열금융회사가 특수관계가 없는 독립된 자의 예탁금에 적용하는 금리보다 낮은 금리로 계열금융회사에 자금을 예치한 경우
- 단체퇴직보험을 금융회사에 예치하고 이를 담보로 제공객체에게 저리로 대출하도록 한 경우
- 계열금융회사가 제공객체에게 대여한 대여금의 약정 연체이자율을 적용하지 않

고 일반 대출이자율을 적용하여 연체이자를 수령한 경우

-주식매입을 하지 않으면서 증권예탁금 명목으로 계열증권회사에 일정기간 자금을 저리로 예탁한 경우

-보유하고 있는 제공객체 발행주식에 대한 배당금을 정당한 사유없이 수령하지 않거나 수령을 태만히 한 경우

-제공객체 소유 부동산에 대해 장기로 매매계약을 체결하고 계약금 및 중도금을 지급한 뒤 잔금지급전 계약을 파기하여 계약금 및 중도금 상당액을 변칙 제공한 경우

2) 상당히 유리한 조건의 자금 거래는 실제 적용된 금리(이하 "실제적용금리"라 한다)가 해당 자금 거래와 시기, 종류, 규모, 기간, 신용상태 등의 면에서 유사한 상황에서 해당 제공객체와 그와 특수관계가 없는 독립된 금융기관간에 제공주체의 이익제공 없이 자금 거래가 이루어졌다면 적용될 금리(이하 "개별정상금리"라 한다)보다 낮거나 높은 경우에 성립한다.

3) 개별정상금리는 원칙적으로 아래의 방법으로 산출한 금리 중 순차적으로 우선 산출가능한 금리를 말한다.

가) 제공객체가 제공받은 방법과 동일한 수단을 통해 동일한 시점에 독립적인 방법으로 차입한 금리

나) 제공객체가 제공을 받은 방법과 동일한 수단을 통해 유사한 시점에 독립적인 방법으로 차입한 금리. 여기서 유사한 시점이란 사안별로 이익제공 규모, 제공시점의 금리변동의 속도 등을 종합적으로 고려하여 결정하되, 해당일 직전·직후 또는 전후의 3개월 이내의 기간을 말한다. 다만, 유사한 시점에 독립적인 방법으로 차입한 금리는 없으나 그 이전에 변동금리 조건으로 차입한 자금이 있는 경우에는 제공받은 시점에 제공객체에게 적용되고 있는 그 변동금리를 유사한 시점에 차입한 금리로 본다.

다) 신용평가기관에 의한 신용등급 등에 비추어 신용상태가 제공객체와 유사하다고 인정할 수 있는 회사가 해당방법과 동일한 수단을 이용하여 동일한 시점에 독립적인 방법으로 차입한 금리

라) 제공객체가 제공받은 방법과 유사한 수단을 통해 동일 또는 유사한 시점에 독립적인 방법으로 차입한 금리. 여기서 유사한 수단이란 사안별로 차입기간, 금액, 장단기 금리수준 등을 종합적으로 고려하여 유사하다고 인정할 수 있는

수단을 말한다.

마) 제공객체가 동일 또는 유사한 시점에 다른 수단으로 차입한 경우에는 그 금리

4) 공사대금 미회수, 기간이 특정되어지지 않은 단순대여금 등 이익제공 시점에 만기를 정하지 않은 경우에는 제공객체의 월별평균차입금리를 개별정상금리로 본다. 여기서 월별평균차입금리는 제공객체가 해당 월에 독립적으로 차입한 자금의 규모를 가중하여 산정한 금리를 말한다.

5) 다만, 상기 원칙에 따라 정해진 금리를 개별정상금리로 볼 수 없거나, 적용순서를 달리할 특별한 사유가 있다고 인정될 경우, 또는 제공주체의 차입금리가 제공객체의 차입금리보다 높은 경우 등 다른 금리를 개별정상금리로 보아야 할 특별한 사유가 있는 경우에는 그 금리를 개별정상금리로 본다.

6) 개별정상금리를 위에서 규정된 방법에 의해 산정하기 어렵고, 또한 제공객체의 재무구조, 신용상태, 차입방법 등을 감안할 때 개별정상금리가 한국은행이 발표하는 예금은행의 가중평균 당좌대출금리(이하 "일반정상금리"라 한다)를 하회하지 않을 것으로 보는 것이 합리적인 경우에는 해당 자금 거래의 실제적용금리와 일반정상금리를 비교하여 상당히 유리한 조건의 자금 거래 여부를 판단한다.

7) 전항의 규정에도 불구하고, 제공객체의 재무구조, 신용상태, 차입방법 등을 감안할 때 제공객체의 개별정상금리가 일반정상금리보다 높은 수준인 것으로 보는 것이 합리적인 상황에서 일반정상금리 수준으로 상당한 규모의 자금 거래를 하는 것은 상당히 유리한 조건의 자금 거래에 해당한다.

다. 상당히 유리한 조건의 자산 · 상품 · 용역 거래

1) 상당히 유리한 조건의 자산 · 상품 · 용역 거래는 제공주체가 제공객체와 부동산 · 유가증권 · 무체재산권 등 자산 또는 상품 · 용역을 정상적인 거래에서 적용되는 대가보다 상당히 낮거나 높은 대가로 제공하거나 거래하는 행위를 말한다.

(예시)

- 제공객체에게 공장 · 매장 · 사무실을 무상 또는 낮은 임대료로 임대한 경우 [부동산 저가임대]

- 제공객체로부터 부동산을 임차하면서 고가의 임차료를 지급한 경우 [부동산 고가임차]

- 부동산을 시가에 비하여 저가로 제공객체에 매도하거나, 고가로 제공객체로부터 매수한 경우 [부동산 저가매도 또는 부동산 고가매수]

- 제공객체가 발행한 기업어음을 비계열사가 매입한 할인율보다 낮은 할인율로 매입한 경우 [기업어음 고가매입]
- 제공객체의 신용등급에 적용되는 할인율보다 낮은 할인율을 적용하여 발행한 기업어음을 매입한 경우 [기업어음 고가매입]
- 역외펀드를 이용하여 제공객체가 발행한 주식을 고가로 매입하거나 기업어음 등을 저리로 매입한 경우 [기업어음 또는 주식 고가매입]
- 계열투신운용회사가 고객의 신탁재산으로 제공객체의 기업어음이나 회사채를 저리로 매입한 경우 [기업어음 또는 회사채 고가매입]
- 금융회사의 특정금전신탁에 가입하고 동 금융회사는 동 자금을 이용하여 제공 객체가 발행한 기업어음 또는 사모사채를 저리로 인수한 경우 [기업어음 또는 사모사채 고가매입]
- 특수관계가 없는 독립된 자가 인수하지 않을 정도의 낮은 금리수준으로 발행된 후순위사채를 제공주체가 인수한 경우 [후순위사채 고가매입]
- 제3자 배정 또는 실권주 인수 등의 방식을 통해 유상증자에 참여하면서 특수관 계가 없는 독립된 자가 인수하지 않을 정도의 고가로 발행한 주식을 지분을 전 혀 보유하고 있지 않던 제공주체가 인수한 경우 [주식 고가매입]
- 제3자 배정 또는 실권주 인수 등의 방식을 통해 유상증자에 참여하면서 특수관 계가 없는 독립된 자가 인수하지 않을 정도의 고가로 발행한 주식을 기존 주주 인 제공주체가 인수하여 증자 후의 지분율이 증자 전의 지분율의 50/100 이상 증가한 경우(다만, 증자 전 제1대 주주이거나 증자 후 제1대 주주가 되는 주주 가 유상증자에 참여한 경우는 제외하며, 의결권이 제한되는 계열 금융사 등은 제1대 주주로 보지 아니함) [주식 고가매입]
- 금융관련 법규위반을 회피하기 위해 금융회사를 통하여 실권주를 상당히 높은 가격으로 우회인수하거나 기타 탈법적인 방법으로 제공주체가 인수한 경우 [주 식 우회인수]
- 전환권행사가 불가능할 정도로 전환가격이 높고 상당히 낮은 이자율로 발행된 전환사채를 제공주체가 직접 또는 제3자를 이용하여 우회 인수한 경우 [전환사 채의 고가매입]
- 경영권 방어목적 등 특별한 사유없이 전환권행사로 인해 포기되는 누적이자가 전환될 주식의 시세총액과 총 전환가액의 차액보다도 큼에도 불구하고 제공주

체가 전환권을 행사한 경우 [전환사채의 저가주식 전환]

- 시가보다 상당히 낮은 가격으로 신주인수권부사채를 발행하여 이익귀속객체 등에 매각한 경우 [신주인수권부사채 저가매각]

- 비계열금융회사에 후순위대출을 해주고, 동 금융회사는 제공객체가 발행한 저리의 회사채를 인수한 경우 [회사채 고가매입]

- 계열금융회사가 제공객체가 보유한 부도난 회사채 및 기업어음 등 유가증권을 고가에 매입한 경우 [부도 유가증권 고가매입]

- 계열회사가 단독으로 또는 제공객체와 공동으로 연구개발한 결과를 제공객체에 무상양도하여 제공객체가 특허출원을 할 수 있도록 한 경우 [무체재산권 무상양도]

- 제공객체에 대한 매출채권회수를 지연하거나 상각하여 회수불가능 채권으로 처리한 경우

- 외상매출금, 용역대금을 약정기한 내에 회수하지 아니하거나 지연하여 회수하면서 이에 대한 지연이자를 받지 아니한 경우

- 제공객체가 생산·판매하는 상품을 구매하는 임직원에게 구매대금을 대여하거나 융자금을 알선해 주고 이자의 전부 또는 일부를 임직원소속 계열회사의 자금으로 부담한 경우

- 제공객체가 운영하는 광고매체에 정상광고단가보다 높은 단가로 광고를 게재하는 방법으로 광고비를 과다 지급한 경우

- 주택관리업무를 제공객체에게 위탁하면서 해당 월의 위탁수수료 지급일보다 제공객체로부터 받는 해당 월의 임대료 등 정산금의 입금일을 유예해주는 방법으로 제공객체로 하여금 유예된 기간만큼 정산금 운용에 따른 이자 상당의 수익을 얻게 한 경우

- 제공객체 소유 건물·시설을 이용하면서 특수관계가 없는 독립된 자와 동일하게 이용료를 지불함에도 불구하고 임차보증금 또는 임차료를 추가적으로 지급한 경우

- 임대료를 약정납부기한보다 지연하여 수령하면서 제공객체에게 지연이자를 받지 않거나 적게 받은 경우

- 통상적인 직거래관행이나 기존의 거래형태와 달리 제공객체를 통해 상품을 간접적으로 구매하면서 실제 거래에 있어 제공객체의 역할을 제공주체가 수행하

거나 제공주체와 역할이 중복되는 등 제공객체가 거래에 있어 실질적인 역할을 하지 않는 경우 [통행세 거래]

2) 상당히 유리한 조건의 자산·상품·용역 거래는 실제 거래가격이 해당 자산·상품·용역 거래와 시기, 종류, 규모, 기간 등이 동일 또는 유사한 상황에서 특수관계가 없는 독립된 자 간에 이루어졌다면 형성되었을 거래가격(이하 "정상가격"이라 한다)에 비하여 낮거나 높은 경우에 성립한다.

3) 정상가격은 다음의 방법에 따라 순차적으로 산출한다.

가) 해당 거래와 시기, 종류, 규모, 기간 등이 동일한 상황에서 특수관계가 없는 독립된 자 간에 실제 거래한 사례가 있는 경우 그 거래가격을 정상가격으로 한다.

나) 해당 거래와 동일한 실제사례를 찾을 수 없는 경우에는 ① 먼저 해당 거래와 비교하기에 적합한 유사한 사례를 선정하고, ② 그 사례와 해당 이익제공행위 사이에 가격에 영향을 미칠 수 있는 거래조건 등의 차이가 존재하는지를 살펴, ③ 그 차이가 있다면 이를 합리적으로 조정하는 과정을 거쳐 정상가격을 추단한다.

다) 해당 거래와 비교하기에 적합한 유사한 사례도 찾을 수 없다면 부득이 통상의 거래 당사자가 거래 당시의 일반적인 경제 및 경영상황 등을 고려하여 보편적으로 선택하였으리라고 보이는 현실적인 가격을 규명함으로써 정상가격을 추단한다. 이 경우 자산·상품·용역의 종류, 규모, 거래상황 등을 참작하여 국제조세조정에 관한 법률 제5조(정상가격의 산출방법) 및 동법 시행령 제2장(국외특수관계인과의 거래에 대한 과세조정) 또는 상속세 및 증여세법 제4장(재산의 평가) 및 동법 시행령 제4장(재산의 평가)에서 정하는 방법을 준용할 수 있다. 다만, 사업자가 자산·상품·용역 거래 과정에서 국제조세조정에 관한 법률 등에 따라 가격을 산정하였다고 하여 그러한 사정만으로 특수관계인에 대한 부당한 이익제공행위에 해당하지 않는 것으로 판단되는 것은 아니다.

라. 상당히 유리한 조건의 인력 거래

1) 상당히 유리한 조건의 인력 거래는 제공주체가 제공객체와 인력을 정상적인 거래에서 적용되는 대가보다 상당히 낮거나 높은 대가로 제공하거나 거래하는 행위를 말한다.

2) 상당히 유리한 조건의 인력 거래는 제공객체가 제공주체 또는 해당 인력에 대하여

지급하는 일체의 급여·수당 등(이하 "실제지급급여"라 한다)이 해당 인력이 근로제공의 대가로서 제공주체와 제공객체로부터 지급받는 일체의 급여·수당 등(이하 "정상급여"라 한다)보다 적은 때에 성립한다.

(예시)

– 업무지원을 위해 인력을 제공한 후 인건비는 제공주체가 부담한 경우

– 인력파견계약을 체결하고 인력을 제공하면서 제공주체가 퇴직충당금 등 인건비의 전부 또는 일부를 미회수한 경우

– 제공객체의 업무를 전적으로 수행하는 인력을 제공주체 회사의 고문 등으로 위촉하여 제공주체가 수당이나 급여를 지급한 경우

3) 해당 인력이 제공객체와 제공주체 양자에게 근로제공을 하고 있는 경우에는 그 양자에 대한 근로제공 및 대가지급의 구분관계가 합리적이고 명확한 때에는 해당 인력이 제공객체와 제공주체로부터 지급받는 일체의 급여·수당 등의 금액에서 해당 인력의 제공주체에 대한 근로제공의 대가를 차감한 금액을 위의 정상급여로 간주한다. 그 구분관계가 합리적이지 아니하거나 명확하지 아니한 때에는 해당 인력이 제공객체와 제공주체로부터 지급받는 일체의 급여·수당 등에서 제공객체와 제공주체의 해당 사업연도 매출액 총액 중 제공객체의 매출액이 차지하는 비율에 의한 분담금액을 위의 정상급여로 간주한다. 다만, 인력제공과 관련된 사업의 구분이 가능한 경우에는 그 사업과 관련된 매출액을 제공객체와 제공주체의 매출액으로 할 수 있다.

마. 적용제외

1) 시기, 종류, 규모, 기간, 신용상태 등이 유사한 상황에서 법 제7조 제1항에 따른 특수관계인이 아닌 자와의 정상적인 거래에서 적용되거나 적용될 것으로 판단되는 조건과의 차이가 100분의 7 미만이고, 거래당사자 간 해당 연도 거래총액이 50억 원(상품·용역의 경우에는 200억 원) 미만인 경우에는 상당히 유리한 조건에 해당하지 않는 것으로 본다.

2) 적용제외 범위에 해당하려면 거래조건 차이와 거래총액 요건을 모두 충족하여야 한다. 즉, ① 거래총액은 적으나 정상적인 거래조건과의 차이가 많은 경우 또는 ② 정상적인 거래조건과의 차이는 작으나 거래총액이 많은 경우에는 적용제외 범위에 해당하지 않는다.

3) 해당 연도 거래총액을 계산함에 있어서는 제공주체와 제공객체 간에 이루어진 모

든 거래규모를 포함하여 계산하며, 여기서 거래총액이란 제공객체의 매출액 및 매입액을 합산한 금액을 의미한다.

2. 사업기회의 제공

가. 판단기준

1) 사업기회의 제공은 회사가 직접 또는 자신이 지배하고 있는 회사를 통하여 수행할 경우 회사에 상당한 이익이 될 사업기회로서 회사가 수행하고 있거나 수행할 사업과 밀접한 관계가 있는 사업기회를 제공하는 행위로 한다.

2) 제공주체인 회사가 지배하고 있는 회사인지 여부를 판단할 때에는 시행령 제3조(기업집단의 범위)의 규정을 준용하되, 해당 규정에서의 '동일인'은 제공주체인 회사로 본다.

   (예시) 해당 기준에 따를 경우 다음과 같은 회사가 제공주체인 회사가 지배하고 있는 회사의 범위에 포함될 수 있다.

   - 제공주체인 회사가 그 회사 임원과 합하여 해당 회사의 의결권 있는 주식 총수의 100분의 30 이상을 소유한 경우로서 최다출자자인 회사
   - 제공주체인 회사가 임원임면 등을 통하여 사실상 그 사업내용을 지배하는 회사
   - 제공주체인 회사(그 회사의 임원이 보유한 주식을 포함한다)가 ① 또는 ②에 해당하는 회사(그 회사의 임원이 보유한 주식을 포함한다)와 합하여 해당 회사의 의결권 있는 주식 총수의 100분의 30 이상을 소유한 경우로서 최다출자자인 회사

3) '상당한 이익이 될 사업기회'란, 구체적으로 회사에 '현재 또는 가까운 장래에 상당한 이익이 될 수 있는 사업기회'를 의미한다. 이때, 현재 또는 가까운 장래에 상당한 이익이 발생할 수 있는지 여부는 원칙적으로 사업기회 제공 당시를 기준으로 판단한다.

4) 상당한 이익이 될 사업기회인지 여부는 제공주체인 회사 자신 또는 자신이 지배하는 회사를 기준으로 판단하여야 한다. 제공객체에게 보다 더 이익이 될 수 있는지 여부, 제공객체가 해당 사업을 수행하는데 필요한 전문성과 능력을 더 잘 갖추고 있다는 등의 사정은 원칙적으로 상당한 이익의 판단과 직접 관련되는 요소가 아니다.

5) 사업기회 제공 당시에는 이익을 내지 못하는 영업권이라 하더라도 사후적으로 많은 영업이익을 낼 것이라는 합리적 예측이 가능한 경우에는 상당한 이익이 될 사업기회에 해당할 수 있다.

6) 회사가 '현재 수행하고 있는 사업기회'에는 ① 사업기회 제공 당시 실제 회사가 수행하여 수익을 일으키고 있는 사업뿐만 아니라, ② 회사가 사업 개시를 결정하고 이를 위해 설비 투자 등 준비행위를 하고 있는 사업이 포함된다.

7) '수행할 사업'이라 함은 사업수행 여부에 대해 외부적 행위를 하지 않았더라도 내부적 검토 내지는 내부적 의사결정이 이루어진 사업을 포함한다.

8) '회사가 수행하고 있거나 수행할 사업과 밀접한 관계가 있는 사업기회'인지 여부는 제공주체 자신 또는 자신이 지배하는 회사의 본래 사업과의 유사성, 본래 사업 수행과정에서 필연적으로 수반되는 업무인지 여부, 본래 사업과 전·후방으로 연관관계에 있는 사업인지 여부, 회사재산의 공동사용 여부 등을 종합적으로 고려하여 판단한다. 이때 사업기회를 제공받은 회사의 사업과의 관련성은 원칙적으로 그 기준이 되지 아니한다. 또한, 회사가 이미 수행하고 있는 사업도 "회사가 수행하고 있거나 수행할 사업과 밀접한 관계가 있는 사업기회"에 해당한다.

9) 사업기회 제공은 회사가 사업양도, 사업위탁, 사업을 수행하거나 수행하려는 자회사의 주식을 제공객체에게 양도하는 행위 등을 통해 제공객체에 사업기회를 직접적으로 제공하는 방식 외에도, 자회사의 유상증자 시 신주인수권을 포기하는 방법으로 제공객체에게 실권주를 인수시키는 행위, 회사가 유망한 사업기회를 스스로 포기하여 제공객체가 이를 이용할 수 있도록 하거나 제공객체의 사업기회 취득을 묵인하는 소극적 방법 등이 있을 수 있다.

나. 적용제외

1) 시행령 [별표 1의3] 2. 사업기회의 제공에 따르면, ① 회사가 해당 사업기회를 수행할 능력이 없는 경우(가목), ② 회사가 사업기회 제공에 대한 정당한 대가를 지급받은 경우(나목), ③ 그 밖에 회사가 합리적인 사유로 사업기회를 거부한 경우(다목)에는 사업기회 제공행위에 해당하지 않는 것으로 본다.

2) 회사가 해당 사업기회를 수행할 능력이 없는 경우라 함은 구체적으로 법률적 불능 또는 경제적 불능이 있는 경우를 의미한다. 해당 사업기회가 회사에게는 법적으로 진출이 금지된 사업인 경우에는 '법률적 불능'으로 법 적용에서 제외되며, 사업기회 검토 당시에 회사의 재정적 능력이 현저히 악화된 상태인 경우에는 '경제적 불능'으로 법 적용에서 제외된다.

3) 회사가 사업기회 제공에 대한 정당한 대가를 지급받은 경우에 해당하는지 여부는 해당 사업기회가 지니는 시장가치를 기준으로 판단한다. 해당 사업기회의 시장가

치는 사업기회 제공이 이루어지는 당시를 기준으로 사업기회의 종류, 규모, 거래 상황 등을 종합적으로 고려하여 판단한다. 대가의 지급에는 현금 내지 현금대용증권 외에도, 해당 사업에 관한 부채를 인수하는 등 소극적인 방식으로 대가를 지급하는 경우를 포함한다. 정당한 대가가 지급되었는지를 판단함에 있어서는 사업기회 제공 내지 대가 지급에 앞서 해당 사업기회의 가치를 객관적이고 합리적으로 평가하는 과정을 거쳤는지 여부 등을 고려할 수 있다.

4) 그 밖에 회사가 합리적인 사유로 사업기회를 거부한 경우는 사업기회의 가치와 사업기회를 수행함에 따른 경제적 비용 등에 대하여 객관적이고 합리적인 평가를 거쳐 사업기회를 거부한 경우를 말한다. 이때 사업기회 거부가 합리적인지 여부는 사업기회를 제공한 회사의 입장에서 평가하고, 제공주체가 해당 사업기회를 거부하는 것이 전체적인 기업집단 차원에서 볼 때 경제적이고 합리적이었다는 등의 사정은 원칙적으로 적용제외 평가기준이 되지 아니한다. 제공주체가 이사회 승인을 통해 사업기회를 거부하는 의사결정을 하였다고 하더라도, 그것만으로 합리적인 사유가 인정되는 것은 아니고 이사회에서의 의사결정의 사유가 합리적인지 여부에 대한 별도의 판단이 필요하다.

3. 현금, 그 밖의 금융상품의 상당히 유리한 조건의 거래

가. 현금, 그 밖의 금융상품의 상당히 유리한 조건의 거래는 제공주체가 특수관계인과 현금, 그 밖의 금융상품을 정상적인 거래에서 적용되는 대가보다 상당히 낮거나 높은 대가로 제공하거나 거래하는 행위로 한다.

나. 현금, 그 밖의 금융상품의 상당히 유리한 조건의 거래에 관해서는 거래의 대상이 되는 금융상품의 성격에 따라 자금에 해당하면 Ⅳ. 1. 나.의 상당히 유리한 조건의 자금 거래에 관한 규정을 준용하고, 유가증권 등 자산에 해당하면 Ⅳ. 1. 다.의 상당히 유리한 조건의 자산 거래에 관한 규정을 준용한다.

다. 시기, 종류, 규모, 기간, 신용상태 등이 유사한 상황에서 법 제7조 제1항에 따른 특수관계인이 아닌 자와의 정상적인 거래에서 적용되거나 적용될 것으로 판단되는 조건과의 차이가 100분의 7 미만이고, 거래당사자 간 해당 연도 거래총액이 50억 원 미만인 경우에는 상당히 유리한 조건에 해당하지 않는 것으로 본다. 적용제외에 관해서는 Ⅳ. 1. 마. 2), 3)의 규정을 준용한다.

4. 합리적 고려나 비교 없는 상당한 규모의 거래

가. 판단기준

1) 합리적 고려나 비교 없는 상당한 규모의 거래라 함은 거래상대방 선정 및 계약체결 과정에서 사업능력, 재무상태, 신용도, 기술력, 품질, 가격, 거래규모, 거래시기 또는 거래조건 등 해당 거래의 의사결정에 필요한 정보를 충분히 수집·조사하고, 이를 객관적·합리적으로 검토하거나 다른 사업자와 비교·평가하는 등 해당 거래의 특성상 통상적으로 이루어지거나 이루어질 것으로 기대되는 거래상대방의 적합한 선정과정 없이 상당한 규모로 거래하는 행위로 한다.

2) 원칙적으로 ① 시장조사 등을 통해 시장참여자에 대한 정보를 수집하고, ② 주요 시장참여자로부터 제안서를 제출받는 등 거래조건을 비교하여, ③ 합리적 사유에 따라 거래상대방을 선정하는 과정을 거친 경우에는 합리적 고려나 비교가 있었던 것으로 본다.

3) 경쟁입찰(국가를 당사자로 하는 계약에 관한 법률 제7조 제1항 본문의 경쟁입찰 또는 그에 준하는 입찰을 의미한다)을 거친 경우에는 원칙적으로 합리적 고려·비교가 있는 것으로 본다. 그러나 형식적으로는 입찰절차를 거쳤지만 애초에 특정 계열회사만 충족할 수 있는 조건을 제시한 경우, 시장참여자들에게 입찰과 관련된 정보를 제대로 알리지 않은 경우, 낙찰자 선정사유가 불합리한 경우 등 실질적으로 경쟁입찰로 볼 수 없는 경우에는 합리적 고려·비교가 없는 것으로 본다.

4) 수의계약을 체결한 경우라도 사전에 시장참여자에 대한 조사를 거쳐 다수의 사업자로부터 실질적인 내용이 담긴 제안서를 제출받고(복수의 계열회사로부터만 제안서를 제출받은 경우는 제외한다) 그에 대한 검토보고서 등을 작성한 뒤 통상적인 결재절차를 거쳐서 합리적 사유에 따라 수의계약 당사자가 선정되었다는 점 등이 객관적으로 확인되는 경우에는 합리적 고려·비교가 있는 것으로 볼 수 있다.

5) '상당한 규모'로 거래하였는지 여부는 제공객체가 속한 시장의 구조와 특성, 거래 당시 제공객체의 경제적 상황, 제공객체가 얻은 경제상 이익, 여타 경쟁사업자의 경쟁능력 등을 종합적으로 고려하여 구체적·개별적으로 판단한다.

나. 거래총액 및 거래비중에 따른 적용제외

1) 거래당사자 간 상품·용역의 해당 연도 거래총액(2 이상의 회사가 동일한 거래상대방과 거래하는 경우에는 각 회사의 거래금액의 합계액으로 한다)이 200억 원

미만이고(거래총액 요건), 거래상대방의 평균매출액의 100분의 12 미만인 경우 (거래비중 요건)에는 상당한 규모에 해당하지 않는 것으로 본다.

2) 위 적용제외 범위에 해당하려면 거래총액 요건과 거래비중 요건을 모두 충족하여야 한다. 즉, ① 해당 연도 거래총액은 적으나 거래상대방의 평균매출액에서 차지하는 거래비중이 높은 경우, 또는 ② 거래상대방의 평균매출액에서 차지하는 거래비중은 적으나 해당 연도 거래총액은 많은 경우에는 적용제외 범위에 해당하지 않는다. 예컨대, 해당 연도 거래총액이 200억 원 미만이더라도 거래상대방 평균매출액의 100분의 12 이상을 차지하는 경우에는 법 적용대상이 된다.

3) 거래총액 요건과 관련하여 해당 연도 거래총액을 계산함에 있어서는 제공주체와 제공객체 간에 이루어진 전체 상품·용역의 거래 규모를 포함하여 계산하며, 여기서 거래총액이란 제공객체의 매출액 및 매입액을 합산한 금액을 의미한다.

4) 거래비중 요건과 관련하여 평균매출액은 매년 직전 3년을 기준으로 산정한다. 다만, 해당 사업연도 초일 현재 사업을 개시한 지 3년이 되지 아니하는 경우에는 그 사업개시 후 직전 사업연도 말일까지의 매출액을 연평균 매출액으로 환산한 금액을, 해당 사업연도에 사업을 개시한 경우에는 사업개시일부터 위반행위일까지의 매출액을 연매출액으로 환산한 금액을 평균매출액으로 본다.

(예시)

– 위반행위가 2017년에 시작되어 2018년에 종료된 경우 2017년에 대한 평균매출액은 2014~2016년, 2018년은 2015~2017년 동안의 각각의 평균매출액을 산정한 후, 위 각 평균매출액에서 각 해 거래총액이 차지하는 비중을 산정하여 각 해당연도의 거래비중 요건 충족 여부를 판단한다.

다. 효율성·보안성·긴급성에 따른 적용제외

1) 합리적 고려나 비교 없는 상당한 규모의 거래에 해당하더라도 효율성 증대, 보안성, 긴급성 등 거래의 목적을 달성하기 위하여 불가피한 경우에는 법적용이 제외된다.

2) 법 적용제외 사유는 거래의 목적을 달성하기 위하여 불가피한 경우에만 인정된다. 또한, 시행령 [별표 1의4]에서는 효율성 증대, 보안성 또는 긴급성에 따른 법 적용제외 사유에 해당될 수 있는 구체적인 거래의 유형을 열거하고 있는바, 법 적용제외가 인정되려면 시행령 [별표 1의4]에서 열거하고 있는 거래의 유형에 해당하여야 한다.

3) 효율성 증대효과가 있는 거래

가) 효율성 증대효과에 따른 법 적용제외 사유가 인정되기 위해서는 시행령 [별표

1의4] 1호 가목 내지 마목의 다음 거래유형에 해당하여야 한다.

(1) 상품의 규격 · 품질 등 기술적 특성상 전후방 연관관계에 있는 계열회사 간의 거래로서 해당 상품의 생산에 필요한 부품 · 소재 등을 공급 또는 구매하는 경우

(예시)

- 제조 공정에서 상품의 특성상 계열회사의 부품 · 소재 등을 반드시 사용하여야 하거나, 계열회사로부터 부품 · 소재 등을 조달 받아야 효율성을 기대할 수 있는 경우

(2) 회사의 기획 · 생산 · 판매 과정에 필수적으로 요구되는 서비스를 산업연관성이 높은 계열회사로부터 공급받는 경우

(예시)

- 해당 회사가 판매하는 상품 또는 서비스의 기획, 설계, 구현, 운영 등 단계에서 계열회사가 제공하는 서비스 또는 용역이 필수적으로 필요한 경우

(3) 주된 사업영역에 대한 역량 집중, 구조조정 등을 위하여 회사의 일부 사업을 전문화된 계열회사가 전담하고 그 일부 사업과 관련하여 그 계열회사와 거래하는 경우

(예시)

- 회사의 상품 · 서비스 생산 공정을 분할하여 일부 공정에 대해 전문화된 계열회사를 신설하고 전문화된 계열회사를 통해 부품 · 소재 또는 서비스를 공급받는 경우
- 계열회사별로 직접 운영하던 기능 또는 조직을 분사 및 통합하여 전문화된 계열회사를 신설하고, 관련 업무를 해당 전문화된 계열회사와 거래하는 경우

(4) 긴밀하고 유기적인 거래관계가 오랜 기간 지속되어 노하우 축적, 업무 이해도 및 숙련도 향상 등 인적 · 물적으로 협업체계가 이미 구축되어 있는 경우

(예시)

- 회사의 상품 · 서비스 생산 공정과 관련하여 계열회사와의 지속적인 거래를 통해 계열회사가 일정 역할을 분담하고 있는 경우
- 업무 절차 또는 관련 전산시스템이 계열회사와 유기적으로 연계되어 있거나 표준화되고 유사한 구조로 구축되어 있어 상호 거래 시 효율성을

기대할 수 있는 경우

(5) 거래목적상 거래에 필요한 전문 지식 및 인력 보유 현황, 대규모 연속적 사업의 일부로서의 밀접한 연관성 또는 계약이행에 대한 신뢰성 등을 고려하여 계열회사와 거래하는 경우

(예시)

- 상품·서비스 생산 공정을 구축 또는 개발한 계열회사와 관련 상품·서비스 생산 공정에 관하여 지속적으로 거래하는 경우
- 기존 상품·서비스 생산 공정을 활용하여 새로운 상품·서비스 생산 공정을 구축 또는 개발함에 있어 기존 상품·서비스 생산공정의 구축·개발에 참여한 계열회사와 거래하는 경우
- 기존 상품·서비스 생산 공정을 재개발 또는 증설을 통해 고도화함에 있어 기존 상품·서비스 생산공정의 구축·개발에 참여한 계열회사와 거래하는 경우
- 기존 상품·서비스 생산 공정에 대해 부분적으로 기능의 개선 또는 변경, 추가, 하자보수함에 있어 기존 상품·서비스 생산공정의 구축·개발에 참여한 계열회사와 거래하는 경우
- 사용자가 많거나 사용 빈도가 높아 사회적 파급력이 크거나 중요도가 높은 상품·서비스 관련 사업으로 계열회사 외에 신뢰성이 검증된 다른 사업자를 찾기 어려운 경우
- 상품·서비스 생산 과정이 표준화되지 않아 경쟁방법으로 새로운 사업자를 선정하기 위한 정보제공이 어려운 경우
- 장치산업에 있어 기존 공정에 연계되거나, 기존 공정과 동일 또는 유사한 공정을 설치하기 위해 기존 용역 수행자인 계열회사와 계속 거래하는 경우
- 회사가 판매하는 상품·서비스와 관련하여 계열회사와 이미 거래한 건으로서 해당 계열회사와 계속 거래를 하여야 신뢰성을 기대할 수 있는 경우

나) 이와 동시에 효율성 증대효과에 따른 법 적용제외 사유가 인정되기 위해서는 '다른 자와의 거래로는 달성하기 어려운 비용절감, 판매량 증가, 품질개선 또는 기술개발 등의 효율성 증대효과'가 있음이 명백하게 인정되는 거래이어야 한다. 이때 효율성 증대효과는 해당 이익제공행위가 없었더라도 달성할 수 있

었을 효율성 증대부분은 포함하지 아니한다.

다) '다른 자와의 거래로는 달성하기 어려운 효율성 증대효과가 명백'하다는 것은 경쟁입찰을 하거나 여러 사업자로부터 제안서를 제출받는 등의 절차를 거치지 않더라도 해당 회사와의 거래에 따른 효율성 증대효과가 다른 자와의 거래로는 달성하기 어렵다는 것이 객관적으로 명백하여 그와 같은 절차를 거치는 것 자체가 비효율을 유발하는 경우를 의미한다.

4) 보안성이 요구되는 거래

가) 보안성에 따른 법 적용제외 사유가 인정되기 위해서는 시행령 [별표 1의4] 1호 가목 또는 나목의 다음 거래유형에 해당하여야 한다.

(1) 전사적(全社的) 자원관리시스템, 공장, 연구개발시설 또는 통신기반시설 등 필수시설의 구축·운영, 핵심기술의 연구·개발·보유 등과 관련된 경우

(예시)

－개발되어 아직 관련 보안기술이 시장에 보급되지 아니한 필수시설·핵심기술의 관리·보관이 필요한 경우

－핵심적 영업비밀에 접근 가능한 전사적 자원관리시스템, 기밀보호구역 등의 관리를 직접적으로 수행하는 경우

－방산업체로서 군수지원시스템 등을 운영함에 따라 국가안보에 관한 비밀정보 취급이 필수적인 상황에서, 비계열회사인 시스템통합업체와 거래할 경우 비밀취급 인가를 받는 것이 현저히 곤란하거나 비밀정보가 외국 등 외부로 유출될 우려가 있는 경우

(2) 거래 과정에서 영업·판매·구매 등과 관련된 기밀 또는 고객의 개인정보 등 핵심적인 경영정보에 접근 가능한 경우

(예시)

－신상품 개발 및 출시와 관련하여 비계열사를 통한 운송 시 해당 상품의 기술 또는 디자인 등 공개되기 전까지 극비에 붙여야 할 중요 정보가 외부로 유출될 우려가 있는 경우

－인재채용을 위한 시험지의 보관·운송 등 거래 과정에서 철저한 보안정책이 요구되는 경우

나) 이와 동시에 '다른 자와 거래할 경우 영업활동에 유용한 기술 또는 정보 등이 유출되어 경제적으로 회복하기 어려운 피해를 초래하거나 초래할 우려'가 있

어야 한다.

다) '경제적으로 회복하기 어려운 피해'란 특별한 사정이 없는 한 금전으로는 보상할 수 없는 유형 또는 무형의 손해로서 금전보상이 불가능하거나 금전보상으로는 충족되기 어려운 현저한 손해를 의미한다.

라) 다른 자와 거래할 경우 피해를 초래하거나 초래할 우려가 있는지 여부는 거래의 성격과 시장 상황 등을 종합적으로 고려하여 판단한다. 회사의 영업활동에 유용한 기술 또는 정보 등과 관련된 거래라고 하여 모두 법 적용제외 사유로 인정되는 것은 아니며, 물리적 보안장치 구축, 보안서약서 체결 등 보안장치를 사전에 마련함으로써 외부 업체와 거래하더라도 정보보안을 유지할 수 있는지, 실제 시장에서 독립된 외부업체와 거래하는 사례가 있는지 등을 중심으로 판단한다.

5) 긴급성이 요구되는 거래

가) 긴급성에 따른 법 적용제외 사유가 인정되기 위해서는 경기급변, 금융위기, 천재지변, 해킹 또는 컴퓨터바이러스로 인한 전산시스템 장애 등 회사 외적 요인으로 인한 긴급한 사업상 필요에 따른 불가피한 거래이어야 한다.

나) '회사 외적 요인'이라 함은 불가항력적 요인을 일컫는 것으로서, ① 예견할 수 없거나(예견가능성이 없는 경우), 또는 ② 예견할 수 있어도 회피할 수 없는(회피가능성이 없는 경우) 외부의 힘에 의하여 사건이 발생한 경우를 말하는 것으로 볼 수 있다. 회사 스스로 긴급한 상황을 자초하거나 회사 내부적으로 긴급한 사업상 필요가 있다는 이유만으로는 긴급성 요건이 인정되지 아니한다.

다) '긴급한 사업상의 필요'라 함은 거래상대방 선정 과정에 있어 합리적 고려나 다른 사업자와의 비교를 할만한 시간적 여유가 없는 상황을 의미한다. 단기간에 장애를 복구하여야 하는 경우, 상품의 성격이나 시장상황에 비추어볼 때 거래 상대방을 선정하는데 상당한 시일이 소요되어 생산, 판매, 기술개발 등 경영상 목적을 달성하는데 차질이 발생하는 경우 등이 이에 해당한다.

(예시)

- 상품 생산을 위한 핵심 소재·부품, 설비 등을 외국 또는 외국기업으로부터 상당 부분 수입하고 있는 상황에서 그 외국에서 천재지변이 발생하거나 그 외국정부가 대한민국에 대하여 수출규제 조치를 시행함으로써 정상적인 공급에 차질이 발생한 경우

- 물류회사들의 연대적이고 전면적인 운송거부 내지 파업 상황에서 긴급하게 물량수송이 필요한 경우
- 상품의 결함으로 인해 소비자의 생명 또는 신체에 위해가 발생할 우려가 있어 상품수거 또는 리콜 명령이 내려짐에 따라 신속하게 해당 상품을 시장에서 수거할 필요가 있는 경우
- 랜섬웨어, 디도스해킹 등 긴급 전산사고가 발생하여 회사의 영업비밀이나 다수 고객들의 개인정보가 유출되거나 유출될 우려가 있는 상황에서 고객들의 피해 확산 등 방지를 위해 긴급하게 계열회사인 시스템통합업체와 거래할 필요가 있는 경우

라) 긴급한 사업상의 필요는 사회통념상 대체거래선을 찾는데 소요될 것으로 인정되는 기간 동안 지속되는 것으로 본다.

V. 부당성 판단기준

1. 특수관계인에 대한 부당한 이익제공행위의 부당성 판단은 이익제공행위를 통하여 특수관계인에게 직접 또는 간접으로 부당한 이익이 귀속되었는지 여부를 기준으로 판단한다.
2. 법 제23조(불공정거래행위의 금지) 제1항 제7호의 부당한 지원행위의 경우 별도로 공정거래저해성 요건을 입증하여야 하는 것과 달리, 특수관계인에 대한 부당한 이익제공행위는 특수관계인에게 부당한 이익이 귀속되었음이 입증된 이상 추가로 공정거래저해성을 입증할 필요는 없다.
3. 다만, 법 제58조(법령에 따른 정당한 행위)에 따라 다른 법률 또는 그 법률에 의한 명령에 따라 행하는 정당한 행위의 경우에는 예외적으로 부당한 이익제공행위에 해당하지 아니한다.

VI. 제공객체 및 특수관계인의 의무

1. 제공객체의 의무

가. 법 제23조의2(특수관계인에 대한 부당한 이익제공 등 금지) 제3항에 따라, 같은 조 제1항에 따른 거래 또는 사업기회 제공의 상대방은 제1항 각 호의 어느 하나에 해당할 우려가 있음에도 불구하고 해당 거래를 하거나 사업기회를 제공받는 행위를 하여서는 아니 된다.

나. 법 제23조의2 제3항의 의무를 부담하는 자는 이익제공행위의 상대방인 제공객체이다. 제공객체가 법 제23조의2 제3항 위반에 해당하는지 여부는 해당 이익제공행위가 부당한 이익제공행위에 해당할 수 있음을 제공객체가 인식하거나 인식할 수 있었는지 여부에 따라 판단한다.

다. 제공객체가 인식하고 있거나 인식할 수 있었는지 여부에 대한 판단은 전문가가 아닌 일반인의 관점에서 사회통념에 비추어 해당 행위가 부당한 이익제공행위에 해당할 우려가 있음을 인식할 수 있을 정도면 충분하다.

2. 특수관계인의 의무

가. 특수관계인은 누구에게든지 법 제23조의2(특수관계인에 대한 부당한 이익제공 등 금지) 제1항 또는 제3항에 해당하는 행위를 하도록 지시하거나 해당 행위에 관여하여서는 아니 된다.

나. 법 제23조의2 제4항의 의무를 부담하는 자는 특수관계인 중에서 동일인 및 그 친족에 한정한다. 다만, 법 제23조의2 제4항 위반은 동일인 또는 그 친족이 부당한 이익제공행위를 하도록 지시하거나 해당 행위에 관여한 것으로 충분하고, 실제 부당한 이익이 지시 또는 관여한 자에게 귀속될 필요는 없다.

다. 지시하였다는 것은 특수관계인이 지원주체 또는 지원객체의 임직원 등을 비롯하여 누구에게든지 부당한 이익제공행위를 하도록 시킨 경우를 말하고, 관여하였다는 것은 특수관계인이 부당한 이익제공행위에 관계하여 참여한 경우를 의미한다.

라. 지시 또는 관여 여부는 구체적으로 특수관계인이 제공주체의 의사결정에 직접 또는 간접적으로 관여할 수 있는 지위에 있었는지 여부, 해당 행위와 관련된 의사결정 내용을 보고받고 결재하였는지 여부, 해당 행위를 구체적으로 지시하였는지 여부 등을 종합적으로 고려하여 판단한다.

Ⅶ. 유효기간

이 심사지침은 「훈령·예규 등의 발령 및 관리에 관한 규정」에 따라 이 심사지침을 발령한 후의 법령이나 현실 여건의 변화 등을 검토하여야 하는 2023년 2월 24일까지 효력을 가진다.

부칙 〈제341호, 2020. 2. 25.〉

이 심사지침은 2020년 2월 25일부터 시행한다.

■ 정 종 채

- 한국 변호사, 미국 캘리포니아 변호사
- 법무법인 정박 대표변호사
- 이메일: jcjung@anchorlaw.co.kr, muchaan@gmail.com, 010-5250-4992
- 하도급법학회장

[학력]

1992	울산학성고 졸업
2000	서울대학교 사회과학대학 경제학과 (경제학사)
2003	Sejong-Syracuse M.B.A. (경영학 석사)
2007~2008	미국 New York University(NYU) School of Law(LL.M.)
2008~2009	북경 어언대학교 연수

[경력]

1997	제41회 행정고시 재경직 합격
1999	중앙공무원교육원 제44회 신입관리자과정 수료
1999	서울지방국세청 조사국 사무관(시보)
2000	국세청 징세과 사무관
2000~2001	제주세무서 납세지원과장
2001~2003	국세청 총무과 사무관
2000	제41회 사법시험 합격
2001~2003	사법연수원 제32기 수료
2003~2009	법무법인 태평양 변호사
2006~2011	세이브더칠드런코리아 고문변호사
2009~현재	법무법인 세종(SHIN&KIM)
2010	기획재정부 상속세 및 증여세법 개편위원
2010~현재	공정거래위원회 자진신고제도 법령개선특위 위원
2010~현재	국세청 국제조세 법령개선 전문가 위원
2013~2015.8.	㈜네오아레나 사외이사
2013~현재	서울지방변호사회 공정거래법연수원 교수
2013~현재	대한변호사회 세제위원
2014~현재	중부지방국세청 징계위원
2015.1.~2018.1.	한국디자인진흥원 디자인분쟁조정위원
2015.1.~2018.1.	산업자원부 K-Design 혁신위원
2017.1.~2020.1.	㈜자이언트스텝 사외이사
2018.8.~2019.8.	서울지방국세청 조세법률고문
2018.9.~현재	중부지방국세청 소청심사위원
2018.12.~현재	코웰이홀딩스(홍콩) 사외이사
2018	세무행정기여자로 부총리겸 기획재정부 장관 표창
2019.3.~현재	11번가 감사위원
2019.9.~현재	중부지방국세청 조세법률고문
2019.5.~현재	한국변호사지식포럼 부회장
2019.8.~현재	티그리스 인베스트 감사
2019.6.~현재	해양수산부 공적심사위원
2019.6.~현재	하도급법학회장
2019.9.~현재	전문건설협회(서울회) 고문
2019.10.~현재	LH 공사 하도급위원
2019.10.~현재	방위사업청 하도급거래위원
2019.12.~현재	경기도시공사 고문
2019.12.~현재	방위사업위원회 실무위원
2020.1.~현재	경기도 공동주택관리 분쟁위원
2020.2.~현재	경기도 집합건물관리 자문위원

[저서]
- 하도급법 해설과 쟁점(2020, 4판, 삼일인포마인)
- 내부거래 50문 50답(2015, 법무법인 세종, 공저)
- 변호사세무편람(2014, 대한변호사협회, 공저)

[논문]
- 중간재산업에서 발생한 담합으로 인한 직접구매자의 손해액 추정
  (2015. 8, 한국법경제학회 법경제학연구, 공저)
- 부당지원행위의 쟁점들: 개정 법령 및 고시를 중심으로
  (2014. 6. 경쟁저널)
- 공정거래법상 자진신고자 등 감면요건
  (2013. 1. 경쟁저널)
- 공정거래법상 자진신고제도의 쟁점들
  (2013. 3. 경쟁저널)
- 가산세 종류와 산출근거 등 기재하지 않은 납세고지는 위법:
  대법원 2012. 10. 18. 선고 2010두12347 판례 평석
  (2012. 10. 18. 법률신문)
- 자진신고 지위확인과 관련된 행위들의 처분 성과 행정소송상의 쟁점들
  (2013년 5권, 인권과정의)
- An Implicit antitrust Exemption for Acts of Insurance Carriers
  (2007, Asialaw)
- 구매자 카르텔, 공동구매 그리고 수요독점시장에 있어서의 공급과 카르
  텔에 대한 경쟁법적 취급
  (2006. 5, 경쟁저널)
- 합병·분할의 세무문제
  (2001, 사법연수원)
- 지방자치단체 간의 지방세목 스왑의 경제적 효과
  (1999, 행정자치부)

최신판 **내부거래 해설과 쟁점**

2021년 4월 19일   초판 1쇄 발행
2021년 7월 16일   초판 2쇄 발행

저   자 정 종 채
발 행 인 이 희 태
발 행 처 **삼일인포마인**

저자협의
인지생략

서울특별시 용산구 한강대로 273 용산빌딩 4층
등록번호 : 1995. 6. 26 제3 - 633호
전   화 : (02) 3489 - 3100
F A X : (02) 3489 - 3141
I S B N : 978 - 89 - 5942 - 982 - 0   93360

♣ 파본은 교환하여 드립니다.   정가 60,000원